Ellen Sandberg ist das Pseudonym der erfolgreichen Münchner Autorin Inge Löhnig. Ihre Krimis und Romane stehen regelmäßig in den Top Ten der SPIEGEL-Bestsellerliste. Sie arbeitete zunächst in der Werbebranche, ehe sie sich ganz dem Schreiben widmete. Nach dem sensationellen Erfolg von *Die Vergessenen* wurde auch ihr zuletzt erschienener, groß angelegter Spannungs- und Familienroman *Das Erbe* sofort zu einem Bestseller.

www.inge-loehnig.de
www.facebook.com/IngeLoehnig.Autorin

Der Verrat in der Presse:

»Drei Schwestern, ein Mord und jede Menge Lügen. Die fein gezeichneten Figuren machen es schwer, das Buch aus der Hand zu legen.« *stern*

»Der Roman rollt der Tragödie entgegen, reißt den Leser besonders wegen seiner menschlichen, greifbaren Figuren mit und lässt ihn nachdenklich zurück: Schuld, Rache oder Vergebung? Psychologisch tiefgründig, absolut lesenswert!« *Hamburger Morgenpost*

»Eine unglaubliche Geschichte von Schuld, Hass und einer unvorstellbaren Lebenslüge. Das Ganze ist absolut lesenswert. Die Idee ist einzigartig.« *hr1 Buchtipp*

Außerdem von Ellen Sandberg lieferbar:

Die Vergessenen
Das Erbe

ELLEN SANDBERG

DER VERRAT

ROMAN

Verlagsgruppe Random House FSC® N001967

3. Auflage

Dieses Werk wurde vermittelt durch die AVA international GmbH
Autoren- und Verlagsagentur, München. www.ava-international.de

Umschlag: Bürosüd nach einem Entwurf von Favoritbüro
Umschlagmotiv: buffalosboy2512/Kochneva Tetyana/
ah_fotobox/xpixel/Shutterstock
Redaktion: Annika Krummacher
Satz: Greiner & Reichel, Köln
Druck und Bindung: GGP Media GmbH, Pößneck
Printed in Germany
ISBN 978-3-328-10542-8
www.penguin-verlag.de

Dieses Buch ist auch als E-Book erhältlich.

Ich bin die Asche einer Glut, die ich nicht war.

Martin Walser, *Meßmers Momente*

Prolog

Sommer 1998

Es war Neumond, und die Nacht lag warm und schwarz über dem Tal. Im Dorf saßen Touristen und Einheimische dicht gedrängt vor der Schenke bei Riesling und Spätburgunder. Ihre Bewegungen und Gedanken waren schwerfällig von üppigen Gerichten wie Schwenker und Gefillde, vom Wein und schwüler Luft. Hinter den Mauern des Gasthofs glitt der Fluss ruhig in seinem Bett dahin, nur die Mücken schienen immun gegen die Trägheit der Sommernacht. Beinahe lautlos suchten sie nach Opfern.

Die Kirchturmuhr schlug elf, als Renate Soffas eines dieser Biester mit einem Hieb auf ihrem Arm zerquetschte. Vier Stunden schon hatte sie Schüsseln, Teller, Gläser und Flaschen zwischen Küche und Terrasse hin und her geschleppt, als es endlich ein wenig ruhiger wurde. Die Gelegenheit für eine Rauchpause. Verschwitzt verließ sie die Gaststube durch die Hintertür, stellte sich ans Ufer der Saar und schob sich eine Zigarette zwischen die Lippen. Noch bevor sie das Feuerzeug aus der Schürzentasche gezogen hatte, vernahm sie das verräterische Sirren und holte mit der Hand aus, mehr ahnend als wissend, wohin sie schlagen musste. Ein Klatschen, gefolgt von Stille. Allerdings nur für einen Moment, denn von weiter oben am Berg, wo das Weingut Graven lag, erklang das Brummen eines Motors. Kurz darauf erschienen Fahrzeuglichter in der Dunkelheit.

Renate zündete die Zigarette an und inhalierte den Rauch, während sie das Auto beobachtete. Da sie seit fünfundfünfzig Jahren im Dorf lebte, kannte sie die Straße so gut, dass sie blind hinauf und hinunter gefunden hätte. Deshalb wurde sie jetzt unruhig, denn sie sah anhand der Scheinwerfer, dass der Wagen sich der ersten von fünf Haarnadelkurven näherte. Langsam sollte der Fahrer mal vom Gas gehen, dachte sie. Doch ganz im Gegenteil, der Wagen wurde schneller. Auf der abschüssigen Straße tanzten die Lichter auf und ab. Unwillkürlich hielt Renate den Atem an. Um Himmels willen! War der Fahrer etwa besoffen? Wenn er nicht endlich bremste, würde das nicht gut gehen. Doch er bremste nicht. Adrenalin jagte durch ihre Adern. Von einem Moment auf den anderen fielen Müdigkeit und Erschöpfung von ihr ab. Mein Gott!, dachte sie noch, dann hörte sie schon den dumpfen Schlag, mit dem das Fahrzeug die Leitplanke durchbrach und in die Steillage des Graven'schen Prälatengartens stürzte. Das Auto überschlug sich zwei-, dreimal, bis die umherwirbelnden Lichter erloschen und nur noch metallisches Scheppern und das Bersten von Glas zu hören waren, dem Stille folgte, als der Wagen endlich liegen blieb. Für einen Moment versuchte Renate Soffas sich einzureden, sie habe sich das Ganze nur eingebildet. Doch sie wusste, was sie gesehen hatte. Sie spürte es am ganzen Leib. Mit bebenden Händen warf sie die Zigarette ins Wasser und lief nach vorne auf die Terrasse, wo der Hauptmann der Freiwilligen Feuerwehr noch bei einem Absacker saß.

Kapitel 1

Sommer 2018

Der Himmel wölbte sich in einem makellosen Blau über dem Tal der Saar. Weinberge erstreckten sich zu beiden Seiten des Flusses, so weit das Auge reichte. In gleichmäßigen grünen Reihen zogen sich Rebstöcke über Hänge und Hügel. Es sah aus, als wäre die Landschaft schraffiert. Wie immer erfasste Pia von Manthey eine tiefe Zufriedenheit beim vertrauten Anblick der Gegend, die seit zwei Jahrzehnten ihre Heimat war.

Es war gegen zehn Uhr vormittags, als sie aus Frankfurt zurückkehrte. Sie hatte ihren Mann Thomas zum Flughafen gebracht. Für vier Tage musste er nach London zur Weinmesse, und sie vermisste ihn schon jetzt. Trotz der zwanzig Ehejahre, die hinter ihnen lagen. Wo war die Zeit nur geblieben? Thomas war ihr Freund, ihr Vertrauter, ihr Gefährte, wenn man einen derart altmodischen Begriff gebrauchen wollte. Wobei sie eine Schwäche für Altes hatte. Als Restauratorin war das Bewahren und Erhalten schließlich ihr Beruf.

Sie durchquerte Dörfer mit verwinkelten Gassen und

Fachwerkhäusern, die üppig mit Blumenschmuck herausgeputzt waren. Die Hauptstraßen säumten Weinstuben und Terrassencafés. Überall waren Touristen, wie jeden Sommer. Wanderer, Mountainbiker, Genießer und kulturell Interessierte. Familien, Kinder, Paare aller Altersstufen und seit einigen Jahren sogar Besucher aus Japan und China.

Pia erreichte das Dorf Graven und bog kurz danach mit ihrem Jeep auf die Straße ein, die in fünf Serpentinen hinauf zum Weingut führte. Im Weinberg waren die Arbeiter mit Laubarbeiten beschäftigt. Bereits zum zweiten Mal in diesem Sommer mussten die Reben gegipfelt werden. Wenn man die langen Sommertriebe nicht zurückschnitt, würden sie Trauben und Boden beschatten, und das war nicht gut für die Qualität des Weins. In der Großlage des Graven'schen Mühlbergs konnten dafür Maschinen eingesetzt werden, doch in der Steillage des Prälatengartens sah Pia die Arbeiter wie Ameisen herumklettern. Hier musste alles von Hand gemacht werden, ein aufwendiges und mühsames Unterfangen, das sich am Ende aber auszahlte.

Pia schaltete einen Gang herunter und nahm die nächste Haarnadelkurve. Die Sonne blendete, und sie schob die Sonnenbrille vom Haar zurück auf die Nase. Sie freute sich darauf, nach Hause zu kommen. Das Weingut war ihre Heimat, seit sie den Winzer Thomas von Manthey geheiratet hatte, der in dieser Erde verwurzelt war wie ein alter Baum. Seit über zweihundert Jahren war das Gut im Familienbesitz. Genauer gesagt, seit ein Vorfahre von Thomas es 1803 beim Kartenspiel gewonnen hatte. Einen verwilderten Weinberg und ein heruntergekommenes Château hatte er vorgefunden. Doch das schreckte ihn nicht, er krempelte die Ärmel hoch, baute Graven wieder auf, und sein ältester Sohn hatte es von ihm übernommen.

Sechs Generationen von Mantheys hatten Graven nun schon durch die Zeiten geführt – durch Revolutionen, den Deutsch-Französischen Krieg und zwei Weltkriege, durch den Wiederaufbau danach und das Wirtschaftswunder. Sie hatten Krisen und Skandale überstanden und auch das Feuer, das ausgebrochen war, als kurz vor Kriegsende eine amerikanische Mustang in den Garten stürzte und in Flammen aufging. Zusammen mit den beiden kriegsgefangenen Franzosen, die auf dem Hof zur Arbeit eingesetzt waren, hatte Thomas' Großmutter das Feuer gelöscht. Wie oft er ihr diese Geschichte erzählt hatte. »Mon dieu! Das schöne Haus. Der gute Wein!«, hatte François immer wieder gerufen und die Pumpe wie ein Wahnsinniger betätigt. Am Ende war der Teich leer gewesen, die Enten saßen auf dem Trockenen, doch Wohnhaus und Weinkeller waren gerettet.

Das Weingut Graven war Thomas' Ein und Alles. Es war sein Leben, seine Heimat und damit auch ihre und die ihrer gemeinsamen Tochter, die das Gut einmal übernehmen würde.

Nach der fünften Serpentine hatte man einen grandiosen Ausblick auf das Tal und den Fluss, der tief unter ihr lag und funkelte, als wäre er mit Diamanten besetzt. Pia wandte den Blick rasch wieder ab und konzentrierte sich aufs Fahren. Wer hier von der Straße abkam, stürzte dreißig Meter in die Tiefe. Ein leichter Schauer überlief sie, und die Erinnerungen an den Sommer vor zwanzig Jahren drohten aufzusteigen, doch sie erstickte sie im Keim, wie sie es immer tat. Für einen kurzen Moment blieb ein ungutes Gefühl zurück, bis sie die weiße Mauer sah, die das Gut umgab, und das Tor aus Schmiedeeisen, das offen stand.

Langsam ließ sie den Wagen in den Hof rollen und erfreute sich an dem Anblick, wie immer, wenn sie Graven sah. Das Gut war ein Juwel. Am Ende der Auffahrt lag das Herrenhaus – manche bezeichneten es auch als Manoir oder Château –, das aus einem prächtigen dreigeschossigen Haupthaus und zwei angebauten Seitenflügeln bestand. Schiefergedeckte Dächer, aus denen ein halbes Dutzend Kamine ragten. Die Mauern in zartem Gelb gestrichen. Efeu und üppig blühende Englische Rosen rankten sich an Spalieren empor. Akkurat geschnittene Buchsbäume flankierten die mit Kopfsteinen gepflasterte Einfahrt. Rechter Hand befanden sich Garagen und Stellplätze, daneben das alte Kelterhaus, das Thomas vor vielen Jahren in eine Vinothek hatte umbauen lassen. Ein Reisebus parkte davor, denn eine Besichtigung mit anschließender Weinprobe stand an. Das neue und mit modernster Technik ausgestattete Keltergebäude befand sich dahinter, ein wenig versetzt am Rand des Areals.

Richtung Süden und bis weit hinter das Hauptgebäude erstreckte sich der Garten, den Thomas' Großmutter im englischen Stil hatte anlegen lassen, mit Ententeich, weiten Rasenflächen, Büschen und alten Bäumen. Ein Gärtner kümmerte sich darum.

Als Pia den Jeep abstellte, bemerkte sie Leonhard, den Kellermeister. Er steuerte das Büro im Seitenflügel an, das Reich ihrer Schwägerin Margot.

»Hallo, Pia.« Grüßend hob er die Hand. »Ist Thomas schon auf dem Weg nach London?«

»Ich komme gerade vom Flughafen. Brauchst du ihn?«

Er schüttelte den Kopf. »Eigentlich nicht. Die vier Tage kommen wir ohne ihn aus. Und die Entscheidung wegen der neuen Abbeermaschine kann bis dahin warten.« Er nickte ihr zu, warf den obligatorischen prüfenden Blick zum Himmel und verschwand in Margots Büro.

Unwillkürlich sah auch Pia nach dem Wetter, wie man sich das auf einem Weingut angewöhnte. Seit Mitte Juli war es heiß und kein Regen gefallen. Mit jedem Sonnentag gewannen die Trauben an Süße. Thomas hoffte auf einen guten, vielleicht sogar großen Jahrgang. Hoffentlich hielt die Schönwetterperiode noch ein Weilchen an.

Pia ging ins Haus, wo der Steinboden und die dicken Mauern für angenehme Kühle sorgten. Im Flur legte sie die Wagenschlüssel in die Schale auf die Anrichte und strich sich eine der dunklen Haarsträhnen hinters Ohr. Weder die Anrichte noch der Spiegel waren Antiquitäten, sondern modernes italienisches Design, wie beinahe alle Möbel im Haus, die in ihrer schlichten Eleganz einen wunderbaren Kontrapunkt zum historischen Rahmen des Gebäudes setzten. Vor einigen Jahren hatte die Journalistin einer Wohnzeitschrift das Weingut Graven und seine Besitzer in einer Homestory porträtiert und die schlichte Eleganz gelobt. Sie war nicht Pias Werk. Den Grundstein dafür hatte Thomas' erste Frau gelegt.

Pia warf einen kurzen prüfenden Blick in den Spiegel. Nächstes Jahr wurde sie fünfzig, doch das sah man ihr nicht an. Die Haut war noch straff, was sie den guten Genen der Frauen ihrer Familie verdankte, die sie zuverlässig von Generation zu Generation weitergaben. Genau wie den Fluch, der angeblich auf ihnen lastete. Im Gegensatz zu ihrer Mutter glaubte Pia nicht daran, wobei nicht zu leugnen war, dass es den Frauen ihrer Familie über Generationen hinweg mit erschreckender Zuverlässigkeit gelungen war, sich ins Unglück zu stürzen. Doch sie alle hatten das selbst in der Hand gehabt, dachte Pia. Diesem Beispiel war sie nicht gefolgt. Bei diesem Gedanken wurde ihr kurz schwindelig, und sie musste sich an der Kommode abstützen.

Die Verbindungstür zwischen Bürotrakt und Haupthaus wurde geöffnet. Das leise Klackern von Absätzen erklang auf dem Steinboden. Es kündigte Pias Schwägerin Margot an, die wenig später mit einem Aktenordner in der Hand erschien. Sie war schon jenseits der Fünfzig und eine elegante Erscheinung, während Pia wie so oft ihr Arbeitsoutfit trug, Jeans und T-Shirt.

»Guten Morgen, Pia. Hast du Thomas gut zum Flughafen gebracht?«

»Es war wenig Verkehr. Wir sind schnell durchgekommen.«

»Prima. Ich lege ihm die Angebote für die Abbeermaschinen auf seinen Schreibtisch.« Mit diesen Worten verschwand Margot in Richtung von Thomas' Arbeitszimmer, während Pia sich ein Glas Wasser aus der Küche holte und dann nach oben in ihre Werkstatt ging, die sich im ersten Stock mit Aussicht auf den Hof und die Vinothek befand.

Auf drei Staffeleien standen die Gemälde, die sie bis zu einer Auktion im Oktober restaurieren musste. Sie waren der Grund, weshalb sie Thomas nicht nach London begleiten konnte. Der Termin war knapp, und es war höchste Zeit, mit der Arbeit zu beginnen.

Pia zog ein fleckiges Hemd über das Shirt, öffnete das Fenster, um frische Luft hereinzulassen, und ließ ihren Blick kurz über das Anwesen schweifen. Eine stille Freude erfasste sie. Sie hatte in ihrem Leben alles erreicht, was sie sich je erträumt hatte. Einen Beruf, der sie erfüllte. Einen Mann, der sie liebte. Eine Tochter, auf die sie stolz war. Ein abwechslungsreiches und schönes Leben. Es fehlte ihr an nichts, und dafür war sie dankbar. Im Gegensatz zu ihren Schwestern Birgit und Nane hatte sie alles richtig gemacht.

*

»Da wären wir.« Birgit schlug die Wagentür hinter sich zu und wies auf das Haus am Schweizer Platz in Frankfurt-Sachsenhausen. Voller zwiespältiger Gefühle stellte Nane sich neben ihre Schwester. Nun war sie also wieder daheim.

Fünf Etagen Gründerzeit. Eine ockergelbe Fassade und schmiedeeiserne Balkone zum Platz hinaus, der von Läden und Lokalen gesäumt wurde. Das Wetter war warm und windig, und die Luft roch nach Sommer, nach Blumen und Parfums. Ein Radler sauste vorbei. Ein Hund hatte sich losgerissen, bellend lief er über die Straße und jagte in der Grünfläche einer Taube hinterher. Überall Menschen, Geräusche, Gesprächsfetzen. Überall Leben! Von irgendwo klang Musik zu Nane, und der Duft von Kreuzkümmel stieg ihr in die Nase. Eine geballte Ladung lange vermisster Eindrücke. Es war überwältigend und beinahe zu viel für sie. Also atmete sie tief durch und betrachtete das Haus.

Ihre Eltern hatten es Ende der Siebzigerjahre gekauft, auf der Suche nach einem Ort, an dem sie ihre drei Mädchen großziehen konnten. Unten der Antiquitätenhandel mit der angeschlossenen Galerie, darüber die Familienwohnung und oben die sogenannte Altersvorsorge, die Mietwohnungen. Ihr Vater hatte eine Erbschaft in das Haus investiert. Dennoch bezeichnete er den Kauf gerne als ziemlich spießig für ein Paar, das von sich behauptete, unkonventionell und links zu sein. Doch das waren sie nie gewesen, eher liberal angehauchtes Bürgertum. Er ein Möchtegernbohemien und ihre Mutter die Luxusausgabe eines Hippiemädchens mit einer esoterischen Seite: Räucherstäbchen, Klangschalen, Schamanenzauber.

Die Jahrzehnte waren vergangen, die Eltern bereits gestorben, und die drei Mädchen waren mittlerweile zwischen Mitte und Ende vierzig.

»Du sagst ja gar nichts.« Besorgt sah Birgit sie an. Vor zwanzig Jahren war auch sie eine hübsche junge Frau gewesen, voller Ziele und Pläne, die sich allesamt zerschlagen hatten. Graue Strähnen hatten sich in Birgits dunklen Locken ausgebreitet, und die Zeit hatte ihr einen bitteren Zug um den Mund gelegt.

»Es ist nur so ungewohnt«, entgegnete Nane.

»Jetzt gehen wir erst mal rauf, und wenn etwas ist ... Ich bin ja da. Du findest mich entweder in meiner Wohnung nebenan oder hier unten im Geschäft.« Birgit wies auf den Laden. *Galerie Arnholdt. Kunst & Antiquitäten des frühen zwanzigsten Jahrhunderts.* Darauf hatten sich ihre Eltern seinerzeit spezialisiert – Mutter auf die Möbel und Einrichtungsgegenstände dieser Zeit und Vater auf Gemälde und Skulpturen. Im Schaufenster stand ein Sofa von Finn Juhl mit einem maigrünen Bezug. Bei seinem Anblick erfasste Nane eine Sehnsucht nach ihrer Kindheit, nach ihren Eltern, nach einer Zeit, in der alles gut gewesen war. Dabei stimmte das nicht ganz. Denn nicht alles war gut gewesen.

Nane betrachtete ihr Bild in der spiegelnden Fensterscheibe. Das hellblaue ärmellose Leinenkleid, das Birgit ihr für diesen Tag mitgebracht hatte, war schick, und es tat gut, den Luftzug an den nackten Beinen zu spüren, nach so langer Zeit in den immer gleichen blauen Hosen.

»Hübsch siehst du aus.« Birgit wies auf das Spiegelbild. »Blau steht dir. Du hast dich eigentlich gar nicht verändert.«

Natürlich hatte sie sich verändert, wenn auch eher in ihrer Persönlichkeit als in ihrem Äußeren. Sie war ruhiger geworden, ein wenig gelassener. Ihre Figur war noch schlank und ihre Haut blass wie eh und je. Der Teint war fast so hell wie das weißblonde Haar, das sie noch immer wie eine federleichte Wolke umgab. Der Blick aus ihren blauen Augen kam ihr verwirrt vor, und genauso fühlte sie sich auch. Ein wenig durcheinander.

Birgit wollte ihr den Karton abnehmen, doch sie wehrte die Hilfe ihrer Schwester ab, die schon so viel für sie getan hatte. »Lass uns nach oben gehen«, schlug Nane vor.

Die drei Schwestern hatten das Haus von den Eltern geerbt, und Birgit, die es verwaltete und den Kunsthandel weiter betrieb, hatte eine frei gewordene Wohnung nicht neu vermietet, seit sich abgezeichnet hatte, dass der Rest von Nanes lebenslanger Strafe zur Bewährung ausgesetzt werden würde.

Mit dem Lift fuhren sie in die dritte Etage, und ein Anflug von Panik streifte Nane. Obwohl man sie darauf vorbereitet hatte, fürchtete sie sich mit einem Mal davor, selbst für sich verantwortlich zu sein. Mehrmals hatte sie Freigang bekommen und unter Aufsicht ihres Bewährungshelfers und in Birgits Begleitung einen Crashkurs absolviert, wie die Welt heute funktionierte. Einkaufen im Supermarkt. U-Bahn fahren und vorher ein entsprechendes Ticket kaufen. Das neue Smartphone bedienen. Vor zwanzig Jahren hatte sie ein Handy besessen, an dem man noch eine Antenne herausziehen musste. Man hatte sich SMS geschrieben statt WhatsApps. Wobei sie vieles bereits aus dem Fernsehen und Romanen kannte, ihren Gucklöchern in das Leben jenseits der Mauern.

Als ob Birgit ihre Zweifel gespürt hätte, legte sie einen Arm auf Nanes Schultern. »Das wird schon.« Der Lift kam oben an, sie stiegen aus, und Birgit sperrte die Wohnungstür auf.

»Tata! Da wären wir.« Ihre Schwester breitete die Hände aus wie eine Zauberin im Varieté. »Zwei Zimmer, Küche, Bad. Balkon auf den Platz hinaus. Ich hoffe, das ist dir nicht zu laut.«

Ihre erste eigene Wohnung, und das mit sechsundvierzig. Früher hatte sie immer mit jemandem zusammengewohnt. Erst in WGs und später mit Mark, ihrem Mann.

Die Wohnung war licht und hell, freundlich. Und sie roch gut. Ein schmaler Flur. Bad mit Wanne. Das Schlafzimmer zum Innenhof und ein Wohnzimmer mit großen Fenstern. Moderne Möbel kombiniert mit Stücken aus dem Laden. Ein lederbezogener Sessel zog Nane an. Er stand neben der Balkontür. »Ist das Mamas Egg Chair?«

Birgit lachte. »Nee, der ist von Arne Jacobsen.«

»Sag ich doch. Mamas Sessel. Ach, Birgit …« Ihr kamen beinahe die Tränen. »Das ist so lieb von dir.«

»Eine kleine Erinnerung an sie. Mark hat mir geholfen, die Wohnung einzurichten. Gefällt sie dir?«

»Mark?«, fragte Nane überrascht. »Ihr habt noch Kontakt?«

»Ziemlich lose. Ab und an telefonieren wir. Als ich ihm gesagt habe, dass du rauskommst, hat er spontan seine Hilfe angeboten. Die konnte ich schon gebrauchen. Du weißt also gar nicht, dass Claire und er sich getrennt haben?«

»Nein. Woher auch? Er hat mir damals eine Art Abschiedsbrief geschrieben, dass er mich nicht mehr besuchen kann, weil seine neue Freundin das nicht will. Ist ja verständlich. Und danach habe ich nichts mehr von ihm gehört.« Nane wollte das Thema nicht vertiefen und sah sich um. »Die Wohnung ist so schön geworden.«

»Wir haben nur für die Grundausstattung gesorgt. Den Rest musst du selbst einrichten.«

Nane stellte den Karton ab und umarmte ihre Schwester. »Danke, Birgit. Danke für alles.«

»Habe ich doch gerne gemacht. Dann lass ich dich jetzt allein. Komm runter, wenn du etwas brauchst. Zum Mittagessen gehen wir ins Bistro an der Ecke. Das gibt es immer noch, nur die Besitzer haben gewechselt. Danach zeige ich dir deinen Arbeitsplatz, und heute Abend kochen wir für dich zur Begrüßung. Ich hab Mark eingeladen. Vielleicht kommt auch dein Bewährungshelfer. Ist das in Ordnung?«

Nane nickte. Jens Klein, ihr Bewährungshelfer, war ein vierschrötiger, gutmütiger Mann, der sich nicht für etwas

Besseres hielt und sie nicht von oben herab behandelte. Sie mochte ihn.

»Ich muss dann mal in den Laden. In Ordnung?«

Sie nickte. Als die Tür sich hinter Birgit geschlossen hatte, war Nane allein. Das war sie gewohnt. So viel Platz allerdings nicht. Die Wohnung war zu groß. Im Gefängnis hatte sie nur acht Quadratmeter für sich gehabt.

Das Bett war ebenfalls eine moderne Antiquität. Ein Design von Lloyd Loom in Türkisblau. Farblich passende Bettwäsche. Der weiße Vorhang bauschte sich im Wind. Alles wirkte so freundlich und hell. Im Bad gab es kein Fenster, dafür aber indirekte Beleuchtung, die jeden Winkel erreichte. Eine Lüftungsanlage begann leise zu surren, als Nane das Licht einschaltete. Welch ein Komfort! Auf dem Wannenrand stand eine Flasche Badeschaum. Auf der Ablage stapelten sich flauschige Badetücher. Wie im Luxushotel.

Seit zwanzig Jahren hatte sie nicht gebadet. Nur geduscht. Und das niemals allein. Gesprungene Fliesen. Schimmel in den Fugen. Modriger Geruch. Das Wasser nie richtig heiß und der Duschraum immer zu kalt. Ein heißes Bad, allein, das war purer Luxus. Nane drehte den Hahn auf und goss den Badezusatz ins Wasser. Lavendelduft breitete sich aus. Kleid und Unterwäsche ließ sie auf den Boden fallen, dann glitt sie mit einem Seufzer ins warme Wasser. Himmel, war das schön!

Die Tür zum Wohnzimmer stand offen. Durch die geöffnete Balkontür klang der Lärm der Stadt zu ihr herein. Das Brummen der Motoren, die Stimmen der Leute, die vorübergingen. Lachen, das Bellen eines Hundes. Das Leben hatte sie wieder, und für einen Moment fühlte sie sich so unsagbar leicht und frei, dass es ihr die Tränen in die Augen trieb. Zum ersten Mal seit zwanzig Jahren war sie glücklich.

Wie immer in Momenten der Zufriedenheit rührte sich Nanes Gewissen, und ihre Tat holte sie ein. Sie hatte einen Menschen getötet. Sie hatte ihm alles genommen. Sein Glück, seine Zukunft, sein Leben. Seiner Tochter den Vater und seiner Frau den Mann. Und einem Vater seinen Sohn. In zwanzig Jahren war diese Last nicht kleiner geworden. Sie ließ sich nicht abtragen und nicht absitzen. Ihre Schuld war mit ihr verwachsen, und das würde sich bis zu ihrem letzten Atemzug nicht ändern.

Nane zog den Stöpsel und stieg aus der Wanne.

*

Um Punkt zwölf betrat Nane Birgits Laden im Erdgeschoss des Hauses und glaubte, das Schrillen der Glocke zu hören, mit der jetzt im Gefängnis zur Mittagspause gerufen wurde. Ihre innere Uhr schlug noch im Knasttakt.

Ihre Schwester war allein. Die Abteilung für Möbel, Geschirr und Accessoires von den Zwanziger- bis in die Siebzigerjahre des vorigen Jahrhunderts war noch genauso, wie ihre Mutter sie aufgebaut hatte. Vaters Galeriebereich hatte sich allerdings verändert. Birgit bot inzwischen auch Skulpturen und Gemälde anderer Epochen an. Man müsse sich nach der Decke strecken, erklärte sie. Die Leute kauften heute zu viel übers Internet.

Nane verkniff sich die Frage, ob Pia die Gemälde für Birgit restaurierte, so wie sie es früher für ihren Vater getan hatte. An Pia wollte sie lieber nicht denken, denn dann würde sie sich unweigerlich an Thomas erinnern.

Das Bistro an der Ecke gab es tatsächlich noch. Doch nicht nur der Besitzer hatte gewechselt, sondern auch die Innenausstattung. Nane erkannte es nicht wieder. Sie bestellte Salat mit gegrilltem Ziegenkäse, dazu Baguette. Herrlich! Und danach einen Café au lait und ein Stück Apfeltarte. Nach Jahren, in denen sie nur lieblos und billig zubereitetes Gefängnisessen bekommen hatte und Kaffee, der nach allem schmeckte, nur nicht nach Kaffee, war der Bistrobesuch ein unbeschreibliches Vergnügen. Beim letzten Bissen schloss sie die Augen und seufzte.

»Es ist eine Freude, dir beim Essen zuzusehen«, sagte Birgit, und Nane schämte sich. Es stand ihr nicht zu, das Leben derart zu genießen.

Nach der Mittagspause zeigte Birgit Nane das Büro und ihren Arbeitsplatz. Vor dem Fenster stand ein Schreibtisch mit neuem PC und großem Monitor. Im Gefängnis hatte Nane Computerkurse besucht und beherrschte die gängigen Layout- und Bildbearbeitungsprogramme. Nicht, weil sie damit gerechnet hatte, vorzeitig entlassen zu werden und sich damit ihren Lebensunterhalt verdienen zu können, sondern weil so die Zeit etwas schneller vergangen war. Birgit war begeistert gewesen, als sie davon erfahren hatte, und nun war Nane plötzlich verantwortlich für die Webseite, den Katalog und das Plakat für die Herbstauktion der Galerie Arnholdt. Birgit zeigte ihr die alten Kataloge, und Nane fand die zugehörigen Dateien auf dem Rechner. Eine gute Basis für den neuen Katalog.

Birgit lehnte sich an die Schreibtischkante. »Deine Arbeitsstelle trittst du aber erst morgen an. Geh doch heute einfach mal shoppen. Ich hab dir zwar ein paar Sachen in den Schrank gehängt, aber das wird nicht reichen.«

Nane hatte das schon gesehen. Zwei Jeans, eine Leinenhose, ein paar Blusen und Shirts. Etwas Unterwäsche. Aber sie brauchte nicht mehr, und das sagte sie auch ihrer Schwester. Daraufhin schlug Birgit ihr vor, die Parfümerieabteilungen unsicher zu machen und sich Make-up, Lippenstift und Pflegecremes zu besorgen. In Nane sperrte sich alles, dabei hatte sie früher das Haus nie ungeschminkt verlassen. Schließlich zog sie los, nur um ihre Schwester nicht zu enttäuschen. Am Ende kaufte sie nichts außer ein paar Lebensmitteln.

Nach einer Stunde war sie zurück und froh, die Wohnungstür hinter sich schließen zu können. Der Lärm, die Stadt, dieser Trubel überall. Es war zu viel. Die Ruhe der Wohnung tat gut.

Sie verstaute die Sachen im Kühlschrank und wusste nicht, was sie tun sollte. Also deckte sie schon mal den Tisch für vier. Dann zog sie doch noch mal los, um Getränke fürs Abendessen beizusteuern, alles andere wollte Birgit mitbringen. Nane ging in die Weinhandlung an der Ecke, was sich postwendend als Fehler erwies, denn der Händler bot ihr ausgerechnet den Silvaner vom Weingut Graven an. Es gelang ihr nicht, den Fluchtimpuls zu unterdrücken. Auf dem Absatz machte sie kehrt und ließ den verdutzten Verkäufer stehen. Kaum ein paar Stunden in Freiheit, holten die Geister der Vergangenheit sie ein. In einem Supermarkt besorgte sie zwei Flaschen Rotwein aus der Toskana und ging nach Hause.

Um sieben sollten ihre Gäste kommen. Aber schon um sechs klingelte Birgit und brachte alle Zutaten für Spaghetti bolognese mit. »Weißt du noch? Unser Lieblingsessen, als wir Kinder waren. Wir beginnen schon mal mit der Soße, bevor die anderen kommen, und gönnen uns dazu einen Aperitif.«

»Ich habe aber keinen.«

Birgit entdeckte den Rotwein. »Passt doch.«

Sie schenkte zwei Gläser halb voll, und dann begannen sie zu kochen. Sie schnippelten Zwiebeln, schälten Knoblauch und brieten das Hackfleisch an.

»Du bist so still«, sagte Birgit irgendwann. »Ist was mit dir?«

»Es ist alles nur so ungewohnt. Auch das Sprechen. Im Gefängnis ist man viel allein.«

»Das wird schon.« Birgit hob ihr Glas. »Auf dein neues Leben.« Sie stießen an.

Um kurz vor sieben klingelte Mark, Nanes Exmann. Er hatte sich kaum verändert, sondern war einfach nur älter geworden. Wie gut er noch immer aussah. Groß und muskulös. Das dunkle Haar ein wenig zu lang. Ein paar graue Strähnen hatten sich hineingeschlichen. Und ein wenig zugenommen hatte er.

»Grüß dich, Nane.« Er umarmte sie und gab ihr zwei Wangenküsschen. »Gut siehst du aus. Guck mal, was ich aufgetrieben habe.«

Aus der Kühltasche nahm er eine Packung Fürst-Pückler-Eis, und sie musste lachen. Diese Sorte hatten sie als Kinder geliebt, Birgit, Pia und sie. »Dass es das noch gibt«, meinte sie verwundert.

Pünktlich um sieben klingelte ihr Bewährungshelfer. Jens Klein brachte eine beschlagene Flasche Hugo mit, was immer das sein mochte, und eine Topfpflanze fürs neue Heim, die er ihr überreichte. »Hübsch haben Sie es hier.«

Sie gingen zu den anderen in die Küche. Die Soße köchelte, und Birgit holte aus ihrer Wohnung einen Teller mit Bruschetta als Vorspeise. Mit dem Hugo stießen sie an.

»Auf Nanes Neuanfang«, sagte Mark.

»Auf ein glückliches Leben«, schloss sich Birgit an.

»Auf Frau Rauch und ihre Unterstützer«, meinte Jens Klein. »Schätzen Sie sich glücklich, dass Sie Familie und Freunde haben, die für Sie da sind. Die meisten, die rauskommen, stehen ohne da, und das macht die Sache nicht einfacher.«

Sie aßen Spaghetti und tranken zu viel Wein. Im Hintergrund lief eine Playlist mit Songs der Neunzigerjahre, die Birgit zusammengestellt hatte, und Erinnerungen an längst vergangene Zeiten wurden wach. Jeder hatte Geschichten beizusteuern, und Nane genoss den Abend in vollen Zügen.

Irgendwann kam das Gespräch auch auf Claire, und Mark erzählte von der Trennung vor zwei Jahren. Claire hatte begonnen, ihm Affären anzudichten, hatte dann aber selbst eine, die Mark ihr jedoch verzieh. Sie wollten heiraten, sobald Claire schwanger würde. Leider blieb ihr gemeinsamer Kinderwunsch unerfüllt. Dennoch kauften sie ein standesgemäßes Einfamilienhaus, denn mit Marks Karriere ging es steil bergauf. Eines Abends hatte er ihr spontan einen Antrag gemacht, den Claire jedoch ablehnte, denn ihre Liebe brauche keinen amtlichen Stempel.

»In Wahrheit wollte sie sich nicht festlegen«, sagte Mark. »Irgendwann hatte sie einen anderen am Start.

Ich habe nichts gemerkt und stand kurz vor der Beförderung zum Personalvorstand, als mich die Midlife-Crisis voll erwischt hat. Ich habe den Krempel hingeschmissen und mir meinen Studententraum erfüllt.« Er sah zu Nane. »Weißt du noch?«

»Natürlich«, sagte sie. »Ein Café. Du hast wirklich eins aufgemacht?«

»Ja, das Coffee & Soul. Ist nur zehn Minuten von hier. Komm doch mal zum Frühstücken vorbei.« Er bedachte sie mit einem Lächeln. »Claire ist übrigens ausgezogen, sobald ich kein Managergehalt mehr bezog. Das war mein Leben im Zeitraffer.«

Drei Augenpaare richteten sich auf sie. »Meines kennt ihr ja«, sagte Nane. »Aber so schlimm wie in der Serie *Orange Is the New Black* ist es nicht im Frauengefängnis.« In Wirklichkeit hatte sie nur keine Lust, über ihre Zeit hinter Gittern zu sprechen. Es gab Ereignisse, an die sie sich nicht erinnern wollte. Mobbing, Intrigen, Gewalt. Bei einem Vergewaltigungsversuch hatte sie sich gewehrt und ihre Schneidezähne eingebüßt. Unwillkürlich strich sie mit ihrer Zunge über die Implantate und lenkte das Gespräch auf ihre Schwester. »Und jetzt du, Birgit. Wie ist es dir ergangen?«

Ihre Schwester zuckte mit den Schultern. »Das weißt du doch. Ich altere so vor mich hin. Das Geschäft unserer Eltern habe ich übernommen, obwohl ich das ja eigentlich nie wollte. Aber langsam macht es mir Spaß. Mit den Männern ist das bei mir so eine Sache. Da habe ich kein glückliches Händchen. Ein weitverbreitetes Phänomen bei den Frauen unserer Familie.« Ein schiefes Lächeln erschien auf ihrem Gesicht, und sie sah zu Jens Klein hinüber.

Der zuckte mit den Schultern. »Ich mache es kurz und knackig. Sozialarbeiter. Zweimal geschieden. Unterhaltszahler für drei Kinder. Ein viertes kann ich mir nicht leisten, es sei denn, ich gewinne irgendwann die Million bei *Wer wird Millionär.*« Alle lachten.

»Und wie fühlt sich die Freiheit an?« Mark wandte sich an Nane.

»Noch ein wenig gewöhnungsbedürftig«, sagte sie. »Ich werde euch auf dem Laufenden halten.«

»Ist die Aussetzung zur Bewährung eigentlich an Bedingungen geknüpft?«, fragte Mark.

Jens Klein antwortete an Nanes Stelle. »Natürlich. Sie darf nicht wieder straffällig werden. Und es gibt ein paar Auflagen. Sie muss Kontakt zu mir halten, einer Arbeit nachgehen, und sie braucht eine feste Bleibe. Das ist ja Gott sei Dank alles geregelt. Außerdem sollte sie sich am besten von den engsten Angehörigen des Opfers fernhalten. Das ist zwar keine Auflage des Gerichts, aber mein Rat. In der Regel kommt nichts Gutes bei solchen Kontakten heraus.«

Nane kannte den Ratschlag ihres Bewährungshelfers, doch sie wusste, dass sie sich nicht daran halten würde. Sie musste Thomas sehen. Sie brauchte eine Antwort, die nur er ihr geben konnte.

*

Behutsam tupfte Pia mit einem Wattestäbchen Terpentinöl auf ein Stück verschmutzten Firnis und ließ das Mittel einwirken. Gerade lange genug, um die Oberfläche aufzuweichen, aber nicht so lange, dass es die darunterliegende Ölfarbschicht in Mitleidenschaft ziehen konnte. Dann löste sie mit dem Skalpell die letzten Firnisschuppen von der Oberfläche des Gemäldes. Es zeigte eine aparte junge Frau mit dunklem Haar, das der damaligen Mode entsprechend im Nacken zu einem Knoten geschlungen war, den ein kornblumenblaues Samtband zierte. Wer sie wohl gewesen war? Lediglich das Gildezeichen im Bildhintergrund wies darauf hin, dass die unbekannte Schöne aus einer Lübecker Kaufmannsfamilie stammte.

Der erste Arbeitsgang war beendet. Es war Zeit, zum Flughafen zu fahren. Sie hatte Thomas versprochen, ihn abzuholen, wenn sie ihn schon nicht zur Messe nach London hatte begleiten können, weil sie momentan so viel zu tun hatte. Neben der Kaufmannstochter hatte ihre Schwester Birgit noch ein Blumenstillleben und eine Landschaft auf Rügen in Auftrag gegeben.

Auf dem Smartphone entdeckte Pia eine Nachricht von Thomas.

Boarding beginnt bald. Wir werden wohl pünktlich landen, schrieb er und sandte ihr einen virtuellen Kuss, der sie zum Lächeln brachte.

Ich werde da sein, simste sie zurück. *Guten Flug und bis später!*

Schultern und Nacken waren verspannt. Sie trat ans geöffnete Fenster ihrer Werkstatt und lockerte die Muskeln. Es war wieder ein strahlend schöner Tag. Aus der Vinothek kam eine Gruppe Touristen, die einem Mitarbeiter zur Führung ins neue Kelterhaus folgten. Einer der Arbeiter fuhr mit dem Unimog vorbei Richtung Geräteschuppen. Auf der Ladefläche lag ein Haufen gegipfelter Rebtriebe, die in der Kompostieranlage landen würden.

Außerdem erklang ein vertrautes Klappern. Margot ging gewandt auf hohen Absätzen über das Kopfsteinpflaster des Innenhofs und verschwand in ihrem Büro im Seitentrakt. Die Fenster mit den taubenblau lackierten Läden standen offen. Einen Moment später erschien Margot an ihrem Schreibtisch.

Pia holte ihre Handtasche aus dem Schlafzimmer. In der Halle warf sie zuerst einen prüfenden Blick in den Spiegel, dann zog sie sich die Lippen nach und sah aufs Barometer. Auch das war eine Angewohnheit, die ihr in Fleisch und Blut übergegangen war. Vom Wetter hing alles ab. Wobei Thomas in den letzten Jahren wenig zu klagen hatte. Die Klimaerwärmung begünstigte den Weinbau an der Saar. Das derzeitige Hochdruckgebiet würde noch anhalten.

In der Küche schenkte Pia sich rasch noch ein Glas Wasser ein. Während sie es leerte, kam ihre Haushaltshilfe mit einem Korb voller Wäsche herein. Irene war eine kleine mollige Person und hatte stets ein Lächeln parat. Sie fragte, ob noch etwas zu erledigen sei. Morgen würde Thomas' Enkelin Sonja für vier Wochen auf Besuch kommen. Pia erkundigte sich bei Irene, ob das Gästezimmer schon hergerichtet sei, und bat sie, einen Strauß Blumen aus dem Garten hineinzustellen. Eine kleine Entschädigung dafür, dass Sonja nicht die Remise bewohnen konnte. Pia hatte es nicht geschafft, sie rechtzeitig renovieren zu lassen.

Sie startete den Jeep und fuhr los. Vorbei ging es an den schwer zu bewirtschaftenden Steillagen, deren Rebstöcke in saftigem Grün leuchteten und die mit ihren Schieferböden für das unverwechselbare *Terroir* des Rieslings sorgten, für den das Weingut Graven berühmt war. Besonders der Prälatengarten wurde von Weinkennern voller Ehrfurcht genannt – eine Lage, deren Weine Thomas regelmäßig Auszeichnungen einbrachten und mit denen er bei Auktionen Spitzenpreise erzielte. Und zwar wirklich Spitzenpreise. Für manche Weine wurden einige Tausend Euro pro Flasche gezahlt.

In diesen unruhigen Zeiten suchten die Menschen nicht nur nach dem Besonderen, sondern vor allem nach Heimat, nach Erdung, nach Verbundenheit. Auch deshalb boomte der deutsche Wein und mit ihm das Weingut Graven. Manche Kritiker sahen in den Winzern der Spitzengüter Künstlerseelen am Werk und ließen sich in den Beschreibungen ihrer Weine zu ebenso begeisterten wie adjektivgeladenen Formulierungen hinreißen. Von schiefriger Mineralität war da die Rede, von vibrierender Säure, von weißem Pfeffer und Noten frischen Grases, von weißem Pfirsich und schwarzer Johannisbeere. Kritikerprosa nannte Thomas das, dem jede Menge davon zuteilwurde.

Dieses Spannungsfeld, in dem ihr Mann sich bewegte, hatte Pia von Anfang an fasziniert. Ein berühmter Winzer, der an einem Tag elegante Anzüge und rahmengenähte Schuhe trug und kurz darauf in schlammverkrusteten Stiefeln und dreckigen Hosen im Weinberg arbeitete wie ein Bauer. Der Traktor fuhr, seine Weinstöcke eigenhändig nach Schädlingen und Krankheiten absuchte, und am folgenden Tag in ein Flugzeug stieg, um an den großen Auktionen und internationalen Weinmessen teilzunehmen. Pia genoss das stille Leben auf dem Gut ebenso wie das luxuriöse an der Seite ihres Mannes, das sie in alle Welt führte.

Tief unten wand sich die Saar durchs Tal, und der Himmel war von einem transparenten Blau. Dennoch spürte Pia eine leichte Unruhe in sich, seit sie vor einigen Tagen nach langer Zeit wieder einmal an den Fluch gedacht hatte. Sie schaltete das Autoradio ein, um sich abzulenken. Sie glaubte nicht an Omen, Zeichen oder Flüche. Wenn sie sich selbst charakterisieren müsste, würden in ihrer Beschreibung Worte wie sachlich, nüchtern, pragmatisch vorkommen.

Im Dorf bemerkte Pia im Vorbeifahren Renate Soffas, die auf der Bank vor ihrem Haus saß. Die obligatorische Zigarette zwischen den Fingern und den Rollator, den sie seit einiger Zeit brauchte, neben sich. Sie war alt geworden. Wie rasend schnell die Zeit doch verging.

Kurz vor Mainz klingelte Pias Handy in der Freisprechanlage. Im Display erschien die Nummer ihrer Schwester Birgit, die Pias wichtigste Auftraggeberin war.

»Grüß dich, Birgit. Rufst du wegen der schönen Lübeckerin an? Der Firnis ist schon unten.«

»Stell dir vor, ich habe herausgefunden, wer sie ist.«

Während Pia eine Lkw-Kolonne überholte, erzählte Birgit, dass sie anhand des Gildezeichens das Geheimnis um die Identität der Kaufmannstochter gelüftet hatte. Sie hieß Mathilde Agedin und hatte ein tragisches Schicksal gehabt. Das vom Vater geerbte Vermögen hatte ihr Mann durchgebracht und sich anschließend erschossen. Völlig verarmt und gesellschaftlich isoliert war sie gestorben. Diese Informationen steigerten den Wert des Gemäldes, das Birgit aus einem Nachlass erworben hatte. Denn nun hatte es eine Geschichte.

»Für die Auktion hätte ich das Porträt jetzt doch gerne in erstklassigem Zustand«, fuhr Birgit fort. »Du musst dich also nicht aufs Reinigen beschränken. Schaffst du das bis zur Auktion?«

»Das ist kein Problem.«

»Prima. Sag mal, bist du mit dem Auto unterwegs?«

»Keine Sorge. Ich habe beide Hände am Steuer.«

»Na, dann ... Überholst du gerade?«

»Warum fragst du?«

»Ich wollte noch etwas mit dir besprechen, aber ich weiß, wie leicht du dich aufregst. Vielleicht ruf ich dich später noch mal an.«

Das Unbehagen war wieder da. »Du weißt, dass es nur ein Thema gibt, das mich aufregt, und das ist Nane«, sagte Pia. »Aber dazu ist bereits alles gesagt worden.«

»Na ja ... Vielleicht nicht alles.«

»Wenn es tatsächlich noch etwas geben sollte, interessiert es mich nicht.«

»So einfach ist das nicht, Pia.«

»Doch. Oder ist sie etwa gestorben?«

»Sie ist draußen. Seit ein paar Tagen schon.«

»Was!«

Pia ging vom Gas und wechselte auf die rechte Spur. Sie musste Birgit falsch verstanden haben. »Sie hat lebenslänglich bekommen, und die Entlassung auf Bewährung wurde abgelehnt. Sie kann nicht *draußen* sein.«

»Sie hat einen neuen Anwalt, und der hat einen neuen Antrag gestellt. Und diesem Antrag wurde stattgegeben.«

Fassungslos hörte sie zu. Birgit wusste es schon seit Wochen! Pia konnte sich nicht aufs Fahren konzentrieren und war froh, als sie das Hinweisschild für den nächsten Parkplatz entdeckte. Sie setzte den Blinker, während ihre Schwester erzählte, wie man Nane nach zwanzig Jahren im Gefängnis auf ein Leben in Freiheit vorbereitet hatte. Die Voraussetzungen waren ein Arbeitsplatz, eine Wohnung und ein stabiles soziales Umfeld. Und natürlich war es Birgit gewesen, die diese Steine aus dem Weg geräumt hatte.

Noch hundert Meter. Pias Herz raste. Sie fuhr auf den Parkplatz, brachte den Wagen zum Stehen und schloss die Augen. Nane war frei!

»Vielleicht solltet ihr euch endlich aussprechen.« Birgits Stimme erklang noch immer aus der Freisprechanlage.

»Spinnst du? Das habe ich nicht vor.«

»Sei doch nicht so unversöhnlich. Sie hat ihre Strafe verbüßt, und du weißt, wie leid ihr das alles tut.«

Das war wieder einmal typisch Birgit. Sie war harmoniesüchtig und eine ewige Friedensstifterin.

»Zwanzig Jahre war sie im Gefängnis. Das ist beinahe ihr halbes Leben. Sie hat eine zweite Chance verdient.«

»Ich will sie nicht sehen. Und falls du vorhaben solltest, ein *zufälliges* Treffen zu arrangieren, lass es bleiben.«

Ein Seufzer drang an Pias Ohr. »Bitte, die Umstände haben sich geändert und …«

»Was hat sich denn geändert? Nichts!«, schrie Pia. »Tot ist tot!«

»Schlaf darüber, ja?« Birgit blieb vollkommen ruhig, und das machte Pia erst recht wütend. War das denn so schwer zu verstehen? »Zum letzten Mal: Ich will keinen Kontakt zu ihr.«

»Du vielleicht nicht. Aber es betrifft ja vor allem Thomas. Sieht er das auch so?«

*

Als Pia den Terminal betrat, sah sie auf der Anzeigetafel, dass Thomas' Flugzeug gerade gelandet war. Sie nutzte die Zeit, bis er sein Gepäck haben würde, um sich in der Apotheke Aspirin zu besorgen. Wenige Minuten nachdem sie eine Tablette geschluckt hatte, waren die Kopfschmerzen wie weggeblasen und der Ärger auf Birgit verraucht.

Birgit war die mittlere der drei Schwestern – konfliktscheu, vermittelnd und immer bereit, das Gute im Menschen zu entdecken. Die brave Tochter, die selten Ärger gemacht hatte. Ihr war der Zusammenhalt der Familie wichtig. Dabei hatten sie nie zusammengehalten. In diesem Punkt machte Birgit sich etwas vor. Nane hingegen, die Jüngste, hatte für Ärger im Übermaß gesorgt. Sie war seit jeher überspannt, chaotisch und unberechenbar. Pia war die Älteste und sah sich selbst als die Pragmatische, die Geerdete. Was ihr an Emotionen fehlte, hatte sie nie als Manko betrachtet, sondern als Vorzug.

Kaffeeduft zog durch die Ankunftshalle. Pia kaufte sich an einer Espressobar einen Cappuccino zum Mitnehmen und hatte sich gerade auf eine Bank gesetzt, als eine WhatsApp ihrer Tochter Lissy kam. Sie studierte Önologie im zweiten Semester und würde einmal das Weingut von Thomas übernehmen. Derzeit verbrachte sie die Semesterferien mit Freunden in Südfrankreich. Sie hatte ein Selfie geschickt, auf dem sie die Sonnenbrille ins Haar geschoben hatte, in der sich die Corniche von Cannes spiegelte. In der Hand hielt sie eine Eiswaffel.

Wie du siehst, geht's mir gut. Und bei euch so?

Lissys Nachricht war mit etlichen Herze- und Kuss-Emojis verziert, was in Pia die Frage aufwarf, ob ihre Tochter wirklich schon erwachsen war. Sie schickte ein

Selfie samt Kaffeebecher. *Ich mach grad Kaffeepause am Flughafen und hole Thomas ab.*

Postwendend kam eine Antwort: *Stimmt! Er war ja in London. Gib Papa einen Kuss von mir.*

Mach ich. Und du genieß die Ferien und pass auf dich auf, ja?

Während sie auf Thomas wartete, überlegte Pia, ob sie ihm von Birgits Anruf erzählen sollte, denn natürlich betraf es hauptsächlich ihn. Sie konnte ihm diese Nachricht nicht ersparen. Denn früher oder später würde er erfahren, dass ihre Schwester auf freiem Fuß war. Auch wenn Nane sicher nicht die Unverfrorenheit besaß, bei ihnen aufzutauchen, würde Birgit ihm davon berichten.

Schließlich entdeckte sie Thomas' dichten grau melierten Schopf in der Menge. Wie immer verlieh ihm sein von Wind und Wetter gegerbtes Gesicht etwas von einem Abenteurer und Weltenbummler. Sobald er sie bemerkte, zog ein Lächeln über sein Gesicht, und sie entschied, ihm von Nanes Freilassung zu erzählen, aber nicht heute. Sie freute sich auf einen gemeinsamen Abend und wollte ihn nicht durch diese Nachricht verderben.

Er kam durch die Sperre auf sie zu, stellte den Koffer ab und nahm sie in die Arme. »Pia, Liebes. Vier Tage ohne dich … Es war kaum auszuhalten.«

Sie gab ihm einen Kuss. »Schwindler«, erklärte sie lachend. »Du hast dich bestens amüsiert.«

»Was du dir so vorstellst. Das war harte Arbeit.«

»Aber sicher. Sich an Fünf-Gänge-Menüs gütlich zu tun und bei Champagner und Kaviar-Blinis dem *International Vine Magazine* ein Interview zu geben, ist wirklich hart. Und dann auch noch im Claridge's. Du Armer.«

Scherzend verließen sie den Flughafen. Doch hinter der Fröhlichkeit bemerkte sie die Müdigkeit, die Thomas in den Knochen saß. Natürlich waren vier Tage auf der Messe anstrengend. Der Geräuschpegel. Die klimatisierte Luft, die er nicht vertrug. Ständig präsent sein und performen zu müssen. Die langen Abende mit Kunden, Kritikern und Journalisten. All das kostete Kraft und machte mittlerweile sogar ihr zu schaffen, dabei war sie vierundzwanzig Jahre jünger als er.

Auch nach zwanzig Jahren erinnerte sie sich noch an die Reaktion ihrer Mutter auf die Nachricht, dass Thomas und sie geheiratet hatten. »Du bist neunundzwanzig, und er ist dreiundfünfzig. Er könnte dein Vater sein!«

»Fährst du?« Thomas riss sie aus ihren Gedanken.

»Natürlich«, antwortete sie.

Auf der Heimfahrt nickte er tatsächlich für ein paar Minuten ein. Als sie gegen acht das Weingut Graven erreichten, waren alle Mitarbeiter schon gegangen und das Büro abgeschlossen. Auch die Haushälterin Irene hatte Feierabend gemacht, doch vorher hatte sie noch den Tisch auf der Terrasse gedeckt. Pia nahm das vorbereitete Essen aus dem Kühlschrank und trug es hinaus. Eine Platte mit kaltem Braten, Aufschnitt und verschiedenen Käsesorten, bretonischer Demi-Sel-Butter und dazu ein deftiges Landbrot vom Biobäcker aus dem Dorf. Eine Flasche Wicklinger Silvaner lag im Weinkühlschrank. Pia nahm sie mit auf die Terrasse. Margots Sohn hatte sie mitgebracht, sicher nicht ohne Hintergedanken. Er war Winzer auf Wicklingen, und Margot hoffte noch immer, dass Marius eines Tages hier den Ton angeben würde. Dabei übersah sie, dass es längst eine Nachfolgerin gab.

Von klein auf hatte Thomas Lissy überallhin mitgenommen. In den Weinberg und in den Keller, zu den Nachbargütern, zu den Messen und Auktionen, zur Lese und zum Rückschnitt. Ob Sommer oder Winter, Lissy war an seiner Seite und mit seiner Liebe zum Wein aufgewachsen. Es war ihm gelungen, diese Leidenschaft in ihr zu wecken, anders als bei seinem Sohn aus erster Ehe. Henning hatte mit Weinbau nichts am Hut gehabt. Und mit diesem Gedanken kam Pia nun wieder bei Birgits Anruf an. Nicht heute. Morgen würde sie es Thomas sagen.

Pia und Thomas saßen noch eine Weile beieinander, doch gegen zehn war es für ihn Zeit, zu Bett zu gehen. Seine Tage begannen morgens um fünf. Da war er ganz Bauer. Nach dem Aufstehen würde er sich wie immer in der Küche rasch eine Tasse Kaffee machen, ein Butterbrot dazu essen und dann in den Weinberg gehen.

»Gute Nacht, Pia.« Er gab ihr einen Kuss und rieb sich die Schulter.

»Hast du wieder Schmerzen?«

»Die verdammte Zugluft am Gate. Klimaanlagen gehören verboten.«

Seit einer Sehnenscheidenentzündung im letzten Jahr hatte Thomas immer wieder damit zu tun. »Willst du eine Tablette?«

»Ich nehme die Salbe. Die hat beim letzten Mal schnell geholfen.«

Ein wenig besorgt sah sie ihm nach. Doch es gab keinen Grund, sich Sorgen zu machen. Auch wenn sie ihm die Strapaze der Messe ansah, morgen würde er wieder ganz der Alte sein. Thomas war zwar dreiundsiebzig, aber fit und kerngesund, und er sah zehn Jahre jünger aus. Nicht einmal sein Blutdruck war zu hoch. Er führte es auf die tägliche Bewegung, den Wein und seine junge Frau zurück.

Sie hörte, wie er ins Bad ging, während sie Terrasse und Küche aufräumte und Türen und Fensterläden schloss. Als sie kurz nach elf zu Bett ging, schnarchte Thomas leise. Pia nahm das Buch, das aufgeschlagen auf seinem Nachttisch lag, und legte das Lesebändchen zwischen die Seiten. *Meßmers Momente* von Martin Walser.

Leise schlüpfte sie unter die Decke und konnte nicht einschlafen. Ihre Gedanken begannen zu kreisen. Sie wollten zum Sommer vor zwanzig Jahren zurückkehren. Zu Hennings Tod. Doch Pia wollte nicht. Sie ging ins Bad und nahm eine Schlaftablette. Als sie zurückkam, wälzte Thomas sich auf die Seite und stöhnte.

»Hast du die Salbe genommen?«

»Sie hilft nicht.«

»Für den nächsten Flug besorge ich dir ein Katzenfell. Altes Hausmittel.«

»Aber nur Angora. Du weißt, ich bin anspruchsvoll.«

Sie hörte das Lächeln in seiner Stimme und setzte sich zu ihm auf die Bettkante. »Morgen früh gehst du zum Arzt.«

»Erst sehe ich im Weinberg nach dem Rechten.«

»Magst du nicht doch eine Tablette nehmen?«

Er nickte, und sie brachte sie ihm mit einem Glas Wasser. Kurz darauf schlief Pia ein.

Um fünf Uhr dämmerte der Morgen. Die Vorhänge waren nur halb zugezogen, und das erste Licht des Tages fiel herein. Im Halbschlaf nahm sie wahr, wie Thomas das Zimmer verließ. Sie drehte sich auf die andere Seite und stand erst auf, als ihr Wecker um sieben klingelte.

Während sie im Bad war, hörte sie die beruhigenden Geräusche, die signalisierten, dass das Leben auf dem Weingut seinen normalen und gut organisierten Lauf nahm. Das Quietschen der Bürotür. Der Traktor im Hof. Die Stimme des Kellermeisters Leonhard, der mit den Arbeitern sprach. Das Klappern aus der Küche, wo Irene für sie und Thomas das Frühstück vorbereitete, das ihnen beiden heilig war. Ihr Ritual, bevor sich ihre Wege – manchmal bis zum Abend – wieder trennten.

Pia ging zurück ins Schlafzimmer, zog sich an und war in Gedanken schon bei ihrer Arbeit und damit bei der schönen Lübecker Kaufmannstochter, als sie bemerkte, wie die Geräusche sich veränderten. Sie gerieten ins Stocken und dann aus dem Takt. Rufe ertönten, eine hektische Stimmung breitete sich aus. Als sie ans Fenster trat und hinunter in den Hof blickte, sah sie gerade noch, wie Leonhard durchs Tor rannte, gefolgt von zwei Arbeitern.

Margot stand in der offenen Bürotür und war ganz bleich im Gesicht.

»Was ist denn los?«, rief Pia zu ihr hinunter.

»Thomas ist schlimm gestürzt«, antwortete Margot. »Im Prälatengarten. Der Notarzt ist schon unterwegs.«

Gestürzt. In der Steillage! Um Himmels willen! Pia ließ alles stehen und liegen, rannte barfuß die Treppe hinunter, schlüpfte hastig in ein Paar Schuhe und lief hinter Leonhard her, der den Weinberg schon fast erreicht hatte. Von irgendwoher erklang das Geräusch von Rotoren. Ein signaloranger Punkt am Himmel näherte sich. Der Rettungshubschrauber. Weiter vorne beim Wegweiser stand eine Frau. Sie rief Leonhard etwas zu und wies den Hang hinunter. Dann drehte sie sich um und rannte davon. Ihr weißblondes Haar wehte hinter ihr her. Eine magere Frau mit langen Beinen und den linkischen Bewegungen eines neugeborenen Fohlens. Zwanzig Jahre Gefängnis hatten nichts daran geändert.

Pia musste stehen bleiben. Ihr wurde schwindlig. Dann kam die Übelkeit.

*

Nane lehnte mit geschlossenen Augen an der Natursteinmauer im Weinberg, in den sie vor Pia geflüchtet war. Die Wärme der Steine drang durch das Shirt. Die Sonne brannte auf der Haut, und der Schreck saß ihr noch in allen Gliedern. Dabei waren einige Stunden vergangen, seit sie Thomas im Prälatengarten gefunden hatte und um Haaresbreite Pia in die Arme gelaufen wäre. Mit ihr wollte sie nichts zu tun haben. Und das beruhte ganz auf Gegenseitigkeit, wie Birgit bestätigt hatte. Auch Pia wollte sie nicht sehen. Sie habe mit ihr nichts zu besprechen, hatte sie gesagt, und das war im Grunde auch richtig. Nicht mit ihr, nein, mit Thomas musste Nane reden. Doch das war jetzt nicht möglich, und falls er starb, würde sie nie die Wahrheit erfahren.

Wieso nur gelang es ihr nicht, die Vergangenheit einfach ruhen zu lassen und ihre Freiheit zu genießen? Seit sie draußen war, fühlte sie sich durcheinander und verwirrt. Überfordert. Zwanzig Jahre lang hatten andere über sie bestimmt. Ihr Universum hatte an den Mauern der Haftanstalt geendet. Ein enges und reglementiertes Leben, und nun sollte sie sich plötzlich in einer Welt zurechtfinden, die zu groß für sie war. Sie musste ihren eigenen Rhythmus erst finden. Ihren Takt.

Außerdem war da noch immer ihre Schuld. Sie pappte an ihr und ließ sich nicht abstreifen. Mit jedem Tag in Freiheit wurde Nane das bewusster. Ihre Schuld durchdrang sie wie ein Geflecht aus Adern und Nervenbahnen. Wie sollte sie damit leben, dass sie einen Menschen getötet hatte? Sie wusste es nicht und spürte Verzweiflung in sich aufsteigen. Wenn sie ihre Tat doch nur irgendwie wiedergutmachen könnte.

Die Sonne stand längst hoch am Himmel, der sich über ihr in einem schimmernden Blau dehnte. Wie sehr hatte ihr all das gefehlt. Den Blick schweifen lassen zu können, ohne dass er nach wenigen Metern an eine Mauer knallte. Der Duft von Gräsern und Bäumen. Das sachte Streifen des Windes.

Hoch über ihr schwebte ein Punkt im Blau. Ein Vogel, der sich vom Aufwind tragen ließ. Diese Weite war überwältigend. Wieso konnte sie sich daran nicht erfreuen?

Etwas landete auf ihrer Hand, und sie widerstand dem Impuls, es wegzuschlagen. Es war ein Käfer, schmal und mit langen Fühlern. Filigran und zerbrechlich, trotz seines knallig orangefarbenen Panzers mit dem schwarzen Muster. Sein Anblick trieb ihr die Tränen in die Augen, und sie fragte sich, was sie hier eigentlich noch tat.

Der Lärm des Rettungshubschraubers war schon vor Stunden verklungen. Sie sollte längst in Frankfurt an ihrem Schreibtisch sitzen und den Herbstkatalog für Birgits Ausstellung entwerfen.

Birgit hatte schon vor einer ganzen Weile angerufen, doch Nane war nicht rangegangen. Fünf Minuten später war eine WhatsApp gekommen, in der Birgit fragte, wo sie sei. Sie hatten eine Art Kernarbeitszeit vereinbart. Zwischen zehn und fünfzehn Uhr sollte Nane an ihrem Schreibtisch sitzen. Und jetzt war es sicher schon zwölf oder eins. Es war nicht fair, ausgerechnet Birgit, die so viel für sie getan hatte, im Unklaren zu lassen. Vermutlich machte sie sich Sorgen. Nane zog das Smartphone hervor und rief ihre Schwester an.

»Nane. Endlich. Ist alles in Ordnung?«

»Ich habe nur einen Ausflug gemacht. Nach Graven. Aber ich mache mich gleich auf den Rückweg.«

»Was willst du denn dort?«

»Ich wollte mit Thomas reden.«

»Und was sagt er?«

»Nichts. Ich erzähle es dir, wenn ich zurück bin.« Nane verabschiedete sich und steckte das Handy wieder ein.

Da sie wusste, dass Thomas im Sommer um fünf aufstand und zwischen halb sechs und sieben seine Runde durch den Weinberg drehte, war das der ideale Zeitpunkt, um ihn alleine anzutreffen. Deshalb hatte sie sich Birgits Wagen geliehen und war schon bei Sonnenaufgang losgefahren.

Während der Fahrt hatte sie sich gefragt, was wohl aus ihm geworden war. Er war jetzt dreiundsiebzig. Ein alter Mann. Ob er ihr je verzeihen würde? Sie wollte ihm endlich von Angesicht zu Angesicht sagen, wie leid es ihr tat, denn dazu hatte sie nie Gelegenheit gehabt. Vor allem aber ging es ihr um die Wahrheit.

Doch würde er ihr eine ehrliche Antwort geben? Wo er doch auf keinen ihrer Briefe reagiert hatte. Alle waren ungeöffnet zurückgekommen. Nane war sich beinahe sicher, dass Pia sie abgefangen hatte und Thomas nichts von ihnen wusste. Das letzte Bild, das Nane von ihm in Erinnerung hatte, stammte von der Urteilsverkündung. Seinen nach innen gekehrten Blick würde sie nie vergessen, als wäre ihm lebenslänglich noch zu wenig, als wäre die Todesstrafe die einzig angemessene Strafe für sie.

Sie hatte es ja versucht! Zweimal sogar. Doch im Gefängnis ließen sie es natürlich nicht zu, dass sich eine Gefangene auf diese Weise aus dem Staub machte. Schließlich wäre es nichts anderes als eine Flucht.

Von der Straße erklang das Brummen eines Autos, das den Berg hinauffuhr. Unwillkürlich fragte Nane sich, ob es Pia war, die aus dem Krankenhaus zurückkam. Wohin hatten sie Thomas gebracht? Nach Trier oder vielleicht sogar nach Frankfurt?

Sie musste ihn sehen.

Doch Pia würde alles tun, um das zu verhindern. Bestimmt glaubte sie wieder einmal, im Besitz der allein gültigen Wahrheit zu sein und zu wissen, was heute Morgen geschehen war. Damit wären die Rollen dann wieder mal klar verteilt in die Schöne und das Biest. Doch Pia hatte keine Ahnung.

Von Kindesbeinen an waren sie Konkurrentinnen gewesen. Pia, die Anmutige und Schöne, die Begabte und Zuverlässige. Die Älteste, die ihren Prinzessinnenthron mit allen Mitteln verteidigte. Zuerst gegen Birgit und später vor allem gegen sie, die Jüngste, die das Gegenteil von ihr war. Unfolgsam, chaotisch und eigensinnig war sie gewesen und hatte ihren Eltern wenig Anlass zur Freude gegeben. Immer nur Ärger mit Nane. Mit dreizehn hatte sie sich die blonden Haare zu einem Iro schneiden und schwarz färben lassen. Sie hatte geraucht und gekifft und sich dabei absichtlich erwischen lassen, damit ihre Eltern ausflippten. Denn das allein war das Ziel. Sie sollten sie endlich sehen! Und nicht nur immer Pia.

Nane streckte sich im Gras aus, sah in den Himmel und fühlte sich wie in den Sommern ihrer Pubertät, als sie regelmäßig die Schule geschwänzt hatte, um die schönen Tage im Freibad mit Freunden zu vertrödeln.

Sie schloss die Augen und dachte an Thomas. In welchem Krankenhaus lag er wohl? Sie musste es herausfinden, denn heute Morgen hatte er ihr keine Antwort geben können. Sie hatte im Weinberg nach ihm gesucht und ihn schließlich röchelnd und nach Luft ringend im taufeuchten Gras gefunden. Für einen Moment hatte sie befürchtet, dass ihm ihr Anblick den Rest geben würde. Doch er hatte die Hand nach ihr ausgestreckt und »Bitte« gesagt. Einfach nur: »Bitte.«

*

Über sechs Stunden wartete Pia. Zuerst vor dem Operationsaal, dann vor dem Aufwachraum. Bis Thomas schließlich auf die Intensivstation gebracht wurde, war es Nachmittag.

Sie musste sich gedulden, bis alle Geräte angeschlossen waren, erst dann durfte sie zu ihm. Sie setzte sich an sein Bett und blendete das erschreckende Umfeld aus, die zahllosen Kabel und Schläuche, die Thomas' Körper mit medizinischen Geräten verbanden. Sie war einfach nur froh, dass er lebte und dass es ihm den Umständen entsprechend gut ging und dass er ansprechbar war.

»Was machst du nur für Sachen? Mich so zu erschrecken.« Sie beugte sich über ihn und gab ihm einen Kuss.

Thomas' Kopf war bandagiert. Die Konturen in seinem bleichen Gesicht waren innerhalb von Stunden hart geworden, was ihm einen fremden und beinahe unerbittlichen Ausdruck verlieh.

»Ich weiß gar nicht, was passiert ist. Ein Herzinfarkt, sagt der Arzt. Aber ich kann mich nicht erinnern.« Seine Stimme klang schwach und brüchig.

»Es liegt an der Narkose«, sagte Pia.

Professor Weigel hatte es ihr erklärt, als Thomas sie im Aufwachraum zunächst nicht erkannt hatte. Das Kurzzeitgedächtnis konnte in Mitleidenschaft gezogen werden, doch es würde vorübergehen. Machen Sie sich keine Sorgen, hatte Weigel gesagt.

»Hauptsache, es geht dir besser. Wie fühlst du dich?«

»Schwach und ein wenig orientierungslos.« Mit einer Hand betastete er seinen Kopf. »Wieso habe ich einen Verband?«

»Du bist im Weinberg gestürzt und hast dir eine Platzwunde zugezogen. Ursache für den Sturz war der Herzinfarkt. Die Ärzte haben dir einen Stent gesetzt. Die Ader ist wieder frei. Jetzt musst du dich nur noch erholen.«

Bei seiner Konstitution würde das sicher nicht lange dauern. Thomas war fit und noch nie ernsthaft krank gewesen. Ein Bär von einem Mann.

Bei diesen Gedanken fühlte sich Pia wie ein kleines Mädchen, das in den Keller ging und tapfer gegen die Angst im Dunkeln ansang. Gegen die Angst, Thomas könnte sterben. Dabei wusste sie, dass sie ihn bei dem großen Altersunterschied wahrscheinlich überleben würde.

»Weiß Lissy schon Bescheid?«, fragte Thomas.

»Ich rufe sie später an.«

»Sag ihr, dass es mir leidtut. Aber sie muss ihren Urlaub abbrechen und sich um Graven kümmern. Ich lege die Verantwortung in ihre Hände, bis ich wieder auf dem Damm bin. Leonhard und Margot sollen sie unterstützen, und sie kann mich jederzeit fragen. Ich brauche nur mein Handy, dann können wir telefonieren und skypen.«

»Mal abgesehen davon, dass man im Krankenhaus keine Handys benutzen darf, solltest du dich erholen und nicht vom Bett aus Regie führen, mein Lieber. Lissy schafft das schon.«

Thomas drückte ihre Hand. »Ja, da hast du recht.« Er schloss die Augen, und kurz darauf bemerkte sie an seinen gleichmäßigen Atemzügen, dass er schlief. Pia konnte sich nicht entschließen, ihn allein zu lassen, und blieb an seinem Bett sitzen.

Wie hatte das nur passieren können? Vielleicht waren die Schmerzen im Arm ein Anzeichen gewesen, das sie falsch gedeutet hatten. Aber eigentlich wusste sie es besser. Es war keine Verkettung unglücklicher Umstände gewesen, wie Professor Weigel ihr weismachen wollte: ein Herzinfarkt, der den Sturz und damit die Kopfverletzung zur Folge gehabt hatte. Das erste Glied dieser Kette war Nane gewesen. In aller Herrgottsfrühe war sie im Weinberg aufgetaucht! Natürlich hatte Thomas sich zu Tode erschrocken. Er wusste ja nicht, dass sie frei war. Hätte sie es ihm doch nur sofort gesagt.

An einem der Geräte ging der Alarm los. Pia fuhr zusammen. Was sollte sie tun? Eine Schwester kam herein und beruhigte sie. »Das ist nichts. Nur eine verrutschte Klemme.« Sie brachte es in Ordnung und riet Pia, nach Hause zu fahren. Thomas sei in guten Händen. Man würde sie anrufen, sollte sich sein Zustand verändern.

Es war höchste Zeit, Lissy Bescheid zu geben. Mit einem Kuss auf die Wange verabschiedete Pia sich von ihrem schlafenden Mann und verließ das Krankenhaus. Sie setzte sich auf eine Bank in der Grünanlage, schaltete das Handy ein und stellte fest, dass sie ein halbes Dutzend Anrufe verpasst hatte und etliche SMS, anscheinend alle von Margot. Die Gute musste sich noch ein wenig gedulden.

Erst schrieb sie Lissy eine WhatsApp und erkundigte sich, was sie gerade machte. Wie meistens antwortete ihre Tochter postwendend:

Wir sind gerade vom Strand zurückgekommen und testen die neue Hängematte. Und bei euch so?

Es gibt Neuigkeiten, die ich mit dir besprechen muss, schrieb Pia. *Ich ruf dich jetzt an.*

Sie schickte ein Kuss-Emoji mit und wartete einen Moment, bevor sie die Nummer wählte.

Ihre Tochter war sofort dran. »Was ist denn passiert?«

»Nichts wirklich Schlimmes. Du musst dir keine Sorgen machen. Thomas geht es schon wieder gut. Er ist gestürzt ...«

»Oje. Hat er sich was gebrochen?«

»Er hat eine Gehirnerschütterung und eine Platzwunde am Kopf, aber seine Knochen sind noch alle heil.«

»Warum klingst du dann so niedergeschlagen?«, fragte Lissy. »Da ist doch noch was.«

»Die Ursache für den Sturz war ein Herzinfarkt.«

Sie hörte, wie ihre Tochter nach Luft schnappte. »Das erwähnst du so ganz nebenbei?«

»Ich wollte dich nicht beunruhigen. Und es geht ihm ja schon besser. Aber es wird einige Zeit dauern, bis er wieder auf den Beinen ist.«

»Soll ich kommen?«

»Ja, das wäre gut. Thomas möchte, dass du dich so lange um alles kümmerst.«

»Natürlich. Ich suche nach einem Flug und melde mich, sobald ich weiß, wann ich lande.«

Sie verabschiedeten sich, und Pia dachte wieder einmal, was für eine wunderbare Tochter Thomas und sie doch hatten. Nicht nur hübsch und intelligent, sondern auch selbstständig und verantwortungsbewusst.

Auf der Rückfahrt nach Graven fragte Pia sich, woher der Rettungshubschrauber eigentlich so schnell gekommen war. Nur eine Minute nachdem Leonhard aus dem Tor gelaufen war und sie hinter ihm her, war der Helikopter eingetroffen. Und woher hatte Leonhard überhaupt von Thomas' Sturz gewusst? Erst in diesem Moment begriff Pia, dass es Nane gewesen sein musste, die den Kellermeister zu Hilfe geholt hatte.

Noch während Pia den Jeep auf dem Stellplatz parkte, kam Margot auf den Hof gelaufen, als hätte sie hinter der Tür auf ihre Ankunft gelauert. Ihr dunkles Haar war ein wenig zerzaust und die Bluse verknittert. Die sonst so perfekte Margot wirkte derangiert, was Pia mit einer gewissen Genugtuung registrierte.

»Herrgott, warum gehst du nicht an dein Telefon? Wir werden hier alle verrückt vor Angst. Nun sag schon, wie geht es Thomas?«

Verständlicherweise lagen Margots Nerven blank, doch Pia reagierte gelassen. Nicht zuletzt, weil sie wusste, dass sie damit ihre Schwägerin erst recht auf die Palme brachte. Ruhig und sachlich wiederholte sie, was sie eben schon Lissy erklärt hatte.

Währenddessen kamen Leonhard und Irene und einige der Arbeiter dazu. Es gelang ihr, allen die Sorge zu nehmen, nur sich selbst nicht. Das Gefühl, dass ihr schönes und wohlgeordnetes Leben aus den Fugen geriet, begleitete sie seit Birgits Anruf mit der Neuigkeit, dass Nane aus dem Gefängnis entlassen worden war.

Die kleine Versammlung löste sich auf. Nur Leonhard und Margot blieben bei ihr im Hof stehen.

»Die Nachricht, dass Thomas mit dem Rettungshubschrauber ins Krankenhaus gebracht wurde, hat sich natürlich rasch verbreitet«, sagte Margot. »Beinahe alle haben schon angerufen. Anneliese hat Hilfe angeboten, falls Thomas länger ausfallen sollte.«

Eine Welle von Dankbarkeit erfasste Pia. Anneliese Dahlheim war Winzerin auf Gut Vollstedt und eine gute Freundin der Familie.

Der Zusammenhalt unter den Winzern hatte Pia damals, als sie Thomas kennengelernt hatte, zunächst irritiert. Sie waren schließlich Konkurrenten. Doch er hatte ihr erklärt, dass die meisten von ihnen an einem Strang zogen, um den Weinen von der Saar wieder zum alten Glanz zu verhelfen. Er hatte ihr seine Sammlung von Speisekarten der Zwanziger- und Dreißigerjahre gezeigt, die aus den Luxushotels der Welt stammten. Zu jener Zeit hatten die Saarweine überall an erster Stelle gestanden. Doch dann war der Zweite Weltkrieg gekommen und mit dem Holocaust die Vertreibung und Ermordung der jüdischen Weinhändler, die den Saarwein in alle Welt exportiert und berühmt gemacht hatten. In den Sechzigerjahren galt dann alles Deutsche als spießig, auch der Wein, und Anfang der Siebziger wurde das Weingesetz novelliert. Lagen und Qualitätsstufen wurden derart ausgeweitet, dass auch zuckrige Verschnitte als Qualitätsweine verkauft werden konnten. Zu viele Winzer machten mit – auch Thomas' Vater – und ruinierten den Ruf des deutschen Weins vollends.

Als Pia Thomas kennenlernte, lag schon mehr als ein Jahrzehnt Aufbauarbeit hinter ihm und seinen Mitstreitern. Sie produzierten wieder »ehrlichen« Wein, wie er es nannte. Wenig Spritzmittel, wenig Dünger, nur geringe Eingriffe im Keller. Der Wein sollte zeigen, was an Sonne und Standort in ihm steckte. Der Einfluss des Bodens war entscheidend, das sogenannte Terroir. Die Winzer von der Saar hatten es gemeinsam geschafft. Das verband sie, und noch immer unterstützten sie sich gegenseitig.

»Das ist ein tolles Angebot von Anneliese«, sagte Pia. »Ich rufe sie nachher an. Vermutlich kann Lissy ihren Ratschlag gut gebrauchen.«

»Lissy ist doch in Frankreich«, erwiderte Margot überrascht.

»Sie bucht gerade ihren Heimflug.«

Leonhard hatte bisher schweigend zugehört, wie es seine Art war. Er war ein ruhiger Mann mit einem ausgeglichenen Charakter. Da er Kellermeister war und kein Winzer, konnte er Thomas nicht ersetzen, und Margot kümmerte sich um den Papierkram, die Termine und die Finanzen. Doch mit Annelieses Unterstützung würde Lissy den Betrieb auf einem guten Niveau am Laufen halten, bis Thomas wieder gesund war. Pia selbst verstand so gut wie nichts vom Weinbau und konnte ihrer Tochter daher nicht unter die Arme greifen.

»Thomas möchte, dass Lissy das Weingut führt, bis er wieder an Bord ist«, erklärte Pia. »Wenn ihr drei an einem Strang zieht und Anneliese euch außerdem mit Rat und Tat zur Seite steht, wird das funktionieren. Thomas verlässt sich auf euch.«

Leonhard nickte. »Das kann er auch. Du solltest ihm nur kein Tablet oder Smartphone ins Krankenhaus bringen. Sonst mischt er unweigerlich mit.«

Mit verkniffenem Mund stand Margot da. Sie hatte die Arme um den Oberkörper geschlungen und wippte kaum merklich auf ihren hohen Schuhen auf und ab. Dieses Arrangement gefiel ihr sichtlich nicht.

»Ist Lissy denn schon so weit?«, fragte sie.

»Wenn Thomas sagt, dass sie die Verantwortung übernehmen kann, dann kann sie das«, erwiderte Pia.

Vermutlich hatte Margot vorgehabt, ihren Sohn Marius ins Spiel zu bringen. Es gelang ihr einfach nicht, sich von der Vorstellung zu verabschieden, dass er eines Tages das Sagen auf Graven haben würde.

»Das wird sich zeigen«, bemerkte Margot spitz und kehrte ins Büro zurück.

Auch Leonhard wollte gehen, doch Pia hielt ihn auf. »Sag mal, hast du heute Morgen den Rettungshubschrauber gerufen?«

»Nein. Das war Nane. Wahrscheinlich hat sie Thomas damit das Leben gerettet.«

Ihr Blick hielt seinem stand. Sie wusste, was er dachte:

Nane, die Mörderin, als Lebensretterin – das passt nicht in dein Bild.

»Und dann hat sie dich geholt?«, hakte sie nach.

»Sie wollte Hilfe holen, und ich war der Erste, dem sie über den Weg gelaufen ist. Sie hat alles richtig gemacht.«

»Aber sicher. Wenn man davon absieht, dass sie Thomas zu Tode erschreckt hat. Er wusste nicht, dass sie draußen ist. Du etwa?«

»Wenn ich es gewusst hätte, dann hätte ich es ihm gesagt.«

Das Geräusch eines Wagens, der die letzte Haarnadelkurve nahm, wurde lauter. Einen Moment später schoss ein cyanblauer Mini mit aufheulendem Motor durchs Tor und stoppte im Hof. Die Wagentür flog auf, und Sonja sprang heraus. An Thomas' Enkelin hatte Pia gar nicht mehr gedacht.

»Warum hat mir niemand etwas gesagt?«, rief Sonja statt einer Begrüßung. »Diese Irre läuft frei herum und legt Blumen an der Stelle ab, an der sie meinen Vater umgebracht hat. Ich fass es nicht!«

*

Margot betrat die Wohnung, die ihr verhasst war, seitdem sie dort wohnte, und versetzte der Tür einen kleinen Tritt. Wie jeden Abend fiel sie mit einem dumpfen Schlag hinter ihr zu, an den sich die Müllers in der Wohnung über ihr längst gewöhnt hatten. Es war Margots Art, ihrem Ärger über den Umzug vom Weingut Graven hinunter ins Dorf Luft zu machen. Auch nach zwanzig Jahren noch. Eine Angewohnheit, die ihr selbst kaum noch bewusst war. Nur die Dellen in der Tür erinnerten sie gelegentlich daran.

Handtasche und Schlüssel landeten auf dem Sideboard im Flur. Sie kam vom Besuch bei ihrem Bruder im Krankenhaus zurück. Unverrichteter Dinge. Denn das Anliegen, das ihr auf der Seele brannte, hatte sie nicht mit ihm besprechen können. Die Besuchszeit war längst vorüber gewesen, und die Krankenschwester hatte sie gebeten, es kurz zu machen.

Doch Thomas schlief, als sie sein Zimmer betrat, und sie wollte ihn nicht wecken. Also setzte sie sich an sein Bett. Sie konnte die Sorge um ihn nicht länger unterdrücken. Da lag ihr Bruder, den sie über alles liebte – mehr, als sie einen leiblichen Bruder je hätte lieben können. Er war immer gesund und stark gewesen. Ihn im Krankenhausbett zu sehen, war ein regelrechter Schock. Überall Kanülen, Infusionen und Geräte, die blinkten. Und er mittendrin, der Technik und dem Können der Ärzte ausgeliefert.

Sie rief sich zur Ordnung. Es gab keinen Grund, sich verrückt zu machen. Thomas hatte den Herzinfarkt überlebt. Er war in guten Händen und auf dem Weg der Besserung. Was sie mit ihm besprechen musste, konnte auch bis morgen warten. Nach ein paar Minuten hatte sie sich leise aus dem Zimmer geschlichen, um ihn nicht zu wecken, und war nach Hause gefahren.

Morgen würde sie die Mittagspause ausdehnen und für einen Besuch bei ihm nutzen. Denn er musste eine Entscheidung treffen, wer sich um Graven kümmern sollte, bis er das selbst wieder konnte, denn Lissy war dazu nicht in der Lage. Bei aller Vaterliebe musste er das einsehen. Hätte er doch nur rechtzeitig für diesen Fall vorgesorgt.

»Hätte, hätte, Fahrradkette«, sagte Margot in die Stille ihrer Wohnung. Er hatte es nicht getan, obwohl sie das Thema immer wieder angesprochen und auch seinen Anwalt gebeten hatte, in diesem Sinne auf ihn einzuwirken. Eine Vorsorgevollmacht zu erstellen, erforderte allerdings, an Krankheit und Tod zu denken. Wer machte das schon gerne? Niemand. Es war menschlich, aber leider auch dumm.

Margot setzte sich im Schlafzimmer aufs Bett, streifte seufzend die Pumps von den Füßen und dachte wieder einmal: Wenn Thomas' Eltern mich doch nur adoptiert hätten. Alles wäre anders. Ihr Platz in der Familie, zu der sie seit über vierzig Jahren gehörte und für die sie sich den – ja, man konnte das ruhig mal so salopp formulieren – Arsch aufriss, ihr Platz in dieser Familie wäre klar definiert. Und damit auch der ihres Sohns Marius. Aber Berthold und Sibylle hatten es nicht getan. Blut war nun mal dicker als Wasser. Es gab zwei leibliche Kinder. Ferdinand und Thomas. Weshalb also das Ziehkind adoptieren? Auch wenn es die Tochter der besten Freunde war.

Dieser Gedankenreigen war Margot ebenso in Fleisch und Blut übergegangen wie der abendliche Tritt gegen die Tür, und wie immer, wenn sie an diesem Punkt ihrer Überlegungen ankam, schämte sie sich für ihre Undankbarkeit. Berthold und Sibylle waren für sie wie Eltern gewesen. Sie hatten ihr Liebe und Fürsorge gegeben, vor allem aber Familie und Heimat. Sie hatten sie auf Graven aufgenommen, wenige Tage nachdem ihre Eltern ums Leben gekommen waren. Ein Verlust, den Margot bis heute nicht verwunden hatte. Mit dreizehn hatte sie alles verloren. Das war das Trauma ihres Lebens. Die Angst, dass es sich wiederholen könnte, war fest in ihr verankert. Auch das war ihr bewusst.

Auch wenn sie keine von Manthey war, so war sie doch Teil der Familie und des Familienbetriebs. Seit über dreißig Jahren arbeitete sie dort im Büro und hatte sich unentbehrlich gemacht. Sie hatte Thomas dabei geholfen, den Namen des Weinguts Graven wieder groß zu machen. Sein Erfolg war auch ihr Erfolg. Sie waren ein großartiges Team. Gemeinsam hatten sie es geschafft, und das würde sie sich nicht von Lissy kaputt machen lassen. Sie war zu jung und unerfahren, um die Verantwortung für eine Jahresproduktion mit einem Millionenumsatz zu übernehmen. Das musste Thomas doch einsehen.

Margot zog das Kostüm aus und schlüpfte in Shorts und T-Shirt. Barfuß ging sie in die Küche und genoss die Kühle des Steinbodens an ihren brennenden Fußsohlen. Nach diesem Tag brauchte sie ein Glas Wein, um zur Ruhe zu kommen. Oder besser zwei.

Erst die Nachricht von Thomas' Sturz, der sich als Folge eines Herzinfarkts entpuppt hatte. Dann die unglaubliche Neuigkeit, dass Pias Schwester frei war und im Weinberg herumspukte. Und schließlich Pia, die erklärte, dass Lissy das Ruder übernehmen sollte.

Margot machte sich ein Käsebrot, steckte eine Flasche vom Graven'schen Silvaner in die Kühlmanschette und setzte sich auf die Terrasse.

Die Frage, wie sie zu Lissy stand, war schwer zu beantworten. Sie war die Tochter ihres Bruders, den sie bedingungslos liebte. Daher sollte es eigentlich kein Problem sein, sie ins Herz zu schließen. Doch genau das war es. Denn Pia war die Mutter, und Margot verstand bis heute nicht, was Thomas an ihr fand. Die einzige Erklärung, die ihr einfiel, war Sex. Womöglich hatte Pia im Bett ein paar Tricks drauf, die Thomas um den Verstand gebracht hatten. Leider verwechselte er Begehren mit Liebe. Aber so waren die Männer nun einmal. Das hatte sie mit ihrem eigenen Mann erlebt. Nach drei Ehejahren, einer Schwangerschaft und einer Geburt, durch die ihr sexuelles Verlangen vorübergehend gegen null tendiert hatte, nutzte eine seiner Kolleginnen, die schon lange auf ihn scharf war, die Gelegenheit und schnappte ihn sich. Die heimliche Affäre hatte schon drei Monate gedauert, als ihr Mann ihr schließlich eröffnete, dass er eine andere liebte, und sie verließ.

Margot war fest davon überzeugt, dass Pia Thomas nicht wirklich liebte. Im Grunde war sie berechnend und – unter ihrer zur Schau gestellten oberflächlichen Einfühlsamkeit – kalt wie Stein. Ohne sie und ihre verrückte Schwester wäre jener Sommer vor zwanzig Jahren ganz anders verlaufen. Kurzum: Margot konnte Pia nicht leiden, und das machte es ihr schwer, Lissy zu mögen, die viel von ihrer Mutter hatte.

Wie auch immer. Es war klar, dass Lissy die Erfahrung fehlte, um ein Weingut mit internationalem Renommee zu leiten. Sie würde den Namen ruinieren. Alles, was Thomas und sie in dreißig Jahren aufgebaut hatten.

Er musste das anders regeln. Marius konnte einspringen. Es wäre die ideale Lösung. Ihr Sohn war seit vier Jahren Winzer auf Schloss Wicklingen, das schon lange kein

Familienbetrieb mehr war, sondern Spekulationsobjekt der Investoren. Seit es einem chinesischen Konzern gehörte, fühlte Marius sich dort nicht mehr wohl. Masse statt Klasse – dieses Motto widersprach seinen Idealen, und es war absehbar, dass man seinen Vertrag nicht verlängern würde. Er streckte bereits die Fühler nach einer neuen Position aus.

Thomas hätte mit seinen dreiundsiebzig Jahren längst jemanden gebraucht, der ihn unterstützte und entlastete. Und jetzt, nach dem Herzinfarkt, erst recht. Marius war die Idealbesetzung. Morgen würde sie das mit Thomas besprechen und ihn überzeugen, Marius als Geschäftsführer einzusetzen. Dann musste man weitersehen, wie er sich dauerhaft etablieren ließ. Er sollte das Weingut übernehmen. So war es vor zwanzig Jahren ausgemacht gewesen. Doch dann war Pia in Thomas' Leben getreten, und nichts hatte mehr gegolten.

Kapitel 2

Sommer 1997

Als Ariane Rauch an diesem Juliabend das Büro verließ, war sie in Feierlaune. Sie hatte einen neuen Kunden für die PR-Agentur akquiriert, und das während ihrer Probezeit. Ihr Chef war voll des Lobes, doch eigentlich hatte sie nichts dafür getan. Es war Zufall, dachte Nane, während sie beschwingt die Freßgass in der Frankfurter Innenstadt ansteuerte. Mark würde Augen machen, wenn sie mit Champagner nach Hause kam, denn als PR-Beraterin gehörte sie zur Gruppe der erfolgreichen und souveränen Frauen, und die tranken etwas Edleres als Bier.

Wieder einmal war sie im Begriff, sich neu zu erfinden. Was war sie schon alles gewesen in ihrem Leben! Begonnen hatte sie als schüchternes kleines Mädchen, gefolgt war die zappelige Grundschülerin in Personalunion mit dem Klassenclown, später die Kifferin und dann das frühreife Früchtchen.

So hatte ihr Vater sie tatsächlich genannt, als er sie im Alter von dreizehn mit einem Jungen in ihrem Zimmer erwischt hatte. Wobei sie doch nur geknutscht hatten. Ein frühreifes Früchtchen also. Ein echtes Problemkind. Dabei hatte sie kein Problem mit sich. Es waren die anderen, die ein Problem mit ihr hatten.

Die coolste Phase ihres Lebens war die der Punkrebellin mit Abitur gewesen. Der Schulabschluss war ihr wichtig gewesen. Damit hatte sie Pia bewiesen, dass man das Abi auch schaffen konnte, wenn man keine Streberin war und auch keine verhätschelte und ständig geförderte Tochter. Man musste nur intelligent sein, und das war sie.

All die Masken, die sie sich angelegt hatte, all die Rollen, in die sie geschlüpft war. Eine Scharade, die sie mit sich selbst spielte, um nicht ihre verletzliche Seite zu zeigen, ihre offene Flanke, die sich nach Liebe sehnte, nach Anerkennung und Wertschätzung, danach, überhaupt gesehen zu werden.

Mark hatte das erkannt und eines Abends gesagt: »Du schlüpfst in diese Rollen, weil du denkst, dass du dann unverwundbar bist.« Er hatte sie durchschaut. Bei ihm konnte Nane sie selbst sein, auch wenn sie oft nicht so genau wusste, wer sie eigentlich war.

Vor einem Schaufenster blieb sie stehen und betrachtete sich in der spiegelnden Scheibe. Noch fühlte sie sich ein wenig fremd in dem korallenroten Businesskostüm mit den Schulterpolstern und dem taillierten Blazer. Apart wurde sie oft genannt. Jetzt, da ihre Locken schulterlang waren und wieder ihre ursprüngliche Farbe hatten, mochte das stimmen. Weizenblond nannte Mark sie, dabei waren sie beinahe weiß. Ihr Oberkörper war zu kurz oder die Beine zu lang – je nachdem, wie man es betrachtete. Sie fand ihre Nase zu groß und die Lippen zu schmal. Doch jetzt leuchteten ihre Augen noch immer wegen des erzielten Erfolgs, und mit diesem Strahlen fand sogar sie sich hübsch.

Wenn Mark sie jetzt so sehen könnte, dann würde er bestimmt die Finger von seiner Kollegin lassen. Er dachte, sie wüsste es nicht. Doch sie hatte ihn bei der Firmenfeier seiner Bank vor zwei Wochen beobachtet. Wie er diese Frau angesehen und mit Blicken ausgezogen hatte. Die Erinnerung daran tat weh. Vor zwei Jahren hatten sie geheiratet, obwohl sie kaum ein halbes Jahr zusammen gewesen waren. Sie waren sich während des Studiums begegnet und hatten sich Hals über Kopf ineinander verliebt. Mark, der seine Eltern nicht kannte und in verschiedenen Pflegefamilien aufgewachsen war, und sie, die sich ebenso wie er danach sehnte, wahrgenommen zu werden. Eine Liebe, die Jahrzehnte halten würde, bis sie alt und gebrechlich waren und ihre dritten Zähne sie aus den Gläsern auf dem Nachttisch angrinsten. So hatten sie sich das ausgemalt.

Natürlich hatte sie geglaubt, dass die Entscheidung für die Ehe für ihn auch ein Bekenntnis zur Treue war. Doch das erwies sich als Irrtum. Sie musste ihn von seiner Kollegin ablenken. Deshalb warteten zu Hause neue Dessous. Fünfzig Gramm durchscheinende schwarze Spitze mit ein paar Haken und Ösen und natürlich mit Strapsen. Darauf stand Mark. Und dazu eine Flasche Champagner, die sie zur Feier des Tages kaufen würde.

Dass sie einen neuen Kunden akquiriert hatte, war wirklich Zufall gewesen. Sie hatte Matthias Abel, den Veranstalter exklusiver Weingalas, an einer Ampel kennengelernt, die von Grün auf Orange schaltete. Wie immer, wenn sie sich rasch entscheiden musste, war sie überfordert. Erst gab sie Gas, weil sie glaubte, es zu schaffen, und trat dann doch auf die Bremse, als ihr Zweifel kamen. Ihr Hintermann reagierte nicht schnell genug und fuhr auf. Es schepperte. Der Wagen machte einen Satz nach vorne. Nane glaubte Mark schon schimpfen zu hören, denn es war schließlich sein Auto. Während sie hinauskletterte und sich auf spöttische Bemerkungen à la *Frau am Steuer – Abenteuer* gefasst machte, stieg ein älterer Herr aus seinem Mercedes und entschuldigte sich tausendmal bei ihr. Es sei seine Schuld, er habe zu wenig Abstand gehalten.

Bei einer Tasse Kaffee füllten sie den Unfallbericht aus, tauschten Adressen und Versicherungsnummern. Als Wiedergutmachung lud Matthias Abel sie zum Essen ein, und als sie erklärte, dass es ihrem Mann nicht gefallen würde, wenn sie mit einem anderen Mann essen ging, lud er kurzerhand auch Mark ein. Es schmeichelte Matthias Abel natürlich, dass sie ihn als ernsthafte Gefahr für eine Ehe sah, denn er war mindestens sechzig, während sie gerade erst sechsundzwanzig geworden war.

Zu dritt verbrachten sie einen schönen Abend in einem Restaurant in Eltville. Fünfgängiges Menü mit Weinbegleitung. Irgendwann kam die Sprache auf ihre Berufe. Als Nane erwähnte, dass sie seit Kurzem als PR-Beraterin arbeitete, meinte Matthias Abel, das sei eine geradezu glückliche Fügung, denn er suche derzeit nach einer Agentur für Öffentlichkeitsarbeit.

Und so war Nane unversehens ein Neukunde in den Schoß gefallen. Ein Unfall mit Happy End – wenn man einmal von Marks Reaktion absah. Natürlich hatte er einen Aufstand gemacht, weil der Stoßfänger des BMW

Schrott war. Doch Abels Versicherung zahlte die Reparatur. Wenn nicht, hätte sie den Wagen notfalls selbst reparieren können. Während ihrer Punkrebellinnenphase hatte sie einen Freund gehabt, der Autos tunte und sie hatte mitschrauben lassen. Von ihm hatte sie mehr gelernt, als nur Stoßfänger zu montieren.

Nane betrat die Feinkosthandlung, die sie kurz darauf mit einer Tüte aus Lackpapier verließ, in der eine Flasche Ruinart für sechzig Mark lag. Am Hauptbahnhof stieg sie in den Bus und fuhr nach Hause, denn Mark lieh ihr seinen BMW nicht mehr. Er brauchte ihn selbst, auch wenn der Wagen dann den ganzen Tag in der Tiefgarage der Bank stand, bei der er arbeitete.

Sie wohnten in einem Mietshaus in Bockenheim. Zwei Zimmer, Küche, Bad und ein Balkon mit Blick auf den Botanischen Garten. Nane legte den Champagner in den Kühlschrank. Als sie ins Schlafzimmer kam, um sich für den Abend umzuziehen, stutzte sie. Die obere Schublade der Kommode war nicht richtig geschlossen, und eine Tür des Kleiderschranks stand offen. Sie sah hinein. Marks Sachen waren weg. Nach einer Schrecksekunde riss sie die Schubladen auf, in denen normalerweise seine Wäsche lag. Leer. Sie rannte ins Wohnzimmer. Die Stereoanlage samt Kassettendeck und Stereoboxen war weg, ebenso der Koffer aus dem Besenschrank und das Rasierzeug aus dem Bad. In der Küche fand sie seinen Brief.

Liebe Nane,
wenn Du diese Zeilen liest, wirst Du entdeckt haben, dass ich ausgezogen bin. Ich habe Dich verlassen, und ich weiß, was Du jetzt denkst:

Er hat also doch eine andere. Ich habe es ja immer gewusst!
Nein, ich habe keine andere, und ich habe auch nie eine andere gehabt. Ich war Dir immer treu, doch das wirst Du mir nicht glauben. Ich ertrage Dein Misstrauen nicht länger. Oder sollte ich sagen, Deine Paranoia? Deine ständigen Verdächtigungen, die Kontrollanrufe und das Durchsuchen meiner Sachen. Deine Fragen an meine Freunde und Kollegen, die Du »nebenbei« in ein Gespräch einfließen lässt und von denen Du wohl annimmst, dass niemand die Absicht dahinter erkennt.
Doch Du irrst dich. Dein Verhalten ist mir unangenehm und peinlich. Dein Misstrauen und Deine grundlose Eifersucht sind wie Termiten, die in unser Haus eingedrungen sind und das Fundament aufgefressen haben, bis das Gebäude darüber zusammengekracht ist. Ich mag nicht mehr, und ich kann nicht mehr. Ich habe es mir lange überlegt, und mein Entschluss ist endgültig. Mein Anwalt wird sich bei Dir melden. Ich wünsche mir für uns beide, dass wir die Scheidung zivilisiert über die Bühne bringen. Obwohl ich das Gegenteil befürchte.
Ich werde Dir meine neue Adresse mitteilen, sobald ich das für sinnvoll halte. Bis dahin kannst Du über meinen Vater Kontakt zu mir aufnehmen. Bevor Du jetzt zu ihm fährst und Sturm läutest: Ich wohne nicht bei ihm. Ich will niemanden in unsere Trennung hinein-

ziehen und habe mir eine Wohnung genommen. Außer mir kennt derzeit nur mein Vermieter meine neue Adresse. Es hat also keinen Sinn, in meinem Bekanntenkreis herumzufragen. Lass mir bitte Zeit, Abstand zu gewinnen, und dann lass uns diese Ehe zu einem würdigen Ende bringen. Darum bitte ich Dich, Nane. Um nicht mehr und nicht weniger.
Und ich weiß, es ist eine große Bitte.
Mark

Das Blatt segelte zu Boden. Hass und Verzweiflung stiegen ihn ihr auf, doch dann kam der rettende Gedanke: Er meint das nicht so. Sie hatten beide Fehler gemacht. Sie liebten sich doch! Sie musste um ihn kämpfen, um ihre Liebe. Das allein war der Sinn seines Briefs. Kämpfe um mich! Zeige mir, dass du mich liebst!

Was für ein Kindskopf Mark doch war! Immer das große Drama. Dabei verstand sie ihn. Sogar besser, als er glaubte. Das Buhlen um Liebe kannte sie nur zu gut. Es begleitete sie, seit ihre Mutter sie vor sechsundzwanzig Jahren mit nur fünf Wehen in die Welt gepresst hatte.

*

Ihr Vorhaben in die Tat umzusetzen, war schwieriger als gedacht. Wenn sie ihren Mann zurückgewinnen wollte, musste sie ihn sehen. Doch Nane konnte seine neue Adresse nicht in Erfahrung bringen. Marks Vater kannte die aktuelle Anschrift wirklich nicht, ebenso wenig wie die neue Festnetznummer. An sein Handy ging er nicht, auch wenn sie mit unterdrückter Nummer anrief. In den ersten Tagen konnte sie nur seine Mailbox erreichen. Sie hinterließ ihm einige Nachrichten, bis er die Funktion abstellte, ohne dass er sie zurückgerufen hatte. Kurz darauf war dann auch das Handy nicht mehr erreichbar. Er musste sich eine neue Nummer besorgt haben. Im Büro erwischte sie ihn immerhin am Tag nach seinem Auszug. Doch er bat sie, ihn nicht in der Arbeit anzurufen, und ging nicht mehr ran, als sie es weiter versuchte. Offenbar hatte er bei der Telefonzentrale die Losung ausgegeben, dass sie eine Persona non grata sei. Man stellte sie jedenfalls nicht durch. Als es ihr schließlich mit falschem Namen gelang, legte er auf.

Also schickte sie ihm Faxe und Mails, die er nicht beantwortete. Langsam verlor sie die Geduld. Es war ja in Ordnung, dass er herausfinden wollte, wie weit sie für ihre Beziehung gehen würde. Aber er übertrieb es doch ein wenig.

Egal wen sie anrief – niemand verriet ihr, wohin er gezogen war. Ein Haufen Lügner, die sich gegen sie verschworen hatten.

Am Wochenende überlegte sie, ob sie einen Privatdetektiv beauftragen sollte, verwarf die Idee dann aber als zu teuer. Sie würde es selbst versuchen. Am Montag, es war Tag fünf nach Marks Auszug, schob sie einen Zahnarzttermin vor und bat ihren Chef, eine Stunde früher gehen zu dürfen.

Zuerst fuhr sie zur Autovermietung am Hauptbahnhof und holte den Wagen ab, den sie telefonisch reserviert hatte. Von dort ging es weiter zu Marks Arbeitsplatz im Westendtower. In der Nähe der Ausfahrt fand sie einen

Parkplatz und legte sich auf die Lauer. Nach etwa einer Stunde fuhr Mark mit seinem BMW aus der Tiefgarage und bog auf die Mainzer Landstraße Richtung Westen ab.

Sie hängte sich an ihn und ließ ihn nicht aus den Augen, bis er vor einem mehrstöckigen Haus in Preungesheim an einer Schranke stoppte und auf einer Tastatur einen Code eingab. Die Schranke und das Tor zur Tiefgarage öffneten sich. Er fuhr los. Sie folgte ihm. Doch sie war nicht schnell genug. Die Schranke senkte sich schon wieder, als sie die Zufahrt erreichte, während Mark mit seinem BMW im Untergrund verschwand.

Wütend legte sie den Rückwärtsgang ein und fuhr zurück. An der Klingelanlage des Hauses standen etwa fünfzig Namen. Nirgendwo ein Mark Rauch. Reihe für Reihe studierte sie die Schildchen, bis sie am Namen Jim Nashe hängen blieb. So hieß die Hauptfigur in Paul Austers Roman *Die Musik des Zufalls*. Mark hatte ihn vor Kurzem gelesen und ihr von Nashe erzählt. Sie drückte auf den Klingelknopf. Falls das ein Test war, hatte sie ihn bestanden. Ein Gefühl von Triumph überrollte sie. Doch Mark belohnte sie nicht. Sie wartete. Klingelte erneut. Nichts rührte sich. Die Gegensprechanlage begann nicht zu rauschen, und er sagte nicht: »Gut gemacht, komm nach oben.«

Was sollte das alles? Sie setzte sich ins Auto und beobachtete das Haus. Irgendwann würde er schon herauskommen. Es wurde elf, dann zwölf und damit Zeit, heimzufahren. Immerhin wusste sie jetzt, wo er wohnte. Sie gab den Wagen zurück und fuhr nach Hause in ihre leere Wohnung.

Am Küchentisch schrieb sie Mark einen Brief, den sie

erst am übernächsten Tag einwarf. Jetzt, da er wusste, dass sie ihn gefunden hatte, war es besser, sich ein wenig zurückzuziehen und ihn im Ungewissen zu lassen. Doch schon einige Tage später hielt sie es nicht mehr aus und wartete nach der Arbeit vor seinem Haus auf ihn. Es wurde sieben, dann halb acht. Er kam nicht. Vielleicht war er früher gegangen und längst daheim? Um Viertel vor acht verließ eine Frau mit Koffer das Haus. Nane hielt ihr die Tür auf und witschte hinein.

Im vierten Stock fand sie die Wohnung von Jim Nashe. Sie klingelte und schlug schließlich mit der Faust gegen die Tür, doch niemand rührte sich. Da ging die Tür der Nachbarwohnung auf. Eine ältere Dame lugte in den Flur und fragte, ob sie Frau Nashe sei. Als Nane nickte, bat die Nachbarin sie, einen Augenblick zu warten. Kurz darauf kehrte sie mit einem Brief zurück. Nanes Herz machte einen Satz. Endlich! Sie dankte der Frau, lief die Treppe hinunter und musste sich beherrschen, das Kuvert nicht sofort zu öffnen. Sie beschloss, den Brief erst zu Hause zu lesen, doch sie hielt nur durch, bis sie in der U-Bahn saß. Mit fliegenden Fingern riss sie den Umschlag auf.

Eine Kunstpostkarte kam zum Vorschein. Vorne ein Stillleben. Auf der Rückseite Marks vertraute Handschrift.

Liebe Nane,
ich bin für vier Wochen verreist und melde mich bei Dir, wenn ich zurück bin. Dann gehen wir zu unserem Italiener essen und besprechen, wie es weitergeht. Bis dahin bitte ich Dich, Deine Anrufe, Faxe, Mails und Briefe an meine Familie, Freunde und Kollegen einzu-

stellen. Sie haben nichts mit unserer Situation zu tun. Und falls Du Dich nun fragst, ob ich alleine unterwegs bin, kann ich Dir versichern, dass das so ist. Es gibt keine andere. Ich brauche Zeit, um in Ruhe darüber nachzudenken, wie es mit uns weitergeht, und das ist unmöglich bei dem Terror, den Du veranstaltest.
Alles Liebe
Mark

Er hatte *Liebe Nane* geschrieben und *Alles Liebe*! Außerdem: *wie es mit uns weitergeht*. Er würde zu ihr zurückkehren. Vor Erleichterung hätte sie beinahe geweint.

Sie musste sich nur vier Wochen gedulden.

Vier endlos lange Wochen, in denen sie ihn nicht erreichen konnte. Dann würde alles gut werden. Ein Versöhnungsessen im Casa Bianca. Und danach würden sie den Champagner köpfen. Er lag noch im Kühlschrank.

Wohin er wohl gefahren war? Vielleicht konnte sie ihm nachreisen? Und wenn sie ihn dann doch mit einer anderen erwischte? Ihr fiel ein, dass sie momentan gar keinen Urlaub nehmen konnte. Sie war noch in der Probezeit, und sosehr sie Mark liebte, sie liebte auch ihren Job. Er war ihr wichtig, sie wollte ihn nicht verlieren. Also musste sie sich gedulden. Zweifel, Hoffnung und Zuversicht wechselten sich mit Eifersucht, Wut und Angst ab.

Die PR-Kampagne für die nächste Weingala in Traben-Trarbach lag in ihren Händen. Schon beim ersten Meeting bemerkte Abel, dass sie völlig neben der Spur war, und fragte, was los sei. Bisher wusste niemand, dass Mark sie verlassen hatte. Schließlich würde er zu ihr zurückkehren.

Nur Matthias Abel erzählte sie davon, und er riet ihr zu Baldrian. Doch die Kapseln halfen nicht, sie machten nur müde. Sie suchte einen Arzt auf, damit er ihr etwas Stärkeres verschrieb. Dabei geriet sie an einen, der sich Zeit für seine Patienten nahm und zuhörte. Was zur Folge hatte, dass sie zu erzählen begann und sich nicht mehr bremsen konnte. In einem Redeschwall brach alles aus ihr heraus. Nicht nur die Trennung von Mark. Auch ihre ganze verkorkste Kindheit. Die Rivalität mit Pia. Ihre egoistische Mutter. Ihr Vater, der irgendwie nie wirklich da war. Am Ende verließ sie die Praxis mit einem Rezept für einen Tranquilizer und dem ärztlichen Rat, eine Psychotherapie zu beginnen. Wie der gute Mann auf diese Idee kam, war Nane schleierhaft. Sie brauchte keine Therapie.

*

Die Tabletten halfen. Sobald sie eine nahm, fühlte Nane sich wie heruntergedimmt, ruhig und gelassen und vor allem voller Zuversicht. Die Arbeit ging ihr leicht von der Hand, und die Sorgenfalten auf der Stirn ihres Chefs glätteten sich. Vermutlich hatte er sich schon gefragt, was mit ihr los war.

Die kleinen weißen Pillen halfen ihr auch, Marks Familie, Freunde und Kollegen in Ruhe zu lassen. Sie meldete sich bei niemandem und fühlte sich dabei souverän und stark, jedenfalls solange sie die Tabletten nahm. Zwei pro Tag hatte der Arzt verordnet. Sie gewöhnte sich an, auch mittags eine zu nehmen.

Eine Woche vor Marks Rückkehr ging Nane abends ins Kino. Im City gab es eine Meg-Ryan-Reihe. Es lief *French*

Kiss, einer ihrer Lieblingsfilme mit Meg Ryan. Darin spielte sie eine Frau namens Kate, deren Verlobter Charlie beruflich nach Paris reist. Wegen ihrer Flugangst kann Kate ihn nicht begleiten, und es kommt, wie es kommen muss. Charlie verliebt sich in eine wunderschöne Französin, und Kate tut das einzig Richtige: Sie überwindet ihre Angst vorm Fliegen und reist Charlie hinterher, um ihn zurückzugewinnen. Doch das gelingt ihr nicht. Ein Happy End gibt es dennoch. Kate lernt den Mann ihres Lebens kennen. Charlie wäre der Falsche für sie gewesen.

Während Nane nach dem Kinobesuch durch das nächtliche Frankfurt bummelte, dachte sie über diesen Film nach. Ihr würde so etwas nicht passieren. Sie hatte den richtigen Mann bereits gefunden. Voller Vorfreude, Mark in einer Woche wiederzusehen, überquerte sie den Platz vor dem Dom und ging hinunter zum Mainkai. Am Ufer stand ein knutschendes Paar im Licht einer Laterne. Für einen Moment beneidete Nane die beiden, dann löste sich die Frau von dem Mann und sah in ihre Richtung. Nane erkannte ihre Schwester. Birgit erkannte sie ebenfalls, und es sah so aus, als ob sie zusammenzuckte. Ein kurzer Wortwechsel mit dem Mann folgte. Ehe Nane die beiden erreichte, ging er schon in Richtung Innenstadt davon.

Birgit stopfte die Hände in die Manteltaschen wie ein trotziges Kind.

»Wer war das denn?« Nane sah dem Mann nach. Jeans, Bikerjacke aus schwarzem Leder. Breitschultrig, schmale Hüften und ein lässiger Gang.

»Hast du doch gesehen. Ein Freund.«

»Ist er verheiratet? Oder warum darf ich ihn nicht kennenlernen?«

»Quatsch. Er ist nicht verheiratet.« Birgit stand da wie ertappt, und Nane stellte sich ihre Schwester unwillkürlich auf dem Schulhof bei der Pausenaufsicht vor. Bei ihren Schülern hätte sie mit diesem Auftritt schon verloren. Die Unsicherheit in Person. Das ideale Opfer.

Seit einem Jahr unterrichtete Birgit Deutsch und Geschichte an einem Gymnasium. Gleich nach dem Referendariat hatte sie ihre erste feste Stelle angetreten, und das auch noch als Beamtin auf Probe. Ganz wie es sich die strebsame und auf Sicherheit bedachte Birgit immer erträumt hatte. Eine Lebensplanung wie ein Korsett. Allein die Vorstellung, schon zu wissen, was man bis zur Rente tun würde, schnürte Nane die Luft ab.

»Dann war es wohl einer deiner Schüler«, sagte sie im Scherz. Doch Birgit zuckte zusammen, und Nane erschrak. »Ehrlich? Komm, du spinnst. Das kannst du nicht machen.«

»Meinst du, ich hab es darauf angelegt? Es ist einfach passiert. Nenn es Schicksal oder Vorherbestimmung.«

»Das ist verrückt! Du ruinierst dir alles, wenn das herauskommt! Wie alt ist er denn?«

»In drei Monaten wird Oliver achtzehn.«

»Dann warte wenigstens bis dahin.«

»Das löst aber das Problem nicht«, erklärte Birgit. »Auch wenn er volljährig wird, ist das immer noch strafbar, ich bin schließlich seine Lehrerin. Sexueller Missbrauch von Schutzbefohlenen nennt das Gesetz eine solche Beziehung.«

Sie setzten sich in ein Lokal, und Birgit erzählte von dieser unmöglichen Liebe, die wie eine Naturgewalt über sie hereingebrochen war. Zuerst habe sie sich ja gegen ihre Gefühle gewehrt, und Oliver sei es nicht anders ergangen, sagte sie. Er sei ja nicht dumm, ganz im Gegenteil, er sei klug und wesentlich reifer als die meisten anderen Jungen in seinem Alter. Birgit hatte nicht geahnt, dass Oliver und sie dasselbe Hobby teilten, Kanufahren. Zufällig waren sie sich während einer von Birgits Wochenendtouren bei Seligenstadt auf dem Main begegnet und etwas essen gegangen.

»Danach hat die Luft zwischen uns gebrannt. Es war unglaublich. Ich werde zum Ende des Schuljahres meine Versetzung beantragen. Bis dahin dürfen wir uns einfach nicht erwischen lassen.«

»Das sind noch Monate.«

»Ich weiß«, sagte Birgit mit einem Seufzer. »Und wie geht's dir?«

Nane erzählte nichts von ihren Problemen. Sie waren nicht wichtig. In einer Woche würde Mark zurückkommen und wieder einziehen. Mit einer Umarmung verabschiedeten sie sich vor dem Lokal.

Zu Hause angekommen, nahm Nane eine Tablette und ging zu Bett. Sie träumte von Meg Ryan und Kevin Kline und wachte schweißgebadet auf, nachdem ihr Mark als Charlie erschienen war. In den Armen einer wunderschönen Französin.

Die letzte Woche zog sich in die Länge. Die Tage schienen doppelt so viele Stunden zu haben wie gewöhnlich. Endlich wurde es Freitag, und Mark rief schon gegen Mittag bei ihr im Büro an – früher, als sie erwartet hatte. Beim Hören seiner Stimme machte ihr Herz einen Satz. Sie hätte stundenlang mit ihm reden können, doch er machte es kurz. »Ich muss gleich zu einem Termin.

Wollen wir uns morgen um halb sieben im Casa Bianca treffen? Dann reserviere ich einen Tisch.«

Der Zeitpunkt erschien ihr ungewöhnlich früh für ein Abendessen. Aber sie brannte darauf, ihn zu sehen, und stimmte natürlich zu.

Am Samstag bereitete sie alles für Marks Heimkehr vor. Sie räumte die Wohnung auf, bezog das Bett frisch und verschwand für zwei Stunden im Bad. Als sie wieder herauskam, war ihre Haut glatt, weich und duftend. Die hellen Haare fielen in sanften Locken über die Schultern, das Make-up war dezent. Sie zog das schlichte Etuikleid an, das sie am Vortag noch gekauft hatte, und die High Heels, in denen ihre Beine sensationell aussahen, und sie legte sogar die Perlenkette an. Das Geschenk ihrer Großmutter zum fünfundzwanzigsten Geburtstag. Noch nie hatte Nane sie getragen, doch jetzt passte sie perfekt zu ihrem neuen Understatement-Look. Irgendwann fiel ihr auf, dass sie heute noch keine Tablette genommen hatte. Die benötigte sie jetzt nicht mehr. Mark war wieder da.

Bevor sie ging, vergewisserte sie sich, dass die Flasche Ruinart im Kühlschrank lag. Dann zog sie den Blazer über und setzte sich noch zehn Minuten aufs Sofa. Sie wollte nicht zu früh sein. Lieber ein paar Minuten zu spät.

Als sie das Casa Bianca um zwanzig vor sieben betrat, war Mark bereits da. Er saß an einem Tisch im Wintergarten und stand auf, als er sie entdeckte. Wie gut er aussah. Groß und muskulös, beinahe wie Robert Redford in *Ein unmoralisches Angebot*. Das Haar ein wenig zu lang und noch immer von der Farbe dunklen Honigs. Er trug Jeans und Pullover und wirkte angespannt.

»Wow. Du siehst fantastisch aus«, sagte sie.

»Danke. Du auch.«

Ein wenig befangen umarmten sie sich und nahmen Platz. Der Kellner kam. Mark bestellte Wasser und zwei Kir Royal als Aperitif und sagte, dass sie mit dem Essen noch ein wenig warten würden.

Bisher waren sie die einzigen Gäste im Wintergarten. Sie fragte, wo er gewesen sei, und erfuhr, dass er kurz entschlossen einen Flug nach Gran Canaria gebucht hatte. Wandern, Mountainbiken, zur Ruhe kommen und nachdenken. Der Kellner brachte die Getränke, während Mark erzählte und dabei nicht ganz bei der Sache war. Immer wieder sah er über ihre Schulter, als ob er noch jemanden erwartete. Also doch eine andere Frau!, schoss es ihr durch den Kopf. Dabei hatte er ihr versichert, dass es keine andere gab. Schließlich merkte sie an seinem Blick, dass tatsächlich jemand kam. Sie wandte sich um. Ein Mann steuerte auf ihren Tisch zu. Mark erhob sich, um ihn zu begrüßen, und stellte ihn ihr vor.

»Ernst Wenge. Mein Anwalt.«

Ein älterer Herr mit grau melietem Haar und untersetzter Figur. Er reichte Nane die Hand, während ihr Blick noch ratlos zwischen ihm und ihrem Mann pendelte. Etwas lief hier falsch.

»Was macht dein Anwalt hier?«

»Er stärkt mir den Rücken«, sagte Mark. »Denn so geht es nicht weiter. Diese Flut von Anrufen, deine unzähligen Mails, du belästigst meine Freunde …«

»Was hätte ich denn tun sollen? Du tauchst unter, als wäre ich eine Kriminelle, vor der du dich verstecken musst! Und was heißt hier unzählige?«

»Dir ist gar nicht klar, was du tust, oder?« Mark lehnte sich zurück und überließ Wenge das Wort.

Der schob die randlose Brille auf dem Nasenrücken nach oben. »Es ist verständlich, dass Sie nach Ihrem Mann gesucht haben. Aber Sie haben es ein wenig übertrieben.« Aus der Brusttasche holte er ein Blatt Papier und faltete es auseinander. »Allein hundertsiebenundneunzig Nachrichten auf der Mailbox. Über zweihundert E-Mails. Dreiundachtzig Faxe, unzählige Anrufe bei Kollegen und Freunden.« Wenge sah auf. »Frau Rauch, um Ihnen den Ernst der Lage zu verdeutlichen: Was Sie machen, nennt man Stalking. Ich habe meinem Mandanten geraten, das zur Anzeige zu bringen, wenn Sie nicht aufhören.«

Sie hatte doch längst aufgehört. Jedenfalls so gut wie. Dank der kleinen weißen Pillen. Es dauerte einige Sekunden, bis Nane die eigentliche Botschaft verstand. Das hier war kein Versöhnungsessen. Mark würde nicht zu ihr zurückkehren. Er wollte die Scheidung, und er drohte ihr mit einer Anzeige, falls sie es wagen sollte, weiter um ihre Ehe zu kämpfen.

Hätte sie doch nur ihre Pillen genommen! Dann könnte sie jetzt souverän aufstehen, Mark ein schönes Leben wünschen und gehen, ohne sich auch nur einmal nach ihm umzusehen. Doch ohne das Beruhigungsmittel währte die Ruhe vor dem Sturm nur eine Sekunde.

Nane sprang auf. »Du verdammter Lügner!« Sie griff nach seinem Glas und schüttete ihm den Aperitif ins Gesicht. »Du hast mir etwas vorgemacht, und jetzt versteckst du dich hinter deinem Anwalt. Du feiges Arschloch!«

*

Die nächsten acht Wochen überstand Nane einzig und allein dank ihrer kleinen weißen Unterstützer, die dafür sorgten, dass sie ihre Arbeit zuverlässig erledigte. Sie war allein verantwortlich für Abels Weingala-Kampagne in Traben-Trarbach und wollte weder ihn noch ihren Chef enttäuschen. Das Vertrauen der beiden spornte sie an. Sie verfasste Pressemitteilungen und stellte Infomappen zusammen. Bei ihren Telefonaten mit den Journalisten fiel ihr auf, dass es großes Interesse an Interviews mit dem Winzer des Weinguts Graven gab. Thomas von Manthey. Nane sprach Abel darauf an, und er erklärte ihr, woran es lag.

Thomas von Manthey war der Vorreiter einer Gruppe von Winzern, die dem Wein von der Saar zu neuem Ansehen verhalfen. Seit er das Gut von seinem Vater übernommen hatte, waren die Ergebnisse von Jahr zu Jahr überzeugender. Von Manthey war geglückt, was nach den Skandalen vom Anfang der Achtzigerjahre niemand für möglich gehalten hätte. Eine Trockenbeerenauslese Prälatengarten vom Feinsten, die unter Liebhabern gerühmt wurde und angesichts der geringen Produktionsmenge und hohen Qualität Spitzenpreise erzielte. Ein Mann mit einer Mission. Das gefiel Nane. Wenn sein Name fiel, erfasste sie eine Mischung aus Neugier und gespannter Erwartung.

Die Arbeit ging ihr gut von der Hand, und für die Kampagne zeichnete sich ein schöner Erfolg ab. Das Interesse der Medien war groß und die Berichterstattung im Vorfeld der Gala entsprechend gut.

Doch es gelang ihr nur dank der Pillen, das »Stalking«, wie Marks Anwalt es genannt hatte, einzustellen und ihre Energie auf die Arbeit zu konzentrieren. Soweit es ging, verdrängte sie die Tatsache, dass Mark sie verlassen hatte. Für die Nächte hatte sie sich ein Schlafmittel besorgt. Tagsüber erhöhte sie die Dosis der weißen Helferlein auf vier Tabletten und suchte sich einen anderen Arzt, als ihrer sich weigerte, weitere Rezepte auszustellen. Angeblich konnte das Zeug abhängig machen. Ihr neuer Doc sah das nicht so eng. Er verschrieb ihr das Medikament nach einem dreiminütigen Gespräch. Und um die folgenden Rezepte zu erhalten, genügte ein Anruf.

Dank der Medikamente fühlte Nane sich auch souverän genug, um die Geburtstagsfeier ihrer Mutter zu überstehen. An diesem Sonntagvormittag genehmigte sie sich eine zusätzliche Tablette, kaufte am Bahnhof einen Blumenstrauß und in der Buchhandlung einen Bildband über Beuys und seine Fettecken, den es im Sonderangebot statt für neunzig für nur zehn Mark gab, und ließ ihn als Geschenk einpacken. Vom Bahnhof spendierte sie sich ein Taxi zum Haus der Familie am Schweizer Platz, denn das Buch wog fünf Kilo, die sie nicht durch die Gegend schleppen wollte.

Nane fühlte sich ruhig und gelassen und nahm sich vor, die Fragen nach Mark und ihrer gescheiterten Ehe souverän abzuschmettern.

Birgit öffnete die Tür zur Familienwohnung in der ersten Etage mit einem Knutschfleck am Hals, den ein Tuch nur unzureichend verdeckte. Durch das Wohnzimmer zog der Duft von Sandelholz-Räucherstäbchen. Wie eine Königin saß ihre Mutter in ihrem Egg Chair von Arne Jacobsen, einem Original aus den Fünfzigerjahren. Das weißblonde Haar trug sie zu einem Zopf geflochten, und sie hatte walnussgroße Ohrclips aus pinkfarbenem Glas angelegt. Dazu hatte sie aus ihrer Garderobe eine weite orangefarbene Hose aus Wildseide und ein limettengrünes Oberteil ausgewählt. Ihre Mutter sah in ihrem Luxus-Hippie-Look fantastisch aus und ließ sich zum Geburtstag gratulieren. Zu Nanes Überraschung freute sie sich über den Bildband und sagte, sie habe schon einige Male überlegt, ihn zu kaufen.

Kurz darauf betrat ihr Vater die Bühne. Er trug Jeans und ein weißes Hemd, die Glatze war blank poliert, und die Brille mit dem neongrünen Gestell war neu. Wie immer war er nicht wirklich anwesend, sondern schien mit seinen Gedanken weit weg zu sein.

Als Birgit die Sektgläser zum Anstoßen herumreichte, kam Pia herein. Vor zwei Monaten hatte sie sich als Restauratorin selbstständig gemacht und lebte seither in der Atelierwohnung unter dem Dach, für die ihr Vater eine eher symbolische Miete verlangte. Immer gab es Extrawürste für Pia, für die das Beste gerade gut genug war. In diesem Punkt kam sie ganz nach der Mutter. Vom Aussehen her ähnelte sie eher ihrem Vater. Eine klassische Schönheit mit dunklem Haar, ebenmäßigen Zügen und natürlich einer perfekt proportionierten schlanken Figur. Das Kleid, das sie trug, war zeitlos elegant. Sofort fühlte Nane sich in ihrem Kostüm bieder und altbacken und überhaupt minderwertig. Doch dank der kleinen weißen Pillen überstand sie das Geburtstagsessen in ungewohnter Gelassenheit. Pias Angeberei mit einem Auftrag des Städel Museums perlte ebenso an ihr ab wie ihr Hinweis, dass Nane sich keinen Gefallen tat, wenn sie ihrem Mann in aller Öffentlichkeit eine filmreife Szene machte. So etwas sprach sich herum, und das wäre für eine PR-Beraterin nicht unbedingt eine Empfehlung.

Diese Äußerung weckte in Nane weder den Wunsch, ihrer Schwester die perfekten Zähne auszuschlagen, noch, ihr Ketchup übers Designerkleid zu schütten oder auch nur nachzufragen, wer sie verpetzt hatte. Sie reagierte auch nicht auf Pias provozierende Behauptung, Mark sei im Grunde ein Langweiler, dem man keine Träne nachweinen müsse. Später erkundigte sich Birgit in der Küche, weshalb Nane derart cool reagiere und ob sie etwa auf Dope sei.

Jeder gab seinen Kommentar zur Trennung ab. Ihr Vater bedauerte die anstehende Scheidung. Birgit machte ihr Mut, dass sie alles durchstehen und bald einen neuen Partner finden werde, und ihre Mutter zeigte sich erleichtert, dass das Scheitern ihrer Ehe Nane offenbar nicht ganz so hart treffe, denn dann habe sie ihren Mann nicht leidenschaftlich geliebt. Jeder wusste, was jetzt kommen würde. Ein Vortrag über den Fluch, der über den Frauen der Familie Arnholdt hing wie das Schwert des Damokles.

In seltener Einigkeit verdrehten die drei Schwestern die Augen. Ihre Mutter und der angebliche Fluch. Er war nicht mehr als ein armseliger Vorwand, mit dem sie sich der eigenen Verantwortung entzog. Was Mama ihrem Mann und den Kindern angetan hatte, dafür trug sie allein die Verantwortung. Und vielleicht noch Günther, Papas einstmals bester Freund.

Das Tabuthema der Familie war eine Affäre der Mutter Mitte der Siebzigerjahre, als Nane und ihre Schwestern kleine Mädchen gewesen waren. Als Mama von Günther schwanger war, hatte sie Mann und Kinder verlassen. Ganz verrückt war sie nach ihm gewesen. Die große Liebe, die man nur einmal erlebt. Doch Günther ließ sie nach der Geburt des Kindes sitzen, denn es war behindert. So hatte er sich das nicht vorgestellt. Das konnte nicht von ihm sein. Als Mama pleite war und nicht mehr ein noch aus wusste, kehrte sie ins Haus am Schweizer Platz zurück. Ihre große Liebe hatte sich als Illusion erwiesen.

All das hatten ihre Eltern Nane und ihren Schwestern viele Jahre verheimlicht. Bis Birgit als Fünfzehnjährige einen Brief des Pflegeheims fand, in das der behinderte Junge abgeschoben worden war. Die drei Schwestern stellten ihre Eltern zur Rede und erfuhren, dass ihre Mutter damals keineswegs in einem Sanatorium gewesen war, wie ihr Vater behauptet hatte. Über den Halbbruder wurde danach nie wieder gesprochen. Bis heute negierten ihre Eltern seine Existenz, die ihre Mutter als Strafe für ihre Leidenschaft zum falschen Mann ansah. Es war natürlich Birgit gewesen, die Kontakt zu ihm aufgenommen und ihn regelmäßig besucht hatte, bis er vor einigen Jahren an einem angeborenen Herzfehler gestorben war. Wehe, man erwähnte seinen Namen in Mutters Gegenwart.

Und nun bemühte sie während des Geburtstagsessens wieder einmal die Mär vom Fluch der Leidenschaft und zählte auf, wie es den Frauen ihrer Familie über Generationen hinweg gelungen war, sich ins Verderben zu stürzen. Beispielsweise Urgroßmutter Erika, die 1912 mit einem Abenteurer in die USA auswandern wollte, doch nicht weiter als bis Hamburg gekommen war, wo er mit ihren Ersparnissen verschwand, woraufhin sie in einem Freudenhaus endete.

Eine Tante Gertraud, die während der Dreißigerjahre als Sekretärin in Berlin im Büro des Reichswehrministers gearbeitet und sich von einem Widerstandskämpfer derart um den Finger hatte wickeln lassen, dass sie für ihn spionierte. Als die beiden aufzufliegen drohten, setzte er sich nach England ab, wohin er die Geheimnisse verraten hatte, während sie in einem Lager unter ungeklärten Umständen starb.

Dann gab es noch die Cousine Maria aus Mainz, die Anfang der Fünfzigerjahre eigentlich den Bäcker aus ihrem Viertel heiraten wollte, der zwar nicht ihre große Liebe war, ihr aber eine gesicherte Zukunft versprach. Sie beging den Fehler, den Zirkus zu besuchen, der in die Stadt kam, und sich in den Steilwandfahrer zu verlieben, der mit seinem Motorrad in einer riesengroßen hölzernen Trommel die Schwerkraft überwand. Als der Zirkus weiterzog, zog Maria mit. Dass ihr Mann ein brutaler Kerl war, stellte sich bald nach der Hochzeit heraus. Als sie ihn verlassen wollte, schlug er sie tot.

Sie hätte besser den Bäcker heiraten sollen, meinte Mama und zog wieder einmal ihr Fazit: Die große Leidenschaft sollte man als weibliches Mitglied der Familie Arnholdt meiden. Es sei denn, man wollte sich unbedingt ins Unglück stürzen. Nane seufzte, Birgit blickte an die Decke. Pia zuckte mit den Schultern, und ihr Vater ging wie so häufig nach unten in den Laden, und Nane fragte sich wieder einmal, was ihre Eltern eigentlich verband. Gewohnheit? Abhängigkeit? Das gemeinsame Geschäft? Oder am Ende doch so etwas wie Liebe? Jedenfalls nicht Leidenschaft. So viel war klar.

Als sie abends nach Hause fuhr, war Nane stolz darauf,

wie gut sie den Tag gemeistert hatte. Doch ihre Wohnung war noch immer leer und sie eine verlassene Frau, und nur die Tabletten bewahrten sie vor dem Abgrund.

Die folgende Woche verging schnell. Letzte Vorbereitungen für die Weingala waren zu treffen, die am Freitag beginnen und am Sonntagabend mit einem Festbankett und der Prämierung der besten Weine enden sollte. Winzer, Weinkenner und Gourmets sowie Vertreter der Politik hatten sich angekündigt, und die Festveranstaltung am Sonntag war ausverkauft.

Für die Fahrt nach Traben-Trarbach stellte ihr Chef ihr einen Firmenwagen zur Verfügung. Am Freitagmorgen fuhr sie zeitig los, denn sie wollte rechtzeitig vor der Eröffnung da sein, um die Journalisten zu empfangen. Ihre Liste der Interviewtermine hatte sie dabei, ebenso ausreichend Pressemappen und einen Karton voller Giveaways, speziell für die Medienvertreter.

Es war ein goldener Oktobermorgen, und die Fahrt über die Autobahn, durch eine sanft hügelige Landschaft mit mäandernden Flusstälern und herbstlich gefärbten Wäldern stimmte sie fröhlich. Ganz unerwartet brandete eine Welle von Glück in ihr auf. Schlagartig wurde ihr bewusst, dass sie vergessen hatte, eines ihrer weißen Helferlein zu schlucken. Gleichzeitig verstand sie, dass diese nicht nur ihre schlechten Gefühle unterdrückten, sondern auch die schönen. Wann war sie zum letzten Mal fröhlich gewesen und hatte gelacht oder einen kleinen Moment tiefen Glücks empfunden, so wie gerade eben? Es musste Wochen her sein, und sie wollte das nicht länger. Doch konnte sie ohne ihre Tabletten klarkommen?

Beim Gedanken an Mark rührte sich nicht viel. Kein

Hass, keine Rachefantasien und schon gar nicht diese Unruhe, die sie dazu getrieben hatte, ihn ständig anzurufen und ihm hinterherzuspionieren. Das Einzige, was sie fühlte, war ein kleiner Schmerz, ein undefiniertes Bedauern, dass ihre Liebe gescheitert war, und dann ein zaghaftes Gefühl von Freiheit.

Rechtzeitig vor Veranstaltungsbeginn erreichte sie das Städtchen, das in einer Moselschleife lag, und steuerte das Hotel an, in dem die Gala stattfinden sollte.

Abel war schon da und begrüßte sie. In den Konferenzräumen waren die Winzer damit beschäftigt, ihre Stände aufzubauen. Kartons mit Gläsern und Flaschen wurden geschleppt, Plakate befestigt und Flyer ausgelegt. Im Foyer gab es Besprechungsecken und Stehtische.

Nane stellte sich an ihren Bistrotisch in der Nähe des Eingangs und ging die Liste der Pressevertreter durch, die sich angemeldet hatten. Die Interviewtermine, denen Thomas von Manthey zugestimmt hatte, waren mit seiner Schwester Margot Ahrendt genauestens abgestimmt. Wer sich nicht angemeldet hatte, musste mit einem anderen Winzer reden. Nane legte das Papier beiseite, strich sich eine Strähne aus dem Gesicht und ließ sich von dem geschäftigen Treiben anstecken. Eine unbestimmte Erwartung stieg in ihr auf. Wer war wohl Thomas von Manthey?

Der blonde Mann dort drüben, der eher einem englischen Landadligen glich als einem Winzer? Oder der mit dem Ohrring und dem Stoppelhaarschnitt?

Sie ließ ihren Blick weiterwandern und begegnete schließlich dem eines Mannes mit schiefergrauen Augen, der seinerseits sie beobachtete, und sie wusste, dass er es war. Thomas von Manthey. Älter als gedacht. Erste graue Strähnen im welligen Haar, ein ernster Zug um den Mund, ein energisches Kinn. Ein Mann, der Kraft und Stärke ausstrahlte und den gleichzeitig eine Aura von Trauer umgab. Ein faszinierender Mann. Nane gelang es nicht, den Blick abzuwenden. Auch er sah sie erwartungsvoll an, und sie lächelten sich im selben Moment zu.

Kapitel 3

Sommer 2018

Seit sechsunddreißig Stunden war Sonja von Manthey nun auf dem Weingut ihres Großvaters. In der Hoffnung auf Ruhe zum Schreiben war sie hierher gekommen, doch genau die fand sie nicht. Ruhe.

Morgens um sechs Uhr begann die Arbeit auf Graven. Lachen und Rufen drangen aus dem Hof bis zu ihr nach oben. Motoren wurden gestartet, Türen geschlagen. Der Lärm weckte sie, genau wie gestern. Und sie wusste, das geschäftige Treiben würde den ganzen Tag anhalten und ihr keine Minute Ruhe vergönnt sein.

Sie stand auf und sah in den Hof hinunter. Ein Traktor fuhr knatternd Richtung Tor und blies Dieselschwaden aus. Etliche Arbeiter saßen auf dem Anhänger und unterhielten sich lautstark. Auf dem Stellplatz standen einige Fahrzeuge neben Sonjas blauem Mini, in dem noch der Karton lag, den ihre Mutter ihr ungefragt in den Kofferraum gelegt hatte.

Mit einem Seufzer schloss Sonja das Fenster und schlüpfte zurück unter die Decke. Vielleicht gelang es ihr, noch einmal einzuschlafen. Doch sie musste an den Karton denken und an den Streit mit ihrer Mutter. Wieder einmal hatte sie Henning einen Mistkerl genannt.

Vor zwanzig Jahren war er hier auf Graven gestorben. Und kurz danach hatte ihre Mutter damit begonnen, ihn so zu titulieren. Mistkerl. Ihr Verhältnis war seit Hennings Tod nicht das Beste. Also seit zwanzig Jahren. Sonja nahm ihr übel, wie schnell ihre Mutter ihn ersetzt hatte. Ein Jahr später hatte sie schon einen Stiefvater gehabt. Und natürlich hatten sie vorgestern deswegen wieder gestritten.

Für die Zeit ihrer Abwesenheit hatte Sonja ihre Wohnung in München über Airbnb untervermietet. Ihre Mutter hatte sich bereit erklärt, die Übergabe zu machen und Sonja hatte ihr den Schlüssel gebracht.

Als sie klingelte, öffnete ihre Mutter im Bike-Outfit. Martin und sie hatten Urlaub und wollten gerade zu einer Tour aufbrechen. Sonja gab ihr den Schlüssel und die Kontaktdaten der Untermieterin, die am nächsten Tag kommen würde, und dankte ihrer Mutter für ihre Hilfe.

»Du willst also wirklich für vier Wochen nach Graven zu diesen Leuten?«, fragte sie.

»*Diese Leute* sind meine Großeltern.«

»Pia Gott sei Dank nicht.«

Das Weingut war der Ort, an dem Sonjas Vater aufgewachsen war. Nach seinem Tod hatten sie ihn fünfzehn Jahre gemieden, weil ihre Mutter Katja den Kontakt zu Hennings Familie abgebrochen hatte. Stillschweigend waren ihr Großvater und seine neue Frau aus Sonja Leben verschwunden, bis sie sich vor fünf Jahren entschlossen hatte, ihm zu schreiben. Er hatte sie daraufhin nach

Graven eingeladen, und sie hatte einen warmherzigen großzügigen Mann angetroffen, der sie mochte und sich für sie interessierte. Außerdem verwöhnte er sie. Ohne seinen Zuschuss hätte sie sich den blauen Mini nicht leisten können und auch nicht den Kreta-Urlaub im letzten Jahr. Und nun hatte er ihr die Remise für eine vierwöchige Schreibklausur angeboten, und das gefiel Katja natürlich nicht. Erst recht, als sie hörte, dass Sonja sich dort schreibend mit dem Tod ihres Vaters beschäftigen wollte.

»Warum machst du das? Um mich zu ärgern? Er war nicht der geniale Künstler, als der er sich immer präsentiert hat. Er war ein großer Mistkerl.«

»Das war er nicht.«

»Was weißt du denn schon? Du warst ein Kind und hast nichts mitbekommen.«

»Dann gönn mir doch das Kinderbild von meinem Vater. Ich weiß nicht, warum du ihn immer noch runtermachen musst.«

Diese Gespräche führten zu nichts. Sonja erinnerte sich an einen liebevollen und großherzigen Vater, während ihre Mutter einen schlagenden Möchtegernkünstler mit einem zugegebenermaßen überwältigenden Charme im Gedächtnis behalten hatte und außerdem einen Mann, der die Finger nicht von den Frauen lassen konnte. Einen Mistkerl eben. Keine von ihnen würde die andere je überzeugen. »Mama, lassen wir das. Ich muss jetzt los.«

»Warte. Ich habe etwas für dich. Genau die richtige Lektüre für Graven, vor allem, wenn du über Hennings Tod schreiben willst.« Ihre Mutter verschwand im Schlafzimmer und kehrte mit einem Karton zurück. »Er war ein Mistkerl. Überzeuge dich selbst.«

»Was ist das?«

»Es wird dir helfen, einen realistischen Blick auf ihn zu werfen. Hol ihn vom Sockel. Du bist alt genug für die Wahrheit.«

»Sind das etwa seine Briefe und Tagebücher?« Sonja wollte den Karton nicht und stellte ihn auf die Kommode. Sie verabschiedete sich und stieg in ihren Wagen. Als sie ihn starten wollte, bemerkte sie im Rückspiegel eine Bewegung. Ihre Mutter öffnete den Kofferraum und stellte die Schachtel hinein. »Bildersturm hat noch nie geschadet.« Scheppernd schlug die Heckklappe zu. Gut, dann sollte der Karton eben mitkommen nach Graven. Sie würde keinen Blick hineinwerfen.

Hupend fuhr ein Auto in den Hof. Sonja wälzte sich auf die andere Seite. Eine halbe Stunde wollte wenigstens sie noch dösen. Wer stand denn so früh auf? Sie jedenfalls nicht. Normalerweise schlief sie bis um acht. Sie zog die Decke über den Kopf, schloss die Augen und sah plötzlich das Bild wieder vor sich, das sie vorgestern völlig aus der Fassung gebracht hatte. Die Frau, die ihr den Vater genommen hatte, stand mit einem Feldblumenstrauß in der Kurve, in der er die Kontrolle über den Wagen verloren hatte und dreißig Meter tief in den Prälatengarten gestürzt war. Nane. Sie musste jetzt Mitte vierzig sein, dennoch hatte sie auf Sonja mit den selbstgepflückten Blumen wie ein hilfloses Kind gewirkt. Mitleid mit der Mörderin. Soweit kam es noch. Eine Welle von Wut war bei Nanes Anblick unvermittelt in Sonja hochgeschwappt, sodass sie den Impuls kaum hatte bändigen können, diese Frau über den Haufen zu fahren. So wütend und ungeduldig kannte sie sich gar nicht, und so mochte sie auch nicht sein.

Seufzend drehte Sonja sich um. Unten quietschte eine Tür. An Schlaf war nicht mehr zu denken. Sie warf die Decke von sich und stand auf. Vielleicht wäre es besser gewesen, mit ihrem Freund Ansgar nach Zürich zu fahren, wo er in den nächsten Wochen das Bühnenbild für *Ariadne auf Naxos* entwerfen sollte. Sie wusste, wie gerne er sie an seiner Seite hätte. Doch dann würde sie mit dem Schreiben erst recht nicht vorankommen. Und das war ihr Ziel. Sie wollte sich beruflich neu justieren und endlich einen eigenen Roman schreiben.

Seit vier Jahren arbeitete sie als Übersetzerin und Ghostwriterin. Sie schrieb Bücher für Leute, die das selbst nicht konnten. Meist Biographien oder Sachbücher für Prominente. Deren Name stand dann auf dem Cover und nicht ihrer. Ihr großer Wunsch war es, selbst einen Roman zu veröffentlichen und so in die Fußstapfen ihres Vaters zu treten, der Journalist und Autor gewesen war.

Vielleicht hatte es auch mit ihren Schuldgefühlen zu tun. Eine Art Entschuldigung und Wiedergutmachung. Denn vor zwanzig Jahren hatte sie ihm den Tod gewünscht, und kurz darauf er war er gestorben. Seither fühlte sie sich seltsamerweise mitschuldig, obwohl sie nichts dafür konnte.

Sie hatte ihrem Großvater von ihrem Vorhaben erzählt, einen Roman zu schreiben, und er hatte ihr angeboten, das hier in der Remise zu tun. Ein Rückzugsort für ihre Kreativität. Zeit, sich ganz aufs Schreiben zu konzentrieren. Wobei sie ihm nicht gesagt hatte, dass sie den Mord an ihrem Vater literarisch bearbeiten wollte, denn sie wusste noch nicht, wie sie das Thema anpacken sollte. Ein Krimi wäre vom Marketing her das Beste. Das Genre boomte. Doch ein Krimi wurde der Komplexität der

Ereignisse vermutlich nicht gerecht. Denkbar war auch ein Entwicklungsroman. Wie war sie als Achtjährige mit dem plötzlichen gewaltsamen Tod ihres Vaters umgegangen? Doch Sonja spürte, dass sie darüber nicht schreiben konnte. Die Wunden waren auch nach zwanzig Jahren noch nicht ganz verheilt. Blieb also noch der Familienroman. Die Beziehung ihrer Eltern, die als große Liebe begonnen und in bitterer Enttäuschung geendet hatte.

Wie sollte sie den Stoff bewältigen? Sonja hatte keine Idee und ging im angrenzenden Badezimmer unter die Dusche. Vielleicht wäre der Familienroman die beste Möglichkeit, Hennings Schicksal zu erzählen. Dabei konnte sie auch die Stellung ihres Vaters in seiner Familie beleuchten. Die unerfüllten Erwartungen ihres Großvaters. Seine bittere Enttäuschung darüber, dass sein Sohn das Weingut nicht übernehmen wollte. Und dann gab es noch das Thema Jähzorn, das Sonja seit einiger Zeit beschäftigte. Der Jähzorn spielte in der Familie von Manthey eine Rolle. Eine latente unterschwellige Gewalt, die hin und wieder ausbrach und Opas Bruder zum Totschläger gemacht hatte. In einem Anfall von Neid und Eifersucht hatte er als junger Mann seine Frau erschlagen und sich anschließend erhängt. Großes Drama. Also ein Familienroman?

Sonja drehte die Brause ab, wickelte sich in das flauschige Badetuch und ging zurück ins Zimmer. Es war komfortabel und luxuriös eingerichtet, doch sie fühlte sich darin wie ein Hotelgast. Fremd und auf Distanz gehalten. Hier konnte sie unmöglich arbeiten. Warum konnte sie nicht die Remise beziehen, die Thomas ihr zugesagt hatte?

Pia hatte behauptet, dass sie es nicht geschafft habe, sie renovieren zu lassen. Wegen der Urlaubszeit seien keine Handwerker zu bekommen gewesen. Doch das war ein Vorwand. Ihr Blick hatte nicht standgehalten. Sie log, und Sonja wusste nicht was der Grund dafür sein konnte. Die Schreibklausur war seit Monaten ausgemacht. Ausreichend Zeit, um ein paar Wände streichen zu lassen. Weshalb wollte Pia nicht, dass Sonja in das kleine Häuschen ganz hinten im Park zog, obwohl ihr Großvater es ihr zugesagt hatte?

Für einen Moment überlegt sie, ob es nicht besser wäre, die Zelte abzubrechen, so unwillkommen fühlte sie sich. Eigentlich hatte sie gehofft, hier auf Graven ein Konzept für ihren Roman ausarbeiten und vielleicht schon die ersten Kapitel schreiben zu können. Doch nun lag ihr Großvater mit einem Herzinfarkt im Krankenhaus und war nicht in der Lage, ihre Fragen zu beantworten. Wie blass er gewesen war, als sie ihn gestern zusammen mit Pia und Lissy besucht hatte. So schwach und hilfsbedürftig kannte sie ihn nicht. »Wir müssen reden«, hatte er gesagt, und plötzlich fragte Sonja sich, was er damit gemeint hatte.

*

Wie jeden Tag ging Pia um acht hinunter in die Küche zum Frühstück. Irene räumte gerade die Spülmaschine aus, wünschte einen guten Morgen und erkundigte sich, wie es Thomas ging. »Schon besser«, erwiderte Pia.

Die Tür, die von der Küche auf die Frühstücksterrasse führte, stand offen. Die kleine Veranda ging nach Osten und lag in der Morgensonne. Für den Abend gab es die

Terrasse auf der Westseite, die man vom Wohnzimmer aus erreichte. Ihre Haushälterin hatte draußen gedeckt, wie immer bei schönem Wetter. Normalerweise saßen sie dort zu zweit, Thomas und sie. Jedenfalls während des Semesters, wenn Lissy in Geisenheim war. Heute standen vier Gedecke auf dem Tisch. Eines war schon benutzt. Irene räumte es ab und erklärte: »Sonja hat schon gefrühstückt. Sie macht jetzt eine Radtour, bevor es zu heiß wird, hat sie gesagt.«

Pia war es nur recht. Am liebsten hätte sie Sonja gebeten, zurück nach München zu fahren.

Die Klammer, die alles zusammenhielt, fehlte. Thomas. Und es erstaunte Pia, wie sehr sie das mitnahm. Sobald sie den Gedanken an seinen Tod zuließ, hatte sie das Gefühl, an einem Abgrund zu stehen und jeden Augenblick hineinzustürzen. Ein fürchterlicher Sog ins Nichts, in Leere und Sinnlosigkeit.

Doch es gab keinen Grund, sich derart zu sorgen, rief sie sich zur Ordnung. Er war längst außer Lebensgefahr. Achtundvierzig Stunden waren seit dem Herzinfarkt vergangen, und Thomas ging es besser. Bald würde er wieder auf dem Damm sein. Als sie ihn gestern zusammen mit Lissy und Sonja besucht hatte, war er wach gewesen, wenn auch ein wenig schwach. Die Gespräche hatten ihn schnell angestrengt. Daher hatte Pia bald zum Aufbruch geblasen und entschieden, dass sie sich künftig mit den Besuchen bei ihm abwechseln würden, um ihn zu schonen. Und wenn es nach ihr ginge, würde Sonja keinen Fuß ins Krankenhaus setzen. Warum musste sie ausgerechnet einen Roman über Hennings Tod schreiben? Herrgott! Gab es keine anderen Themen?

Pia überlegte, ob sie Sonja nicht doch bitten sollte, zurück nach München zu fahren. Mit Thomas' Unterstützung für ihren Roman konnte sie jetzt nicht rechnen. Außerdem beunruhigte sie noch etwas anderes, nämlich die Frage, was Thomas mit Sonja besprechen wollte. »Wir müssen reden«, hatte er gestern zu ihr gesagt. Hatte der Herzinfarkt ihm etwa vor Augen geführt, dass sein Leben endlich war und es etwas gab, das er vorher klären wollte?

Pia schüttelte kaum merklich den Kopf. Ohne ihre Zustimmung würde er das nicht tun. Jedenfalls musste Sonja sich diese Besuche aus dem Kopf schlagen. Pia würde ihr das klarmachen. Wenn ihr nur eine stichhaltige Begründung einfallen würde.

Sie schenkte sich eine Tasse Kaffee ein und hätte beinahe die Tasse von Thomas mitgefüllt, wie sie das jeden Morgen tat. Doch seinen Platz würde heute und in den nächsten Wochen Lissy einnehmen. Wo blieb sie nur?

Als sie gestern ihre Tochter vom Flughafen abgeholt hatte, musste sie feststellen, dass Lissy nicht alleine gekommen war, sondern ihren neuen Freund David mitgebracht hatte. Von der Sekunde an, als er, den Arm um ihre Tochter gelegt, mit ihr aus dem Terminal gekommen war, hatte Pia ihn nicht gemocht. Was fand Lissy an einem Mann faszinierend, der sich die Augen mit Kajal umrandete, sich ganz in Schwarz kleidete und als düsterer Künstler inszenierte? Dabei war er ein dreiundzwanzigjähriges Bürschchen ohne jede Lebenserfahrung.

Trotzdem hatte sie ihn begrüßt wie einen willkommenen Gast und ihn zusammen mit Lissy nach Graven kutschiert. Offenbar hatte er eine Art Bauernhof erwartet. Als Pia die letzte Haarnadelkurve nahm und das Anwesen in Sicht kam, stieß David jedenfalls einen Pfiff aus. »Wow! Nicht schlecht«, sagte er und senkte die Stimme theatralisch. »Da endlich, als die Schatten des Abends herniedersanken, sah ich das Stammschloss der Usher vor mir«, zitierte er aus Poes Roman. »Ich weiß nicht, wie es kam, aber ich wurde gleich beim ersten Anblick dieser Mauern von einem unerträglich trüben Gefühl befallen.«

Lissy hatte gelacht und ihn angehimmelt, während Pia ihn für einen eingebildeten Angeber hielt. Wenn hier jemand von einem trüben Gefühl befallen wurde, dann war sie das. Hoffentlich kam ihre Tochter rasch dahinter, was für ein Windei dieser David war.

Die Terrassentür ging auf, und Lissy kam. Das dunkle Haar bändigte ein Tuch. Sie trug Shorts und T-Shirt und war barfuß. Die erdverklumpten Stiefel blieben vor der Tür. Sie war schon im Weinberg gewesen. Ganz der Vater.

»Guten Morgen, Mama.« Sie gab ihr einen Kuss und setzte sich. »David ist ein Langschläfer. Auf ihn müssen wir nicht warten.«

Welch eine erfreuliche Aussicht, dachte Pia.

»Wieso hat Irene nur für drei gedeckt? Frühstückt Sonja nicht mit uns?«

»Sie ist schon fertig und ist jetzt mit dem Rad unterwegs.«

»Ich dachte schon, sie wäre irgendwie sauer auf uns.«

Sauer war Sonja wohl nicht, aber sie war sichtlich enttäuscht gewesen, dass sie nicht in die Remise ziehen konnte.

Lissy biss in ihr Nutellabrot. »Die Luftfeuchtigkeit ist ziemlich hoch«, sagte sie mit vollem Mund. »Und der Wetterbericht kündigt leichten Regen an. Schwarzfäule-Wetter. Wenn ich spritzen lasse, kostet das Reifetage. Wenn nicht, verdirbt möglicherweise die Lese.«

Pia war dankbar, dass Lissy sie aus ihren Gedanken riss. »Frag doch Anneliese, was sie macht.«

»Ja, das ist eine gute Idee. Oder meinst du, ich kann Papa anrufen?«

»Dann macht er sich Sorgen. Rede erst mit Anneliese.«

Lissy würde es schon gelingen, den Betrieb am Laufen zu halten. Natürlich auch dank Margots unermüdlichem Einsatz, mit dem sie sich auf Graven unentbehrlich gemacht hatte. Sicher hatte sie gestern bei ihrem Besuch im Krankenhaus versucht, Thomas zu überzeugen, dass es besser wäre, wenn ihr Sohn Marius vorerst das Ruder übernahm. Darauf würde Pia wetten.

Es war Zeit, in die Werkstatt zu gehen. Die Arbeit würde für einige Stunden alle Probleme von ihr fernhalten. Sie trank den letzten Schluck Kaffee und wollte schon aufstehen, als Lissy sie zurückhielt.

»Das neue Semester beginnt in sechs Wochen. Wenn Papas Reha länger dauert, brauchen wir einen Plan. Ich könnte entweder ein Semester aussetzen, oder wir sehen uns nach einem Winzer um, der sich so lange um Graven kümmert. Margot hat gesagt, dass Marius kurzfristig einspringen könnte.«

»So weit wird es nicht kommen«, erklärte Pia.

»Du magst ihn nicht. Warum eigentlich?«

»Es liegt weniger an Marius als an Margot. Sie hat gehofft, dass er Graven eines Tages übernehmen wird.«

»Marius?«, fragte Lissy verblüfft. »Wie kommt sie denn auf die Idee?«

Also erzählte Pia ihr die Geschichte, die Lissy bislang nur in Teilen kannte. Henning war zu Thomas' großer Enttäuschung nicht Winzer geworden und wollte Graven nicht einmal als Geschäftsführer übernehmen. Thomas' älterer Bruder Ferdinand war kinderlos gestorben. Und so war der Sohn seiner Ziehschwester Margot in den Blickpunkt geraten, als es darum ging, wer das Weingut einmal in die Zukunft führen sollte.

Margot war keine von Manthey, gehörte aber dennoch zur Familie. Ihre Eltern waren bei einem Flugzeugabsturz in Kenia ums Leben gekommen, und Thomas' Vater Berthold hatte es als selbstverständlich angesehen, die Tochter seines besten Freundes wie ein eigenes Kind aufzunehmen. Da seine beiden eigenen Söhne längst erwachsen waren, hatte Margot die Rolle des Nesthäkchens. Sie lebte sich auf Graven gut ein, machte nach dem Realschulabschluss eine kaufmännische Ausbildung und arbeitete seither in der Verwaltung des Guts. Mit Anfang zwanzig hatte sie einen Beamten aus der Nachbargemeinde geheiratet, im selben Jahr wurde Marius geboren. Doch die Ehe scheiterte, und Margot kehrte mit ihrem Sohn aufs Weingut zurück. So konnte sie als alleinerziehende Mutter Kind und Beruf besser verbinden.

Als Mitte der Neunzigerjahre Thomas' erste Frau starb, begann sich Thomas Gedanken über seinen Nachfolger zu machen. Henning lebte längst als Journalist und Autor mit seiner Familie in München. Er interessierte sich nach wie vor nicht für Graven und hätte es im Erbfall verkauft. Das wollte Thomas auf keinen Fall. Er musste eine Entscheidung treffen, wie es mit Graven nach seinem Tod einmal weitergehen sollte.

In dieser Situation brachte Margot ihren Sohn Marius ins Spiel. Er war zwar erst zwölf Jahre alt, aber auf Graven aufgewachsen und entschlossen, Winzer zu werden. Er stellte sich geschickt an, und Thomas dachte über Margots Idee nach, sogar über eine Adoption, die sie ebenfalls vorschlug. Dann würde der Name von Manthey in Verbindung mit dem Weingut Graven fortbestehen.

»Margot glaubte also, dass die Nachfolge geregelt wäre«, sagte Pia. »Doch dann haben Thomas und ich uns kennengelernt und geheiratet, du wurdest geboren, Lissy, und damit haben sich ihre Pläne zerschlagen.«

»Davon wusste ich nichts. Warum habt ihr nie etwas gesagt?«

»Jetzt sage ich es ja.«

»Das erklärt einiges.« Mit dem Mittelfinger strich Lissy die Nasenwurzel entlang. Eine Geste, die sie von Thomas übernommen hatte. »Vor allem Margots Verhalten dir und mir gegenüber. Sie ist oft so unterkühlt. Und Marius' Sticheleien, sobald ich über die Arbeit im Weinberg rede. Du hast Angst, dass er sich hier breitmacht, wenn er erst einmal den Fuß in der Tür hat?«

Pia zuckte mit den Schultern. »Ja, vielleicht. Wobei ich nicht wüsste, wie er dich verdrängen könnte.«

»Das wirft ein ganz neues Licht auf die Situation«, sagte Lissy. »Ich rede mit Papa, vielleicht hat er einen Vorschlag, wer notfalls einspringen könnte. Ich wollte ihn morgen besuchen und David mitnehmen. Meinst du, er wird ihn mögen?«

»Bestimmt«, sagte Pia, obwohl sie vom Gegenteil überzeugt war. Doch sie hatte sich vorgenommen, es nie so wie ihre Mutter zu machen, die immer vom Fluch gefaselt hatte, sobald sich eine ihrer drei Töchter verliebt hatte. Niemals würde sie versuchen, Lissy einen Jungen auszureden. Sie musste selbst herausfinden, dass David nicht zu ihr passte. »Woher kennst du ihn eigentlich, und was macht er?«

Lissy grinste. »Jetzt also Inquisition. Ich habe ja schon darauf gewartet.«

»Inquisition ist ein wenig übertrieben. Es ist normal, dass Eltern sich für die Freunde ihrer Töchter interessieren.«

»War ja nicht so bierernst gemeint. David studiert BWL. Aber eigentlich ist er von Beruf Sohn. Seinen Eltern gehört ein Zulieferbetrieb für die Automobilindustrie. Unsere Beziehung ist also standesgemäß.« Lissy zwinkerte ihr zu. »Und wie findest du ihn?«

»Bisher habe ich ja noch nicht allzu viel von ihm gesehen. Er hat eine etwas düstere Art, findest du nicht?«

»Hast du das auch bemerkt? Wobei ich es nicht düster nennen würde, eher nachdenklich und melancholisch.«

Im selben Moment wurde die Küchentür geöffnet, und wie aufs Stichwort kam David auf die Terrasse. Schwarzes Haar, schwarze Sonnenbrille, schwarzes Shirt, schwarze Jeans. Das einzig Helle an ihm war sein bleiches Gesicht. Eine süßliche Rauchwolke umgab ihn. Er hatte gekifft, und das in aller Herrgottsfrühe! Es war nicht zu fassen.

Nun warf er ein »Guten Morgen« in die Runde, gab Lissy einen Kuss und schenkte sich eine Tasse Kaffee ein.

Pia hatte weder Lust, sich mit ihm zu unterhalten, noch

zuzusehen, wie Lissy ihn verliebt ansah. Sie schob den Stuhl zurück und stand auf. »Es ist höchste Zeit, dass ich mich an die Arbeit mache.«

In der Halle begegnete ihr Margot, die mit eiligen Schritten auf sie zusteuerte. »Hast du dein Handy nicht an?«

»Es liegt wohl noch oben. Was ist denn?«

»Professor Weigel hat versucht, dich zu erreichen. Thomas hatte heute Morgen eine Embolie. Ein Blutgerinnsel ist in die Lunge geraten ... Offenbar eine Folge des Sturzes. Sie versuchen es aufzulösen. Es geht ihm nicht gut.«

*

Am selben Vormittag schlug Nane ihrer Schwester Birgit vor, die Arbeitszeit etwas flexibler zu handhaben. Sie wollte Mark unbedingt in seinem Café besuchen, und außerdem wollte sie telefonieren, ohne dass Birgit es mitbekam. Denn sie hatte inzwischen ihre Meinung geändert, was den Kontakt zu Thomas und Pia betraf. Vorgestern war Birgit noch ganz auf Versöhnung aus gewesen, doch dann hatte Pia angerufen und einen riesigen Wirbel gemacht und behauptet, dass Nane Thomas im Weinberg aufgelauert habe. Aufgelauert! So hatte Pia das tatsächlich genannt. Was wusste sie denn schon? War sie dabei gewesen, als Nane Thomas im Weinberg gefunden hatte? Angeblich hatte sie ihn zu Tode erschreckt. Jetzt war sie also schuld an seinem Herzinfarkt. Sie hatte es ja gleich gewusst! Dabei hatte sie ihm das Leben gerettet. Jedenfalls hielt Birgit ein Gespräch zwischen Thomas und Nane derzeit für keine gute Idee.

Doch Nane musste ihn etwas fragen. Hatte sie ihn damals gewarnt? Oder hatte sie das nicht getan und ihn stattdessen beschimpft? Sie konnte sich einfach nicht erinnern! Natürlich war es fraglich, ob er ihr die Wahrheit sagen würde. Dennoch wollte sie es versuchen.

Birgit gab ihr selbstverständlich für den Besuch bei Mark frei, denn sie wollte, dass ihre Schwester ihre Freiheit genoss. Dabei wusste Nane selbst nicht, ob sie das konnte. Wie konnte sie ein unbeschwertes Leben führen, wo sie das Leben anderer zerstört hatte? Nicht nur das von Henning, sondern auch das seiner Frau, seiner Tochter Sonja und seines Vaters Thomas. Sie hatte es doch nicht gewollt!

Nane ging zu Fuß zum Weckmarkt, wo sich Marks Café befand. Sie schlenderte an Läden vorbei, sah in die Schaufenster und überquerte den Main, der behäbig dahinfloss. Das Coffee & Soul befand sich in einem Eckhaus. Über den Himmel zogen dicke graue Wolken, bald würde es regnen. Dennoch saßen die Gäste unter den Sonnenschirmen vor dem Café. Alle Tische waren besetzt. Eine Kellnerin nahm Bestellungen auf.

Drinnen war es beinahe leer. Es duftete nach Kaffee und Gebäck. Im Radio lief Musik. Mark stand hinter dem Tresen und hantierte an der chromblitzenden Espressomaschine. Als er sie bemerkte, zog ein Lächeln über sein Gesicht. »Nane. Schön, dass du gekommen bist. Schon gefrühstückt?«

»Noch nicht wirklich.«

»Worauf hast du Lust?«

»Ich lass mich überraschen.«

Mark bot an, einen Tisch für sie nach draußen zu stellen, doch Nane winkte ab. Sie wollte in Ruhe telefonieren und setzte sich in eine Ecke. Im Radio lief ein Sender mit Loungemusik, die von einer Verkehrsmeldung unterbrochen wurde. Nane zog ihre Liste mit den Telefonnummern der Kliniken heraus, während Mark ein Frühstück für sie zubereitete. Denn Pia hatte Birgit nicht gesagt, in welchem Krankenhaus Thomas lag, aus Angst, sie könnte es Nane verraten.

Als Erstes rief Nane das Städtische Krankenhaus in Trier an. Ein Thomas von Manthey sei nicht im System verzeichnet, erklärte die Mitarbeiterin der Zentrale. Ihr zweiter Versuch galt dem St.-Joseph-Klinikum, das ebenfalls in Trier lag. Sie erhielt dieselbe Auskunft. Weiter ging es mit den Kliniken im Umkreis von Trier. Nach der vierten negativen Auskunft überlegte sie, ob Pia vielleicht eine entsprechende Anweisung gegeben hatte, damit sie nicht erfuhr, wo Thomas lag. Bisher hatte sie am Telefon wahrheitsgemäß gesagt, sie sei Thomas' Schwägerin, und hatte auch ihren Namen genannt. Während sie überlegte, ob sie es vielleicht mit einem falschen Namen noch einmal in den Trierer Kliniken probieren sollte, wurde die Musik im Radio von den Nachrichten unterbrochen. Mit halbem Ohr hörte Nane zu. Bei einem Terroranschlag auf ein Urlaubshotel in Ägypten waren fünfzehn Menschen ums Leben gekommen. Seit gestern wurde darüber berichtet. Es war schrecklich. Nane wollte sich das nicht vorstellen. Da fuhren Menschen in Urlaub, freuten sich des Lebens, genossen die schönsten Wochen des Jahres, und dann endete alles in Chaos und Gewalt. Wie mochte es den Hinterbliebenen ergehen? Wie konnte man nach einem solchen Ereignis weiterleben? Eine Weile hing Nane ihren

Gedanken nach, bis wieder die beruhigende Hintergrundmusik erklang. Sie hielt noch immer ihr Handy in der Hand. Sollte sie es weiter versuchen?

Schließlich rief sie die nächste Klinik auf ihrer Liste an. Wieder bekam sie die Auskunft, dass es keinen Patienten mit dem Namen von Manthey gab. Sie legte auf und sah direkt in Marks Augen. Er stand vor ihr und brachte das Frühstück. »Warum tust du das? Pia will dich nicht sehen, und bei Thomas ist das sicher nicht anders.«

»Woher willst du das wissen?«

»Es ist naheliegend. Er hatte zwanzig Jahre Zeit, einen Besuchsantrag zu stellen oder dir zu schreiben oder über seinen Anwalt Kontakt zu dir aufzunehmen. All das hat er nicht getan, und deine Briefe hat er zurückgeschickt. Das sind Fakten ohne großen Interpretationsspielraum. Außerdem ist er jetzt zu krank, um dich anzuhören. Wenn er mit dir reden will, wird er auf dich zukommen. Und jetzt genieß dein Frühstück. Ich habe dir das nordische gebracht. Räucherlachs hast du doch früher gerne gemocht.«

Seine Mitarbeiterin winkte ihn zu sich.

»Heike braucht Unterstützung«, erklärte er. »In einer halben Stunde wird es ruhiger. Dann habe ich Zeit für dich.«

Was sollte sie jetzt tun? Wer nicht wagt, der nicht gewinnt. Nane wählte die Nummer des Weinguts Graven und erreichte wie erwartet Margot.

»Hallo, hier ist Nane. Ich …« Ein leises Klicken erklang. Margot hatte aufgelegt. Eigentlich nicht überraschend, dennoch tat es weh, auf diese Weise abgefertigt zu werden. Nane sah auf die dampfende Espressomaschine und versuchte das Gefühl abzuschütteln, nicht mehr wert zu sein als ein Stück Dreck. Das Lachssandwich sah köstlich aus, doch plötzlich hatte sie das Gefühl, keinen Bissen herunterbringen zu können.

Sie sah aus dem Fenster. Der Wetterbericht hatte Regen angekündigt. Sie wusste gar nicht mehr, wie sich ein warmer Sommerregen auf der Haut anfühlte. Es waren diese kleinen Freuden, die sie am Ende kaum vermisst hatte, weil sie sich nicht mehr daran erinnern konnte, wie es war, morgens um sieben eine Tasse Tee auf dem Balkon zu trinken und in die aufgehende Sonne zu blinzeln. So wie heute Morgen, als sie von allein aufgewacht war und nicht, weil ein Wärter um sechs den Kopf zum Lebendappell in ihre Zelle gesteckt und »Guten Morgen!« gebrüllt hatte.

Tatsächlich setzte ein leichter Nieselregen ein, und es zog Nane nach draußen. Ehe sie sich's versah, stand sie vor dem Café. Die Gäste rutschten unter den Sonnenschirmen enger zusammen. Der Regen verdampfte auf dem von der Sonne warmen Asphalt und ließ die Gerüche der Stadt lebendig werden.

Nane ging einfach drauflos. Leute ohne Schirm eilten an ihr vorbei. Die, die einen hatten, gingen gemächlicher. Aus einem offenen Fenster erklang Musik. Im Zugang zu einer Passage saß eine junge Frau im Punkeroutfit. Lila Haare, Piercings und Tattoos. Ein schwarzer Hund lag auf einer Decke neben ihr, während sie Gitarre spielte und dazu sang. Vor ihr stand der aufgeklappte Instrumentenkasten. »As far as love goes.«

Liebe!, dachte Nane. Fuck! Sie trat eine leere Bierdose vom Gehweg in den Rinnstein. Ihre Mutter hatte am

Ende recht behalten. Birgit hatte sich durch ihre Affäre mit einem Schüler die Beamtenlaufbahn versaut. Und sie selbst hatte ihr halbes Leben im Gefängnis verbracht. Verdammte Liebe! Nur Pia war nicht in diese Falle gerannt. Natürlich nicht. Die perfekte Pia, die immer alles richtig machte. Offenbar hatte sie keine Sekunde in ihrem Leben an Liebe verschwendet, geschweige denn an Leidenschaft. Eigentlich armselig.

Liebe und Eifersucht, Verrat und Rache wurden nur durch dünne Schichten getrennt. Zivilisation und Anarchie. Ganz dicht unter der Oberfläche lag das Böse, das Destruktive. In jedem. Davon war Nane nach zwei Jahrzehnten im Gefängnis überzeugt. Jeder konnte zum Verbrecher werden.

»To wash the blood of our hands. Ohhh woman, you are still a mystery to me«, sang die Punkerin.

Nane lachte. Ja, so war es. Jeder trug seinen eigenen Abgrund in sich. Sie nahm fünf Euro aus der Geldbörse, ließ sie in den Gitarrenkoffer segeln und ging weiter Richtung Museumsufer.

Sie musste mit Thomas reden! Sie musste wissen, ob sie versucht hatte, den Unfall im letzten Augenblick zu verhindern. In Gedanken bezeichnete sie das Ganze noch immer als Unfall. Staatsanwalt und Richter hingegen hatten ihre Tat als hinterhältigen und feigen Mordanschlag eingeordnet, da sie die Arg- und Wehrlosigkeit ihres Opfers ausgenutzt habe. Dabei hatte sie das alles nicht gewollt, obwohl sie es geplant hatte.

Während des Prozesses war Thomas nur am Tag seiner Zeugenaussage anwesend gewesen und dann erst wieder bei der Urteilsverkündung. Er hatte nicht hören wollen, was sie zu sagen hatte, und sich als Nebenkläger durch seinen Anwalt vertreten lassen.

Der Regen wurde heftiger, sie reckte ihm ihr Gesicht entgegen, als könnte sie sich so reinwaschen von ihrer Schuld. Sie würde schon noch herausfinden, in welchem Krankenhaus Thomas lag, und dann musste er ihr zuhören und sagen, ob er sich gerächt hatte. Ob er dafür gesorgt hatte, dass sie lebenslänglich für Mord bekommen hatte anstelle einer milderen Strafe, weil sie im letzten Moment versucht hatte, es zu verhindern. Sie wusste einfach nicht mehr, was sie bei dem Telefonat damals zu ihm gesagt hatte. Es war zum Verrücktwerden. Sie musste das mit ihm klären. Und vielleicht war er ja sogar in der Lage, ihr zu verzeihen. Mit seiner Vergebung würde ihre Schuld ein wenig leichter wiegen.

In einem Hauseingang stellte sie sich unter, bevor sie klatschnass wurde. Mein Gott, war es schön, draußen zu sein und nach so langer Zeit Wind und Wetter zu spüren!

Sie war jetzt Mitte vierzig, und ihre Träume vom Leben hatten sich zerschlagen. Vor allem der, ein Kind zu haben. Wie sehr sie sich das immer gewünscht hatte. Eine kleine Tochter mit weißblonden Locken, eine freche kleine Person, so aufmüpfig, wie sie selbst es als Kind gewesen war. Doch das war vorbei. Sie würde nie Mutter werden.

Der Gedanke legte sich um ihren Hals und schnürte ihn zu. Das Leben war eine Einbahnstraße. Thomas würde ihr nicht verzeihen. Mark hatte recht. Er hatte es all die Jahre nicht getan. Warum sollte er es jetzt tun? Was sie angerichtet hatte, war nicht zu ändern, nie wiedergutzumachen. Könnte sie doch nur die Zeit zurückdrehen und es ungeschehen machen.

Sie legte den Kopf in den Nacken und schloss die Augen. Wie oft hatte sie diesen Gedanken gewälzt? Eine Million Mal? Plötzlich fühlte sie sich so niedergeschlagen wie schon lange nicht mehr. Sie sollte nicht nach Thomas suchen, sondern ihn endlich loslassen. Es wäre das Richtige. Doch sie konnte nicht.

Etwas surrte, und es dauerte einen Moment, bis sie begriff, dass es ihr Smartphone war. Nachdem sie es aus der Hosentasche gezogen hatte, sah sie aufs Display. Sie kannte die Nummer nicht.

»Hallo?«

»Nane? Sind Sie das?«

»Ja. Und wer sind Sie?«

»Leonhard. Margot hat mir Ihre Nummer gegeben. Sie sagt, Sie hätten angerufen. Vermutlich weil Sie wissen wollen, wie es Thomas geht.«

»Ja, genau. Sie hat aufgelegt.«

»So ist sie halt. Ein wenig harsch. Aber ich denke, Sie haben ein Recht, das zu erfahren. Es war ein Herzinfarkt, wie Sie vermutet haben.«

»Ist er in Trier im Krankenhaus?«

»Das kann ich Ihnen nicht sagen. Pia hat uns darum gebeten.«

»Und alle hören auf ihr Kommando.«

»Es ist besser so. Auch für Sie. Ich habe gehört, dass Sie auf Bewährung entlassen wurden. Das freut mich.«

»Ich muss aber mit Thomas reden.«

Einen Moment blieb es still. »Was versprechen Sie sich davon?«, fragte Leonhard schließlich.

»Vielleicht, dass er mir verzeiht?«

»Das wird er nicht tun. Er spricht nicht über Hennings

Tod. Rühren Sie das nicht wieder auf. Blicken Sie nach vorne, und genießen Sie Ihre Freiheit.«

»Deshalb rufen Sie an? Um mir zu sagen, dass alles gut ist und ich einfach da weitermachen soll, wo ich vor zwanzig Jahren aufgehört habe?«

»Ich rufe an, weil ich mich gefragt habe, wie es Ihnen geht und wie Sie zurechtkommen.«

Das war nett von ihm. »Meine Schwester hat mich ein bisschen an die Hand genommen. Es würde mir besser gehen, wenn ich wüsste, wo Thomas ist.«

Ein Lachen klang an ihr Ohr. »Sie geben nicht auf. Aber ich werde es Ihnen nicht verraten.«

»Ganz der treue Knecht.«

»Jetzt sind Sie unfair. Wenn ich es für richtig halten würde, dann würde ich es Ihnen sagen. Und jetzt muss ich wieder an die Arbeit.«

»Sagen Sie mir Bescheid, wenn Thomas' Zustand sich verändert?«

»Ja, das mache ich, obwohl es die Herrin dem Knecht verboten hat. Sie haben ihm immerhin das Leben gerettet.«

Nane verabschiedete sich von Leonhard und machte sich auf den Rückweg ins Café.

Natürlich hatte sie Thomas das Leben gerettet, auch wenn Pia das anders sah. Schließlich hatte Nane die Notrufnummer gewählt. Sie dachte an den orangeroten Rettungshubschrauber und den vertrödelten Tag im Weinberg. Sie dachte an die Blumen, die sie gepflückt und an der Stelle abgelegt hatte, an der Henning mit dem Wagen die Leitplanke durchbrochen hatte. Und plötzlich musste sie an die junge Frau in dem blauen Auto denken, die sie in Graven beinahe über den Haufen gefahren hatte. Für eine Sekunde waren sich ihre erschrockenen Blicke begegnet, und seither grübelte Nane darüber nach, woher sie die Frau kannte. Irgendwo hatte sie sie schon mal gesehen, was eigentlich nicht sein konnte, denn sie war höchstens dreißig. Doch dann fiel der Groschen. Das Münchner Kennzeichen. Der breite Kiefer, die etwas zu eng stehenden Augen. War das etwa Sonja gewesen? Hennings Tochter.

»Da bist du ja«, sagte Mark, als sie das Café betrat. »Alles in Ordnung?«

»Ein kleiner Spaziergang im Regen. Das habe ich schon ewig nicht mehr gemacht.«

»Deine Haare sind ganz nass. Du kannst sie trocknen. Im Personalraum ist ein Föhn. Und dann wartet da noch ein Frühstück auf dich.«

Er zeigte ihr den Weg. Als sie zehn Minuten später zurückkam, erschrak sie beim Anblick von Mark. Er stand hinter dem Tresen. Kreidebleich im Gesicht. Seine Hand umklammerte das Handy.

»Geht es dir nicht gut?«

Er reagierte nicht, starrte an ihr vorbei ins Leere.

Sie griff nach seinem Arm. »Um Himmels willen, was ist denn passiert, Mark?«

Er schüttelte den Kopf wie ein Boxer im Ring nach einem Treffer. »Claire … Dieser Anschlag in Ägypten. Du hast doch davon gehört?«

Nane nickte. »Ist Claire etwa dort?«

»Ihr Vater hat mich gerade angerufen. Sie war in diesem Hotel. Sie gehört zu den Opfern. Sie ist tot.«

*

Nach fünfzehn Kilometern auf Leonhards Mountainbike machte Sonja Rast. Die Muskeln brannten, sie war verschwitzt und ausgepowert. Zeit für eine Pause. Sie suchte sich eine Bank am Flussufer, lehnte das Bike an einen Baum und machte ihre Dehnübungen.

Inzwischen hatte sie sich entschlossen, auf Graven zu bleiben. Wenn sie endlich ihren Namen auf einem Buchcover sehen wollte, durfte sie jetzt nicht aufgeben. Das war ihre Chance. Vielleicht konnte sie sich Ohropax oder einen Gehörschutz besorgen, wie ihn Arbeiter trugen, die laute Maschinen bedienten.

Erst letzte Woche hatte sie mit Veit über ihr Projekt gesprochen. Er war Lektor eines Verlags, für den sie freiberuflich arbeitete, und hatte ihr Mut gemacht, über diesen Mord zu schreiben, von dem sie ihm erzählt hatte. Allerdings ohne zu erwähnen, dass das Opfer ihr Vater war. »Das ist ja eine Wahnsinnsgeschichte«, hatte Veit gesagt. »Großer Stoff. Wie willst du ihn anpacken?«

Sie zuckte mit den Schultern, woraufhin Veit ihr natürlich zum Krimi riet. »Die Leser lieben Krimis. Du kannst das. Und dann bekomme ich ihn als Erster zu sehen. Wenn er gut ist, mach ich mich stark dafür. Deal?« Er hatte ihr die Hand hingehalten, und sie hatte eingeschlagen.

Sonja beendete die letzte Übung und setzte sich auf die Bank. Wie schön es hier war und wie ruhig. Nur das Zwitschern der Vögel war zu hören und das leise Fließen des Flusses. Kaum hatte sie das gedacht, erklang der Signalton von Skype, und sie zog ihr Smartphone hervor.

Ansgars Foto erschien im Display. Von Beruf war er Bühnenbildner. Einer der wenigen, die davon auch leben konnten. Denn er war gut und hatte sich einen Ruf in der Theaterszene und beim Film gemacht. Während sie in der Provinz schrieb, würde er das Bühnenbild für *Ariadne auf Naxos* am Opernhaus Zürich gestalten.

Als sie nun sein Bild sah, arbeiteten für einen Moment zwiespältige Gefühle in ihr. Sie freute sich und fühlte sich gleichzeitig unter Druck gesetzt. Obwohl ihr Ansgar keinerlei Druck wegen des Zusammenziehens machte. Bisher war es nur ein Vorschlag von ihm gewesen, eine beinahe beiläufige Bemerkung. Weshalb stresste sie das? Sonja wusste es nicht. Sie wusste nur, dass das immer passierte, wenn eine Beziehung enger zu werden drohte. Dabei mochte sie Ansgar. Sehr sogar. Sie war mehr als nur verliebt in ihn, obwohl sie sich erst drei Monate kannten. Doch ein wenig Abstand tat jeder Beziehung gut. So wirklich nah ließ sie eigentlich nie einen Mann an sich heran.

Sonja nahm das Videotelefonat an, und Ansgar erschien live auf dem Display. Im Hintergrund sah sie die leeren Sitzreihen des Zuschauerraums. Seine dunklen Locken waren verwuschelt, und er sah sie mit diesem Welpenblick an, der völlig irreführend war, denn Ansgar war ziemlich tough.

»Hey, Sonja. Wir machen gerade Pause, und ich habe das dringende Bedürfnis, dich zu fragen, wie weit Graven eigentlich von Zürich entfernt ist.«

»Zu weit.«

»Zu weit wofür?«

»Für einen Kurzbesuch. Das ist doch der Grund deiner Frage, oder?«

»Ich dachte, wir könnten uns vielleicht mal treffen. Es sei denn, es stört deinen Flow.«

»Flow ist gut. Bis jetzt habe ich noch gar nichts geschafft.«

»Oje. Woran liegt's?«

Sie seufzte und breitete die ganze Misere vor ihm aus. Es lag an Opa, der ihre Fragen nicht beantworten konnte, weil er mit Herzinfarkt im Krankenhaus lag. Und an ihr selbst, weil sie einfach keine Idee hatte, wie sie das Thema anpacken sollte. Was auch daran lag, dass ihr die Ruhe zum Arbeiten fehlte, denn Pia verweigerte ihr die Remise. »Vermutlich ist der Zustand des Häuschens längst nicht so schlimm, wie sie es darstellt. Sie will einfach nicht, dass ich dort wohne.«

»Aber warum sollte sie dir was vormachen?«

»Ich weiß es nicht.«

Vielleicht weil Henning dort seine letzten Tage verbracht hat, dachte Sonja. Pias Stiefsohn, wenn man so wollte, wobei sie im selben Alter gewesen waren. Schreibend und fluchend hatte er dort am Schreibtisch gesessen, weil er mit seinem Roman nicht vorankam. Genau wie sie jetzt.

»Im Gästezimmer kann ich nicht arbeiten. Die Geräusche im Haus, der Trubel im Hof, die Besuchergruppen. Es ist ein ständiges Kommen und Gehen. Ich kann mich einfach auf nichts konzentrieren. Vielleicht breche ich die Zelte ab und ...«

»Und fährst nach Zürich.«

»Müsste ich ja«, entgegnete sie mit einem Lächeln. »Nach Hause kann ich nicht. Meine Wohnung ist schließlich untervermietet.«

»Das Apartment, das ich hier habe, ist groß genug für uns beide. Ich würde mich freuen, wenn du kommst.«

»Aber? Ich glaube, ich habe da gerade ein Aber gehört.«

»Aber was wird dann aus deinem Traum vom eigenen Roman? Wenn du anfängst, den vor dir herzuschieben, wird das nie etwas. In vier Wochen kannst du eine Menge erreichen.«

»Wenn ich nur wüsste, in welcher Form ich den Stoff bearbeiten soll.«

Ansgar kannte zwar das Thema, wusste aber nicht, dass es dabei um Sonjas Vater ging. Sie sprach selten mit jemandem darüber. Mitleid konnte sie ebenso wenig ertragen wie Neugier und Sensationslust. Wobei sie sich bei Ansgar inzwischen sicher war, dass nichts davon seine Art war. Er würde sich ernsthaft damit auseinandersetzen und sich vielleicht tiefer vorarbeiten, als ihr lieb war. *Zeige deine Wunden*. Dafür war sie noch nicht bereit.

»Warum willst du diese Geschichte überhaupt in ein Genre pressen?«, fragte er nun. »Nimm dir doch die Freiheit, den Stoff so zu bearbeiten, wie du willst. Unterwirf dich nicht einer Form.«

»Okay. Ich denke darüber nach.« Dann erkundigte sie sich, wie es ihm in Zürich erging, und er erzählte von seinem Auftrag, vom Regisseur, der sehr eigene Vorstellungen hatte, die mit dem des Intendanten nicht auf derselben Linie lagen. Es war das Übliche. Schließlich war die Pause vorbei, und Ansgar musste Schluss machen. Etwas wehmütig verabschiedete Sonja sich von ihm.

Es war schon Mittag – und damit Zeit, zum Weingut zurückzukehren. Sie schwang sich wieder aufs Rad, und während sie die Steigung nach Graven hinauffuhr, erwog sie, Pia darauf anzusprechen, warum sie nicht in der Remise sein durfte und ob es etwas mit Henning zu tun hatte. Doch Pia würde diesen Gedanken vermutlich von sich weisen. Immer wenn Sonja gegenüber Thomas und Pia ihren Vater erwähnte, entglitt ihr das Gespräch wie ein nasses Stück Seife, und sie wusste nicht, woran das lag. Es würde sich lohnen, das einmal zu analysieren.

Sonja schob das Rad in die Garage und bemerkte, dass Pias Wagen weg war. Sie hatte Pia heute noch nicht gesehen und vermisste sie auch nicht besonders. Nachdem sie geduscht hatte, entschloss sie sich, im Garten zu arbeiten. Hinten bei der Remise. Sie nahm den Laptop und die Rechercheunterlagen mit und entschied sich für die Abkürzung über die Terrasse. Dabei erinnerte sie sich an ihren Traum. Letzte Nacht hatte sie schlecht geschlafen und von dem Auto geträumt, in dem ihr Vater gestorben war. Es lag nicht im Prälatengarten, sondern hier auf der Terrasse. Völlig zertrümmert. Geborstene Scheiben, abgeschabter Lack, verbeultes Metall. Die abgerissene Fahrertür. Und dazwischen Blut, das die hellen Fugen dunkelrot färbte. So dunkel wie die Schwarzkirschen in den Bäumen. Bei dieser Erinnerung fröstelte sie für einen Moment und beugte sich über die Schieferplatten, mit denen die Terrasse belegt war. Unregelmäßig gebrochene Formen mit helleren Fugen. Natürlich war kein Blut zu sehen. Wie auch? Ihr Vater war im Weinberg gestorben.

Sie war erst acht Jahre alt gewesen, und die meisten Erinnerungen an ihn waren nach zwanzig Jahren zu farblosen Schemen verblasst, obwohl sie als Kind versucht hatte, jede einzelne festzuhalten. Als sie in den ersten Wochen nach seinem Tod merkte, dass sie ihn schon langsam vergaß, hatte sie begonnen, wie besessen zu malen und zu zeichnen und eine Art Tagebuch zu schreiben, als könnte sie ihn so für immer festhalten. Natürlich war das eine zum Scheitern verurteilte Hoffnung gewesen.

Doch als sie hier auf der Terrasse an ihn dachte, wurde er für einen Moment in ihrer Erinnerung wieder lebendig. Sie meinte beinahe, sein umwerfendes Lachen zu hören. Laut und ungezügelt war es gewesen, ansteckend und mitreißend. Dann sah sie sein stoppeliges Kinn vor sich, denn er hatte sich nur alle zwei bis drei Tage rasiert, und sie konnte beinahe den Tabakgeruch seiner Maryland-Zigaretten riechen und einen Hauch seines herben Rasierwassers. Und sie meinte, den kratzigen Kuss auf ihrer Wange zu fühlen, den er ihr jeden Abend vor dem Einschlafen gegeben hatte. Wie immer erfasste sie bei diesen Erinnerungen eine stille Sehnsucht nach ihrem Vater. *Schlaf gut, mein Mädel. Träum süß von Zucker und Anis.* Wie oft er das wohl zu ihr gesagt hatte? Wie viele Geschichten hatte er sich für sie ausgedacht und wie viele Einschlaflieder gesungen? Er hatte ihr das Radfahren beigebracht und das Schwimmen. Er war mit ihr ins Kindertheater gegangen und hatte ihr ein Tutu gekauft, als sie unbedingt eins haben wollte. Er war kein cholerischer Mistkerl gewesen, sondern ein liebevoller Vater. Und das sollte er bleiben. Genau deshalb würde sie seine Tagebücher und Briefe nicht lesen! Der Karton lag noch im Kofferraum, und sie würde ihn so, wie er war, wieder bei ihrer Mutter abliefern. Sollte sie ihren Mistkerl behalten. Stattdessen würde sie in ihren eigenen Tagebüchern nachlesen und sich die Zeichnungen ansehen, die sie mitgebracht hatte. Und natürlich würde ihr die Recherchemappe mit den Zeitungsberichten gute Dienste leisten. Sie wollte außerdem mit dem Feuerwehrhauptmann reden, der als Erster bei Henning gewesen war, mit der Kellnerin, die den Unfall beobachtet hatte, und natürlich mit Margot, Pia und Thomas. Wobei vermutlich die Einzige, die ihr Auskunft geben würde, Margot war.

Sonja erreichte den hinteren Teil des Gartens. Im Schatten der Bäume war es weniger schwül. Das Tor, das auf einen Feldweg führte, war geschlossen. Im Weinberg dahinter stiegen die Arbeiter mit Kanistern auf dem Rücken durch die Steillage und besprühten die Reben. Den Weg zur Remise säumte Unkraut. Das kleine Fachwerkhaus mit dem spitzen Giebel sah von außen passabel aus. Weißer Putz und dunkle Holzbalken. Unter dem Vordach standen eine Bank und ein Tisch. Sonja legte ihre Sachen ab und drückte die Türklinke nach unten. Wie erwartet gab sie nicht nach. Auch der Versuch, durch eines der Fenster zu spähen, glückte nicht. Die Läden waren geschlossen und verwehrten ihr jeden Einblick.

Enttäuscht setzte sie sich auf die Bank und überlegte wieder, ob es nicht besser wäre, nach Zürich zu fahren. Thomas war zu schwach, um ihre Fragen zu beantworten, auch wenn er gestern versucht hatte, das Gegenteil zu beteuern. Sie müssten reden, hatte er gesagt, und für einen Augenblick hatte sie gedacht, dass er nicht ihren Roman meinte, sondern etwas anderes. Doch was?

Mutlos starrte sie auf ihren Laptop. Krimi? Familienroman? Entwicklungsroman? Welche Figur interessierte sie am meisten? Natürlich Nane. Erst in diesem Moment wurde Sonja klar, dass auch ihre Mutter nicht gewusst hatte, dass Nane wieder auf freiem Fuß war, sonst hätte sie das vorgestern sicher erwähnt. Es war Zeit, dass sie die Neuigkeit erfuhr. Sonja griff zum Smartphone und erreichte ihre Mutter und ihren Stiefvater am Jochberg bei einer Wanderung.

»Soll ich später noch mal anrufen?«, fragte sie.

»Es passt schon. Wir wollten ohnehin eine Pause machen. Was gibt es denn?«

»Ich wollte dir nur sagen, dass Nane frei ist. Sie legt Blumen am Tatort ab.«

»Was? Das ist mal eine Nachricht. Obwohl ich eigentlich damit gerechnet habe, dass man sie früher oder später freilässt.«

»Du findest das in Ordnung?«

Ihre Mutter schwieg einen Augenblick. »Lebenslänglich bedeutet in den seltensten Fällen lebenslänglich. Es wäre ja niemandem damit geholfen, wenn sie bis zu ihrem Tod eingesperrt bleibt. Zwanzig Jahre immerhin.«

Das war typisch für ihre Mutter. Mitgefühl für die Täterin, während sie über Henning den Stab gebrochen und einen »Mistkerl« aus ihm gemacht hatte.

»Man hätte uns allerdings informieren müssen«, fuhr sie fort. »Wie geht es dir auf Graven?«

Sie erzählte von Thomas' Herzinfarkt und dass er ihn einigermaßen gut überstanden hatte. »Er hat gesagt, wir müssten reden, aber ich habe keine Ahnung, worüber.«

»Er ist dem Tod wohl gerade noch mal von der Schippe gesprungen. Vielleicht will er seine letzten Dinge regeln. Dir ist doch bewusst, dass du an Hennings Stelle in der Erbfolge trittst, oder?«

Das war ein überraschender Gedanke. »Bis jetzt nicht.«

»Thomas liegt Graven am Herzen. Das Gut ist sein Lebensinhalt. Es ist seit Generationen in Familienbesitz, und dort soll es bleiben. Deswegen hat er sich mit Henning ja ständig gestritten, weil er es nicht übernehmen wollte. Ich vermute, dass Thomas dir nur den Pflichtteil zukommen lassen will, damit Lissy den Besitz möglichst unbelastet übernehmen kann.«

Bei der Erwähnung der ständigen Streitereien schoss plötzlich aus den Tiefen ihrer Erinnerungen eine nach oben. Der wütende Thomas. Der Choleriker, der im Wohnzimmer brüllend und gestikulierend auf und ab marschierte und Henning niedermachte. Hochroter Kopf. Feine Speicheltropfen im Gegenlicht. Die Sehnen, die an seinem Hals hervortraten. Dann eine knallende Tür, aus der die Glasfüllung splitternd herausbrach. Sie war acht Jahre alt gewesen und hatte sich so erschrocken, dass sie weinend zu ihrer Mutter gelaufen war.

»Ja, vielleicht will er darüber mit mir sprechen. Er soll das so regeln, wie er es für das Beste hält. Ich will Lissy nicht im Weg stehen.«

Sonja beendete das Gespräch und ging dann endlich ihre Notizen und Rechercheunterlagen durch. Sie skizzierte Plotideen und Figurenentwürfe. So vergingen beinahe drei Stunden, bis es zu tröpfeln begann. Sie suchte ihre Sachen zusammen und ging zum Haus.

Schon von Weitem sah sie, dass die Terrassentür geschlossen war. Als sie um die Ecke bog, vernahm sie aufgeregte Stimmen. Auf dem Hof stand Pia Seite an Seite mit Lissy und Leonhard. Nane hatte sich vor ihnen aufgebaut. Mit dem hellen Haar und dem bleichen Teint erschien sie Sonja wie ein Geist.

»Wenn sie nicht mit mir reden will, kann sie mir das selbst sagen!«, rief sie.

»Aber ich bestimme, wer hier ein und aus geht. Wenn

du nicht sofort verschwindest, rufe ich die Polizei.« Pia zog das Handy aus der Handtasche, während Leonhard beschwichtigend auf Nane einredete.

In diesem Moment fiel Lissys Blick auf Sonja. »Da ist sie ja.«

Als Sonja verstand, dass Nane mit ihr reden wollte, wirbelte binnen einer Sekunde ein Sturm an Gefühlen durch ihr Innerstes. Erst stieg Panik in ihr auf, dann Wut und gleich darauf Bedauern, gefolgt von Neugier.

Sie fasste sich. Wenn sie den Roman schreiben wollte, musste sie mit Nane reden. Daran führte kein Weg vorbei.

»Mit wem ich rede, entscheide ich selbst«, erklärte sie. Es klang harscher, als sie beabsichtigt hatte. Sie bemerkte, wie Nanes Schultern erleichtert herabsanken, während Pia um Fassung rang.

»Aber nicht hier.« Pia wandte sich an Leonhard. »Sei so nett und begleite Nane hinaus.«

Leonhard tat wie geheißen. »Es ist wohl besser, wenn Sie jetzt gehen«, sagte er zu Nane.

»Einen Moment.« Sonja notierte ihre Handynummer auf eine Seite ihrer Notizen, riss die Ecke ab und reichte sie Nane. »Wir können uns in einer halben Stunde im Dorf treffen.« Doch bereits in dem Moment, als sie das sagte, war sie sich nicht mehr sicher, ob sie das wirklich wollte.

*

Pia warf Handtasche und Wagenschlüssel auf die Anrichte im Flur und wählte bereits die Nummer ihres Anwalts, während sie ins Wohnzimmer ging. Lissy folgte ihr und ließ sich in einen Sessel fallen.

Peter Klaas meldete sich, gerade als sie auflegen und ihm eine Mail schicken wollte. Mit wenigen Worten umriss Pia die Situation und erfuhr bei dieser Gelegenheit, dass die Justizbehörden es ebenfalls versäumt hatten, ihren Anwalt über Nanes Freilassung zu informieren, obwohl er einen Antrag für diesen Fall gestellt hatte. Klaas war ebenso perplex, wie sie es gewesen war, und fragte sie, ob er Beschwerde einlegen sollte.

»Ich möchte, dass Sie Nane per Einschreiben ein Hausverbot für Graven erteilen und ebenso für das Krankenhaus«, erklärte Pia. »Regeln Sie das mit der Klinik. Nane soll uns nicht weiter belästigen. Und Thomas schon gar nicht. Es reicht, dass sie ihn derart erschreckt hat, dass er nun auf der Intensivstation liegt. Sollte sie sich nicht an das Hausverbot halten, werde ich die Polizei rufen, und das wird Auswirkungen auf ihre Bewährung haben. Dann ist ihre Freiheit gleich wieder beendet. Machen Sie ihr das klar.«

Als Nächstes rief sie Birgit an, um ihr dasselbe mitzuteilen. »Wenn du willst, dass sie nicht wieder hinter Gitter muss, dann pass auf sie auf. Ich habe dir gesagt, dass ich sie nicht sehen will, und du leihst ihr auch noch deinen Wagen. Da ist nichts zu kitten, da sind keine Waagschalen ins Gleichgewicht zu bringen. Vergiss deine Harmoniesucht, sonst verdirbst du es dir mit mir.« Wütend legte sie auf, ging zur Anrichte und schenkte sich einen Fingerbreit von Thomas' Single-Malt-Whisky ein. Und das um vier Uhr nachmittags. Mit dem Drink setzte sie sich aufs Sofa und bemerkte erst jetzt Lissy, die sie die ganze Zeit beobachtete.

»Warum regst du dich eigentlich so auf?«, fragte Lissy.

»Das fragst du mich jetzt im Ernst?«

»Ja, klar. Weil ich es nicht verstehe.« Lissy zog die Beine aufs Sofa. »Also ich verstehe natürlich, dass du über Nanes Freilassung nicht glücklich bist. Auch, dass du sie nicht sehen willst, ist nachvollziehbar. Die Hausverbote sind allerdings heftig, ebenso, dass du den Kontakt zwischen Sonja und Nane verhindern wolltest. Das ist allein deren Sache. Und ganz ehrlich: Bei Papa wissen wir nicht, ob er mit Nane reden würde, wenn er könnte. Du bist sonst immer so cool und souverän, und plötzlich drehst du echt am Rad.«

Pia starrte ihre Tochter an und musste sich zwingen, ihrem Impuls nicht nachzugeben und das Glas gegen die Wand zu schleudern. »Weil ich ihr nicht in die Augen sehen kann!«, schrie Pia und erschrak im nächsten Moment. Was hatte sie da gerade gesagt?

»Wieso denn?« fragte Lissy überrascht. »Was hast du denn getan?«

»Ich?«, schrie Pia. »Sie!«

»Du hast gerade gesagt, dass du ihr nicht in die Augen sehen kannst.«

»Blödsinn! Ich habe gesagt, dass sie mir nicht unter die Augen kommen soll.« Pia leerte das Glas und versuchte sich zu beruhigen. Lissy hatte ja recht. Normalerweise reagierte sie gelassener. »Entschuldige. Ich weiß auch nicht … Wahrscheinlich ist das alles ein bisschen zu viel auf einmal.«

Was sie jetzt brauchte, um zur Ruhe zu kommen, war kein Whisky, sondern die Beschäftigung mit dem Porträt der Kaufmannstochter. Pia stellte das Glas ab. »Du hast die Reben spritzen lassen, habe ich gesehen.«

»Anneliese hat mir dazu geraten. Nur den Prälatengarten habe ich ausgespart. Da weht immer eine leichte Brise. Die Durchlüftung ist besser. Wenn es schiefgeht, muss ich das auf meine Kappe nehmen. Und wenn es gut geht, gewinnen wir Reifetage und damit Öchsle, und die Chance für eine Trockenbeerenauslese steigt. Das wird Papa freuen.«

»Es wird schon gut gehen. Ich muss jetzt noch ein wenig arbeiten.« Pia stand auf und wollte das Zimmer verlassen, als sie das Klackern von Absätzen in der Halle hörte. Margot kam herein, die Lesebrille ins Haar geschoben. Das weiße Poloshirt, das sie zu einer marineblauen Stifthose trug, war zerknittert, und die Sorge um ihren Bruder stand ihr ins Gesicht geschrieben.

»Ich wollte nur fragen, wie es ihm geht. Ist er wieder bei Bewusstsein?«

»Bis jetzt nicht«, antwortete Pia. »Aber das Gerinnsel hat sich aufgelöst. Jedenfalls ist es im CT nicht mehr zu entdecken.«

»Gott sei Dank. Dann ist es wohl nur eine Frage der Zeit, bis er sich erholt. Ich dachte schon, wir müssten darüber reden, wie es hier weitergehen soll.«

»Da gibt es nichts zu besprechen. Lissy kümmert sich um Graven.«

»Und wenn es länger dauert?« Margot wandte sich an Lissy. »Willst du dann womöglich dein Studium unterbrechen?«

Lissy stand vom Sofa auf. »Das wäre vielleicht eine Möglichkeit, ja.«

»Aber du bist zu jung, dir fehlt die Erfahrung, um Graven zu leiten. Das ist eine große Verantwortung.«

Pia ging dazwischen. »Das ist uns durchaus bewusst. Wenn wir deinen Rat brauchen, werden wir dich fragen.«

»Vielleicht werdet ihr das auch müssen«, erklärte Margot schnippisch, machte auf dem Absatz kehrt und ging ins Büro zurück.

»Was war das jetzt?« Verwundert sah Lissy ihr nach.

»Keine Ahnung. Offensichtlich hält sie sich für unersetzlich. Aber das ist niemand. Ich gehe jetzt in die Werkstatt. Sehen wir uns später beim Abendessen?«

»David wollte mit mir nach Trier fahren. Oder fällt dir ohne Papa die Decke auf den Kopf?«

»Ich werde mich einfach länger mit dem Porträt beschäftigen.«

Pia wünschte Lissy einen schönen Abend und hoffte insgeheim, dass David die Zeit nutzen würde, um sich danebenzubenehmen und unmöglich zu machen. Im Grunde war er derselbe Typ wie Henning. Inszenierte sich als geheimnisvoller Mann mit düsterem Flair, ein irgendwie gebrochener Held. Dabei war er nur ein Versager. Dreiundzwanzig und von Beruf Sohn. Das war doch ein Witz. Wo sah er seine Zukunft? Im Jetset-Leben? Einen Joint am Morgen und eine Line am Abend? St. Moritz im Februar und im August die Côte d'Azur? Ganz sicher sah er sich nicht als Winzer auf Graven. Er war der Falsche für Lissy, das würde sie schon noch merken.

Pia hatte den ersten Treppenabsatz erreicht, als sie hinter sich Schritte hörte. Sonja kam durch die Halle und wollte ebenfalls nach oben. Pias Laune war im Moment genau richtig, um auch dieses Thema bei den Hörnern zu packen. Also wartete sie, bis Sonja sie einholte.

»Hallo, Pia. Wegen vorhin … Es tut mir leid, wenn das ein wenig harsch geklungen hat. Ich verstehe natürlich, dass du Nane nicht hier haben willst.«

»Was versprichst du dir von einem Gespräch mit ihr?«

»Ich weiß nicht. Vielleicht bin ich einfach nur neugierig und will wissen, wie Liebe zu Hass und Gewalt führt. Ich verstehe das nur auf der theoretischen Ebene, nicht auf der emotionalen, und das ist eine schlechte Voraussetzung, um darüber zu schreiben.«

Pia lachte. »Wer redet denn von Liebe? Rache! Darum ging es ihr. Um Vergeltung! Und ganz ehrlich, Sonja. Es wäre mir am liebsten, wenn du zurück nach München fahren würdest. Thomas fällt als Gesprächspartner aus. Und wenn er zu sich kommt, sollte man ihn schonen.«

»Wieso zu sich kommen? Was ist denn passiert?«

Mit der Hand fuhr Pia sich über die Stirn. Sonja wusste ja noch nichts von der Embolie. Sie erklärte ihr die Situation und dramatisierte sie dabei ein wenig. »Du verstehst jetzt hoffentlich, dass du dir die Besuche bei Thomas aus dem Kopf schlagen musst.«

»Ja, natürlich. Was sagen denn die Ärzte? Wird er wieder gesund?«

Am liebsten hätte Pia gelogen und Thomas' Zustand dramatisch verschlechtert, nur damit Sonja ihre Sachen packte und verschwand. Doch sie brachte es nicht über sich. Es wäre wie ein Verrat. Als ob sie so seinen Tod herbeireden würde.

Also sagte sie, dass er sich erholen würde, und sah Sonja hinterher, die nach oben ging, während sie selbst sich plötzlich zu schwach dafür fühlte.

Ich kann ihr nicht in die Augen sehen. Ja, so war es. Sie war in einem Gespinst aus Lügen gefangen, und für die Wahrheit war es längst zu spät.

*

Zornig kehrte Margot ins Büro zurück. Pia hielt es natürlich nicht für nötig, sie zu informieren, wie es Thomas ging. Wie eine Bittstellerin musste sie antanzen und nachfragen. Das war mal wieder typisch. »Was ärgere ich mich überhaupt?«, sagte Margot zu sich selbst. Denn so war Pia schon immer gewesen, dachte sie, und sie würde sich auch nicht mehr ändern.

Die Luft war stickig. Sie öffnete das Fenster und sah, wie Leonhard sich vor dem Tor mit Nane unterhielt. Jenseits der Grundstücksgrenze natürlich, ganz wie Pia es angeordnet hatte. Es war ein Witz. Wenn Nane die Wahrheit jemals erfuhr, was würde sie tun? Zur Mörderin werden?

Auf dem Schreibtisch lagen Rechnungen, die beglichen werden mussten, und die Entwürfe für den neuen Verkaufsprospekt. Der Grafiker wartete auf die Freigabe für den Druck. Normalerweise erledigte das Thomas. Sie musste seine Termine für die nächsten Wochen absagen und hatte alle Hände voll zu tun, doch sie bebte beinahe vor unterdrückter Wut. Wenn wir deinen Rat brauchen, werden wir dich fragen, hatte Pia gesagt.

Vielleicht werdet ihr das auch müssen!, hatte sie gekontert. Eine durchschaubare Retourkutsche. »Denn hier war wohl der Wunsch der Vater des Gedankens!«, sagte sie in die Stille des Büros. »Ich habe hier nämlich gar nichts zu sagen.« Obwohl sie seit dreißig Jahren am Erfolg des Weinguts mitarbeitete. Wie Graven heute dastand, das war auch ihr Verdienst. Thomas und sie hatten an einem Strang gezogen. Sie waren ein Team, und nun lag er im Krankenhaus, und Pia und Lissy übernahmen das Kommando, während sie nichts mehr zu sagen hatte.

Margot nahm eine Flasche vom Graven'schen Riesling aus dem Bürokühlschrank und schenkte sich ein Glas ein.

Hätte er ihr doch nur eine Vollmacht für diesen Fall erteilt. Wie oft hatten sie darüber gesprochen? Wie oft hatte er gesagt, dass sie unentbehrlich sei? Dass der Betrieb ohne sie nicht laufen würde? Tausendmal. Doch die Vollmacht gab es bis heute nicht. Und nun würden Pia und Lissy alles ruinieren, was Thomas und sie in Jahrzehnten aufgebaut hatten. Nicht mit ihr! Sie würde nicht tatenlos zusehen, wie die beiden alles zunichtemachten.

Vielleicht würde es ja nicht so schlimm kommen, versuchte sie sich selbst zu beruhigen. Das Gerinnsel hatte sich schließlich aufgelöst. Alles würde sich zum Guten wenden. Bestimmt war Thomas morgen wieder bei Bewusstsein. Sie würde mit ihm reden und ihm erklären, dass es jetzt höchste Zeit für die Vollmacht war und er außerdem Marius einstellen musste.

Mit ihrem Sohn hatte sie gestern telefoniert. Er war bereit, nach Graven zurückzukehren. Vorausgesetzt, er bekam eine Position als Geschäftsführer und einen unbefristeten Vertrag. Das war ganz in Margots Sinn. Eigentlich konnte sie den schon aufsetzen, dann musste Thomas ihn morgen nur noch unterschreiben. Sie leerte das Glas, setzte sich an den Schreibtisch und klickte am PC den Ordner mit den Arbeitsverträgen an.

Nachdem sie das Musterdokument kopiert hatte, tippte sie die Angaben in die Maske. Beim Gehalt zögerte sie. Das musste sie mit Marius besprechen.

»Das war jetzt Gedankenübertragung«, sagte er am Telefon. »Ich wollte dich gerade anrufen und fragen, wie es Thomas geht.«

»Im Moment nicht so gut.« Sie erzählte ihm von den Komplikationen, die die Ärzte Gott sei Dank in den Griff bekommen hatten. »Trotzdem wird er für längere Zeit ausfallen. Außerdem braucht er eine rechte Hand. Ich werde ihm das klarmachen, sobald er wieder bei Bewusstsein ist.«

»Und wenn er es nicht wiedererlangt?«

Das war ein Gedanke, den sie nicht zulassen wollte. Es durfte nicht sein. Plötzlich lag die Angst schwer und kalt in ihrem Magen. Dann würde Pia dafür sorgen, dass sie gehen musste. Hätte Thomas doch nur vorgesorgt!

»Für diesen Fall hat Thomas mir eine Vollmacht gegeben«, hörte sie sich sagen und erschrak über sich selbst. »Das Dumme ist nur, dass ich sie im Moment nicht finden kann.«

»Davon höre ich zum ersten Mal«, sagte Marius. »Warum hast du darüber nie ein Wort verloren?«

»Weil ich es vergessen hatte. Es ist ewig her. Kurz nach Beas Tod hat Thomas sie mir gegeben. Irgendwo muss sie sein. Vielleicht im Keller. Aber ich glaube nicht, dass wir sie brauchen. Morgen geht es ihm bestimmt schon besser. Ich fülle gerade den Arbeitsvertrag für dich aus und habe zwei Fragen. Erstens: Wann kannst du anfangen?«

Ein leises Lachen klang durchs Telefon. »Das ist der Grund meines Anrufs. Eine glückliche Fügung. Die Firmenzentrale in Peking hat mir über ihren Frankfurter Anwalt einen Aufhebungsvertrag angeboten. Sie wollen mich schnellstmöglich loswerden. Ich könnte die Stelle also jederzeit antreten.«

»Das ist gut. Und das Gehalt?«

Sie einigten sich auf fünf Prozent mehr, als Marius auf Wicklingen bekam, plus einen Bonus am Jahresende, wie ihn alle Mitarbeiter auf Graven erhielten. Damit waren die Details geklärt.

Marius wollte warten, bis Thomas den Arbeitsvertrag unterschrieben hatte, bevor er dem Aufhebungsvertrag zustimmte. Er bat sie, sicherheitshalber nach der Vollmacht zu suchen.

»Du hast vorhin gesagt, dass die Embolie die Blutzufuhr zum Gehirn unterbrochen hat«, sagte er. »Thomas könnte durchaus bleibende Hirnschäden davongetragen haben.«

Ihr Bruder als Pflegefall – eine grauenhafte Vorstellung. Der Sprache oder anderer Fähigkeiten beraubt und auf Hilfe angewiesen. Gewindelt und gefüttert zu werden. Margot wusste, er würde in diesem Fall lieber sterben.

»Das ist unwahrscheinlich. Die Embolie wurde ja sofort behandelt. Trotzdem suche ich die Vollmacht heraus. Vermutlich liegt sie in irgeneinem Karton im Keller.« Sie fragte sich, was sie Marius sagen sollte, falls sie das Dokument, das es gar nicht gab, tatsächlich brauchen würden.

»Wissen Pia und Lissy denn von der Vollmacht?«

»Eigentlich bin ich davon ausgegangen, dass er es ihnen gesagt hat. Doch es sieht nicht danach aus. Lissy hat ihren

Urlaub abgebrochen und spielt Winzerin. Sie hat die Reben spritzen lassen. Nur den Prälatengarten nicht.«

»Bei diesen Witterungsbedingungen? Das ist unvernünftig. Warum sagst du den beiden nicht, dass sie gar nichts zu entscheiden haben?«

»Ich dachte, Thomas könnte das tun. Und jetzt muss ich erst die Vollmacht finden.«

»Hoffentlich hast du sie nicht weggeworfen.«

»Bestimmt nicht. Also mach dir keine Sorgen.«

Sie beendete das Gespräch, ergänzte den Arbeitsvertrag um Eintrittsdatum und Gehalt und druckte ihn zweimal aus.

Kapitel 4

Herbst 1997

Nane erwiderte Thomas von Mantheys Lächeln, und die Zeit stand für einen Augenblick still. Der Moment ging ebenso schnell vorüber, wie er gekommen war. Sie atmete durch und widmete sich wieder ihrer Arbeit. Die Folge dieses kleinen Zwischenfalls war ein Energieschub, der prickelnde Erwartungen in ihr freisetzte. Wie Champagnerbläschen stiegen sie ihr zu Kopf.

Pünktlich um zehn erschien der Journalist des *Gourmet* zum ersten Interview des Tages. Von Manthey war nicht zu sehen. Sie bot dem Journalisten Getränke an und erklärte, dass sie den Winzer holen werde. Voller Schwung drehte sie sich um und rannte direkt in ihn hinein. Ein kräftiger Arm hielt sie, und ein Duft, der sie verwirrte, umfing sie. Eine herbe Gewürznote mit einem Hauch bitterer Orange. »Hoppla. Sie haben es aber eilig.«

»Entschuldigung.« Sie reichte ihm die Hand. »Ariane Rauch von der PR-Agentur. Ihr erster Interviewtermin steht an.«

»Ariadne. Wie die Frau des Weingotts Dionysos?«,

fragte er mit einem Lächeln. »Dann sind Sie hier ja genau richtig.«

»Ohne d. Ariane, wie die Rakete.«

»Oh. Wie die Rakete.« Er hielt ihre Hand einen Moment zu lang, und sie wusste, was er sich jetzt ausmalte. Unwillkürlich stellte sie sich dasselbe vor. Ihre verschwitzten Körper zwischen den Laken.

Den ganzen Tag über perlten Champagnerbläschen in ihrer Fantasie. Mal mehr, mal weniger. Doch sie hatte alles unter Kontrolle. Verteilte Pressemappen, beantwortete Fragen und sah zu, dass alles reibungslos klappte.

Sie begegnete von Manthey noch einige Male, aber ein Augenblick wie am Morgen wiederholte sich nicht. Er schien ganz auf seine Arbeit konzentriert zu sein, während ihr Herz ein paar Takte schneller schlug, wenn sie ihn sah. Der Film *French Kiss* kam ihr wieder in den Sinn. Charlie war nicht der Richtige für Kate gewesen. Und Mark vielleicht auch nur ihr Warm-up.

Beim Mittagsimbiss sprach sie Matthias Abel auf Thomas von Manthey an und erfuhr, dass dessen Frau Beatrix nach einunddreißig Ehejahren im vorletzten Sommer überraschend gestorben war. Was Nane zu der verblüfften Frage veranlasste, wie alt er denn sei. Erst Anfang fünfzig, erklärte Abel. Von Manthey habe sehr jung geheiratet, und auch sein mittlerweile dreißigjähriger Sohn sei schon Familienvater.

Um zwanzig Uhr schloss die Messe. Der erste von insgesamt drei Tagen war vorüber. Nanes Füße brannten, sie war müde und fühlte sich zerschlagen, und trotzdem saß noch immer diese gespannte Erwartung in ihr. Abel dankte ihr für den engagierten Einsatz und sagte, dass er sich in einer Stunde mit Thomas von Manthey im Hotelrestaurant treffen werde. Mit einem Lächeln fügte er hinzu, dass er sich freuen würde, wenn sie ihnen Gesellschaft leisten wolle.

Natürlich lehnte sie nicht ab und nutzte die Zeit bis dahin, um zu duschen und sich umzuziehen. Sie zog das neue Etuikleid an, das sie für Mark gekauft hatte und von dem sie insgeheim hoffte, dass Thomas es ihr vom Leib reißen würde. Sie legte wieder die Perlenkette um, die sie bisher für spießig gehalten hatte, und steckte die Haare hoch. Ihr Anblick im Spiegel verblüffte sie. Sie sah aus wie eine Dame. Nur die Unterwäsche war alles andere als damenhaft. Als hätte sie es geahnt, hatte sie am Morgen noch schnell die neuen Dessous in den Koffer geworfen.

Sie tupfte noch rasch ein paar Tropfen Parfum auf die Handgelenke und hinter die Ohren, schlüpfte in die Slingpumps und erschien mit ein paar Minuten Verspätung im Restaurant.

Abel saß mit seinem Gast bereits an einem Tisch in der Nähe des offenen Kamins. Tischdecke aus Damast. Kristallgläser. Silberbesteck. Die beiden Michelin-Sterne fielen ihr ein, die das Restaurant zierten. Sie spürte die Blicke, die ihr folgten, und fühlte sich plötzlich wie ein Fisch im Wasser. In ein solches Ambiente gehörte sie. Das wurde ihr in diesem Augenblick klar. Das war ihre Welt und nicht die der Punkrebellin, Autoschrauberin und Kifferin in zerschlissenen Jeans. Hierhin gehörte sie. In eine luxuriöse Umgebung, in der die Menschen Sinn für die schönen und angenehmen Dinge des Lebens hatten.

Mit geradem Rücken und erhobenem Kopf steuerte sie den Tisch an und beobachtete mit jedem Schritt, wie Thomas von Manthey sie musterte. Jetzt galt ihr seine uneingeschränkte Aufmerksamkeit, und sie mussten wieder beide im selben Moment lächeln.

»Ariane. Wie schön, Sie hier zu sehen.« Er stand auf, um sie zu begrüßen. »Ich dachte schon, Sie wären in andere Sphären gestartet.«

»Auf Kurs ins Orbit?« Ein Song aus ihrer Neuen-Deutschen-Welle-Phase fiel ihr ein, und sie ersetzte den Namen Codo durch ihren eigenen. »Ariane aus der Ferne der leuchtenden Sterne«, sang sie halblaut. »Und ich düse, düse, düse im Sauseschritt …«

»Und bring die Liebe mit von meinem Himmelsritt«, ergänzte von Manthey die Strophe.

»Das kennen Sie?«, fragte sie überrascht.

»So alt bin ich nun auch nicht.« Er schob ihr den Stuhl zurecht, und sie setzte sich.

Abel bestellte für alle Champagner als Aperitif, und sie vertieften sich in die Speisekarten. Währenddessen trat einer der Journalisten der zurzeit tagenden Jury an den Tisch und unterhielt sich halblaut mit Abel. Es schien ein größeres Problem zu geben, und Abel entschuldigte sich mit Bedauern, während Nane es im Stillen begrüßte. Denn jetzt waren Thomas und sie ungestört.

Schon nach dem Aperitif begann es zwischen ihnen zu knistern. Er war charmant und witzig, und sie kamen schnell vom Weinbau über PR-Arbeit und Sterneküche zu persönlichen Themen. Beim Hauptgang erzählte er, dass er verwitwet sei, und sie von der bevorstehenden Scheidung. Beim Dessert waren sie beim *Du* angelangt, und nach einem Drink an der Bar war es schließlich an der Zeit, nach oben zu gehen. Gemeinsam warteten sie auf den Lift. Nane spürte die Befangenheit, die von ihm ausging, und stolperte absichtlich, als sie in die Kabine stiegen. Wie erhofft fing er sie auf, und sie lehnte sich an ihn.

»Ups. Ich hab wohl ein bisschen zu viel getrunken.«

»Ja, das glaube ich auch. Deshalb solltest du jetzt brav ins Bettchen gehen.«

Sein Duft nach bitterer Orange machte sie beinahe wahnsinnig vor Verlangen, und ihre Fantasie produzierte ungebeten eine Sequenz von Bildern, wie sie es gleich hier im Lift miteinander trieben. »Das habe ich auch vor.« Sie ließ ihren Körper gegen seinen sinken, und seine Arme legten sich wie von selbst um ihre Hüften. Die Türen schlossen sich. Ihr Gesicht war nur wenige Zentimeter von seinem entfernt. Dieses Schiefergrau seiner Iris. Die schmalen Lippen, die sie ahnen ließen, dass sein Kuss fordernd sein würde. Dieser traurige Zug um seine Mundwinkel. Sie strich ihm über die Lippen, und er ließ es geschehen. »Trauerst du noch um deine Frau?«

»Ja, schon.«

»Und du warst ihr immer treu?«

»Warum hätte ich sie betrügen sollen? Ich habe sie geliebt.«

Nane ließ ihren Finger um seinen Mund wandern und spürte, wie seine Körperspannung sich veränderte und seine Hände langsam zu ihrem Po hinunterglitten.

»Und du hattest seit anderthalb Jahren keinen Sex?«, fragte sie.

Er lehnte den Kopf zurück und lachte leise.

»Und jetzt hast du Angst, dass du gar nicht mehr weißt, wie das geht. Noch dazu mit einer anderen Frau.«

Die Kabine kam oben an, die Türen öffneten sich. Niemand stand davor, und weder er noch sie machten Anstalten, sich voneinander zu lösen. Ihr Finger lag in der kleinen Kuhle unterhalb seiner Lippen.

»Das ist wie mit dem Schwimmen«, sagte sie. »Man verlernt es nicht. Du hast doch das Bronzeabzeichen gemacht?«

»Zu meiner Zeit hieß das noch Freischwimmer. Ja, das hab ich.«

»Dann spring doch einfach.«

Und er sprang. Sein Kuss war weich und zärtlich, zunächst ein wenig zögerlich und tastend, dann leidenschaftlich und fordernd. Sie erwiderte ihn voller Hingabe. Bevor sich die Türen des Lifts schlossen, zog Thomas sie atemlos mit sich hinaus.

»Zu dir oder zu mir?« Wieder lachte er. »Mein Gott, ich glaube, das habe ich noch nie gefragt.«

»Du scheinst eine Menge nachholen zu müssen.« Dreißig treue Ehejahre mit einer biederen Winzersfrau. Vermutlich war er Brustschwimmer. Sie würde ihm das Kraulen beibringen und Schmetterling und Delfin und vielleicht auch noch Salti vom Zehnmeterbrett. »Lass uns zu dir gehen«, entschied sie.

Sein Zimmer lag auf derselben Etage wie ihres. Er ließ ihr den Vortritt, schaltete das Licht an und schloss die Tür hinter ihnen. Für einen Moment breitete sich Befangenheit zwischen ihnen aus.

»Magst du noch etwas trinken?«, fragte er.

»Was hat die Minibar denn zu bieten?«

»Nichts, was einer Frau wie dir genügen würde. Wie wär es mit Champagner?«

Nane lachte. »Ich bin ganz unkompliziert und trink schon mal ein Dosenbier. Im Augenblick hätte ich am liebsten ein Mineralwasser.«

»Kommt sofort.« Er wandte sich um, nahm eine Flasche aus der Minibar und schenkte ein Glas ein. Sie nutzte die Zeit, um den Reißverschluss in der Seitennaht zu öffnen und das Kleid zu Boden gleiten zu lassen. Als er sich wieder umdrehte, hielt er kurz inne und lächelte. »Wow. Aufregender Badeanzug.«

Ihr gefiel, dass er bei ihrem Bild vom Schwimmen blieb. Sie ließ sich aufs Bett fallen und streckte die Arme aus. »Ich glaube, du musst mich retten.«

»Wie gut, dass ich mal einen Rettungsschwimmerkurs absolviert habe.« Er legte sich zu ihr und küsste sie. Genau so, wie sie es erwartet hatte. Leidenschaftlich, hart, fordernd. Ein Mann, der wusste, was er wollte. Wenn er auch ein wenig aus der Übung war. Dennoch hielt sie sich zurück und überließ ihm die Führung. Sie wollte, dass er sich hinterher gut fühlte, weil er noch wusste, wie man eine Frau zum Höhepunkt brachte.

Tatsächlich war er Brustschwimmer. Mehr als die Missionarsstellung schien er nicht draufzuhaben. Und die war so ungewohnt für sie, dass sie etwas Neues und Überraschendes hatte. Als er zum Höhepunkt kam, ging sein Atem keuchend, und in seinen Augenwinkeln glitzerten Tränen. Bestürzt kuschelte sie sich an ihn. Seine Haut war warm und verschwitzt, der Orangenduft hing im Raum und brachte sie beinahe um den Verstand.

»Was ist denn?«

»Nichts«, sagte er. »Mir geht es gut. Ich wusste tatsächlich nicht mehr, wie großartig sich das anfühlt.« Er stützte sich auf den Ellenbogen und gab ihr kleine Küsse auf die Augenlider, die Nasenspitze und das Kinn, die ihr Schauer über die Haut sandten. »Ich glaube, du hast mich gerade zurück ins Leben geholt. Du bist wunderbar.«

»Und durstig. Wie wäre es jetzt mit Champagner?«

Er ließ sich in die Laken fallen und lachte, und dieses Lachen klang so ungeheuerlich leicht und frei, dass es ihr den nächsten Schauer bescherte.

*

Der Spätherbst ging in einen verregneten November über, und auch der Dezember wurde nicht freundlicher. Nirgendwo frischer weißer Schnee. Nur in Grau gehüllte Tage, missmutige Gesichter überall. Nane kam es so vor, als wäre sie der einzige fröhliche Mensch in dieser Stadt. Sie war verliebt wie noch nie zuvor in ihrem Leben, in dem Mark und die bevorstehende Scheidung nur noch eine unbedeutende Randnotiz waren. Ihre Gefühle für ihn waren erloschen, und eines Morgens nahm sie die Schachtel mit den kleinen weißen Helferlein, die sie längst nicht mehr benötigte, und warf sie in den Müll. Doch dann überlegte sie es sich anders, holte die Packung wieder heraus und schob sie in die unterste Schublade des Badezimmerschranks. Sie hatte das unerklärliche Gefühl, dass sie die Tabletten eines Tages vielleicht wieder brauchen werde, und es erschien ihr für einen Moment wie ein böses Omen.

Bereits an den Sonntagabenden, wenn Thomas und sie sich trennen mussten, sehnte sie den kommenden Freitag herbei. Sein Weingut lag beinahe zweihundert Kilometer von Frankfurt entfernt. Spontane Treffen während der Woche waren daher schwierig. Thomas musste sich um Graven kümmern, und sie ging ganz in ihrer Arbeit in der PR-Agentur auf. Die Wochenenden wurden zu ihren Inseln des Glücks.

Beim Abschied nach der Weingala in Traben-Trarbach hatte Thomas gefragt, ob sie sich wiedersehen würden, ob er sie in Frankfurt besuchen dürfe. Was für eine Frage!, hatte sie gedacht. Glaubte er vielleicht, sie würde sich seinetwegen genieren, weil er so viel älter war? Ihr war schon immer gleichgültig gewesen, was andere von ihr dachten. Sie war dabei, sich in ihn zu verlieben, und hätte am liebsten viel mehr Zeit mit ihm verbracht. Bis zum nächsten Treffen musste sie sich allerdings fünf lange Tage gedulden, in denen sie sich SMS schrieben und telefonierten. Wobei er nicht der eifrigste Schreiber war.

Sie hatte angenommen, dass er sie entweder nach Graven einladen oder zu ihr kommen würde, doch er hatte eine Suite im Frankfurter Hof für sie beide gebucht, und für einen Moment hatte sie das Gefühl, als behandelte er sie wie eine Nutte. Der reiche alte Macker bestellt die junge Frau ins Luxushotel. Doch das war nun einmal die Welt, in der er sich bewegte. Sie hatte weiter über ihn recherchiert und in einem Weinmagazin einen umfangreichen Artikel über ihn und das Gut Graven gefunden. Thomas für einen einfachen Winzer zu halten, wäre ein Fehler. Er war eher der Manager eines kleinen Familienimperiums und trug die Verantwortung für die Produktion von annähernd hunderttausend Flaschen Wein, für zwei Dutzend feste Mitarbeiter und für einen Umsatz von mehreren Millionen Mark. Was er an Wein produzierte, gehörte zum

Großteil in die Kategorie Luxus, und im entsprechenden Umfeld bewegte er sich auch. Also nahm sie ihm die Einladung ins Hotel nicht weiter übel. Einmal konnte sie mitspielen.

An diesem ersten Wochenende in Frankfurt lud Thomas sie in ein teures Lokal zum Essen ein, danach überredete sie ihn, zum Tanzen in einen Club zu gehen. Zunächst sträubte er sich. Getanzt hatte er seit zwanzig Jahren nicht mehr. Doch auch das verlernte man ebenso wenig wie das Schwimmen, versicherte sie ihm, und es wurde ein lustiger und ausgelassener Abend. Thomas war ein besserer Tänzer als Liebhaber, und sie hatte längst beschlossen, ihm im Bett ein wenig Nachhilfe zu geben.

Schon gegen Mitternacht nahmen sie ein Taxi ins Hotel. Als sie das Zimmer betraten, waren die Vorhänge zugezogen und das Licht gedimmt. Die Bettdecke war zurückgeschlagen, und eine Flasche Champagner stand im Kühler bereit. Als Soundtrack für den Auftakt des Abends hatte Thomas den aktuellen Hit von Bryan Adams ausgewählt. *Have You Ever Really Loved A Woman.* Bryan Adams war nun wirklich nicht ihr Geschmack. Der Titel allerdings klang vielversprechend. War das eine Botschaft? Seine Art, ihr zu sagen, dass sie für ihn mehr war als nur die Frau, die ihn zurück ins Leben geholt und ihm gezeigt hatte, dass er noch ein Mann war?

Er füllte die Gläser und reichte ihr eines. Sie tranken, und dann küsste sie ihm den Champagner von den Lippen. Eng umschlungen tanzten sie durch den Raum und schälten sich dabei langsam aus den Kleidern.

Heute trug sie einen Spitzenbody unter dem teuren Hosenanzug, den sie eigens für ihn gekauft hatte. Er sollte sich mit ihr nicht genieren müssen. Sie konnte ja schlecht in Jeans und Trenchcoat im Frankfurter Hof auflaufen und obendrein mit einem Mann, der ihr Vater sein könnte, in eine Suite ziehen. Da brauchte es nicht viel Fantasie, um sich auszumalen, was sich das Personal und die anderen Gäste denken mochten.

Der Spitzenbody war vielleicht ein wenig bieder im Vergleich zu den Dessous, die Thomas kannte. Dafür war aber die Stellung, die ihr vorschwebte, alles andere als das.

Diesmal übernahm sie die Führung und zeigte ihm, was eine Amazone war und wozu ein Stuhl dabei nützlich sein konnte. Und später ergaben sich einige Stellungen ganz von selbst. Er war gar nicht so fantasielos, wie sie anfangs gedacht hatte.

Irgendwann schliefen sie erschöpft und glücklich ein und machten am nächsten Morgen dort weiter, wo sie aufgehört hatten. Nach der langen Abstinenz schien Thomas unersättlich zu sein. Der Samstag war regnerisch und grau, und sie kamen erst am Nachmittag aus den Federn.

Er schleppte sie ins Städel Museum. Ausgerechnet dorthin. Nane befürchtete, Pia zu begegnen, die eine Dauerkarte besaß. Sie hatte keine Lust, ihrer Schwester ihren neuen Freund vorzustellen. Genau genommen, niemandem aus der Familie. Die Diskussion, ob sie zueinanderpassten, wo er doch so viel älter war, wollte sie nicht führen. Sie wollte sich diese Liebe nicht madig machen lassen. Ihre Freundin Maren war bisher die Einzige, die von Thomas wusste und sich mit ihr freute.

Sie begegneten zwar nicht Pia, standen allerdings irgendwann vor dem Bild, das sie für die Ausstellung restauriert hatte. Nane erwähnte diesen Umstand nicht. Sie wollte sich den Tag nicht verderben.

Nach dem Museumsbesuch gingen sie in ein angesagtes Szenecafé, dann ins Kino und anschließend Hamburger essen. Denn Thomas hatte Nane gebeten, Wünsche zu äußern. Sie trank zu ihrem Burger ein Dosenbier, um ihm zu zeigen, dass sie wirklich unkompliziert war.

Während die Partygänger der Stadt loszogen und das Nachtleben in Schwung kam, kehrten sie ins Hotel zurück. Die zweite Nacht gestaltete sich ähnlich aufregend wie die davor. Thomas lernte schnell, und irgendwann lagen sie erschöpft nebeneinander in den zerwühlten Laken. Nane erinnerte sich, dass ihr genau dieses Bild durch den Kopf geschossen war, als sie das erste Mal in Thomas' schiefergraue Augen geblickt hatte.

Am Sonntag gegen Mittag checkten sie aus und bummelten durch die Stadt. Eng umschlungen gingen sie am Main entlang und ignorierten die neugierigen Blicke der anderen Spaziergänger.

Am Nachmittag zeigte sie ihm ihre Wohnung, aus der sie inzwischen jeden Hinweis auf Mark getilgt hatte. Während sie die Kaffeemaschine anstellte, sah er sich um, und ihm schien zu gefallen, was er sah.

»Nett hast du es hier. Sehr gemütlich.« Sie sah ihm an, dass er noch etwas hinzufügen wollte. Doch er schwieg. Ob er hatte sagen wollen, dass die Wohnung ganz schön klein war?

»Können wir uns künftig hier treffen? Ich komme mir vor wie eine Fremde, wenn ich in Frankfurt ins Hotel gehe«, sagte sie. »Ich meine, ich lebe hier. Und irgendwie fühlt sich das komisch an, mit dir in so einen Luxusschuppen zu gehen. Als wäre ich eine … Du weißt schon.«

Er sah sie verwundert an. »Prostituierte? Du glaubst, das denken die Leute von dir?«

»Nein. Ja. Vielleicht. Ich weiß es nicht. Es fühlt sich nur falsch an. Und hier bei mir haben wir doch auch alles, was wir brauchen. Oder ist es dir zu klein und eng?«

Sie wusste, Thomas war anderes gewohnt. Sie hatte in der Zeitschrift Fotos seines Weinguts gesehen. Graven war keineswegs ein Gutshof, wie sie zunächst gedacht hatte, sondern ein Schlösschen im französischen Stil. Es thronte auf einer Anhöhe über dem Saartal, umgeben von einem wunderschön angelegten Park, inmitten der Weinberge. Einige der Nebengebäude waren modernisiert worden und sahen in ihrer Kombination von alten Mauern, modernen Stahlkonstruktionen und großzügigen Glasflächen nicht minder beeindruckend aus. Das ganze Anwesen strahlte Eleganz, Schönheit und Wohlstand aus, und Nane hoffte, dass Thomas sie ebenso zu sich nach Hause einladen würde, wie sie ihn in ihre vier Wände eingeladen hatte. Doch Thomas machte in dieser Hinsicht keinerlei Anstalten. Jetzt nicht und auch in den folgenden Wochen nicht. Schließlich sprach sie ihn darauf an.

»Kann es sein, dass du mich vor deiner Familie und deinen Freunden verheimlichen willst?«, fragte sie ihn. Im nächsten Moment wurde ihr bewusst, dass sie selbst ja nichts anderes tat.

Thomas lachte dieses offene Lachen, das sie so an ihm mochte. »Wo denkst du hin? Es ist einfach so, dass ich mich nach einer Woche zwischen Weinberg und Keller auf das Stadtleben freue. Und natürlich auf dich. Auf ein wenig Kultur und ein gutes Restaurant. Und meine Familie …« Er zuckte mit den Schultern. »Da gibt es nicht viele, vor denen ich dich verheimlichen könnte. Meine Eltern sind längst tot. Mein Sohn lebt mit Frau und Kind in München. Und meine Schwester Margot … Sie wird das zwischen uns nicht verstehen und nicht unbedingt freundlich zu dir sein, aber natürlich kannst du mich mal in Graven besuchen.«

Es waren die Wörter *mal* und *besuchen*, die ihr seither im Magen lagen. Unverbindlicher ging es nicht mehr. Und Thomas wich ihrem Wunsch weiterhin geschickt aus.

Sie waren seit sechs Wochen ein Paar, als er nach New York zu einem Termin mit seinem amerikanischen Importeur musste und sie fragte, ob sie ihn begleiten wolle. Was für eine Frage! New York! In der Adventszeit! Ihr blieben zwei Tage für die Vorbereitungen. Das war zu schaffen.

Am Abend vor dem Flug machte sie früher Schluss, um in der Drogerieabteilung des Kaufhauses noch ein paar Sachen zu besorgen. Auf dem Weg nach draußen traf sie ihre Freundin Maren. Kurz entschlossen gingen sie auf ein Glas Wein in ein Lokal.

Es war gut besucht und roch nach Kaffee und Zigaretten. Die Espressomaschine dampfte. Für einen Moment dachte Nane an Mark. Diese Maschine würde ihm gefallen. Seinen Studententraum vom eigenen Café hatte er nicht verwirklicht. Stattdessen arbeitete er bei einer Bank, stellte Leute ein und warf andere raus, wobei er doch hinter dem Tresen stehen und Gäste bedienen wollte.

Nane entdeckte einen freien Tisch in einer Ecke und lotste Maren dorthin. Bei Wein und Flammkuchen erzählte sie von der bevorstehenden Reise. Sie schwärmte von Thomas und davon, wie glücklich sie mit ihm war. Nur die Tatsache, dass er sie bisher nicht nach Graven mitgenommen hatte, verschwieg sie.

Maren war das Gegenteil von Nane. Eine gute Zuhörerin und unaufgeregte Beobachterin, die obendrein aussprach, was sie dachte. Nun hakte sie nach. »Er hat dich noch niemandem vorgestellt? Ihr seid immer allein und die meiste Zeit im Bett?« Fragend sah Maren sie an.

»Er hat eben Nachholbedarf. Mehr als Blümchensex hatte seine Beatrix anscheinend nicht im Repertoire.«

»Ihr seid jetzt beinahe zwei Monate zusammen.«

Eine leichte Gereiztheit stieg in Nane auf. »Worauf willst du eigentlich hinaus?«

Ihre Freundin stützte das Kinn in die Hand. »Ehrlich?«

»Ehrlich.«

»Für mich sieht das nicht so aus, als ob er seine Zukunft mit dir plant. Er trennt fein säuberlich das, was sich zwischen euch abspielt, vom Rest seines Lebens.«

»Und warum sollte er das tun? Er liebt mich doch.«

»Hat er das gesagt?«

Was war das denn für eine kindische Frage? »Muss er nicht. Er zeigt es mir.«

Abwehrend hob Maren die Hände. »Dann ist ja alles gut. Du musst mich deswegen nicht gleich anfauchen.«

»Entschuldige. War nicht so gemeint.« Nane wusste trotzdem, was Maren dachte. Nämlich, dass sie für ihn nur ein aufregendes Abenteuer war. Dass Maren es nicht aussprach, war ein Zeichen dafür, wie wichtig ihr die Freundschaft war, denn normalerweise nahm sie kein Blatt vor den Mund.

Nane griff über den Tisch nach Marens Hand. »Es ist nicht so, wie du denkst. Er liebt mich wirklich.«

*

Als Nane am ersten Morgen in New York neben Thomas aufwachte und aus dem Fenster sah, wölbte sich der Himmel strahlend blau über der Skyline von Manhattan. Der Raureif funkelte in den Bäumen des Central Park, und die Geschäfte entlang der Straße waren weihnachtlich geschmückt. Die ganze Stadt glitzerte und leuchtete.

Thomas musste gleich nach dem Frühstück zu seinem Termin, und sie nutzte die Zeit, um sich eine Ausstellung im MoMA anzusehen und dann einen Spaziergang entlang der Fifth Avenue zu machen. Bei Bergdorf kaufte sie für Thomas einen Pullover aus Merinowolle in Petrolgrün und ließ ihn als Weihnachtsgeschenk einpacken. Sündteuer, aber sie freute sich, ihm ein solches Geschenk machen zu können. Die Farbe würde ihm stehen.

Am späten Nachmittag wartete sie wie vereinbart am Rockefeller Center auf Thomas. Sie bemerkte das Lächeln, das bis in seine Augen wanderte, als er sie entdeckte. Kein Zweifel: Er liebte sie, auch wenn er das noch nie explizit gesagt hatte. Dennoch saß Marens Frage in ihr wie ein Splitter, den sie sich eingezogen hatte. Weshalb schirmte er sie vor seinem restlichen Leben ab?

Während sich die Dunkelheit herabsenkte und Tausende Lichter den Weihnachtsbaum neben der Eisfläche erhellten, liefen sie Schlittschuh, bummelten anschließend bei klirrender Kälte durch die Straßen, aßen in einem Diner Chicken Nuggets und Caesar Salad und kehrten ins Hotel zurück. Sie liebten sich lange und sehr zärtlich. Und wieder dachte Nane, dass er ihr seine Gefühle nicht in Worte gefasst auf dem Silbertablett servieren musste, denn er zeigte ihr mit allem, was er tat, was er für sie empfand.

Der zweite Tag verlief ähnlich wie der erste. Thomas' Importeur hatte Termine mit Einkäufern von mehreren Nobelrestaurants und einer Feinkostkette arrangiert. Beim Frühstück meinte er, dass sie sich nur langweilen würde, wenn sie mitkäme. Sie hatte ohnehin vor, noch ein paar Weihnachtsgeschenke zu besorgen. Wieder machte sich der Splitter bemerkbar, und sie fühlte sich plötzlich von ihm weggeschickt.

»Ob ich mich wirklich langweilen würde, bezweifle ich. Ich bin schließlich Fachfrau für PR.«

»Bei dem Termin geht es aber knallhart um Zahlen. Die Amis feilschen wie auf dem Basar.«

»Wenn du dich gut verkaufen willst, musst du klappern. Das gehört zum Handwerk und nennt sich Marketing. Anstelle deines Partners hätte ich ein paar Termine mit Gourmetzeitschriften gemacht. Die gibt's auch im Land des Fast Food. Die Leser dieser Magazine sind deine Zielgruppe. Am Ende sind sie es, die sich für Wein vom Gut Graven entscheiden und bereit sind, eine Menge Geld dafür hinzulegen.«

Thomas nickte. »Ich werde es Ben sagen. Vielleicht kann er kurzfristig noch etwas arrangieren. Wenn nicht, dann im Juni, wenn ich wieder hier bin.«

»Aber mit mir als Marketingberaterin an deiner Seite.« Sie sagte es herausfordernd und setzte unwillkürlich diesen kecken Blick auf, den sie so gut draufhatte. Noch im selben Moment ärgerte sie sich darüber. Wie rasend schnell sie doch die Rollen wechselte. Gerade noch die toughe, kühle PR-Strategin, jetzt das Klimperwimpermädchen, das mit geschürzten Lippen und geneigtem Kopf seinen Willen durchsetzen wollte. Da musste sie sich nicht wundern, wenn er sie nicht ernst nahm.

Thomas versetzte ihr lachend einen kleinen Nasenstüber. »Mal sehen.«

»Spaß beiseite«, sagte sie und wechselte wieder zur professionellen Rolle. »Wir könnten ein tolles Team sein. Ich bin gut in meinem Job und du in deinem. Ich könnte was für Graven tun.«

»Margot kümmert sich um meine Termine und die Pressearbeit. Das kann ich ihr nicht wegnehmen.« Thomas sah auf die Uhr. Er musste bald los.

Die Art, wie er ihren Vorschlag abtat, ohne auch nur eine Sekunde darüber nachzudenken, ärgerte sie. Auf einmal brach es aus ihr heraus. »Lass uns doch mal Klartext reden. Du willst mich nicht in Graven haben. Du willst nicht, dass ich deine Geschäftspartner kennenlerne, dass ich überhaupt irgendjemanden kennenlerne. Oder besser gesagt, dass mich jemand kennenlernt. Du versteckst mich. Warum?«

Er griff über den Tisch nach ihrer Hand. »Ich verstecke dich doch nicht. Ich genieße die Zeit mit dir und habe dich am liebsten für mich allein. Mir war nicht klar, wie du das einordnest. Es tut mir leid. Wenn wir zurück sind, kommst du nach Graven, und ich zeige dir alles. Sind wir wieder gut?«

Eine Last fiel von ihr ab. »Jetzt ja.«

»Nun muss ich aber los.« Mit einem Kuss verabschiedete er sich und verließ den Frühstücksraum, während sie noch eine Weile sitzen blieb und der Erleichterung nachspürte, die sie jetzt empfand. Es war nicht so, wie Maren glaubte und wie sie selbst insgeheim befürchtet hatte.

Bereits am Freitag nach ihrer Rückkehr nahm Nane sich einen Tag frei und fuhr für ein langes Wochenende nach Graven. Ihre Garderobe hatte sie um einige Stücke ergänzt, denn sie wollte vor Thomas' Schwester und seinen Mitarbeitern bestehen. Sie sollten in ihr eine Frau sehen, die ihm nicht nur das Wasser reichen konnte, sondern eine geradezu perfekte Ergänzung war. Eine selbstbewusste, gebildete und beruflich erfolgreiche Frau, eine Bereicherung für Graven.

Die Idee, Thomas bei seiner Arbeit zu unterstützen, gefiel ihr immer besser. Auch wenn das bedeuten würde, dass sie in die Provinz ziehen musste. Für ihn würde sie das tun. Keine Frage. Ariane von Manthey. Das klang doch gut. Sie malte sich Kinder mit ihm aus. Zwei oder drei.

Es war der erste schöne Tag seit Wochen. Gut gelaunt verließ Nane kurz vor Mittag die Autobahn bei Trier und fuhr über die Landstraße weiter. In winterlichem Blau lag der Himmel über dem Tal. Sie nahm die letzte Haarnadelkurve, und da lag das Gut Graven vor ihr. Eine gepflasterte Einfahrt, die in einem Rondell vor dem Haupthaus endete. Akkurat gestutzte Buchsbäume entlang der Stellplätze. Das Hauptgebäude mit den beiden Seitenflügeln. Die schiefergedeckten Dächer. Aus zwei Kaminen stieg Rauch auf. Der Garten lag im Winterschlaf.

Nane war überwältigt. Graven sah noch viel beeindruckender aus als auf den Bildern im Weinmagazin. Sie stellte den Motor ab und bemerkte im selben Moment Thomas, der aus der Haustür trat, die eigentlich ein Portal war.

Er empfing sie wie ein Schlossherr, hieß sie auf Graven willkommen und trug ihre Reisetasche nach oben in ein Gästezimmer. Verwundert sah sie sich um. Das war zwar ein wunderschöner Raum mit Parkett und hoher Decke, modern und elegant eingerichtet, aber es war ein Gästezimmer. Bevor sie fragen konnte, zog er sie an sich. »Damit du dich zurückziehen kannst, wenn du mal alleine sein willst. Natürlich schläfst du bei mir.« Er gab ihr einen Kuss. »Bereit für einen Rundgang?«

»Vielleicht erst einen Kaffee? Den könnte ich nach der Fahrt gut gebrauchen.«

»Natürlich.«

Sie folgte ihm über die breite Treppe wieder hinunter und in die Küche. Eine ältere Frau mit Kittelschürze stand neben dem Herd und putzte Gemüse. »Das ist Katharina. Sie kocht jeden Tag für die ganze Mannschaft. Katharina, das ist Ariane Rauch.«

Katharina wischte sich die Hand an einem Küchentuch ab und reichte sie Nane. »Gunn Dach«, sagte sie in breitem Dialekt und musterte sie neugierig, während Thomas die Kaffeekanne von der Warmhalteplatte nahm und eine Tasse einschenkte. Bevor er sie ihr reichte, gab er zwei Stück Zucker hinein.

»Danke dir«, sagte sie. Genau so trank sie immer ihren Kaffee. Dass ihm das aufgefallen war.

Weiter hinten schlug eine Tür. Das Geklapper von Absätzen erklang auf dem Steinboden und kam näher. Eine Frau trat ein. Sie war mindestens fünfzehn Jahre jünger als Thomas. Enger cognacbrauner Lederrock, der eine Handbreit über dem Knie endete, dazu ein schwarzer Rolli. Plateaupumps mit Blockabsatz. Das dunkle Haar hielt ein breiter Reif aus dem Gesicht. Dezente goldene Ohrclips. Perfektes Make-up. Das musste Margot sein. Sie ließ den Blick zwischen Thomas und Nane wandern. »Habe ich doch richtig gehört. Sie sind sicher Ariane. Ich bin Margot, Thomas' Schwester. Hatten Sie eine gute Fahrt?«

Ihre Frage war freundlich und so unverbindlich, als wäre Nane ein x-beliebiger Gast. »Danke. Ich bin problemlos durchgekommen.«

»Ohne Margot würde Graven im Chaos versinken«, sagte Thomas. »Sie kümmert sich um alles, was nicht mit dem Weinberg zu tun hat, also den ganzen kaufmännischen Kram, die Steuer und das Personal.«

»Und deshalb muss ich auch gleich wieder an die Arbeit.« Margots Lächeln erreichte die Augen nicht. »Wir sehen uns dann beim Mittagessen.«

»Heute leider nicht.« Thomas schob die Hände in die Taschen der Cordhose. »Ich fahre mit Nane hinunter ins Dorf. Sie muss unbedingt den Schwenker von Günther probieren.« Er wandte sich an sie. »Im Schwarzen Ross gibt es den besten Schwenkbraten weit und breit.« Seine Stimme klang ein wenig bemüht, und Nane begriff, dass es ein Vorwand war, um Margot von ihr fernzuhalten. Sie wird dich nicht mögen – das hatte er gesagt, und es sah auch ganz danach aus. Ihre kühle Freundlichkeit, der abschätzende Blick. Und dass Margot sie siezte, während Nane Thomas' Schwester sicherlich geduzt hätte. Aber bitte, alles brauchte eben seine Zeit.

»Schade«, sagte Margot nun. »Viel Spaß beim Rundgang.«

Nachdem Nane den Kaffee getrunken hatte, führte Thomas sie herum. Er zeigte ihr das Kelterhaus, die Presse, den hochmodernen Weinkeller und die Pläne für die Vinothek, in die er das alte Kelterhaus umbauen lassen wollte. Er stellte sie seinen Mitarbeitern vor, ließ dabei aber im Unklaren, wer sie war. Eine Bekannte? Die neue Frau an seiner Seite? Oder einfach nur eine Marketingfrau, die sich für Weinbau interessierte? Kurz entschlossen griff sie nach seiner Hand und gab ihm bei einer sich bietenden Gelegenheit einen flüchtigen Kuss. So, nun wussten alle, dass sie ein Paar waren.

Sie fing den überraschten Blick von Thomas' Kellermeister Leonhard Helmholtz auf. Er stutzte und lächelte dann. Offenbar ein stilles Einverständnis, dass er sich mit seinem Chef freute und ihm diese neue Liebe gönnte.

Es war ein beeindruckender Rundgang, der über zwei Stunden dauerte. Danach hatte Nane wirklich Hunger. Wie angekündigt fuhren sie ins Schwarze Ross, das ein Freund von Thomas betrieb. Es war kein Gasthaus, sondern ein elegantes Restaurant. Der Tisch für sie war in einem kleinen Nebenzimmer gedeckt, in dem ein Kaminfeuer prasselte. Das Essen war gut, aber reichlich, der Wein stieg Nane zu Kopf, und das Dessert war eigentlich zu viel. Günther bot einen Obstbrand zur Verdauung an, und auch er schien sich zu fragen, wer sie war. Oder besser gesagt, was sie für Thomas war. Der Splitter machte sich wieder bemerkbar. Er saß unter der Haut. War sie für Thomas vielleicht doch nur eine Bettgeschichte?

Als sie zum Wagen gingen, sah Günther ihnen hinterher. Nane schlang ihre Arme um Thomas und küsste ihn mitten auf dem Parkplatz. Er ließ es geschehen, machte sich aber schneller als nötig von ihr los und fragte, ob sie mit ihm in den Weinberg gehen wolle. Stiefel in ihrer Größe lagen bereits im Wagen. Natürlich wollte sie den berühmten Prälatengarten sehen, zog die Stiefel an und die Daunenjacke über, die Thomas ebenfalls für sie mitgenommen hatte.

Die frische Luft tat ihr gut. Der Anstieg war steil. Da sie es nicht gewohnt war, in den Bergen herumzukraxeln, geriet sie schnell außer Atem. Ganz im Gegensatz zu Thomas, der ihr erklärte, dass sie am besten in gleichmäßigen kleinen Schritten vorankam. Ganz gemächlich. So wie er.

Im Dezember gab es im Weinberg nicht viel zu sehen. Die Reben waren zurückgeschnitten. Ordentliche Reihen zogen sich den Hang hinauf, und sie folgten einem Weg bis zum höchsten Punkt, von dem aus sie eine grandiose Aussicht über das Tal hatten. Die sanften Hügel. Das kühle Licht. Das Band des Flusses. Nanes Herz wurde ganz weit. »Es ist wunderschön hier«, sagte sie und dachte, es wäre wirklich kein Opfer, in die Provinz zu ziehen. Und schon gar nicht, wenn sie zu dem Mann zog, den sie liebte.

»Ja, das ist es. Der schönste Flecken auf diesem Planeten.« Thomas nahm sie in die Arme, und sie küssten sich lange und ausgiebig.

Sie setzten den Spaziergang entlang des Höhenzugs fort. Es dämmerte bereits, als sie das Gut Graven erreichten. Der Wagen stand noch unten auf dem Restaurantparkplatz, und Thomas bat Margot, ihn holen zu lassen, während Nane sich frisch machte und dann nach unten ging. Sie fand Thomas im Wohnzimmer. Vermutlich waren ihre Vorstellungen von Beatrix als spießiger Winzersfrau falsch. Sie hatte das Haus so elegant eingerichtet, dass sie selbst unmöglich provinziell gewesen sein konnte. Nane sprach das Thema nicht an. Thomas sollte nicht in die Vergangenheit blicken und sehen, was er verloren hatte, sondern nach vorne schauen, in eine Zukunft mit ihr. Da gab es viel zu gewinnen.

Er stand vor einem Gemälde, das über einer Kommode an der Wand hing. Eine Flusslandschaft. Frühes neunzehntes Jahrhundert, dachte Nane. Wer in einer Familie aufwuchs, die mit Kunst handelte, wusste so etwas. Sie stellte sich zu Thomas und entdeckte die Signatur. »Das ist ja von Franz Ludwig Catel.«

Thomas wandte sich um. »Du kennst dich mit Malerei aus?«

»Meine Eltern handeln damit.« Im selben Moment wurde ihr zweierlei klar: Sie selbst hatte bisher Thomas gegenüber ihre Familie nicht erwähnt, und er hatte nicht danach gefragt. Offenbar interessierte es ihn gar nicht, woher sie kam und wer sie war. Die Angst war wieder da, dass er ihr mehr bedeutete als sie ihm.

»Mein Urgroßvater hat das Bild von einer Italienreise mitgebracht.«

»Catel hat in Rom gelebt. Er hat dem Künstlerkreis um Joseph Anton Koch angehört.«

»Sollte ich es besser in den Safe legen?«

»Musst du nicht. Der Preis dafür bewegt sich auf dem regulären Markt im unteren fünfstelligen Bereich, und auf dem Schwarzmarkt bekäme man nur einen Bruchteil dafür. Es zu klauen, lohnt sich nicht wirklich.«

Aber du solltest es mal restaurieren lassen, dachte Nane. Der Firnis war vergilbt und verdreckt. Die Malschicht wies Risse auf. Doch sie schwieg.

Auf einem Sideboard entdeckte sie gerahmte Familienfotos. Thomas und seine Frau. Er hatte seinen Arm um sie gelegt, die beiden lächelten sich an. Das war also Beatrix. Eine dunkelhaarige Schönheit. Der Mann auf dem Bild daneben musste Henning sein. Er sah aus wie sein Vater. Dieselbe Gesichtsform mit dem markanten Kinn, dieselben schiefergrauen Augen. Es gab ein weiteres Foto von ihm zusammen mit seiner Frau, und neben ihr stand ein kleines Mädchen, vielleicht sechs oder sieben Jahre alt, mit Zahnlücke und Pferdeschwanz.

Katharina kam mit einem Tablett herein. Sie brachte einen Aperitif, und Nane war es für einen Moment unangenehm, sich von einer alten Frau bedienen zu lassen. Wie unterschiedlich doch Thomas' und ihr Leben waren. Aber sie würde sich schon daran gewöhnen.

Nach dem Aperitif zeigte er ihr das Haus. Am Ende standen sie in seinem Schlafzimmer, und Thomas schloss die Tür.

Altes Gemäuer und moderne, zeitlos elegante Möbel. Beatrix hatte wirklich einen erlesenen Geschmack gehabt. Das breite Bett, die cremefarbene Tagesdecke. Die darauf abgestimmten Kissen. Thomas nahm sie bei der Hand, und sie ließen sich aufs Bett fallen.

Sie hatten sich fünf lange Tage nicht gesehen und waren so ausgehungert wie immer an den Freitagen. Es dauerte keine halbe Stunde, bis Nane verschwitzt und wohlig erschöpft dalag und Thomas im Licht der Nachttischlampe betrachtete. Sein Körper war schön, auch wenn sich ins dunkle Brusthaar schon ordentlich Grau gemischt hatte. Die Haut war nicht mehr so glatt und straff wie bei Mark. Das Wort welk fiel ihr dazu ein, doch es machte ihr nichts aus, das zu denken. Altern war ein Schicksal, das jedem bevorstand, und man sollte dankbar dafür sein, dachte sie. Denn wenn man nicht altern wollte, würde es bedeuten, dass man jung sterben musste.

Plötzlich wurde ihr klar, dass Thomas doppelt so alt war wie sie, dass seine Uhr schon deutlich weiter abgelaufen war als ihre. Er würde vor ihr sterben. Lange, lange vor ihr. Dieser Gedanke schlug ein wie ein Meteorit, der vom Himmel fiel, und sie vergaß für einen Moment zu atmen. Es war der Augenblick, in dem sie erkannte, dass sie ihn wirklich liebte. Dass sie bei ihm sein wollte. Immer.

»Was ist mit dir?«, fragte Thomas. »Warum weinst du?« Er wischte ihr eine Träne aus dem Augenwinkel.

»Es ist nichts. Ich bin nur so glücklich. Ich liebe dich, Thomas.«

Er lachte leise. »Einen alten Mann.«

»Ja, einen alten Mann.« Abwartend sah sie ihn an. Er schloss die Augen und seufzte. Abgrundtief. Der Splitter bohrte sich tiefer und tiefer. Die Angst wurde größer und größer. »Thomas, was bin ich für dich?«

»Weißt du, wie sehr ich diesen Moment gefürchtet habe?«, fragte er nach einer Weile. Noch immer hielt er die Augen geschlossen.

Nein, das hatte sie nicht gewusst. Und eigentlich war mit dieser Frage alles gesagt. Die Antwort war darin enthalten. Er hatte erkannt, dass ihre Gefühle stärker waren als seine. Dass sie ihn liebte, während er von ihr nur Sex wollte. Maren behielt recht. Er wollte nicht sein Leben mit ihr teilen, sondern nur sein Bett.

»Was machen wir hier eigentlich, Thomas?«

»Wir haben Spaß, Nane. Ich dachte, auch dir geht es darum. Jedenfalls war es in Traben-Trarbach so. In den letzten Wochen hat sich das bei dir geändert. Ich habe das schon gemerkt.«

»Und es hat dich das Fürchten gelehrt. Was bin ich nun für dich? Sag es mir.«

»Eine wunderbare Frau, die ich gar nicht verdient habe.«

Das war der übelste Satz, den ein Mann einer Frau sagen konnte. *Du bist zu gut für mich.* Denn er bedeutete, dass er nicht bereit war, sich auf sie einzulassen.

»Meine Gefühle sind also einseitig«, stellte sie fest. »Du liebst mich nicht.«

Eine Weile schwieg er. »Es liegt nicht an dir, sondern an mir. Vielleicht hat jeder nur ein gewisses Kontingent an Liebe, und meines ist aufgebraucht. Ich habe Beatrix geliebt, seit wir sechzehn waren. Es ist nichts mehr übrig.«

»Du meinst, keine andere soll sie ersetzen?«

»Nein. Das ist es nicht. Ich weiß nicht, wie ich das besser ausdrücken kann. Da ist keine Liebe mehr in mir.«

»Bis auf den Sex. Der klappt ja wieder recht gut.«

»Ach, Nane. Jetzt sei bitte nicht sarkastisch.«

Sie rollte sich auf den Rücken und starrte die Decke an. Alles, was sie fühlte, war Leere, eine Art Vakuum, das jede Regung einsog.

»Es ist aufregend mit dir, aber ich liebe dich nicht«, fuhr er fort. »Und mir ist bewusst, dass du jetzt aus meinem Leben verschwinden wirst, weil ich dir nicht geben kann, was du dir erhoffst und auch verdienst. Deshalb habe ich diese Frage gefürchtet.«

»Ganz schön egoistisch.« Sie wunderte sich über die Ruhe, mit der sie aufstand. »Aber auch weitsichtig. Ich gehe jetzt nämlich.« Wie in Trance griff sie nach ihren Sachen und ging in ihr Zimmer hinüber. Er kam nicht nach. Sie duschte, zog sich an, nahm ihren Koffer. Auf der Treppe holte er sie ein, und sie hoffte, dass er sie aufhalten würde. Doch das tat er nicht. Er brachte sie bis zum Wagen und küsste sie zum Abschied. »Es war eine wunderschöne und aufregende Zeit mit dir, und dafür bin ich dir dankbar. Du wirst einen Mann finden, der besser zu dir passt. Ganz sicher.«

Nicht Wut stieg in Nane auf, sondern Trauer und Mitleid mit ihm. »Und ich wünsche dir, dass du irgendwann noch einen Rest an Liebe in dir findest. Sonst wird das nämlich ein armseliger Lebensabend.«

Und da war es wieder, sein leises Lachen, das ihr mitten durchs Herz schnitt. Er legte ihr Gepäck in den Kofferraum. Ein Mann ging im Lichtschein über den Hof. Es war Leonhard, der sie ansah und dann rasch den Blick abwandte. Erst jetzt bemerkte sie, dass sie weinte.

*

Erst als Nane wieder zu Hause war und ein langes Wochenende vor ihr lag, von dem sie nicht wusste, wie sie es überstehen sollte, kam der Schmerz. Dumpf und bohrend saß er in ihr. Sie ging ins Bett und konnte nicht einschlafen. Bilder zogen an ihr vorüber. Thomas mit seinen schiefergrauen Augen und seinem Lächeln. Sie beide beim Eislaufen in New York, beim Bummeln, im Kino, im Städel Museum. Im Bett. Immer wieder im Bett. Sie spürte seine Hände, schmeckte seinen Kuss, roch seine Haut, diesen Duft von bitteren Orangen, hörte sein Lachen und konnte es nicht ertragen. *Da ist keine Liebe mehr in mir.*

Die Pillen lagen im Bad. Sie nahm gleich zwei auf einmal. Die Helferlein drehten zwar ihre Gefühle ab, schlafen konnte sie aber noch immer nicht. Schließlich fuhr sie nachts um zwei zur Nachtapotheke und besorgte sich ein Schlafmittel. Das half. Aber nur, weil sie die doppelte Dosis nahm.

Am Samstagvormittag wachte sie mit trockenem Mund auf, ging in die Küche und machte sich einen Becher Kaffee. Vor dem Fenster hing der Tag wie ein ausgewrungener Putzlappen. Am liebsten hätte sie geweint, doch sie fühlte sich wie tot. Da war keine Wut in ihr wie bei Mark. Da war nur Trauer und Scham. Sie war nichts. Sie war wertlos.

Mit dem Kaffee spülte sie zwei weiße Pillen hinunter und zwei Schlaftabletten hinterher. Dieses Wochenende musste sie irgendwie hinter sich bringen. Zwei Tage Winterschlaf. Ab Montag dann wieder zur Arbeit, die ihr erschien wie eine rettende Insel. Bei der Arbeit konnte sie alles vergessen.

Sie kroch zurück ins Bett, zog die Decke bis über die Ohren und schlief ein. Irgendwann wachte sie von einem Geräusch auf. Es war dunkel geworden. Ein schmaler Lichtschein fiel durch die angelehnte Tür. Jemand war in der Wohnung. Thomas, dachte sie im ersten Moment und spürte nichts dabei. Die Helferlein arbeiteten gründlich. War das Thomas? Aber der hatte keinen Schlüssel. Ein

Einbrecher? Sollte er doch nehmen, was er wollte, und dann verschwinden. Es war ihr egal, die kleinen weißen Tabletten arbeiteten gründlich.

Sie hangelte nach der Uhr auf dem Nachttisch und stieß dabei die Lampe um. Es schepperte gewaltig, und die Tür ging auf. Mark kam herein, und sie erinnerte sich, dass er seine Skisachen abholen wollte. Er besaß noch einen Wohnungsschlüssel, aber keinen für den Keller. Der war hier. Deshalb hatte sie mit ihm vereinbart, dass er seine Sachen an dem Wochenende abholen konnte, an dem sie bei ihrem neuen Freund war.

»Nane? Du bist ja doch da.«

»Stimmt. Es ist kein Geist.«

»Aber du siehst aus wie einer. Geht's dir nicht gut?«

Sie zuckte mit den Schultern.

»Bist du krank, oder läuft es mit deinem Freund nicht so wie erhofft?«

»Letzteres.« Sie drehte sich um und zog die Decke wieder über den Kopf. »Du weißt ja, wo der Kellerschlüssel ist.«

Die Matratze gab nach. Mark setzte sich auf die Bettkante. »Heute schon was gegessen und getrunken?«

»Ich brauch nichts.«

»Du dehydrierst, wenn du nichts trinkst.« Er verschwand und kehrte gleich darauf mit einem Glas Wasser zurück, das er ihr in die Hand drückte. »Austrinken.«

Sie fühlte sich tatsächlich wie ausgedörrt und konnte gar nicht mehr aufhören zu trinken, als sie das Glas erst einmal angesetzt hatte. Mark nahm es ihr ab, als es leer war, und ging in die Küche. Sie hörte ihn rumoren.

»Zieh dir was über. Essen ist in zehn Minuten fertig.«

Der Geruch von angebratenem Knoblauch zog durch die Wohnung und weckte ihren Appetit. Sicher machte er Spaghetti aglio e olio. Mehr konnte er eigentlich nicht.

Sie zog einen Pulli über den Schlafanzug und stand auf. Mark hatte für sie beide den kleinen Tisch in der Küche gedeckt, an dem sie immer gemeinsam gegessen hatten. Ein frisch gefülltes Glas Wasser stand an ihrem Platz. Langsam trank sie es aus, während Mark die Teller füllte und den Parmesan aus dem Kühlschrank holte.

»Magst du darüber reden?«, fragte er, als er sich zu ihr setzte.

»Da gibt es nicht viel zu sagen. Ich liebe ihn. Er mich nicht. That's it.«

»Und was machst du jetzt?«

»Was soll ich schon machen? Nichts. Ich kann ihn ja nicht zwingen, mich zu lieben.«

»Ich dachte auch mehr an pausenlose Anrufe, Hunderte Faxe, heimliche Observierungen.« Besorgt sah er sie an. »Tu das nicht, Nane.«

»Habe ich nicht vor. Dafür fehlt mir die Kraft.« Bei der Erinnerung, wie sie ihn gestalkt hatte, wurde ihr vor Scham ganz heiß. Das war wirklich verrückt gewesen. Wie gut, dass sie die Pillen hatte, sonst würde sie vielleicht wieder derart am Rad drehen.

»Es tut mir leid, Mark. Du hast mich so überrumpelt mit deinem Auszug ... Ich hab's einfach nicht verstanden. Keine Ahnung, warum ich dir das angetan habe.«

Mark wickelte Spaghetti auf, und sie tat es ihm gleich. Seit gestern Mittag hatte sie nichts gegessen und merkte erst jetzt, wie hungrig sie war.

»Also, ich hätte da schon eine Vermutung«, meinte er.

»Ach ja?«, fragte sie mit vollem Mund.

»Du hast panische Angst, verlassen zu werden, deshalb klammerst und kontrollierst du.«

»Quatsch.«

»Kein Quatsch. Ich hab's am eigenen Leib erlebt und verstehe es ja. Es liegt an deiner Mutter. Sie hat euch verlassen, als ihr kleine Mädchen wart. Eine solche Erfahrung stellt man nicht einfach in die Ecke, die prägt einen fürs Leben.«

Tief in ihrem Inneren spürte Nane, dass er recht hatte. Damals hatte sie geahnt, dass Mama nicht im Sanatorium war. Sie hatte die Lüge in den Augen ihres Vaters gesehen, hatte das Getuschel der Erwachsenen gehört und gespürt, dass etwas Schlimmes geschehen war. Ihre Mutter hatte sie verlassen. Und sie war schuld!

»Vielleicht hast du recht«, räumte sie ein. »Ziemlich sicher sogar, um nicht zu sagen: Volltreffer.« Zum ersten Mal in ihrem Leben sprach sie über diese bodenlose Angst, die sie damals erfasst hatte, dass auch ihr Vater plötzlich weg sein könnte. Er war ohnehin immer weit weg mit seinen Gedanken. Ganz durchsichtig hatte sie sich damals gefühlt und schuldig. So schrecklich schuldig. Es lag an ihr, dass Mama gegangen war. Immer war sie zu laut, zu frech, sie folgte selten, räumte ihr Spielzeug nicht auf, machte Ärger, und sie nahm sich vor, wie Pia zu werden. Brav und still und selbstbewusst. Denn diese Eigenschaften lobte Mama immer an Pia. Sie sei ein starkes Mädchen, zielstrebig und ehrgeizig.

Natürlich hatte sie das nicht geschafft, und aus heutiger Sicht betrachtet, war es kein Fehler, nicht wie Pia zu sein. So beherrscht, so ohne jede Leidenschaft. So ganz und gar ohne Gefühle. Es musste sich grauenhaft anfühlen, wie ein Leben lang auf Tranquilizern zu sein.

»Du hast dich in den letzten Monaten verändert«, sagte Mark. »Du bist ruhiger geworden. Das steht dir.«

Wenn er wüsste, woran es lag, würde es ihm nicht mehr gefallen. Dabei war sie in den Wochen mit Thomas ohne die Pillen ausgekommen, und sie hatte weder geklammert noch ihn kontrolliert, so wie sie das bei Mark gemacht hatte. Bei Thomas hatte sie sich sicher gefühlt. Bei ihm hatte sie keine Zweifel gehabt, und trotzdem war auch diese Beziehung gescheitert. *Da ist keine Liebe mehr in mir.* Wie armselig und wie bedauernswert. Auf einmal keimte die Hoffnung in ihr auf, dass er doch noch irgendwo in sich einen Rest Liebe fand und dass sie dann ihr gelten würde. Vielleicht brauchte er einfach nur Zeit. Dieser Gedanke machte ihr Mut.

Sie erzählte Mark von Thomas, und er hörte zu, wie er ihr eigentlich immer zugehört hatte. An diesem Samstagabend wurde aus dem, was einst Liebe gewesen war und später Unverständnis und Hass, so etwas wie Freundschaft. Sie trennten sich mit einer Umarmung. Mark sagte, wenn sie ihn brauche, solle sie anrufen, und gab ihr seine neue Nummer.

Die Zeit bis Weihnachten überstand Nane, indem sie sich in die Arbeit stürzte und auf einen Anruf von Thomas hoffte. Und natürlich dank der kleinen weißen Pillen.

Vor den Feiertagen graute ihr, und sie vergewisserte sich, dass sie einen ausreichenden Vorrat an Tabletten hatte, um Heiligabend am Schweizer Platz zu überstehen.

Die Geschenke hatte sie in New York besorgt und sich

ausgemalt, wie alle überrascht fragen würden, ob sie dort gewesen sei und wie sie von diesem Kurztrip erzählen würde, vor allem aber von Thomas, von dem noch niemand wusste.

Als sie sich am späten Nachmittag des Vierundzwanzigsten auf den Weg zum Schweizer Platz machte, war sie froh, dass sie Thomas bisher verschwiegen hatte. So musste sie nichts erklären, sich nicht rechtfertigen und vor allem keine Kommentare ertragen. Weder bedauernde noch gehässige und schon gar nicht Mamas Frage, ob sie Thomas wirklich liebte, denn dann sollte sie froh sein, dass er das beendet hatte, bevor diese Beziehung ihr Leben ruinieren konnte. Das Gerede ihrer Mutter würde sie heute nicht ertragen.

Bevor sie an der Wohnungstür klingelte, schluckte sie noch eine Tablette. Für alle Fälle.

*

Birgit öffnete mit verheulten Augen. »Grüß dich, Nane.«

»Grüß dich, Schwesterlein, und frohe Weihnachten.« Sie umarmten sich. »Hast du geweint?«

»Oh. Sieht man es noch?«

Nane hängte den Mantel auf und stellte die Tüte mit den Geschenken auf das Sideboard von Arne Vodder. Die Wohnung ihrer Eltern war ein Museum moderner Klassiker. »Ist es wegen Oliver?«

Birgit nickte.

»Hat er Schluss gemacht?«

»Schlimmer. Seine Exfreundin hat mich angezeigt. Ich muss zur Polizei und eine Aussage machen.«

»Ist nicht wahr«, brachte Nane lahm hervor. Zu mehr an Empörung war sie derzeit nicht in der Lage.

»Sie macht mir alles kaputt. Wenn ich aus dieser Nummer nicht irgendwie rauskomme …« Birgit schloss für einen Moment die Augen. »Das mag ich mir gar nicht ausmalen.«

»Wie sieht Oliver das?«

»Wir werden das gemeinsam durchstehen und beide abstreiten, dass zwischen uns etwas läuft. Ohne Beweise kann sie nichts machen.«

Wenn du dich da mal nicht täuschst, dachte Nane. Sie war einfach nicht in der Stimmung, um an glückliche Liebe zu glauben. »Wissen Papa und Mama Bescheid?«

»Der Brief kam heute Morgen. Tolles Timing von diesem kleinen Miststück. Papa will mir einen Anwalt besorgen. Er kennt ja Gott und die Welt.«

Ihre Eltern waren gut vernetzt. Sicher konnte ihnen jemand einen Anwalt empfehlen. Obwohl ihre Emotionen auf nahezu null gedimmt waren, spürte Nane so etwas wie Erleichterung. Das Thema des Abends war gesetzt, und sie war außen vor. Niemand würde sich für sie interessieren.

Sie nahm die Flasche Ruinart aus der Tüte, damit sie endlich mal getrunken wurde, und ging damit in die Küche. Dort stand ihre Mutter, rauchte eine ihrer Bidis und betrachtete die Platte mit Essen. Wer glaubte, bei den Arnholdts gäbe es an Heiligabend Würstchen mit Kartoffelsalat, der irrte. Dieses Jahr hatte das Feinkostgeschäft Horsd'œuvres geliefert. Im vergangenen Jahr war es Sashimi gewesen.

Ihre Mutter trug ein Ensemble aus einem fließenden

nachtblauen Stoff, der ihr weißblondes Haar zum Leuchten brachte. Wie immer sah sie umwerfend aus und so kapriziös wie eh und je. »Nane, meine Kleine. Du siehst schlecht aus.«

»Danke, Mama, du dafür umso blendender.« Nane schob den Champagner ins Kühlfach.

»Hast du das von Birgit schon gehört?«

»Sie hat's mir grad erzählt. Ist Papa im Laden?«

»Er schmückt den Baum.«

Sie ging ins Wohnzimmer. Ihr Vater hatte eine Platte von Eartha Kitt aufgelegt. *I want to be evil.* Passende Musik für Heiligabend, dachte Nane. Birgit deckte fürs Essen den Piet-Hein-Tisch. Der Baum war ebenfalls ein Designerobjekt. Ineinandergesteckte und verkeilte Stäbe aus matt gebürstetem Stahl auf einem Sockel aus Granit. Ihr Vater behängte ihn mit altem Christbaumschmuck, den er bei einer Auktion ersteigert hatte. An den einen Bügel seiner neongrünen Brille hatte er einen Vogel aus Lauschaer Glas geclipt. Nein, konventionell war diese Familie noch nie gewesen.

»Hallo, Papa. Kann ich dir helfen?«

»Bin gleich fertig. Grüß dich, Nane. Alles gut bei dir?« Er sagte das, ohne aufzusehen und ganz vertieft in das, was er tat. Wenn sie sagen würde, dass sie vorhatte, sich im Main zu ertränken, würde er das mit einer allgemeingültigen Floskel kommentieren, weil er gar nicht zugehört hatte.

In diesem Moment kam Pia herein, und mit ihr veränderte sich die Atmosphäre im Raum. Sie war wie eine Brise frischer Wind an einem schwülen Sommertag, die alle aufatmen ließ.

»Puh! War das eine Woche.« Pia nahm in Mamas Egg Chair Platz und schlug die Beine übereinander. Die Frisur war neu. Sie hatte das schulterlange Haar zu einem kinnlangen Bob kürzen lassen und trug eine anthrazitgraue Marlenehose und ein schlichtes Top aus demselben Material. Vermutlich von Jil Sander, ihrer Lieblingsdesignerin. Sachlich und modern. Eine elegante, kühle und zeitlose Schönheit. Mit der neuen Frisur erinnerte sie Nane an jemanden, doch sie kam nicht gleich darauf. Es dauerte eine Weile, bis ihr klar wurde, dass sie derselbe Typ war wie Beatrix. Und jetzt war sie erst recht froh, Thomas nie erwähnt, geschweige denn hierhergebracht zu haben. Denn Pia hatte den Hang, Nane alles wegzunehmen.

In ihrer Kindheit waren es Spielsachen gewesen, Bücher und Kleidungsstücke. Der magentafarbene Pullover, den Tante Marie ihr geschenkt hatte, war in Pias Schrank gewandert. »Die Farbe steht dir überhaupt nicht.« Der schöne Schuber mit allen Bänden der *Herr der Ringe*-Saga. »Lass mich das erst lesen, dafür bist du noch zu klein.« Bis heute war Nane davon überzeugt, dass ihr erstes Fläschchen Nagellack in Pias Schublade verschwunden war, auch wenn diese das immer abgestritten hatte. Und noch immer schmerzte die Sache mit Mike.

Mit fünfzehn war Nane total verknallt in ihn gewesen. Mike war zwei Jahre älter und Mitglied der Theatergruppe in der Schule. Seinetwegen hatte sie sich dort angemeldet und sich so talentiert angestellt, dass sie im neuen Stück eine Nebenrolle an seiner Seite bekam. Endlich hatte er sie wahrgenommen, und es begann, zwischen ihnen zu knistern. Der Höhepunkt war vorerst eine wilde Knutscherei und Fummelei im Requisitenraum geblieben.

Sie war ja selbst schuld, weil sie vor Pia damit angegeben hatte. Zwei Tage später hing Pia nach der Schulparty an seinen Lippen. Im wahrsten Sinn des Wortes. Mike hatte die Eisprinzessin der Schule erobert, was ihm die Aura eines Helden verlieh. Von diesem Tag an war Nane für ihn vorerst Luft gewesen.

»Was war denn los?«, fragte Birgit und sah Pia erwartungsvoll an.

»In der *FAZ* bringen sie eine Reportage über mich«, erklärte Pia. »Ich bin die Frau, die alten Meisterwerken ihren Glanz zurückgibt. Zwei Tage waren sie bei mir in der Werkstatt. Ein Journalist und eine Fotografin.«

Und damit war das zweite Thema des Abends gefunden. Nane setzte sich zu den anderen an den Tisch, aß Horsd'œuvres, trank endlich ein Glas vom Ruinart und wurde unsichtbar.

In so kleiner Runde hatten sie schon länger nicht mehr Weihnachten gefeiert. Bis auf Papa fehlten die Männer. Mark war in Österreich beim Skifahren. Birgits Oliver saß vermutlich mit seinen Eltern zusammen, die ihm gerade die Leviten lasen, und Pia hatte schon im Sommer mit dem Juristen Schluss gemacht, mit dem sie kurz zusammen gewesen war. Ihre Beziehungen hielten nie lange. Immer nur Strohfeuer, wobei der Einzige, der brannte, der Mann war. Das mit Mike hatte auch nicht lange gedauert. Nane hatte sich ihn zurückerobert und war mit ihm ins Bett gegangen. Er war ihr Erster gewesen, und sie hatte es einzig und allein getan, um es Pia heimzuzahlen.

Niemand fragte, wo sie die Geschenke gekauft hatte. Die Lackschachteln von Bergdorf und Macy's wurden nicht weiter zur Kenntnis genommen. Nane warf noch eine Tablette ein, um nicht zu schreien, und sah die Familie plötzlich wie eine unbeteiligte Fremde.

Edles Ambiente. Kultivierter Bohemien-Chic. Hübsche Frauen allesamt und dazwischen der Glatzkopf mit der grünen Brille. Keiner interessierte sich wirklich für den anderen. Eine kaltherzige Bande. Was Thomas jetzt wohl tat? Vielleicht dachte er genau in diesem Moment an sie.

Kapitel 5

Sommer 2018

In einer halben Stunde, hatte Sonja gesagt, ohne einen Treffpunkt anzugeben. Das Dorf Graven war allerdings nicht groß. Man konnte sich kaum verfehlen. Nane setzte sich auf eine Bank und behielt die Hauptstraße im Blick.

Seit sie am Vormittag den Spaziergang durch den Regen gemacht hatte, hatte sie das Gefühl, völlig neben der Spur zu sein. Es saß eine schreckliche Unruhe in ihr, die sie ganz hibbelig machte. Sie konnte nicht so tun, als wäre nichts gewesen und nach zwanzig Jahren alles wieder im Lot. Schwamm drüber. Weitermachen. Es ging nicht. Nichts war im Lot. Irgendwie musste sie wiedergutmachen, was sie angerichtet hatte. Nur wie?

Was erhoffte sie sich von einem Gespräch mit Sonja? Plötzlich wusste sie es nicht mehr. Außer Vergebung, die kaum zu erwarten war. Sonja war gerade einmal acht Jahre alt gewesen, als Nane ihr den Vater genommen hatte. Sie hatte ohne ihn aufwachsen müssen. Wie war es für sie gewesen, so plötzlich und gewaltsam einen über alles geliebten Menschen zu verlieren? Der weder beim Wechsel aufs Gymnasium noch beim Abiball dabei gewesen war. Dem sie ihren ersten Freund nicht vorstellen konnte und nicht strahlend den Führerschein präsentieren, der ihr nicht helfen konnte, eine Studentenbude zu finden, und sie auch bei Liebeskummer nicht tröstend in den Arm nahm. Er war aus ihrem Leben verschwunden, von einer Sekunde auf die andere.

Mark hat recht, dachte Nane, ich hätte gar nicht erst hierherkommen sollen. Sie solle nach vorne blicken, hatte er gesagt, und die Vergangenheit ruhen lassen.

Nach dem Anruf von Claires Vater hatte Mark kreidebleich am Tresen gelehnt. Die Frau, mit der er zwölf Jahre zusammen gewesen war, diese Frau war tot. Obwohl sie sich schon vor zwei Jahren getrennt hatten, und nicht einmal im Guten, war es ein Schock für ihn. Mark hatte sein Café für eine Stunde Heike überlassen und sich mit Nane in sein Büro im Hinterhof zurückgezogen. Er hatte von Claire erzählt, wie sie gewesen war. Schön und kapriziös, charmant und belesen. Durch und durch Französin, aber mit einem derart trockenen Humor gesegnet, dass Mark sie manchmal aufzog, ob sie nicht doch britische Ahnen hatte. Ihr Vater hatte ihn gefragt, ob er zur Beisetzung kommen wolle. Für die Entscheidung hatte er einige Tage Zeit, denn die Toten mussten erst rechtsmedizinisch untersucht und ihre Leichen von den ägyptischen Behörden freigegeben werden, bevor sie in ihre Heimatländer überführt werden konnten.

»Vermutlich werde ich fahren«, sagte Mark. »Das bin ich ihr schuldig.« Dann wechselte er das Thema und erkundigte sich, wie sie sich inzwischen eingelebt hatte.

Vorsichtig pirschte er sich an die Frage an, die ihn in Wahrheit beschäftigte, nämlich wie es ihr im Gefängnis wirklich ergangen war. »Stimmt es tatsächlich, dass es nicht so schlimm ist wie in dieser Fernsehserie? Oder haben deine Mitgefangenen dir übel mitgespielt?«

Sie wollte darüber nicht reden, das sollte Mark eigentlich verstanden haben. Da er vermutlich nicht lockerlassen würde, lieferte sie eine geschönte Kurzversion ab. »Im Gegenteil. Als Mörderin genießt man Respekt. Sie haben mich in Ruhe gelassen.« Dass es beinahe ein Jahr gedauert hatte und sie dafür erst einmal in die Rolle der Punkrebellin zurückfinden musste, verschwieg sie. Im Gefängnis galt das Recht des Stärkeren. Wer überleben wollte, brauchte eine Strategie. Den Respekt hatte sie sich erst verschaffen müssen. Danach hatte man sie in Ruhe gelassen.

Sie war die Einzelgängerin gewesen, die sich aus allem raushielt. Aus dem alltäglichen Mobbing, den Gemeinheiten, den Sticheleien, den Schlägereien und den Intrigen. Vor allem aber aus dem Handel mit Drogen und Handys. Sie hatte sich vor keinen Karren spannen und von niemandem vereinnahmen lassen. Weder von den Frauen, die körperliche Nähe gesucht und deshalb Freundschaft und Liebe vorgetäuscht hatten, noch von der Kripo. Zweimal hatten sie versucht, sie als Spitzel zu gewinnen, und ihr dafür Vergünstigungen angeboten.

Mark griff nach ihrer Hand. »Ich bin da, wenn du darüber reden willst. Wann auch immer.«

»Danke. Aber da gibt es nichts weiter zu erzählen.«

»Und was machst du heute noch? Zurück an Birgits Schreibtisch?«

Bei diesem Gedanken sperrte sich alles in ihr. Sie hatte keine Lust, sich im Büro zu verkriechen. Nicht nach so vielen Jahren, in denen sie kaum an die frische Luft gekommen war. Doch das konnte sie Birgit nicht antun.

»Auf die Dauer ist das der falsche Job für mich. Ich würde lieber raus in die Natur, als Schäferin oder Försterin. Oder im Sommer auf einer Alm arbeiten. Oder einfach wandern. Quer durch Deutschland und über die Alpen bis nach Italien. Das wär's.« Italien. Bei diesem Wort zog sich alles in ihr vor Sehnsucht zusammen. Mittelalterliche Städte. Die Hügel der Toskana. Das Meer.

»Dann mach das doch. Du kannst es dir finanziell leisten.«

Das stimmte. Ein Drittel der Mieteinnahmen des Hauses hatten sich über Jahre angesammelt. Trotzdem konnte sie nicht einfach alles stehen und liegen lassen.

»Es geht nicht«, erwiderte sie.

»Und warum nicht?«

Weil sie wissen musste, wie schwer ihre Schuld tatsächlich wog. »Ich muss erst mit Thomas reden.«

»Wegen des Anrufs?«, fragte Mark. »Das ist doch heute nicht mehr wichtig.«

Für sie schon. Anfangs war sie sich noch so sicher gewesen, dass sie Thomas gewarnt hatte. Doch er hatte das bei der Polizei und auch vor Gericht bestritten. Beschimpft hätte sie ihn. Wie unzählige Male zuvor. Es sei ein Fehler gewesen, das Gespräch überhaupt anzunehmen, hatte er gesagt. Dabei konnte er gar nicht wissen, dass Nane anrief, denn auf dem Display hatte »Rufnummer unbekannt« gestanden. Sie hatte von einem Münzfernsprecher aus angerufen. Das hatte die Kripo immerhin herausgefunden. Das Gespräch hatte also wirklich stattgefunden. Manchmal hatte sie sogar daran gezweifelt. Achtzehn Sekunden. Amtlich dokumentiert.

Falls sie Thomas gewarnt hatte, war das juristisch betrachtet ein Rücktritt von der Tat. Das hatte ihr Anwalt ihr erklärt. Eine mildere Strafe wäre die Folge gewesen. Statt lebenslänglich vielleicht zehn oder zwölf Jahre.

Ein Rettungswagen fuhr mit heulendem Martinshorn vorbei und riss Nane aus ihren Gedanken. Noch immer saß sie auf der Bank am Ufer eines Bachs, der kurz hinter dem Dorf Graven in die Saar mündete. Seinen Namen kannte sie nicht. Vor zwanzig Jahren war sie nur dreimal hier gewesen. An jenem Wochenende, als Thomas ihr erklärt hatte, keine Liebe mehr in sich zu tragen, dann bei seiner Hochzeitsfeier, zu der sie gekommen war, obwohl er sie nicht eingeladen hatte, und ein paar Tage später, als sie Henning getötet hatte.

Sie hatte angerufen! Sie hatte ihm gesagt, er solle den Wagen in die Werkstatt bringen lassen. Niemand dürfe damit fahren. Plötzlich wusste sie es wieder mit unumstößlicher Sicherheit. Und einen Moment später war der Zweifel wieder da. Vielleicht stimmte ja, was der Staatsanwalt gesagt hatte. Dass sie angerufen hatte, das stand fest. Vielleicht sogar in der Absicht, den Unfall zu verhindern. Gut möglich. Aber dann hatten ihre verletzten Gefühle wieder die Oberhand gewonnen, und sie hatte Thomas beschimpft, wie bei den unzähligen Anrufen zuvor. Einige davon waren auf der Mailbox dokumentiert. Man hatte sie im Gerichtssaal abgespielt.

Wie konnte man etwas vergessen, das von solcher Wichtigkeit war? In den ersten Tagen nach der Katastrophe hatte sie es noch vor sich sehen können, wie sie die Tür der Telefonzelle aufriss, wie sie mit zitternden Fingern Münzen in den Schlitz einwarf und seine Nummer wählte.

Ihr Handy klingelte und holte sie zurück in die Gegenwart. Es war Birgit, die ihr mitteilte, dass Pia angerufen habe und mit Polizei drohe, falls Nane noch einmal bei ihnen auftauchen sollte.

»Sie meint das ernst. Am Ende versaust du dir noch die Bewährung. Du hast deine Strafe verbüßt, und jetzt komm heim. Wir setzen uns in ein Lokal am Main, trinken einen Aperol Spritz und lassen es uns gut gehen.«

»Ich bin aber mit Sonja verabredet.«

Einen Moment schwieg ihre Schwester.

»Was erhoffst du dir von diesem Gespräch?«, fragte sie dann, und als Nane nicht antwortete, fuhr sie fort: »Du kannst aber nur mit ihr reden. Du darfst auf keinen Fall Thomas aufsuchen. Pia wird die Polizei rufen, wenn du in sein Krankenzimmer marschierst. Offenbar fühlen sich die beiden von dir bedroht, und du weißt, was das für deine Bewährung bedeuten kann.«

»Bedroht? Das ist doch lächerlich.«

»Bitte, Nane. Du musst mir versprechen, dass du die beiden in Ruhe lässt. Ich habe nicht jahrelang für deine Freilassung gekämpft, damit du sie postwendend verspielst. Kommst du nach dem Treffen mit Sonja nach Hause?«

»Ja. Mach ich. Versprochen.«

»Dann ist es ja gut.« Birgit legte auf.

Nane steckte das Handy ein und hielt nach Sonjas blauem Auto Ausschau. Auf der anderen Seite des Bachs befand sich die Flaniermeile des Dorfs. Geschäfte, Cafés, Restaurants und Gasthäuser reihten sich aneinander. Nane bemerkte eine junge Frau, die mit einem Kinderwagen auf die Brücke zusteuerte. Ihr folgte ein kleines Mädchen, das Seifenblasen in die Luft pustete. Ein hübsches Kind mit flachsblonden Locken. Sein Anblick traf Nane mitten ins Herz. So ähnlich hätte ihre eigene Tochter aussehen können.

Das Mädchen blieb auf der Brücke stehen und zeigte auf eine Seifenblase. »Guck mal, Mami, wie groß die ist. Oh! Jetzt ist sie schon geplatzt.« Eifrig fabrizierte das Kind neue Blasen. Eine landete auf Nanes Schoß und zerstob. Die junge Frau entschuldigte sich lachend.

»Das macht doch nichts«, erwiderte Nane und stand auf. Sie konnte den Anblick plötzlich nicht mehr ertragen. Den Anblick all dessen, was sie nie haben und nie sein würde.

Jenseits des Bachs wurde ein blauer Mini in eine Parkbucht rangiert, und von einem Moment auf den anderen verließ Nane der Mut. Sie wandte sich ab und ging in die andere Richtung davon.

Ziellos lief sie an Häusern und Geschäften vorbei, an einem Kindergarten und der Kirche. Roter Backstein, ein Turm mit spitzer Haube. Eine Mauer umgab den Kirchhof. Nane hatte sie schon passiert, als sie einem Impuls folgte und umkehrte. Sie öffnete das schmiedeeiserne Tor, der Kies knirschte unter ihren Sohlen, und sie ging durch die Gräberreihen, bis sie fand, was sie suchte. Vor dem Stein aus hellgrauem Granit blieb Nane stehen. Henning von Manthey. In der Grabvase steckte ein frischer Strauß Sommerblumen. Sie versuchte sich vorzustellen, was aus Henning geworden wäre, wenn sie ihrem Hass nicht nachgegeben hätte, doch sie wusste beinahe nichts von ihm.

Die Kirchentür stand offen. Eine Einladung, der sie folgte. Drinnen war es kühl. Der Duft vom Weihrauch der letzten Messe hing noch zwischen den Mauern. Unschlüssig sah sie sich um. Eine Treppe führte zur Orgelempore und weiter hinauf bis in den Glockenturm. Sie lehnte sich an die Brüstung. Vor ihr erstreckten sich die Weinberge und das Dorf, unter ihr lag das Pflaster des Kirchhofs.

*

Sonja rangierte den Mini in eine Parkbucht. Sie hatte sich verspätet, weil sie zuerst Blumen ans Grab ihres Vaters gebracht hatte. Bis heute verstand sie nicht, wie ihre Mutter es hatte zulassen können, dass Henning hier bestattet wurde. Diese toughe Frau hatte sich von Opa überrumpeln lassen. Er hatte Tatsachen geschaffen, während ihre Mutter noch völlig erstarrt gewesen war und nicht hatte glauben können, dass Henning tot war. Gestorben bei einem Autounfall. Anfangs hatten das ja alle geglaubt. Oder hatte sie den »Mistkerl« nicht in ihrer Nähe haben wollen?

Den Kontakt zum Großvater und seiner zweiten Frau Pia hatte ihre Mutter schon bald abgebrochen. Er hatte sie als Schwiegertochter nie akzeptiert und gab ihr die Schuld, dass Henning nicht nach Graven zurückkehren wollte. Dabei hatten ihre Eltern kein Provinzleben führen wollen, und selbst wenn sie gewollt hätten, es wäre nicht gegangen. Ihre Mutter verdiente als Ingenieurin bei BMW den Lebensunterhalt. Sie war die Ernährerin der Familie und Henning der brotlose Künstler. Seine Zeitungsartikel und Romane brachten kaum etwas ein, und die Entwicklungsabteilung von BMW saß nun mal in München. In den Augen ihrer Mutter war Thomas ein verbitterter, alter Mann, und es hatte fünfzehn Jahre gedauert, bis Sonja sich selbst ein Bild von ihm machen wollte und sich ein Herz gefasst und ihm geschrieben hatte.

Sie stieg aus und hielt nach Nane Ausschau. Der Regen war ausgeblieben, und die Terrassen der Cafés und Restaurants waren gut besucht. Einige Mountainbiker ketteten ihre Räder an das Geländer, das Passanten vor einem Sturz in den Bach bewahren sollte. Nane war nirgends zu sehen. Sonja ging die Dorfstraße zweimal entlang und gab die Suche schließlich auf, als sie Nane nirgends entdeckte.

Längst war sie sich nicht mehr sicher, ob sie wirklich mit der Mörderin ihres Vaters sprechen wollte. Vermutlich würde sie versuchen, ihre Tat zu rechtfertigen, und erhoffte sich vielleicht sogar Vergebung. Sie hatte das schließlich nicht gewollt. Ja, und? Henning war trotzdem tot.

Sonja lehnte sich an das Geländer der Brücke, unter der träge der Bach dahinfloss. Für einen Augenblick sah sie wieder den zertrümmerten Wagen aus ihrem Traum vor sich, wie er auf der Terrasse lag. Und plötzlich erinnerte sie sich an den Albtraum, den sie kurz vor Hennings Tod gehabt hatte. Oder war das gar kein Traum gewesen, sondern wirklich geschehen? Weinend war sie aufgewacht und wollte zu Papa und Mama ins Bett kriechen. Doch das Bett war leer. Papa! Wo war Papa? Vielleicht in der Remise, wo ihn niemand beim Schreiben stören durfte.

Mit nackten Füßen lief sie nach unten, über die Terrasse und durch den nächtlichen Garten. Jemand kam ihr entgegen. Sonja duckte sich. Es war eine Hexe, die vorbeiflog. Ihr Haar war feuerrot und flatterte wie der Schweif eines Kometen hinter ihr her. Ein Lichtschein fiel durchs Fenster der Remise auf die Bank davor. Sie kletterte hinauf und sah hinein. Ihre Eltern stritten. Sie schrien sich an.

Das war kein Traum. Es war wirklich passiert. Plötzlich wusste sie es wieder.

Ein Jogger rempelte Sonja an und drehte sich im Laufen um. »Entschuldigung. Sorry, echt!«, rief er.

»Ist ja nichts passiert.« Genau genommen war sie ihm sogar dankbar für die Ablenkung. Die Ferien auf Graven im Sommer vor zwanzig Jahren hatten von Anfang an unter keinem guten Stern gestanden. Es gab Streitereien zwischen ihren Eltern, und Sonja hatte Angst gehabt, sie könnten sich scheiden lassen.

Doch das war lange her. Sie kehrte zu ihrem Auto zurück und wollte gerade einsteigen, als neben ihr Margot mit ihrem Wagen hielt. Die Seitenscheibe ging herunter.

»Hat Nane dich versetzt?«

»Sieht ganz so aus und ist wahrscheinlich besser so.«

»Das überrascht mich eigentlich nicht.«

»Wie geht es Thomas? Gibt es Neuigkeiten?«

Margot schüttelte den Kopf. »Es ist fraglich, ob er sich jemals erholen wird. Sein Arzt war zu mir ganz offen. Aber Pia macht sich in diesem Punkt etwas vor.«

»Ich werde ihn morgen besuchen. Heute Abend wollte ich noch arbeiten.«

»Dann wünsche ich dir gutes Gelingen.« Die Seitenscheibe glitt wieder nach oben, doch dann hielt Margot inne und ließ sie nochmals herunter. »Warte, ich habe etwas für dich.« Aus der Handtasche zog sie ihren Schlüsselbund, löste daraus einen Schlüssel und reichte ihn ihr. »Das ist der Schlüssel zur Remise. Sieh sie dir an. Ich denke, sie ist bewohnbar.«

Verblüfft nahm Sonja ihn entgegen. »Danke. Das wird Pia aber nicht gefallen.«

»Thomas wollte, dass du dort in Ruhe arbeitest. Es muss nicht immer alles nach ihrem Kopf gehen.«

Verwundert sah Sonja Margot nach, bis sie in ihrem Wagen um die Kurve verschwand und ihr Handy zu summen begann. Ansgar hatte ihr eine WhatsApp geschickt.

Wollen wir skypen?

Gib mir zehn Minuten, schrieb sie zurück. *Ich suche nach einem ruhigen Platz.*

Mit dem Wagen fuhr sie aus dem Dorf und zum Parkplatz am Fluss. Dort begann ein Wanderweg. Sie folgte ihm bis zu einer Bank und rief Ansgar über Skype an. Außer ihr war niemand hier. Die Touristen saßen längst beim Abendessen in den Lokalen. Ansgars Wuschelkopf erschien im Display, und sie freute sich, ihn zu sehen.

»Wie kann man nur die Frau, die man liebt, auf einer einsamen Insel vergessen?«, fragte Sonja. Sie hatte inzwischen gegoogelt, was es mit *Ariadne auf Naxos* auf sich hatte.

»Theseus hat sie nicht geliebt. Sie hatten einen Deal. Wenn ich dir helfe, Minotaurus zu besiegen, heiratest du mich. Sie hat ihren Part erfüllt, er seinen nicht. Stattdessen hat er ihre Schwester geheiratet. Große Tragödie.«

»Großer Schweinehund.« Sonja zog die Füße auf die Bank. »Und du arbeitest schon am Bühnenbild?«

»Ich skizziere gerade erste Ideen. Und wie läuft es bei dir?«

»Ein Streifen Licht am Horizont. Margot hat mir eben den Schlüssel für die Remise gegeben. Morgen sehe ich sie mir an, und solange keine Ratten darin hausen, werde ich umziehen. Auch wenn das Pia nicht passen wird.«

»Warum sträubt sie sich eigentlich dagegen?«

»Ach, das ist eine lange Geschichte. Eine Familientragödie, genauer gesagt.«

»Ich höre zu, vorausgesetzt, dein Akku hält so lange durch. Meiner reicht noch ein Weilchen.«

Sie sah auf die Anzeige. »Also gut. Neunundachtzig Prozent. Das sollte genügen.« Es war Zeit, Ansgar die Tragödie ihres Lebens zu erzählen.

»Lüftest du jetzt dein Geheimnis?«

Verblüfft sah sie ihn an. »Wie meinst du das denn?«

»Du strahlst so eine Grundtraurigkeit aus. Das war mein erster Eindruck von dir. Seither frage ich mich, woran es liegt. Ich vermute, an deinem Vater, über den du nicht sprichst.«

Eine warme Welle schwappte durch Sonjas Brust, weil er sich so viele Gedanken um sie machte. »Stimmt. Es geht um meinen Vater. Er wollte einen Roman über seinen Onkel Ferdinand schreiben und hat das in der Remise des Weinguts Graven getan.«

Schlagartig war die Erinnerung an jenen Sommer vor zwanzig Jahren wieder da. Sie stand auf der Bank vor dem

Fenster und beobachtete ihre Eltern, die sich in der Remise anschrien. Schließlich holte ihr Vater aus und schlug ihre Mutter ins Gesicht. Es war ein Schock, der Sonja zuerst lähmte, doch dann war sie hineingerannt. Das darfst du nicht!, hatte sie gebrüllt. Du bist böse! Ich wünschte, du wärst tot!

»Vielleicht will ich ja deshalb einen Roman über ihn schreiben, weil ich es irgendwie wiedergutmachen will, dass ich ihm den Tod gewünscht habe«, meinte Sonja. »Am nächsten Tag hat meine Mutter mit mir das Weite gesucht. Und kurz darauf ist er gestorben.«

Sie konnte kaum noch die Tränen zurückhalten. Ob ihre Schuldgefühle der wahre Grund waren, weshalb niemand an dem Heldenbild kratzen durfte, dass sie sich von Henning gemacht hatte? Er war ein wunderbarer und liebevoller Vater gewesen, doch hatte er offensichtlich auch eine andere Seite gehabt.

»Kinder sagen solche Sachen. Du bist doch nicht schuld an seinem Tod«, sagte Ansgar.

»Natürlich nicht. Aber es tut mir leid, dass ich das gesagt habe. Meine Verwünschung waren die letzten Worte, die ich an ihn gerichtet habe. Damit komme ich nicht so ganz klar.«

»Was ist denn passiert?«

Sonja streckte die Füße auf der Bank aus und begann vom Sommer vor zwanzig Jahren zu erzählen. Während sie sprach, sank die Sonne langsam tiefer, und über dem Fluss begannen sich die Mücken zu tummeln.

Dieser unglückselige Sommer. Von Anfang an hatten Spannungen und Streit ihn beherrscht. Die Ferien hatten noch nicht begonnen, da ging es schon los. Freunde ihrer

Mutter hatten ein Haus in der Normandie gemietet und ihre ganze Familie eingeladen. Ihre Mutter wäre so gern gefahren, doch ausgemacht war bereits etwas anderes.

Thomas hatte seinen Sohn samt Familie zu einer Feier nach Graven eingeladen, denn er hatte ein zweites Mal geheiratet und wollte das nun im kleinen Kreis nachfeiern. »Heiratet einfach hinter unserem Rücken«, hatte Henning sich beklagt. »Eine Frau, die halb so alt ist wie er. Dabei ist meine Mutter kaum unter der Erde.«

»Du dramatisierst. Beatrix ist seit zwei Jahren tot«, hatte ihre Mutter entgegnet. »Gönn ihm doch das neue Glück.«

Obendrein hatte Henning längst beschlossen, in Graven weiter an seinem neuen Roman zu arbeiten. Trotz der schwierigen Beziehung zu seinem Vater war das Weingut der Ort seiner glücklichen Kindheit. Eine Kraftquelle, wie er es nannte, und außerdem der Ort, an dem sein Vater und dessen Bruder Ferdinand aufgewachsen waren. Der Protagonist seines Romans. Auf dessen Spuren wollte er sich begeben. Vier Wochen waren dafür eingeplant, und Henning setzte sich durch. Wie meistens. Ihre Mutter lehnte das Normandie-Angebot murrend ab und packte die Koffer. Auf zur Familienfeier.

Sonja erinnerte sich an das Kleid, das sie dafür bekommen hatte. Hellblau mit Samtschleife. Sie fühlte sich wie eine Prinzessin. Schon am Vorabend der Feier gab es beim Abendessen Streit zwischen Thomas und Henning. Es ging um Graven, Traditionen, Verantwortung und familiäre Pflichten. Am Ende verließ Thomas wütend den Raum und schlug die Tür derart hinter sich zu, dass die Glasfüllung herausfiel und krachend zerbarst. Henning hatte nur lachend die Schultern gezuckt. »Jetzt sollte er endlich verstanden haben, dass ich kein Winzer bin.«

Das war die eine Seite von ihm gewesen. Die vorherrschende. Selten hatte Henning etwas wirklich ernst genommen. Das Leben war willkürlich. Deshalb sollte man es nicht allzu ernst nehmen und es genießen, so gut es ging. Doch es gab auch eine andere, eine düstere Seite an ihm. Gott sei Dank gewann sie nur selten die Oberhand. Dann sah er schwarz, dann verließ ihn seine Gelassenheit, dann konnte er boshaft und verletzend werden.

In jenem Sommer auf Graven hatte er sich offenbar vorgenommen, sich eher amüsiert als beleidigt oder gar verletzt zu geben, doch es gelang ihm nicht. Die überraschende Heirat seines Vaters setzte ihm zu. Der verliebte alte Mann und die junge Frau, die ihn ausnahm. Henning zweifelte keine Sekunde, dass es so war, und es schmerzte ihn, wie schnell sein Vater Ersatz für seine Mutter gefunden hatte.

Sonja konnte das aus heutiger Sicht gut verstehen. Es war ihr ebenso ergangen, als ihre Mutter kaum ein Jahr nach dem Tod ihres Vaters wieder geheiratet hatte.

Außerdem war Henning damals wohl klar geworden, dass diese Ehe finanzielle Folgen für ihn haben würde. Er war nicht mehr Alleinerbe. Da gab es jetzt eine junge Frau, die sicher für Nachwuchs sorgen würde. Mit jedem Tag wurde Henning mürrischer und seine Stimmung düsterer, und Sonja, die damals nicht einordnen konnte, was geschah, hatte Angst, dass ihre Eltern sich trennen würden.

Den ersten Höhepunkt an Feindseligkeit gab es schon am zweiten Tag auf Graven, während der Feier. Und es war nicht Henning, der den Anstoß gab. Wobei Feindseligkeit den Zwischenfall nur unzureichend beschrieb. Es war ein furioser Auftritt gewesen, wie im Film. Ein Eklat. Das Fest fand im kleinen Kreis statt, nur die Verwandten von Braut und Bräutigam waren geladen und enge Freunde. Vielleicht dreißig Personen. Ein Cateringservice hatte auf dem Rasen vor dem Teich Pavillons aufgebaut. Die Sonne schien, und die Gäste trafen ein. Sonja marschierte stolz in ihrem Prinzessinnenkleid umher, während Kellner mit Tabletts herumgingen und Sekt und Kanapees reichten. Tante Margot hatte ihre altmodische Polaroidkamera dabei und fotografierte jeden und alles. Auch Sonja im schönen Kleid. Irgendwann nahm sie Sonja beiseite und fragte, ob sie ein Glas Cola wollte. An einem so besonderen Tag konnte man mal eine Ausnahme machen. Sonja wusste, dass Mama schimpfen würde, so viel war klar. Denn Cola war verboten und hatte damit einen ganz besonderen Reiz. Sonja nickte schuldbewusst und begierig zugleich und ließ sich von Tante Margot ein Glas einschenken. Damit setzte sie sich ein wenig abseits auf die Bank am Ententeich, denn sie hatte Angst, Mama könnte sie erwischen. Sie saß eine Weile da und betrachtete die Leute. Alle trugen schöne Kleider. Opa einen schwarzen Anzug mit silbergrauer Krawatte und seine neue Frau ein Kostüm aus blau schimmerndem Stoff, wie Seide. Es erinnerte sie an ein Bild aus ihrem Märchenbuch, das vom vielen Vorlesen schon ganz zerfleddert war. Die böse Schwester von Aschenputtel trug auch ein blaues Kleid und hatte ebenso dunkles Haar und dieselbe Frisur wie ihre neue Oma. »Nenn mich doch Pia«, hatte sie gesagt, als Sonja sie mit »Oma« begrüßt hatte. Pia sah schön aus, aber auch ein wenig böse. Das fand Sonja nicht nur, weil ihr Vater Pia nicht mochte, sondern weil sie das Bild aus dem Märchenbuch nicht aus dem Kopf bekam.

Während sie also mit baumelnden Beinen auf der Bank saß und aufpasste, dass ihre Mutter sie nicht mit der Cola sah, stapfte eine Frau über den Rasen, die nicht zur Schar der Gäste passte. Neugierig beobachtete Sonja sie. Sie trug Jeans und eine weite Bluse, eine Wolke weißblonden Haars wehte hinter ihr her. Beinahe sah sie aus wie eine Fee. Doch sie schien nicht gütig zu sein, sondern zornig. In der Hand trug sie einen Sack und blieb damit vor Pia stehen, die unwillkürlich zurückwich, während Sonja sich fragte, was wohl darin war.

»Wir hatten dich gebeten, nicht zu kommen«, sagte Oma Pia.

»Ich bin trotzdem hier, um euch zu gratulieren. Ich hab sogar ein Geschenk für dich, du falsche Schlange.« Die zornige Fee drehte den Sack um und kippte ihn aus. Etwas fiel ins Gras. Mit einem erstickten Schrei wich Pia zurück, und jetzt sah auch Sonja das Gewimmel. Schlangen! Igitt! Wie eklig! Vor Schreck ließ sie das Glas fallen und zog kreischend die Beine auf die Bank, während die Erwachsenen davonliefen oder durcheinanderredeten. Ihr Vater lachte schallend. Mama schüttelte fassungslos den Kopf. Jemand rief, es seien nur Grasnattern. Völlig harmlos. Opa Thomas zog Pia an sich, die kreidebleich geworden war, und brüllte die Fee an, sie solle verschwinden. Die schrie zurück, er sei eine armselige verlogene Kreatur. Sonja hatte sich gefragt, was wohl eine Kreatur war, und Leonhard nahm die böse Fee schließlich beim Arm und führte sie von den Gästen weg.

»Wow! Bühnenreife Szene«, sagte Ansgar, der ihr zugehört hatte, ohne sie ein einziges Mal zu unterbrechen. »Warum hat sie das getan?«

Die Sonne war inzwischen tiefer gesunken und schien auf das Display von Sonjas Smartphone. Sie wechselte die Position, um Ansgar besser sehen zu können. »Nane war eifersüchtig. Vor Pia war Thomas nämlich mit ihr zusammen. Und dann sind die beiden auch noch Schwestern.«

»Oje«, sagte Ansgar. »Ist aber auch nicht nett, der Schwester den Mann auszuspannen.«

»So einfach ist das nicht. Pia wusste nicht, dass Nane und Thomas sich kannten. Und er wusste nicht, dass Pia Nanes Schwester ist. Das kam erst heraus, als die beiden geheiratet haben.«

»Und die Schlangen? Waren es wirklich Grasnattern?«

»Ja. Völlig ungefährlich.«

»Nanes Schlangen. Das wäre doch mal ein Romantitel.« Doch dann wurde Ansgar wieder ernst. »Du wolltest mir eigentlich vom Tod deines Vaters erzählen. Wie ist er gestorben?«

Sonja war sich nicht sicher, ob sie darüber reden wollte, gab sich dann aber einen Ruck. »Zuerst sah es so aus, als hätte er mit dem Wagen eine Kurve nicht bekommen, weil er zu viel getrunken hatte. Er ist beinahe dreißig Meter in die Tiefe gestürzt. Doch es lag an der fehlenden Bremsflüssigkeit. Das hat sich bei der Untersuchung des Fahrzeugs herausgestellt. Jemand hat sie abgelassen, und das war Nane.«

Plötzlich hatte sie die Bilder aus dem Traum wieder vor Augen. Das zertrümmerte Auto. Das Blut, das in den hellen Fugen versickerte und sie dunkel färbte. In der Unglücksnacht war sie tatsächlich auf der Terrasse gewesen. Das wusste sie ganz genau. Und irgendetwas musste sie dort gesehen haben, was ihr im Traum wie Blut erschien. Nur was?

*

Am Morgen nachdem Nane auf Graven aufgekreuzt war, ließ Pia das Frühstück ausfallen. Sie rief im Krankenhaus an und erfuhr von einer Schwester Marion, dass Thomas' Zustand sich über Nacht nicht verändert hatte. »Er wird bestimmt bald zu sich kommen«, beruhigte sie die Schwester. Pia hoffte das inständig. Alles andere war unvorstellbar. Sie trank nur eine Tasse Kaffee, besprach kurz mit Lissy, was sie für den Tag plante, und war froh, David nicht begegnen zu müssen. Er schlief noch.

Bevor sie zu Thomas ins Krankenhaus fuhr, wollte sie mit dem Porträt vorankommen. Zu lange war die Arbeit liegen geblieben. In der Werkstatt suchte sie nach dem Kitt für die Risse und hoffte inständig, dass Thomas bereits aufgewacht sein würde, wenn sie ihn mittags besuchte. Da klopfte es an der Tür, und Margot kam herein. Es sah ganz so aus, als hätte sie schlechte Laune. Wieder dieser verkniffene Zug um den Mund.

»Guten Morgen, Pia. Hast du kurz Zeit für mich? Wir müssen reden.« Sie blieb neben der Werkbank stehen.

»Wenn es ums Geschäft geht, wende dich bitte an Lissy.«

»Es geht um Thomas und um das Geschäft, und ich rede mit dir.« Margots Rücken wurde noch ein wenig gerader. Aufrecht stand sie da, wie ein Soldat. »Ich habe gestern Abend mit Professor Weigel gesprochen. Pia, ich verstehe ja, dass du Thomas' Zustand rosiger siehst, als er ist. Aber die Prognose ist nicht so gut, wie du meinst. Man muss den Tatsachen ins Auge sehen.«

»Sagt wer? Du?«

»Sein Arzt sagt das. Im besten Fall erholt Thomas sich. Doch auch dann wird er für Monate ausfallen.«

»Und im schlimmsten Fall?«, fragte Pia angriffslustig.

»Das weißt du selbst. Im schlimmsten Fall wird er nie wieder in der Lage sein, den Betrieb zu führen. Jemand muss das übernehmen, und Lissy fehlt die Erfahrung. Außerdem sollte sie ihr Studium zu Ende bringen, bevor sie Graven übernimmt.«

»Und bis dahin hast du Marius für die Rolle des Retters in der Not vorgesehen.«

»Kurzfristig einen Winzer zu finden, ist so gut wie unmöglich. Das sollte sogar dir klar sein.«

»Ich höre mir das jetzt nicht länger an. Du redest Thomas' Zustand schlecht, um deinen Willen durchzusetzen. Aber sein Wunsch ist es, dass Lissy sich um alles kümmert.«

Mit einem Seufzer sah Margot sich um. »Du weißt, wie wichtig Thomas das alles hier ist. Und eigentlich weißt du auch, dass sie das allein nicht schaffen kann. Nimm die rosa Brille ab und rede mit seinem Arzt. Und danach sollten wir dieses Gespräch fortsetzen.« Ohne auf eine Antwort zu warten, verließ Margot die Werkstatt.

Pia warf den Spachtel auf den Tisch. Wenn es Margots Absicht gewesen war, ihr Angst zu machen, dann war ihr das gelungen. Pia konnte sich nicht länger auf ihre Arbeit konzentrieren und fuhr früher in die Klinik, als sie vorgehabt hatte.

Auf der Station fragte sie nach Professor Weigel. Die Stationsschwester begleitete sie zum Zimmer des Professors und bat sie um ein paar Minuten Geduld.

Pia setzte sich auf die Bank im Flur und merkte selbst, wie angespannt sie wirken musste. Sie hielt ihre Tasche mit beiden Händen umklammert, als hätte sie Angst, jemand könnte sie ihr entreißen, dabei war es die Sorge um Thomas.

Die Sonne fiel durch das Fenster und malte einen hellen Streifen aus Licht auf den Linoleumboden. Pia atmete durch und versuchte positiv zu denken. Sicher übertrieb Margot wieder. Sie dramatisierte gerne. Das konnte sie gut.

Margot und ihre neurotische Angst, ein zweites Mal im Leben alles zu verlieren. Dass diese Angst unbegründet war, sollte sie doch wissen, dachte Pia. Denn Thomas liebte sie wie eine kleine Schwester, und sie hatte sich über die Jahre eine wichtige Position erarbeitet. Falls Margot tatsächlich jemals Graven verlassen würde, dann nur, weil sie selbst dafür gesorgt hatte, und zwar mit ihrer Ablehnung, die sie Pia vom ersten Tag an entgegengebracht hatte.

Noch heute konnte sie den Schrecken in Margots Gesicht sehen, als Thomas im Herbst nach ihrer Hochzeit verkündet hatte, dass er Vater wurde. Unvergessen Margots gestammelter Glückwunsch, bevor sie kreidebleich das Zimmer verlassen hatte. »Sie hasst mich«, hatte Pia gesagt. »Warum? Ich habe ihr nichts getan.«

»Sie hasst dich nicht«, hatte Thomas gesagt. »Lass uns einen Spaziergang machen. Dann erkläre ich es dir.«

Es war ein lauer Spätsommerabend gewesen. Hand in Hand waren sie dem Pfad entlang des Höhenzugs bis zur Linde an der schönen Aussicht gefolgt.

»Margot hat nichts gegen dich. Sie hat nur Angst, noch einmal alles zu verlieren.«

»Wie meinst du das?«

»Sie gehört zur Familie, juristisch allerdings nicht. Mein Vater hätte sie nach dem Tod ihrer Eltern gerne adoptiert. Mutter wollte das nicht, und auch mein Bruder Ferdinand war dagegen.«

Er erzählte ihr, wie Margots Eltern bei einem Flugzeugabsturz in Kenia ums Leben gekommen waren. Der Pilot hatte die Maschine nicht vollgetankt. Vermutlich, um das so gesparte Geld in die eigene Tasche zu stecken. Vielleicht aber auch, weil Margots Vater geglaubt hatte, dass für den geplanten Ausflug ein halb voller Tank reichen würde. Er war ein sparsamer Schwabe gewesen.

»Margot war beinahe noch ein Kind, als das passierte. Die Eltern zu verlieren, war schon schlimm genug, doch dann wurde ihr auch noch die gewohnte Umgebung genommen. Meine Eltern haben es gut gemeint, aber sie haben sich nie klargemacht, was für ein Schock es für Margot war, auch noch ihr Zuhause in Stuttgart zu verlieren. Alles musste sie zurücklassen. Ihre Freunde. Ihre Schule. Ihr Stadtviertel. Plötzlich fand sie sich dreihundert Kilometer entfernt auf einem Weingut wieder.«

»Hatte sie keine Verwandten?«

»Nur eine Großmutter, die selbst auf Pflege angewiesen war. Meine Eltern haben ihr die Liebe, Geborgenheit und Sicherheit einer Familie gegeben. Trotzdem befürchtet Margot, irgendwann weggeschickt zu werden, und sie tut alles, um das zu verhindern. Deshalb hat sie eine kaufmännische Ausbildung gemacht und hat Graven organisatorisch im Griff. Ohne sie wären wir verloren.«

»Vor mir muss sie doch keine Angst haben«, entgegnete Pia. »Ich nehme ihr nichts weg.«

»Doch, genau das tun wir. Wir nehmen ihr Hoffnung und Sicherheit.« Thomas blieb stehen und strich ihr sanft über den noch flachen Bauch. »Margot hat gehofft, dass ich Marius adoptiere. Dann könnte er eines Tages das Weingut übernehmen. Henning wollte das ja nie. Und nun bekommen wir ein Kind, und Margots Wünsche werden sich nicht erfüllen.«

Bei allem Mitgefühl, das Pia für Margots Schicksal aufbrachte, verstand sie die Reaktion ihrer Schwägerin nicht. »Wenn sie befürchtet, weggeschickt zu werden, dann wäre es besser, sich mit mir gut zu stellen.«

Thomas lachte. »Vielleicht besinnt sie sich ja noch.«

»Dann werde ich während der Schwangerschaft ihre vorwurfsvollen Blicke und Sticheleien ertragen müssen? Und das bei jeder Mahlzeit? Wir sollten das ändern.«

Thomas seufzte. »Du hast recht. Ich überlege, wie sich das am besten lösen lässt.«

»Am einfachsten wäre es, wenn sie mit Marius hinunter ins Dorf zieht. Für den Jungen wäre der Schulweg obendrein kürzer. Sie hat ihr Leben, und wir haben unseres. Das muss man nicht vermischen.«

»Das wird ihr nicht gefallen.«

Ein paar Tage später verstieg sich Margot in die Bemerkung, dass Pia Thomas lediglich seines Geldes wegen geheiratet hätte. Da schuf er Tatsachen. Er kaufte eine Wohnung in einem neu gebauten Mehrfamilienhaus im

Dorf und schenkte sie Margot. Nun hatte sie etwas Eigenes, das ihr niemand nehmen konnte. Doch ihr ging es ja nicht nur um eine materielle Heimat, sondern vor allem um einen emotionalen Ankerpunkt. Sie fühlte sich ausgestoßen und gab Pia die Schuld. Seit zwanzig Jahren.

Die Flügeltür am Ende des Gangs wurde aufgestoßen. Professor Weigel erschien. Er entsprach ganz und gar nicht dem Klischeebild eines Professors, denn er war relativ jung. Pia schätzte ihn auf Anfang vierzig. Er begrüßte sie, bat sie in sein Büro und bot ihr einen Platz an, bevor er selbst sich setzte. »Was kann ich für Sie tun?«

»Mich beruhigen. Meine Schwägerin war gestern bei Ihnen, und sie hat mir ein Horrorszenario ausgemalt, was den Gesundheitszustand meines Mannes angeht. Sie denkt, er wird nicht wieder auf die Beine kommen. Das Gerinnsel in der Lunge hat sich doch aufgelöst.«

Nachdenklich faltete Weigel die Hände. »Jedenfalls ist es im CT nicht mehr sichtbar.«

»Es kann sich also an anderer Stelle versteckt haben?«

»Das ist unwahrscheinlich. Ihre Schwägerin wollte gestern von mir wissen, ob Ihr Mann in absehbarer Zeit wieder arbeiten kann. Das habe ich ausgeschlossen. Wissen Sie, das ist kein Horrorszenario, sondern eine Tatsache. Wenn er zu sich kommt, müssen wir erst einmal feststellen, ob die unterbrochene Sauerstoffzufuhr neurologische Folgen hat. Was ich nicht hoffe, denn wir haben sofort eine Lysebehandlung durchgeführt. Trotzdem wird ein längerer Reha-Aufenthalt notwendig sein. Sie dürfen nicht vergessen: Ihr Mann hatte einen Herzinfarkt und eine Embolie. Es ist ein Wunder, dass er das überlebt hat. Mit dreiundsiebzig braucht man einfach länger, um zu regenerieren. Ich will Ihnen aber nichts vormachen. Er kann auch zum Pflegefall werden oder sogar sterben.«

Pia wurde ungeduldig. Sie war hier, um Zuversicht zu gewinnen, und jetzt musste sie sich solche Geschichten anhören.

»Ein längerer Reha-Aufenthalt also. Dann ist es wohl wirklich vernünftig, jemanden zu suchen, der den Betrieb so lange leitet, bis Thomas das wieder selbst kann.«

Sie dankte dem Arzt für die Auskunft und machte sich auf den Weg zu ihrem Mann. Für sie stand fest: Marius würde keinen Fuß in Thomas' Weinberg setzen und keinen in die Keller. Er würde Lissy auf keinen Fall verdrängen. Auf diesen Kampf würde sie sich nie und nimmer einlassen, und wenn sie einen Winzer einfliegen lassen musste!

Bevor sie die Tür zum Krankenzimmer öffnete, atmete sie durch und sammelte sich. Sie wollte Thomas nicht derart aufgebracht gegenübertreten. Es würde ihn beunruhigen. Auch wenn er nicht bei Bewusstsein war, würde er es vielleicht spüren. Also glättete sie ihr Gefieder, wie ihre Mutter das immer genannt hatte, und setzte sich an sein Bett.

Sie gab ihm einen Kuss auf die Stirn und strich ihm über die Wange. »Zeit, aufzuwachen, mein Lieber. Du wirst gebraucht.« Er reagierte nicht auf ihre Worte und nicht auf ihre Berührung. Es sah aus, als ob er schliefe. »Wie soll ich denn ohne dich leben? Sag mir das mal.« Ihre Worte schnürten ihr die Kehle zu.

Sie nahm seine Hand in ihre und betrachtete ihren Mann. Er schien weit weg zu sein. Wach auf, dachte sie. Bitte! Lass mich nicht allein. Du warst doch immer gesund, und wir dachten alle, dass du hundert wirst. Du kannst dich doch nicht einfach so davonstehlen. Plötzlich flackerte ein unbändiger Zorn auf Nane in ihr auf. Zwanzig Jahre hatten sie Ruhe vor ihr gehabt. Und jetzt das.

Kapitel 6

Winter 1997

Es war ein trister Tag Anfang Januar. Die Feiertage waren vorbei, das neue Jahr hatte begonnen. Zu Pias Erleichterung fand das Leben zurück in seinen gewohnten Takt. So viel Familie und so große Nähe taten einfach nicht gut. Man ging sich auf die Nerven. Wobei es wirkliche Nähe in dieser Familie nicht gab. Jeder hielt jeden mindestens eine Armlänge auf Abstand. Pia kannte es nicht anders, und daher hatte es lange gedauert, bis sie das verstanden und verblüfft festgestellt hatte, dass es nicht schlimm war. Im Gegenteil, man schützte sich so.

Einige Schneeflocken taumelten am Atelierfenster vorbei. Auf der Staffelei stand das Blumenstillleben, an dem Pia derzeit arbeitete. Sie selbst saß am Schreibtisch und suchte die Belege für den Jahresabschluss zusammen. Ihr Steuerberater wartete darauf. Eine Arbeit, die sie nicht gerne machte. Zahlen und Formulare waren ihr ein Gräuel, und deshalb beschloss sie, eine Pause einzulegen und sich eine Tasse Tee zu gönnen.

Auf dem Weg zur Küche kam sie am Spiegel vorbei

und warf wie immer einen prüfenden Blick hinein. Eine Schneewittchenschönheit hatte ihr letzter Freund Daniel sie genannt. Weiß wie Schnee. Rot wie Blut. Den blassen Teint hatte sie von ihrer Mutter geerbt, genau wie Nane, und das dunkle Haar vom Vater. Schwarz wie Ebenholz. Wobei ihr Vater sich ja eine Glatze rasierte, seit die kahlen Stellen sich ausbreiteten.

Zufrieden wandte sie sich ab und bereitete in der Küche Tee zu. Eigentlich gehörte die Atelierwohnung am Schweizer Platz zur Altersvorsorge, wie ihr Vater das nannte. Er hatte sie ihr jedoch für eine geringe Miete angeboten, als sie sich im letzten Sommer als Restauratorin selbstständig gemacht hatte. »Eine kleine Starterleichterung«, hatte er erklärt. Doch diese Großzügigkeit hatte ihren Preis. Bis auf Nane lebten alle hier. Birgit in der dritten Etage. Ihre Eltern im ersten Stock und dann noch Laden und Galerie im Erdgeschoss. Ständig lief man sich über den Weg. Egal was man tat, es blieb selten unbemerkt, geschweige denn unkommentiert. Lange würde sie hier nicht wohnen bleiben. Sie sehnte sich nach Ruhe und mehr Distanz. Sie brauchte Abstand zu den Dramen ihrer Familie.

Mit einer Tasse Tee stellte sie sich ans Fenster und beobachtete das Treiben unten auf dem Platz. Dieser Tag war die pure Tristesse. Eine Palette von Grautönen mit Nuancen von Violett. Der Himmel in einer Mischung aus Coelinblau, Zinkweiß und Ebenholzschwarz. Die Bäume reckten ihm die kahlen Äste entgegen. Zwischen den Schnee mischte sich Regen. Die Menschen hasteten unter ihren dunklen Schirmen dahin. Beinahe alle waren grau oder schwarz. Doch plötzlich erschien der apfelgrüne Schirm von Birgit, und Pia erinnerte sich, dass ihre

Schwester einen Termin bei ihrem Anwalt hatte, der alles versuchte, um eine Anklage zu verhindern.

Wie konnte Birgit auch nur so dämlich sein und eine Affäre mit einem Schüler anfangen! Mit verheulten Augen hatte sie etwas von Liebe gefaselt. Eine Liebe, die offenbar sehr einseitig war, denn ihr Lover hatte sie fallen lassen wie die sprichwörtliche heiße Kartoffel, und obendrein hatte er ihr ein Messer in ihr liebendes Herz gerammt und es genussvoll umgedreht. Sie habe ihn verführt, hatte er in seiner Aussage behauptet, und er habe nur mitgemacht, weil er sich bessere Noten erhoffte. Pia an Birgits Stelle hätte die Affäre schlicht und einfach geleugnet. Dann stünde Aussage gegen Aussage. Doch Birgit hatte das Verhältnis zugegeben! Und nun war sie vorläufig vom Unterricht freigestellt. Wenn es zum Prozess und zur Verurteilung kam, konnte sie ihren Beruf, aber auch ihren Traum von der Beamtenlaufbahn vergessen – keine öffentliche Schule würde sie jemals wieder nehmen, und auch keine private würde eine Lehrerin einstellen, die wegen sexuellen Missbrauchs vorbestraft war. Selbst schuld, dachte Pia. Wenn das Liebe war, dann konnte sie getrost darauf verzichten. Natürlich hatte auch sie Beziehungen. Doch bei ihr behielt immer der Verstand die Oberhand und nicht das »Wunderland« zwischen ihren Beinen, wie Daniel das gerne frei nach Ringelnatz genannt hatte. *Überall ist Wunderland. Überall ist Leben. Bei meiner Tante im Strumpfenband, wie irgendwo daneben.*

Wenn das Wunderland die Herrschaft übernahm, führte das nur zu Leid und Elend. Das hatte Pia ja bei ihrer Mutter gesehen, die einfach abgehauen war.

Unwillkürlich verspannte sich Pia. Das tat sie immer, wenn sie daran denken musste, wie ihre Mutter plötzlich weg gewesen war und ihr Vater mit seinen drei kleinen Mädels allein. Der Schmerz von damals wollte wieder nach ihr greifen, wie immer, wenn ihre Gedanken in diese trostlose Zeit zurückkehrten. Abrupt wandte Pia sich vom Fenster ab. Sie ertrug das nicht. Und sie hatte ihre Lehre daraus gezogen: So wie ihre Mutter würde sie es nie machen.

Schließlich kehrte sie an den Schreibtisch zurück und erledigte endlich den Papierkram. Gegen Mittag rief Mark an, Nanes Mann oder besser gesagt, ihr künftiger Exmann. Er hatte Pia vor einigen Tagen um Rat gefragt, was er seinem Chef zum Geburtstag schenken könnte. Einem Mann, der sich für die Malerei des fünfzehnten Jahrhunderts interessierte. Ein Bildband erschien ihm zu banal. Sie hatte ihm zu Karten für eine individuelle Abendführung im Städel Museum geraten. Wenn das Museum nach dem Besucheransturm schloss, kehrte in den Sälen eine erhabene Ruhe ein. Die Kunst eroberte sich das Haus zurück, und der einsame Betrachter konnte sie in aller Muße bewundern. Nun bedankte Mark sich für diesen Tipp. Damit hatte er bei seinem Vorgesetzten gepunktet. Pia freute sich mit ihm, denn sein Erfolg war in gewisser Weise auch ihrer. Sie fragte ihn, wie es ihm ging, und erkundigte sich auch nach Nane.

»An Weihnachten war sie so ungewohnt still«, sagte sie. »Als ob sie gar nicht richtig da wäre.« Für einen Augenblick fragte Pia sich, ob Nane etwa auf Drogen gewesen war.

»Unsere Trennung setzt ihr zu, obwohl wir inzwischen

vernünftig darüber reden können. Nimm ein bisschen Rücksicht auf sie. Derzeit geht es ihr nicht so gut.«

Mark war ein lieber Mensch, wenn auch etwas langweilig. Und er war ein Vermittler. Eigentlich hätte er gut zu Birgit gepasst. »Wegen der Scheidung?«, fragte Pia.

Er zögerte einen Moment. »Natürlich auch deswegen. Aber ... Es gab da jemanden ... Sie hat sich wohl mehr von dieser Beziehung erhofft.«

»Da hat sie ja schnell für Ersatz gesorgt. Der berühmte therapeutische Fick zur Selbstbestätigung?«

»Weißt du, dass du manchmal unausstehlich bist?«

»Ja, das ist mir bewusst. Niemand muss mich mögen.«

»Sei trotzdem nett zu Nane. Für sie war dieser Mann mehr ... Ich glaube, sie liebt ihn wirklich.«

»Und er hat Schluss gemacht?«

»Nach einer gemeinsamen Woche in New York. Nane schwebte auf Wolken, und er hat sie wohl ziemlich unsanft heruntergeholt. Also sei lieb zu ihr. Schaffst du das?«

»Ich werde mir Mühe geben.« Sie verabschiedeten sich, und Pia erinnerte sich plötzlich an die Geschenke, die Nane mitgebracht hatte. Verpackt in Schachteln von Macy's und Bergdorf. Niemand in der Familie hatte ein Wort darüber verloren. Auch sie nicht. Weil es ihr nicht wirklich aufgefallen war. Ein egozentrischer Haufen waren sie, allesamt. Bis auf Birgit vielleicht.

Pia steckte die Buchhaltung in einen Umschlag, adressierte ihn an den Steuerberater und räumte den Schreibtisch auf. Dort lag noch der Artikel der Frankfurter Zeitung, der vor einigen Tagen über sie erschienen war. Eine ganze Seite mit mehreren Fotos, die sie bei unterschiedlichen Arbeitsschritten zeigten. Die Journalistin hatte ihre Arbeit so spannend beschrieben, als wäre sie eine Forscherin oder Entdeckerin, und das gefiel Pia. Sie heftete die Seite an die Pinnwand. Ihr Magen knurrte, und sie überlegte, ob sie im Bistro an der Ecke rasch ein Stück Quiche essen oder sich mit dem Becher Kefir begnügen sollte, der im Kühlschrank stand. Da klingelte ihr Telefon.

Ihr Vater meldete sich. »Hallo, Pia, kannst du mal kurz in den Laden kommen? Es geht um einen Auftrag.«

Damit war es entschieden. Wenn sie ohnehin schon unten war, würde sie ins Bistro gehen. Pia griff nach ihrer Tasche und der Winterjacke. Sie lief die Treppen hinunter und betrat den Laden durch den Nebeneingang im Hausflur.

Linker Hand befand sich Mamas Bereich mit Möbeln und Accessoires der Zwanziger- bis Sechzigerjahre. Ihre Mutter saß an ihrem Marcel-Breuer-Tisch und telefonierte, das weißblonde Haar hochgesteckt und mit einem smaragdgrünen Schal um die Schultern. Auf der anderen Seite lag die Galerie ihres Vaters mit Gemälden und Skulpturen aus derselben Zeit. Er stand mit einem Kunden vor der Staffelei und betrachtete eine Flusslandschaft.

»Da bist du ja«, sagte er. »Der Herr will eigentlich zu dir.«

Pia taxierte den Mann mit einem raschen Blick, während ihr Vater sich an seinen Schreibtisch zurückzog. Groß, Anfang fünfzig, offenbar gut situiert. Er trug den Mantel offen über dem Anzug. Beides aus edlem Stoff, dazu einen Kaschmirschal, und eine teure Uhr am Handgelenk. Irgendetwas irritierte Pia. Dieses Outfit eines Managers oder Bankers passte nicht zur wettergegerbten

Haut und dem grau melierten Dreitagebart, der ihm einen verwegenen Touch verlieh. Nie und nimmer verbrachte dieser Mann seine Tage im Büro. Seine Augen waren paynesgrau mit einer Spur Kobalt und hielten ihrem Blick stand.

Seine widersprüchliche Erscheinung faszinierte Pia, und für die Dauer eines Wimpernschlags flammte Sehnsucht in ihr auf und der Wunsch, sich in seine Arme zu werfen, dort wäre sie geborgen. Doch noch ehe sie dieses Gefühl fassen konnte, war es vorüber. Was in ihr nachhallte, war Irritation.

Sie fing sich und zählte eins und eins zusammen: Das Bild auf der Staffelei musste ihm gehören. Er wollte damit zu ihr, denn ihr Vater hatte gesagt, es gehe um einen Auftrag. »Sie haben vermutlich den Artikel über meine Arbeit gelesen«, sagte sie zur Begrüßung.

Er nickte. »So ist es. Danach habe ich das Bild mit anderen Augen gesehen.« Er wies auf das Gemälde, und Pia trat an die Staffelei, um sich einen ersten Eindruck zu verschaffen. Es war in keinem guten Zustand. Der Firnis verschmutzt und vergilbt, zahlreiche Risse in der Malschicht. Einige Abplatzungen. Sie suchte nach der Signatur. Franz Ludwig Catel. »Flohmarktbeute oder ein Erbstück?«

»Letzteres. Ein Vorfahre hat es in Italien gekauft.«

»Catel hat lange Zeit in Rom gelebt.«

»Ich verstehe leider nichts von Kunst.« Mit einem bedauernden Lächeln breitete ihr Kunde die Hände aus.

»Wenn Sie wissen möchten, ob sich eine Restaurierung lohnt, damit Sie es besser verkaufen können, dann lautet meine Antwort: ganz eindeutig ja.«

»Ich will es nicht verkaufen. Es ist ein Familienstück,

und ich hänge daran. Mir ist erst durch den Zeitungsartikel klar geworden, wie schlecht es bisher behandelt wurde. Haben Sie Zeit und Lust, es zu restaurieren?«

»Sowohl als auch.« Im selben Moment knurrte ihr Magen so laut, dass es nicht zu überhören war. »Entschuldigung.«

Er lachte. »Sie haben wohl noch nicht zu Mittag gegessen. Ich auch nicht. Gleich an der Ecke gibt es ein Bistro. Sollen wir dort eine Kleinigkeit essen, während wir uns über die Modalitäten unterhalten?«

Warum eigentlich nicht?, dachte Pia. Er war nicht der erste Auftraggeber, der sie zum Essen einlud. »Gerne. Vorausgesetzt, Sie lüften vorher das Geheimnis um Ihren Namen.«

»O Gott! Ich habe mich gar nicht vorgestellt.« Er reichte ihr die Hand. »Thomas von Manthey. Ich verstehe von Kunst wirklich nichts. Ich bin …« Er breitete die Hände aus. »Genau genommen bin ich ein Bauer.«

*

Ein Bauer! Was für eine Untertreibung, dachte Pia anderthalb Stunden später, als sie noch immer mit Thomas von Manthey an einem der Fenstertische im Bistro saß. Kein Fleckchen Blau zeigte sich am wolkenverhangenen Himmel. Schneeregen lief an den Scheiben hinab. Doch in dem kleinen Lokal war es warm und gemütlich. Es roch nach Tartes und Quiches und nach frisch gebrühtem Kaffee.

Pia legte das Besteck auf den Teller und trank den letzten Schluck Wein. Ein leichter Rosé aus der Provence, den ihr Auftraggeber ausgewählt hatte. Bereits mittags

Wein zu trinken, gehörte normalerweise nicht zu ihren Angewohnheiten. Doch sie hatte sich überzeugen lassen, dass der Rosé wunderbar zum Lammkarree passen würde und ein Glas keine Sünde sei. Sie fühlte sich ein wenig beschwipst, vor allem aber leicht und heiter. Als hätte sich ein Frühlingstag in diesen missmutigen Januar geschlichen.

Während des Essens hatten sie über das Bild gesprochen und was daran zu tun sei, wenn sie es in einen guten Zustand versetzen wollte. Allerdings wäre es kein billiges Unterfangen, und mit einem Augenzwinkern hatte sie gefragt, ob ein Bauer sich das leisten könne. Ihr war natürlich längst klar, dass diese Berufsbezeichnung eine Tiefstapelei sein musste, und so hatte sie erfahren, dass er Winzer an der Saar war und Besitzer des Weinguts Graven.

Ihr gefiel, wie er von seiner Arbeit sprach. Mit einer Leidenschaft, die sie von sich selbst kannte. Er ging ganz in dem auf, was er tat. Genau wie sie, wenn sie in die Restaurierung eines Gemäldes abtauchte, seinen Aufbau erkundete, die Maltechnik studierte, wenn sie versuchte, den Gedanken und Entscheidungen des Künstlers auf die Spur zu kommen. Es war so befriedigend, den Ausdruck eines Bildes unter Schichten aus Nikotin, Staub und Dreck hervorzuholen, zu neuem Leben zu erwecken und für die Zukunft zu bewahren. Sie liebte ihren Beruf ebenso sehr wie er den seinen.

Die Tür öffnete sich, und ein Gast verließ das Bistro. Der kalte Luftzug holte Pia aus ihren Gedanken. Dabei bemerkte sie, dass Thomas von Manthey sie beobachtete. Wie lange schon? Plötzlich fühlte sie sich ausgeliefert und verschränkte instinktiv die Arme.

»Entschuldigen Sie, wenn ich Sie ständig ansehe«, sagte er. »Aber Sie erinnern mich an jemanden.«

»Eine unglückliche Liebe etwa?«

»Im Gegenteil. Eine sehr glückliche.«

War er etwa verheiratet? Unwillkürlich blickte sie auf seine Hände und sah die beiden Eheringe, die er am rechten Ringfinger trug. Ein wenig bestürzt dachte sie, dass er nicht alt war. Und schon Witwer. »Sie meinen, ich erinnere Sie an Ihre verstorbene Frau?«

»Ich hätte wohl besser den Mund gehalten.«

»Warum denn?«

»Eine Frau mit einer anderen zu vergleichen ... Das sollte man nicht. Und wenn doch, dann sollte man ihr das nicht sagen.«

Eine leichte Gereiztheit stieg in ihr auf. »Sie sind also gar nicht wegen des Gemäldes gekommen? Sie haben mein Foto in der Zeitung gesehen und waren neugierig, wer ich bin?«

Er stützte das Kinn in die Hand. »Oje, wie komme ich aus diesem Fettnapf wieder heraus? Es war wohl etwas von beidem. Das Bild bedeutet mir wirklich viel.«

»Keine Sorge. Sie sitzen in keinem Fettnapf.«

Es war Zeit, das Gespräch wieder auf den Auftrag zu lenken, weg von ihr. Also nutzte sie den Ball, den er ihr zugespielt hatte. »Es ist ein wirklich schönes Gemälde, und es besitzt nicht nur sentimentalen Wert. Wenn es restauriert ist, könnten Sie damit bei einer Versteigerung einen guten Preis erzielen.«

»Also sollte ich es doch in den Safe legen.«

»Das wäre schade.«

»Das wird auch nicht passieren. Ich hänge wirklich daran und will es um mich haben. Wie lange werde ich darauf verzichten müssen?«

»Ich muss es erst eingehend untersuchen, dann weiß ich, was zu tun ist. Aber rechnen Sie mit mindestens vier Wochen.«

Obwohl sie es nicht wollte, wanderte ihr Blick wieder zu den beiden Ringen, und sie fragte sich, wie seine Frau wohl gestorben war. Wie er mit diesem Verlust umging und was ihn dazu trieb, eine andere aufzusuchen, die ihr ähnlich sah. Ihre innere Stimme riet ihr, sich vor ihm in Acht zu nehmen. Er würde Unglück in ihr Leben bringen, wenn sie ihn hereinließ. Einen Moment spielte sie mit dem Gedanken, den Auftrag abzulehnen. Doch das wäre wider jede Vernunft.

Er hatte ihren Blick bemerkt und drehte an einem der Ringe. »Meine Frau ist an Krebs gestorben. Es ging ganz schnell. Im Sommer ist es schon zwei Jahre her.«

Pia fühlte sich ertappt. Als hätte er ihre Gedanken gelesen. »Das tut mir leid. Es geht mich nichts an.«

»Beas Tod ist kein Tabuthema für mich. Im Gegenteil: Es hilft, darüber zu reden. Das hätte ich früher nicht geglaubt. Und auch eine andere Binsenweisheit entpuppt sich als zutreffend: Die Zeit heilt die Wunden. Langsam schließen sie sich.«

Pia wollte nicht weiter über Krankheit und Tod sprechen und schon gar nicht über die Gefühle ihres Kunden. Das ging zu weit, das war zu persönlich.

Auch er schien das zu bemerken, denn er wechselte abrupt das Thema. »Wie wäre es mit einem Kaffee?«

»Nein, danke. Ich muss wieder zurück an die Arbeit. Ein Blumenstillleben wartet auf mich.« Das Violett einer

Dahlie machte ihr Probleme. Sie bekam den Farbton nicht richtig hin.

»Schade. Ich hätte gerne noch ein wenig mehr Zeit mit Ihnen verbracht.« Er winkte der Kellnerin und zahlte, als ihre Reaktion sich auf ein angedeutetes Schulterzucken beschränkte.

Er half ihr in die Jacke und hielt die Tür für sie auf. Reichlich altmodisch. Doch gleichzeitig genoss Pia diese Aufmerksamkeit. Heute war offenbar der Tag der zwiespältigen Gefühle. Vor dem Lokal verabschiedeten sie sich.

»Sie erhalten einen Kostenvoranschlag. Sobald Sie den abgesegnet haben, beginne ich mit der Arbeit.«

»Vier Wochen, haben Sie gesagt. Das Bild wird mir fehlen. Kann ich es ab und zu besuchen?« Er sagte das mit dem Blick eines frechen Jungen, und sie hätte beinahe gelacht und Ja gesagt. »Das geht leider nicht.«

»Aber nach seinem Befinden darf ich mich erkundigen?« Noch immer sah er sie mit diesem lausbübischen Blick an, der ihn viel jünger erscheinen ließ.

»Meine Nummer haben Sie ja.« Damit ließ sie offen, ob sie sich über einen Anruf von ihm freuen würde. Sie wusste es selbst nicht.

*

Der Januar schritt voran. Die Tage wurden länger und heller. Pia beendete die Arbeit an dem Blumenstillleben in der Woche, nachdem Thomas von Manthey sich vor dem Bistro von ihr verabschiedet hatte. Jedes Mal, wenn sie den Catel auf der Staffelei sah, dachte sie an den Mann, dem er gehörte. Etwas faszinierte sie an ihm, doch sie konnte nicht sagen, was es war. Vielleicht seine Art zu sprechen. Die Aufmerksamkeit, mit der er ihr zugehört hatte. Seine altmodische Höflichkeit. Die Liebe zu seinem Beruf. Die Aura aus Zufriedenheit und Trauer, die ihn umgab.

Sein Lausbubenlächeln ging ihr ebenso wenig aus dem Kopf wie die Farbe seiner Augen. Gelegentlich ertappte sie sich bei Tagträumen, wie er sie in den Arm nahm, wie sie sich küssten, wie sie sich liebten. Andererseits spürte sie instinktiv, dass er ihr nicht guttun würde, weshalb sie sich besser von ihm fernhalten sollte.

Zum ersten Mal in ihrem Leben dachte sie ernsthaft über das Gerede ihrer Mutter vom Fluch nach, der auf den Frauen der Familie lag, und kam zu dem Schluss, dass es keine Verwünschung war und auch nicht Schicksal, sondern Schwäche. Jede von ihnen hatte ihre Entscheidungen selbst getroffen. Ob nun mit ihrem Verstand oder mit dem Wunderland zwischen den Beinen. Man selbst war verantwortlich. Jede der Frauen ihrer Familie, deren Schicksale Mama so gerne aufzählte, war allein ihres Unglücks Schmied gewesen.

Pia war fest entschlossen, es nicht wie ihre Mutter zu machen, die ihre drei kleinen Kinder im Stich gelassen hatte. Und auch nicht wie Birgit, der vielleicht ein Strafprozess bevorstand. Und nicht wie Nane, die vermutlich wieder Drogen nahm. All das nur wegen einer Leidenschaft, die sich als Fata Morgana entpuppt hatte. Ihr würde das nicht passieren.

An einem Vormittag nahm sie den Catel von der Staffelei und legte ihn auf den Arbeitstisch unter die Tageslichtlampe. Das Bild maß etwa dreißig mal fünfzig Zentimeter. Drei Pinien dominierten die Bildmitte. Die Bäume neigten sich zum Flussufer. Eine diffus gemalte Hügellandschaft im Hintergrund. Darüber der Himmel in einem gelbstichigen Blau. Pia vermutete, dass die eigentliche Farbe lichter und durchscheinender war. Vielleicht ein stark aufgehelltes Delftblau mit einer Spur Indigo. Die Lichtverhältnisse deuteten auf eine Stimmung bei Tagesanbruch hin, kurz vor Sonnenaufgang. Sie war nahezu sicher, dass sich dieser Eindruck bei der Reinigung bestätigen würde.

Mit der Lupe untersuchte sie die Oberfläche, und ihre Vermutung erwies sich als richtig. Eine Schicht aus Schmutz und Staub, vor allem aber Nikotin, hatte sich auf dem Firnis abgelagert. Da musste wenigstens ein Kettenraucher in der Ahnenreihe gewesen sein. Außerdem hatte das Bild lange Zeit unter schlechten klimatischen Bedingungen gelitten. Heizungsluft hatte die Farbschichten ausgetrocknet und die Oberfläche rissig werden lassen. Obendrein entdeckte sie zahlreiche Abplatzungen.

Unter dem UV-Licht zeigten sich keine Spuren einer vorherigen Restaurierung. Doch das Infrarotlicht sorgte für eine Überraschung. Die Unterzeichnung einer Figur wurde sichtbar. Eine Frau, die am Stamm des mittleren Baumes lehnte. Der zurückgebeugte Kopf berührte den Stamm. Das Haar hatte sie hochgesteckt, die Augen waren geschlossen und die Lippen leicht geöffnet, als erwarte sie einen Kuss. Doch sie war allein. Wer war sie? Was tat sie im Morgengrauen am Flussufer? Wartete sie auf ihren heimlichen Geliebten, oder träumte sie vor sich hin?

Mit präzisen Strichen hatte Catel die Figur skizziert,

dann aber nicht ausgeführt. Pia fragte sich, weshalb er sich so entschieden hatte, und für einen Sekundenbruchteil streifte sie die verrückte Idee, die Frau aus ihrem Gefängnis hinter den Farbschichten zu befreien und ihr Leben einzuhauchen.

Sie stellte das Bild zurück auf die Staffelei und schrieb den Kostenvoranschlag. Thomas von Mantheys Visitenkarte lag seit Tagen auf dem Schreibtisch. Einen Augenblick rang sie mit sich, ob sie ihn anrufen und ihm von ihrer Entdeckung erzählen sollte, entschied sich jedoch dagegen. Das würde sie tun, wenn er das Bild abholte. Vorher wollte sie ihn nicht sehen. Und danach nie wieder.

Dann griff sie doch zum Telefon. Eine Frau meldete sich mit »Weingut Graven«. Pia fragte nach Thomas von Manthey und erfuhr, dass er derzeit in Brügge bei einer Weinauktion war und erst übermorgen zurückkehren würde. Ob sie ihm denn etwas ausrichten solle?

»Danke. Das ist nicht nötig. Ich schicke ein Fax.« Pia legte auf und schob die Enttäuschung beiseite. Es war besser so.

In der Küche machte sie sich eine Tasse Tee und faxte dann das Angebot an das Weingut Graven. Ihre Stimmung war plötzlich im Keller. Sie entschied sich, Fabian aufzusuchen. Er war Restaurator im Städel Museum und ein guter Freund. Vor zwei Jahren hatten sie eine Affäre gehabt, die nicht lange dauerte. Wie all ihre Beziehungen. Unverbindliche Liebschaften waren ihr lieber. Man ging miteinander aus und ins Bett und verpflichtete sich zu nichts. Wobei ihrer Meinung nach Sex maßlos überbewertet wurde.

Natürlich sehnte auch sie sich nach körperlicher Nähe.

Wer tat das nicht? Aber ihr hätte es genügt zu kuscheln, zu schmusen, zärtlich zueinander zu sein. Das konnte man allerdings keinem Mann sagen. Einmal hatte sie es versucht und war prompt für frigide erklärt worden. Vielleicht war sie das ja auch. Denn einen Orgasmus hatte sie noch nicht erlebt. Sie tat nur so, um sich die Diskussionen zu ersparen.

»Du bist beim Sex viel zu kopfgesteuert«, hatte Fabian gesagt, und sie hatte ihm nicht widersprochen. Es war gut so. Wer die Kontrolle über seine Gefühle verlor, verlor als Nächstes die über sein Leben.

Pia rief Fabian an und verabredete sich mit ihm zum Lunch in der Museumskantine. Sie wollte ihm von ihrer Entdeckung erzählen. Auch wenn Catel nicht Caspar David Friedrich war, so stellte ihr Fund der Frauenfigur in der Vorzeichnung eine kleine Sensation dar. Gemeinsam konnten sie spekulieren, warum Catel sie nicht ausgearbeitet hatte und wer die Frau wohl gewesen war.

Pia hatte gerade die Wohnungstür hinter sich geschlossen, als das Telefon zu klingeln begann. Sie ließ es läuten, schließlich hatte sie einen Anrufbeantworter.

Den hörte sie ab, als sie zwei Stunden später zurückkehrte, und musste sich setzen, als sie die Stimme erkannte. »Wie schade. Ich habe Ihren Anruf verpasst, und Sie verpassen nun den meinen. Wollen wir es später noch einmal versuchen?« Einen Moment schwieg er. »Oje, jetzt habe ich es schon wieder vergessen: Thomas von Manthey hier. Sie können mich auf dem Mobiltelefon erreichen.« Er nannte die Nummer, und Pia hörte das Band ein zweites Mal ab, um sie sich zu notieren, rief ihn aber nicht zurück.

Am Nachmittag läutete es an der Wohnungstür. Birgit stand davor, die zwei Etagen tiefer wohnte. Sie sah mitleiderregend aus, sorgenvoll und bleich. »Störe ich dich?«

»Aber nein«, log Pia. »Komm rein. Ich mache uns Tee.«

Pia füllte den Wasserkocher und nahm zwei Becher vom Regal. »Gibt es Neuigkeiten?«

»Kann man wohl sagen.« Wie ein Häufchen Elend kauerte Birgit am Tisch. »Sie stellen mich vor Gericht. Mein Anwalt hat es nicht geschafft, eine Anklage zu verhindern.«

»Du hättest es einfach leugnen sollen.«

»Das hätte nichts gebracht. Oliver hat unsere Liebe …« Jetzt begann Birgit tatsächlich zu weinen. »Er hat sie als Bettgeschichte bezeichnet. Mehr war ich nicht für ihn. Dabei habe ich ihn geliebt.« Schniefend wischte sie mit dem Handrücken die Tränen weg. »Er hat unsere Affäre bestätigt. Obendrein hat seine Exfreundin, dieses kleine Miststück … Sie hat uns beobachtet und heimlich fotografiert.«

»Im Bett!«

»Nein. Aber beim Knutschen, und das nicht nur einmal.«

Das Wasser kochte. Pia füllte die Becher und setzte sich damit zu ihrer Schwester an den Tisch, obwohl sie sie am liebsten fortgeschickt hätte. Die Dramen der Familie. Sie wollte nichts mit ihnen zu tun haben. Nicht aus Kaltherzigkeit, sondern weil sie sie als bedrohlich empfand. Eine Art Beweis, dass Vernunft und Verstand nicht immer siegten, dass man sein Schicksal eben doch nicht in der Hand hatte. Jederzeit konnte man die Kontrolle verlieren.

»Sie werden mich verurteilen. Ich werde meine Stelle verlieren und vielleicht ins Gefängnis müssen. Und wenn die Presse von dem Prozess Wind bekommt …« Mit einem Stöhnen fuhr Birgit sich durchs Haar. »Sie werden mich fertigmachen. Dann kann ich auswandern oder mich aufhängen.«

»So schlimm wird es schon nicht werden.« Pia versuchte ihre Schwester zu beruhigen und ihr Mut zu machen, was ihr auch gelang. Eine halbe Stunde später ging Birgit, und Pia setzte sich in den Polstersessel aus dem Möbelmarkt, dessen Anblick ihre Mutter zum Stöhnen gebracht hatte. »Einfach grauenhaft!«, hatte sie gesagt. »Warum nimmst du mein Angebot nicht an und suchst dir unten im Laden was aus?«

Weil ich von dir nie wieder etwas annehmen will, hatte Pia gedacht. Seit du damals plötzlich wieder da warst und so getan hast, als wärst du nie weg gewesen, will ich nichts von dir. Weder deine angebliche Mutterliebe noch deinen Ratschlag oder deinen Marcel-Breuer-Sessel.

Eine seltsame Unruhe erfasste Pia bei diesen Gedanken. Sie stand auf und ging in der Wohnung hin und her. Die Familie war zu viel für sie. Es war ein Fehler gewesen, das Angebot ihres Vaters anzunehmen und die Atelierwohnung zu beziehen. Sie sollte sich eine andere suchen. Am anderen Ende der Stadt. Möglichst weit weg vom Schweizer Platz. In diese Erkenntnis hinein begann das Telefon zu klingeln.

Thomas von Manthey meldete sich, und mit dem Klang seiner Stimme verschwanden Ärger und Unruhe. »Wie schön, dass ich Sie erreiche. Störe ich bei der Arbeit?«, fragte er.

»Kein Problem. Ich mache gerade Pause.«

»Wie geht's dem Bild?«

»Der Patient wartet noch auf die Behandlung.«

»Deswegen rufe ich an. Meine Schwester hat mir Ihr Angebot gefaxt. Es ist in Ordnung. Brauchen Sie das schriftlich?«

»Ist nicht nötig.«

»Und noch immer kein Besuchsrecht?« In seiner Stimme saß der Schalk, und sie konnte sein Lächeln beinahe vor sich sehen. Einen Moment rang sie mit sich, dann gab sie nach.

»Es gibt da etwas, das ich Ihnen gerne zeigen würde. Ihr Bild hat ein Geheimnis.«

*

Pias schlechte Laune war seit dem Telefonat mit Thomas von Manthey wie weggeblasen. Direkt danach begann sie mit der Reinigung des Gemäldes. Die Arbeit ging ihr leicht von der Hand. Auf dem Rückweg von Brügge wollte er sein Bild besuchen und am nächsten Tag gegen zwei Uhr bei ihr sein.

Bereits um Viertel vor zwei klingelte es. Auf dem Weg zur Tür warf Pia einen Blick in den Spiegel. Sie hatte sich entschieden, ihn im Arbeitsoutfit zu empfangen, also trug sie Jeans und ein fleckiges altes Sweatshirt. Mit der Hand fuhr sie sich durch die Haare. Dann öffnete sie die Tür. Nane stand davor.

»Was willst du denn hier?«

»Es ist wegen Birgit. Wir müssen ihr helfen.« Ihre Schwester schob sich an ihr vorbei in die Wohnung.

»Kannst du nicht anrufen, bevor du hier hereinplatzt? Ich erwarte jemanden.«

Auf diesen Einwand reagierte Nane nicht, sondern breitete ihre Idee vor Pia aus. Man müsse mit Birgits Lover reden und ihm klarmachen, was er ihr antat, wenn er behauptete, sie hätte ihn verführt. Es sei ja wohl eher umgekehrt gewesen. Vermutlich sei ihm nicht bewusst, dass er gerade ihr Leben ruinierte.

»Wenn er das versteht, wird er endlich die Wahrheit sagen«, erklärte Nane.

Pia wunderte sich wieder einmal, wie kurzsichtig ihre Schwester war. Musste sie ihr das jetzt wirklich erklären? »Das ist doch völliger Quatsch. Erstens: Woher weißt du, dass nicht Birgit ihn verführt hat? Zweitens: Selbst wenn es andersherum war, ändert das nichts am Straftatbestand Missbrauch von Schutzbefohlenen. Sie hätte einfach nicht mit ihm ins Bett gehen dürfen. Drittens: Wenn er als Zeuge auftritt und wir mit ihm reden, wird das für Birgit nur noch schlimmer. Dann wird es heißen, wir hätten einen Zeugen beeinflusst. Am Ende behauptet er vielleicht noch, dass wir ihn unter Druck gesetzt hätten. Lass es bleiben.«

»Aber irgendwie müssen wir ihr helfen.« Ratlos warf Nane die Arme in die Luft.

»Aber nicht so. Wie konnte sie nur sehenden Auges in ihr Unglück rennen?«

Ein verkniffener Zug erschien auf dem Gesicht ihrer Schwester. »Dir wäre das natürlich nicht passiert.«

»Ganz sicher nicht. Ich schalte nämlich mein Hirn ein, bevor ich mich mit einem Kerl einlasse.«

»Einlassen?« Nane lachte. »Du lässt dich auf niemanden ein. Das kannst du gar nicht. Emotional bist du nämlich ein Krüppel.«

Dieser Hieb traf Pia unvorbereitet und mit voller Wucht. Es kostete sie alle Selbstbeherrschung, Ruhe zu bewahren. »Wie schon gesagt: Ich erwarte Besuch. Du solltest jetzt gehen.«

Einen Augenblick verschlug es Nane die Sprache, dann hob sie beide Hände, als wolle sie sich kampflos ergeben. »Du wirfst mich raus? Gut. Ich bin schon weg.« Auf dem Absatz machte sie kehrt und lief die Treppe hinunter.

Pia sah ihrer Schwester nach und kämpfte gegen die Übelkeit an, die sich in ihr ausbreitete. Wie gelang es Nane nur, sie immer wieder derart aus der Fassung zu bringen? Sie war kein emotionaler Krüppel!

Die Glocke an der Gegensprechanlage läutete. Das musste Thomas von Manthey sein. Zwei Etagen tiefer klopfte Nane bei Birgit. Pia betätigte den Türöffner und bemerkte, dass ihre Hand zitterte. Es lag an den Worten ihrer Schwester und der Verzweiflung, die sie hinterlassen hatten. Was sie gesagt hatte, stimmte ja! Sie war ein emotionaler Krüppel. Dabei wollte sie sein wie alle anderen. Warmherzig, mitfühlend, in der Lage zu lieben. Doch das konnte sie nicht. Sie atmete durch, verjagte diese verwirrenden Gedanken. Der Lift kam oben an. Die Tür öffnete sich, und Thomas von Manthey stand vor ihr.

Er sah genau so aus, wie sie ihn in Erinnerung hatte. Dieses unergründliche Grau seiner Augen. Das draufgängerische Lächeln. Und er hatte dieselbe Wirkung auf sie wie bei ihrer ersten Begegnung. Am liebsten hätte sie sich in seine Arme geworfen. Sie schob ihre Gefühle und Nanes Worte beiseite, rang sich ein Lächeln ab und bat ihn herein. Er folgte ihr ins Atelier, wo der Catel auf dem Arbeitstisch lag. Einen Teil des Himmels hatte sie bereits gesäubert. Das Blau war tatsächlich so licht, wie sie vermutet hatte.

»Sie haben mit der Arbeit ja schon begonnen«, sagte Thomas von Manthey. »Jetzt sieht man erst, wie verschmutzt das Bild ist.«

»Ja, die Reinigung ist dringend nötig.«

Er beugte sich tiefer über das Gemälde. »Verblüffend, was das für ein Unterschied ist. Der Himmel wirkt plötzlich ganz anders. Ein freundlicher Sommertag – und ich dachte immer, er würde sich verdüstern, und ein Gewitter würde aufziehen.« Er richtete sich wieder auf. »Und wo steckt nun das Geheimnis?«

»Um Ihnen das zu zeigen, brauche ich anderes Licht.« Sie schaltete die Tageslichtlampe aus und das Infrarotlicht ein. »Sehen Sie selbst.«

Sie wies auf die mittlere Pinie und beobachtete seine Reaktion. Es dauerte nur einen Moment, bis er verblüfft aufsah. »Da steht ja eine Frau am Ufer. Was tut sie da?«

»Nichts. Der Maler hat sie nicht ausgeführt.«

»Trotzdem ist sie da.«

»Oder auch nicht. Nur unter diesem speziellen Licht wird sie sichtbar.«

»Sie wirkt auf mich übrigens genauso traurig wie Sie vorhin, als ich aus dem Fahrstuhl gestiegen bin.« Er wandte sich zu ihr um. »Alles in Ordnung bei Ihnen?«

Damit brachte er sie aus der Fassung. Erst Nane, dann er. »Nur ein wenig Stress mit der Familie. Ich bin eher wütend als traurig. Und bevor Sie jetzt weiterfragen: Es geht Sie nichts an.«

Er breitete entschuldigend die Arme aus. »Natürlich. Tut mir leid, wenn ich zu weit gegangen bin.«

Das Bedürfnis, sich in diese Arme fallen zu lassen, war wieder da, und er las es offenbar in ihren Augen, denn er ließ sie ausgebreitet. Eine Einladung, es zu tun. Im selben Moment gingen sie beide einen Schritt aufeinander zu. Seine Arme schlossen sich um sie, hielten sie, und es fühlte sich richtig an. Der Ärger auf ihre Schwester verrauchte, die Angst, sie könnte recht haben, verblasste, und Pia fühlte sich mit einem Mal ruhig und geborgen. Doch sie spürte auch die Wärme seines Körpers, nahm den Duft seiner Haut wahr und machte sich los.

»Geht's wieder?«

»Ja«, sagte sie ein wenig befangen. »Normalerweise werfe ich mich Männern nicht an den Hals.« Ihr Lachen klang ein wenig gezwungen.

»Das glaube ich Ihnen gerne. Eine Frau wie Sie muss man erobern.«

»Ist das etwa Ihr Plan?« Plötzlich schlug ihr das Herz bis zum Hals.

»Soll ich?«

»Nein. Lassen Sie es bleiben. Sie werden scheitern.«

»Gut, dann erspare ich mir die Mühe.« In seinen Augen stoben Funken, und das freche Lächeln erschien. »Und was machen wir nun mit der Frau am Ufer?«

Überrascht sah Pia ihn an. Einerseits wegen des abrupten Themenwechsels. Er gab ja schnell auf. Andererseits wegen seiner Frage zur Figur. »Nichts. Sie bleibt, wo sie ist.«

»Das können wir ihr nicht antun.«

Plötzlich erinnerte sie sich an ihre Idee, die Figur auszuarbeiten. »Es geht wirklich nicht. Ich kann ein Kunstwerk nicht verändern.«

»Ich habe nicht vor, das Bild zu verkaufen.«

»Aber Ihre Erben vielleicht.«

Das Lächeln verschwand. Ein Schatten zog über sein Gesicht. »Mein Sohn würde das vermutlich tun. Ich vermache es einfach Ihnen.«

Seine heitere Stimmung kehrte zurück, und Pia musste lachen. »Sie wollen wirklich, dass ich die Frauenfigur ausarbeite?«

»Wissen Sie, was verrückt ist? Ich habe ihre Anwesenheit immer gespürt. Schon als kleiner Junge habe ich mir Menschen am Flussufer ausgemalt. Zuerst einen Schäfer und seine Herde. Einen Fischer im Boot. Später dann Musketiere im Kampf und irgendwann eine geheimnisvolle Frau. Sie wartet seit zweihundert Jahren darauf, befreit zu werden. Es ist höchste Zeit.«

Auf so etwas konnte sich Pia nicht einlassen. Es würde das Bild zerstören, und ihr berufliches Renommee wäre dahin, wenn es herauskam.

»Was meinen Sie, warum sie dort steht?«, fragte Thomas von Manthey.

»Ich weiß es nicht. Aber ich sollte es vielleicht wissen, falls ich sie wirklich befreie.« Mit dem Gedanken zu spielen, hieß ja nicht, es auch zu tun.

»Tja, dann müssen wir uns eine Geschichte für sie ausdenken. Wie wäre es damit: Sie wartet auf den Mann, den sie heimlich liebt?«

»Ist das nicht ein wenig abgedroschen?«

Nachdenklich beugte Thomas von Manthey sich über das Gemälde. »Sie sieht aber so verträumt aus.«

»Verträumt? Finden Sie? Ich glaube eher, sie ist eine ausgebeutete Magd und denkt darüber nach, wie sie ihrer tyrannischen Herrschaft das Gold stehlen kann.«

»Sie haben ja eine abgründige Fantasie.«

»Und Sie eine romantische.«

Gemeinsam entwarfen sie Szenarien, die sich um die Figur rankten, veränderten und verwarfen sie wieder. Pia bereitete für ihren Besucher einen Becher Kaffee zu und für sich selbst Tee. Die Themen wechselten. Sie erzählte von ihrem Beruf und er von seinem Weingut, von den Auktionen und Messen, aber auch von seinem Sohn, der nicht fortführen wollte, was Generationen aufgebaut hatten, und wie schwer er sich tat, das zu akzeptieren. Irgendwann bot er ihr das Du an, und sie willigte ein.

Er fragte nach ihrer Familie, die sie so traurig und wütend machte, doch sie winkte ab. Zu kompliziert und trotzdem wohl nur das Übliche.

Der Nachmittag ging schnell vorüber. Ehe Pia sich's versah, senkte die Dämmerung sich herab, und sie stand auf, um das Licht einzuschalten. Damit verflog die besondere Stimmung, und Thomas von Manthey erhob sich. »Es ist Zeit zu gehen. Darf ich denn wiederkommen?«

Pia zögerte, doch dann nickte sie. Das Gefühl, dass sie ihn meiden sollte, war gewichen. Zum Abschied nahm er sie in den Arm, und es fühlte sich ganz selbstverständlich an.

Als er gegangen war, trat sie ans Fenster und wartete, bis seine Gestalt unten auf dem Platz erschien.

Kapitel 7

Sommer 2018

Zwanzig Jahre waren ins Land gegangen, seit Thomas sie gebeten hatte, hinunter ins Dorf zu ziehen, und kaum einen Hehl daraus gemacht hatte, dass Pia dahintersteckte. Ihrem Bruder zuliebe hatte Margot es getan. Wie so manches andere auch. Hatte er ihr das je gedankt? Genau genommen nicht.

Mit einem Glas Wein saß Margot auf der Terrasse ihrer Wohnung. Die Nacht hing wie Teer über den Weinbergen. Wie damals, als Henning verunglückt war und alle dachten, es wäre ein Unfall gewesen. Und später dann ein Mord. Beides war falsch.

Irgendwo bellte ein Hund. Margot blickte noch immer in die Dunkelheit. Sie war keine aus dem Dorf. Mein Platz ist dort oben, dachte sie verbittert. Das ist meine Heimat, und es ist Zeit, dorthin zurückzukehren.

Hätte Thomas sich doch nur nie mit den beiden Schwestern eingelassen. Alles wäre anders. Und nun war er todkrank, und sie wusste, was passieren würde, wenn er starb und Pia und Lissy Macht über den Betrieb bekamen. Kalt lächelnd würde Pia sie vor die Tür setzen. Bei dieser Vorstellung wurde ihr übel. Dort oben war ihr Leben. Sie würde sich nicht vertreiben lassen, und deswegen hatte sie einen Entschluss gefasst.

Das Telefon klingelte. Sicher Marius, der wissen wollte, wie die Dinge standen. Natürlich brauchte er Gewissheit, bevor er dem Aufhebungsvertrag zustimmte. Margot ging hinein und nahm den Hörer ab. Ihr Sohn meldete sich und fragte, wie es Thomas ging.

»Leider unverändert. Er ist noch immer ohne Bewusstsein.«

»Das heißt, dass du die Vollmacht vorlegen musst, damit du den Arbeitsvertrag an seiner Stelle unterschreiben kannst. Hast du sie inzwischen gefunden?«

»Ja. Sie war tatsächlich im Keller.«

»Gut.« Er klang erleichtert. »Und du bist sicher, dass Thomas einverstanden ist?«

»Wieso fragst du? Lissy ist noch nicht so weit. Das weißt du selbst. Es ist ganz in seinem Sinn.«

»Ich meine ja nur, weil die Vollmacht über zwanzig Jahre alt ist. Vielleicht hat er seine Meinung mittlerweile geändert.«

»Das hat er nicht.«

»Ich will nur sicher sein, dass es deswegen keinen Ärger gibt. Sag mir Bescheid, wie Pia es aufnimmt. Vielleicht will sie die Entscheidung ja anfechten. Das wäre kein guter Start.«

»Ich rufe dich an, sobald ich mit ihr gesprochen habe.« Sie verabschiedete sich, ging hinunter in den Keller und trug den Karton mit dem alten Briefpapier nach oben. Jetzt gab es kein Zurück mehr.

Im April 1995, ein knappes Jahr nach Beatrix' Tod, hatte Graven Internetanschluss bekommen, und Thomas hatte eine Homepage in Auftrag gegeben. Damit einhergegangen war die Neugestaltung des Geschäftspapiers. Web- und Mailadresse mussten aufgenommen werden. Damals hatte Margot einen Karton des alten Briefpapiers als Schmierzettel mit nach Hause genommen und dann vergessen.

Als Nächstes trug sie die Kugelkopfschreibmaschine nach oben, die ihr im Büro viele Jahre treue Dienste geleistet hatte, bis die PCs Einzug hielten. Es wäre schade gewesen, sie wegzuwerfen. Seither stand sie im Keller.

Den Mustertext hatte Margot heute in einem Fachbuch für Firmenrecht gefunden, das seit ewigen Zeiten im Büro stand.

In der Küche schenkte sie sich ein weiteres Glas vom Silvaner ein und trank sich Mut an. Was sie tat, würde Graven vor dem Untergang bewahren. Thomas würde so entscheiden, wenn er könnte. Er würde auch nicht dulden, dass Pia sie rauswarf.

Was sie tat, mochte zwar Urkundenfälschung sein und somit eine Straftat. Aber sie tat es mit den besten Absichten. Außerdem würde es erst herauskommen, wenn Thomas wieder bei sich war, und er würde sie nicht verraten. Schlimmstenfalls würde er ihr unter vier Augen die Leviten lesen, dann aber einsehen, dass es so am besten gewesen war.

Sie spannte einen Bogen Papier in die Maschine und begann zu tippen, zunächst mit zitternden Fingern, doch dann immer sicherer. Sie tat das Richtige.

Zwanzig Minuten später verbrannte sie das übrig gebliebene Briefpapier im Kaminofen. Die Schreibmaschine verstaute sie wieder im Keller. Vorher entfernte sie das Farbband und warf es in den Müll. Sicher war sicher. Wer wusste schon, ob Pia die Echtheit der Vollmacht nicht anzweifeln und ihr die Polizei auf den Hals hetzen würde.

Nun noch die Unterschrift. Margot gab sich einen Ruck und setzte Thomas' Signatur unter das Dokument. Sie beherrschte sie wie ihre eigene, denn er überließ es ihr, den belanglosen Teil der Korrespondenz zu unterzeichnen. Außer ihr und ihm wusste das niemand. Hoffentlich. Vielleicht hatte er es ja Pia erzählt oder Leonhard. Doch die Fälschung zu beweisen, würde unmöglich sein. Vermutlich gab es mehr Signaturen von ihrer Hand als von seiner.

*

Obwohl sie eine Schlaftablette genommen hatte, schlief Pia in dieser Nacht schlecht. Immer wieder wachte sie auf. Bilder schlichen sich an. Thomas im offenen Sarg. Eine Menschenmenge bei der Trauerfeier. Das Grab, bereit, ihn aufzunehmen.

Diese Gedanken trieben sie um drei Uhr morgens aus dem Bett. Mit einer Kanne Tee ging sie ins Atelier und arbeitete weiter am Porträt von Mathilde Agedin. Die Konzentration, die sie dafür aufbringen musste, ließ keine anderen Gedanken zu.

Gegen fünf wurde es hell. Pia schaltete die Tageslichtlampe aus und ging ans Fenster. Ein zartrosa Schimmer am Himmel, mit einem leichten Stich ins Violette. Wie bei Catels Flusslandschaft, die im Wohnzimmer hing.

Thomas würde nicht sterben. Es war nur eine Frage der Zeit, bis er aufwachte. Doch eines hatte Professor Weigel ihr gestern klargemacht. Thomas würde für Monate ausfallen. Sie mussten also jemanden finden, der den Betrieb solange führen konnte.

Um halb sechs hörte sie, wie Lissy ins Bad und dann nach unten in die Küche ging. Pia folgte ihr. Ihre Tochter hatte den Wasserkocher gefüllt und schnitt sich eine Scheibe Bauernbrot ab, genau wie Thomas das jeden Morgen tat.

»Du bist ja schon auf«, sagte Lissy überrascht.

»Ich konnte nicht schlafen.«

»Ach, Mama!« Ihre Tochter nahm sie in den Arm.

Dabei bemerkte Pia den Geruch, der in ihrem Haar saß. Ein wenig nach Rauch und Kneipe und Gras. »Kiffst du?«

Lissy machte sich los. »Ja, und? Keine Sorge, ich übertreibe es nicht. Andere betrinken sich.«

»Ist das eine ernstere Geschichte mit David?«

Lissy verdrehte die Augen, ging zum Kühlschrank und nahm die Butterdose heraus. »Können wir das Thema wechseln?«

Liebst du ihn?, hätte Pia beinahe gefragt. Dabei hatte sie sich geschworen, ihrer Tochter diese Frage niemals zu stellen. Und schon gar nicht verbunden mit der Angst, dass sie sich durch eine große Liebe unglücklich machen könnte. Die Mär vom bösen Fluch sollte im Leben ihrer Tochter keinen Platz finden.

»Tut mir leid«, sagte sie.

»Ist schon gut.« Lissy strich sich die Butter dick aufs Brot, genau wie Thomas. Die Sehnsucht nach ihm schnitt Pia ins Herz.

»Liegt's an Papa, dass du nicht schlafen kannst?«

»Auch.«

»Er wird schon wieder gesund.«

»Aber es wird dauern. Monate. Vielleicht länger. Ich habe gestern mit seinem Arzt gesprochen. Wir brauchen jemanden, der dich unterstützt und Entscheidungen treffen kann, wenn das Semester wieder beginnt.«

Lissy sah auf. »Ich wollte Anneliese fragen, ob sie bereit wäre, diesen Part zu übernehmen. Das neue Semester beginnt Anfang September. Bis dahin bin ich hier. Richtig stressig wird es erst im Oktober und November. Vorausgesetzt, wir kriegen eine Trockenbeerenauslese hin. Ich will gleich im Prälatengarten nachsehen, ob wir wirklich ohne Spritzen zurechtkommen. Ich fahre dann gegen Mittag zu Papa ins Krankenhaus.«

Was für eine wunderbare junge Frau, dachte Pia. So verantwortungsbewusst und stark. Das haben Thomas und ich gut gemacht.

Lissy aß ihr Butterbrot im Stehen und ging in den Weinberg.

Pia legte sich noch mal ins Bett und stand erst auf, als sie anderthalb Stunden später das vertraute Klappern aus der Küche hörte und der Tag seinen normalen Gang zu nehmen schien. Doch ohne Thomas war nichts normal.

Nach dem Frühstück sah sie die Post durch, die seit Tagen liegen geblieben war. Irene hatte sie im Wohnzimmer auf den Couchtisch gelegt. Viel Werbung. Das meiste konnte in den Papiermüll. Beim Hinausgehen fiel ihr Blick auf Catels Flusslandschaft. Sie hing über der Kommode. Dieses Bild hatte sie zusammengebracht. Es war beinahe zweihundert Jahre alt, doch die Frau am Ufer stand dort erst seit zwanzig Jahren, und noch immer dachten Thomas und sie sich Geschichten über sie aus.

Pia ging ins Atelier und arbeitete weiter am Porträt, bis Irene kurz vor zehn klopfte und eintrat.

»Margot schickt mich. Sie will Sie sprechen. Im Büro, hat sie gesagt.«

Überrascht legte Pia den Antragsspachtel beiseite. Das waren ja ganz neue Töne. Seit wann hatte Margot Irene etwas aufzutragen?

»Ja, danke.« Pia wusch sich den Kitt von den Händen und ging hinunter. Einen Moment befürchtete sie, es wäre etwas mit Thomas. Doch ihr Handy war eingeschaltet und steckte in der Hosentasche. Das Krankenhaus würde zuerst sie anrufen.

Die Fenster im Büro waren geöffnet. Margot saß an ihrem Schreibtisch und stand auf, als Pia eintrat. »Hast du ein paar Minuten Zeit für mich?«

»Wäre ich sonst hier? Was gibt es denn?«

»Hast du gestern mit Professor Weigel gesprochen?«

»Was wird das hier? Das Spiel: Jeder stellt Fragen, niemand antwortet?«, entgegnete Pia gereizt.

»Also gut.« Margot strich sich energisch eine Strähne hinters Ohr. »Ich gehe davon aus, dass du inzwischen über den Gesundheitszustand von Thomas im Bilde bist. Er wird zumindest auf absehbare Zeit nicht in der Lage sein, den Betrieb zu führen. Für diesen Fall hat er vorgesorgt. Lies selbst.« Margot nahm ein Blatt Papier vom Tisch und reichte es ihr.

Pia las die Überschrift. Dann zog sie einen Stuhl heran, weil sie sich setzen musste. *Generalvollmacht*. Sie traute ihren Augen nicht. Thomas hatte Margot schon vor über zwanzig Jahren bevollmächtigt, ihn in allen geschäftlichen, vermögensrechtlichen und persönlichen Angelegenheiten zu vertreten, für den Fall, dass er selbst dazu nicht in der Lage sein sollte. Die Vollmacht war uneingeschränkt gültig und galt über seinen Tod hinaus. Ihre Gültigkeit verlor sie erst, wenn seine Erben sie widerriefen.

»Du verstehst, was das bedeutet?«, fragte Margot. »Du hast hier nichts zu sagen. Ich kümmere mich um das Gut, und du restaurierst deine Bilder. Und stell dich darauf ein, dass ich wieder einziehe.«

Kampfeslust erwachte in Pia. So tief der erste Schreck auch saß, sie war nicht bereit, das hinzunehmen. »Du solltest besser damit warten, den Umzugswagen zu bestellen. Dieser Wisch ist nichts wert. Thomas hat dir die Vollmacht gegeben, bevor wir geheiratet haben. Sie ist ungültig.« Das musste sie einfach sein. Einen Moment rang Pia mit sich, ob sie das Dokument zerreißen sollte, doch dann knallte sie es auf den Kopierer und drückte den Startknopf. »Unser Anwalt wird das prüfen, und bis dahin entscheidest du hier gar nichts.«

*

Es war Punkt zehn, als Sonja den Ordner mit ihren Unterlagen für den Roman zuschlug, den Schlüssel für die Remise einsteckte, den Margot ihr gestern gegeben hatte, und sich auf den Weg machte. Es war Zeit, sie zu inspizieren.

Als sie über den Hof ging, bemerkte sie Pia und Margot am offenen Fenster des Büros. Die beiden stritten sich.

Hoffentlich nicht wegen Margots Eigenmächtigkeit, ihr den Schlüssel zu geben. Sonja sah zu, dass sie aus ihrem Blickfeld verschwand.

Als sie an der Terrasse vorbeiging, erinnerte sie sich wieder an ihren Traum, in dem das zertrümmerte Auto hier zwischen Blutflecken gelegen hatte. Die Veranda war mit Schieferplatten aus der Gegend belegt. Rechts und links befanden sich zwei kniehohe Mauern, nur vorne war sie offen. Drei Stufen führten hinunter zum Rasen. Sonja setzte sich auf eine der Mauern und betrachtete die Fugen.

Nur einen Tag hatte ihre Mutter es im Sommer vor zwanzig Jahren im Ferienhaus der Freunde in der Normandie ausgehalten. Dann hatte ihr der Streit mit Henning leidgetan. Sie wollte den Versuch unternehmen, ihre Ehe zu retten, und war mit Sonja zurückgefahren. Als sie hier angekommen waren, musste es beinahe Mitternacht gewesen sein.

Es war Neumond gewesen. Eine pechschwarze Nacht lag über dem Tal. Im Dorf saßen noch einige Touristen vor den Weinschenken. Als Sonja und ihre Mutter die Straße nach Graven hinauffuhren, bemerkten sie die Einsatzfahrzeuge von Feuerwehr und Polizei. Überall blinkende Lichter. Blau, gelb, orange. Nicht nur auf der Straße, sondern auch im Weinberg. »Da hat wieder einer die Kurve nicht gekriegt«, sagte ihre Mutter. »Die saufen hier einfach zu viel.«

Ein Polizist winkte sie an der Unfallstelle vorbei, und Mama lenkte den Familienkombi in den Hof von Graven. Der Bewegungsmelder schaltete die Lampen an. Eine tiefe Ruhe lag über dem Anwesen. Es war spät. Um diese Zeit schliefen schon alle. Da ihre Mutter keinen Schlüssel hatte und niemanden wecken wollte, schlug sie vor, in der Remise zu übernachten, die Henning nie abschloss. Vielleicht saß er sogar noch dort und schrieb. Sonja flitzte schon mal los. Sie wollte ihrem Papa sagen, dass es ihr leidtat. Er war nicht böse, und er sollte auch nicht sterben.

Als sie um die Hausecke bog, bemerkte sie Licht auf der Terrasse, doch da saß niemand. Der Lichtschein kam aus dem Wohnzimmer und beleuchtete ein Stück vom Terrassenboden. Scherben lagen dort und noch etwas anderes. Eine silberne Schlange. Seit Nane ihren Sack voller Grasnattern ausgekippt hatte, waren sie hier überall. Sonja fürchtete sich vor ihnen und stieg rasch auf die Mauer.

Im Haus knallte eine Tür, und Sonja kehrte in die Gegenwart zurück. Tatsächlich dicke Luft zwischen Pia und Margot. Sonja riss sich vom Anblick der Fugen los und ging nach hinten in den Garten.

Unter den Bäumen hielt sich noch die Kühle der Nacht. Auf dem Teich öffneten die Seerosen ihre Blüten, und der zarte Duft der Vogelmiere wehte von der Wiese herüber. Sonja wusste, dass sie hier die Ruhe zum Schreiben finden würde, die sie sich erhoffte. Sollten Pia und Margot sich doch vorne bekriegen.

Sie sperrte die Tür auf und betrat die Remise. Stickige Luft schlug ihr entgegen. Sie roch weder modrig noch schimmlig, was ihr Grund zur Hoffnung gab, dass das Häuschen bewohnbar war.

In schmalen Streifen fiel das Licht durch die Ritzen der Fensterläden. Den Raum erkannte Sonja wieder. Er war

Küche, Arbeits- und Wohnzimmer in einem. Linker Hand führte eine steile Holztreppe nach oben. Darunter stand der Schreibtisch, an dem ihr Vater damals gearbeitet hatte. Bei seinem Anblick zog sich etwas in ihr zusammen, und die Erinnerung stieg in ihr auf, wie sie hier gestanden und voller Zorn ihren Vater angeschrien und ihm den Tod gewünscht hatte.

Sie atmete durch, öffnete die Fenster, ließ Licht und Luft herein und sah sich um. Reichlich Spinnweben und Staub. Tote Fliegen auf den Fensterbrettern. Doch die Tapete rollte sich nicht von den Wänden. Der Putz fiel nicht von der Decke. Der Dielenboden sah intakt aus. Sofa und Sessel lagen unter Tüchern verborgen. Sie fand ein paar Mäuseköttel und setzte den Punkt »Lebendfalle kaufen« auf ihre imaginäre Liste der zu erledigenden Dinge. In der Kochnische gab es einen zweiflammigen Elektroherd und einen Kühlschrank, dessen Tür seit zwanzig Jahren offen stand. Jemand hatte nach Hennings Tod hier aufgeräumt und das Haus geschlossen. Vermutlich die damalige Haushaltshilfe. Tereza hatte sie geheißen. Eine rothaarige junge Frau aus Polen oder Tschechien. Wenn Sonja Lust auf Süßigkeiten gehabt hatte, musste sie nur zu Tereza gehen, von ihr bekam sie immer etwas. Einen Schaumkuss, grüne und rote Gummischlangen oder Ahoi-Brause mit Himbeergeschmack. »Zucker und Chemie, angereichert mit Farb- und Konservierungsstoffen«, so hatte ihre Mutter diese Köstlichkeiten genannt, und natürlich waren sie verboten gewesen.

Versuchsweise drehte Sonja am Wasserhahn. Es kam kein Tropfen. Den Sicherungskasten entdeckte sie unter der Treppe. Eine Reihe grauer Kippschalter. Alle zeigten nach oben, bis auf einen, der breiter und schwarz war. Vielleicht der Hauptschalter. Sie legte ihn um. Das Licht in der Küchenecke leuchtete auf, und der Kühlschrank ging surrend in Betrieb. Sonja schloss die Tür. Von wegen unbewohnbar, dachte sie.

Über die steile Treppe ging es nach oben und direkt hinein ins Schlafzimmer, das spartanisch eingerichtet war. Ein niedriges Bett unter der Dachschräge. Darauf eine Matratze, ebenfalls von einem Tuch abgedeckt, auf dem sich Staubflusen angesammelt hatten. Kissen und Decke fehlten. Nicht verwunderlich, denn ihr Vater hatte hier nur gearbeitet. Gewohnt hatten sie alle im Haupthaus. Eine Kleiderstange mit leeren Bügeln ersetzte den Schrank. Das Bad wurde lediglich durch einen Vorhang abgeteilt. Auch hier hingen überall Spinnweben. Der Spiegel war nahezu blind, Waschbecken und Duschwanne voller Staub und toter Spinnen und Fliegen. Die Toilette sah manierlich aus. Was fehlte, war ein Duschvorhang. Das war alles.

Sie ging hinunter und suchte nach dem Hauptwasserhahn, den sie schließlich unter einer kleinen Falltür im Dielenboden fand. Als sie ihn aufdrehte, begann der Hahn am Spülbecken röchelnd eine rostige Plörre auszuspucken. Sie lief nach oben und drehte auch im Bad die Hähne auf. Es dauerte eine ganze Weile, bis das Wasser klar und kalt herausströmte.

Von Irene ließ Sonja sich alles geben, was sie brauchte, um das Häuschen bewohnbar zu machen, und verbrachte die nächsten Stunden mit Staubsaugen und Putzen. Danach fuhr sie ins Gewerbegebiet und besorgte im Baumarkt zwei Lebendfallen für Mäuse, einen Duschvorhang und im Supermarkt ein paar Vorräte und was sie sonst noch brauchte. Nach ihrer Rückkehr trug sie ihre Sachen zusammen mit dem Bettzeug aus dem Gästezimmer in die Remise. Fertig war der Umzug.

Der Standort des Schreibtischs unter der Treppe gefiel ihr nicht. Sie beschloss, ihn vor das Fenster zu rücken. Von dort hatte sie freie Aussicht in den Garten.

Der Tisch war ein altmodisches Monstrum aus der Zeit vor dem Zweiten Weltkrieg, der sich nur mit Mühe umherschieben ließ. Zuerst zog sie die Schubladen heraus, damit er leichter wurde. Dabei entdeckte sie einen Hefter, den sie aufschlug. Er enthielt einen dünnen Stapel Papier, etwa dreißig Seiten. Es war das Manuskript, an dem ihr Vater vor zwanzig Jahren gearbeitet hatte. Das Drama um seinen Onkel Ferdinand, Thomas' Bruder, der seine Frau erschlagen hatte. Sie las die ersten Seiten, die ihr sehr sperrig erschienen, und legte den Hefter wieder zurück. Erst wollte sie sich fertig einrichten.

Als sie es geschafft hatte, den Tisch zu verrücken, war sie schweißgebadet und ließ sich auf das Sofa fallen. Dabei entdeckte sie an der Wand, an der der Tisch gestanden hatte, ein Geflecht von Spinnweben. Und auf dem Boden ein Blatt Papier, das zwischen Rückwand und Wand geklemmt haben musste und nun heruntergefallen war. Sonja hob es auf und wischte die Spinnweben weg. Es war ein Brief, der auf den 16. Juli 1998 datiert war. Sie erkannte die Handschrift ihres Vaters, der Brief war an ihre Mutter gerichtet. Er hatte ihn einen Tag vor seinem Tod geschrieben.

Meine geliebte Katja!
Einige Stunden sind vergangen, seit Du mit Sonja weggefahren bist, und ich finde endlich Ruhe, um Dir zu schreiben.
Mein Vater ist für zwei Tage verreist. Er lässt sich eine neue Weinpresse vorführen. Margot ist die meiste Zeit im Büro. Sie geht Pia aus dem Weg, und Pia tut dasselbe. Offenbar hat sie gemerkt, was wir von ihr halten. Aber es soll hier nicht um Vater und seine viel zu junge Frau gehen, sondern um uns.
Jetzt sitze ich hier und versuche zu formulieren, was mich bewegt. Meine Worte klingen entweder rechtfertigend und anmaßend oder oberflächlich, als nähme ich die Situation auf die leichte Schulter. Aber das tue ich nicht. Es tut mir leid, dass ich Dich geschlagen habe. Ich habe keine Erklärung dafür. Es ist unverzeihlich, dennoch hoffe ich, dass Du mir verzeihen kannst. Mir ist bewusst, dass unsere Ehe zu scheitern droht. Ich will Dich nicht verlieren. Ich liebe Dich. Ich liebe Sonja, unseren Sonnenschein. Ich liebe unsere kleine Familie. Ihr seid alles, was ich habe. Ohne Euch bin ich nichts.
Mir tut auch leid, dass ich Dich durch diese kleine Affäre verletzt habe. Sie bedeutet mir nichts. Das weißt Du doch. Allerdings weiß ich, dass ich es nicht ungeschehen machen würde, wenn ich könnte. Denn ich bin, wie ich bin. Und ich bin noch immer der, den Du

geheiratet hast. Du hast es von Anfang an gewusst. Du kennst meine Schwäche, und ich erinnere mich, wie Du schallend gelacht hast, als Uwe Ochsenknecht in Schtonk den Satz sagt: Ich kann allem widerstehen, nur der Versuchung nicht. Der könnte von Dir sein, hast Du gesagt.
Wir wissen beide, dass man den anderen nicht ändern kann. Wir haben uns aufeinander eingelassen und wussten, wie wir sind. Und nun willst Du entweder die Spielregeln ändern oder mich. Letzteres geht nicht, wie schon gesagt. Daher bleiben nur zwei Möglichkeiten: Wir belassen alles, wie es ist, und Du siehst über meine gelegentlichen Seitensprünge hinweg …
Oh, ich bekomme gerade hochherrschaftlichen Besuch. Pia höchstpersönlich erweist mir

Sonja war bei der letzten Zeile angelangt. Obwohl sie wusste, dass die Rückseite weiß war, drehte sie das Blatt um und legte es dann auf den Couchtisch. Aus dem Kühlschrank nahm sie eine Flasche Wasser und trank direkt daraus. Ihr Vater hatte ihre Mutter tatsächlich betrogen. Er hatte sich diese Freiheit offenbar von Anfang an herausgenommen und als selbstverständlich betrachtet. Machte ihn das nun zum Mistkerl, wie Katja ihn seit zwanzig Jahren titulierte? Sie hatte sich ja offenbar sehenden Auges darauf eingelassen.

Durch das offene Fenster hörte Sonja Schritte auf dem Kies, die näher kamen. Einen Moment später klopfte es an der Tür. Hoffentlich nicht Pia, die vielleicht ihrem Ärger über den Umzug Luft machen würde.

Sonja fasste sich ein Herz und rief: »Es ist offen.«

Es war Margot, die eintrat und sich umsah. »Hübsch hast du es dir hier gemacht. Ich dachte ja gleich, dass nicht viel zu tun ist. Kommst du zurecht, oder brauchst du noch etwas?«

»Danke. Ich habe alles. Darf ich dich etwas fragen?«

»Wenn ich mich solange setzen kann? Diese Schuhe bringen mich noch um.« Margot nahm auf dem Sofa Platz, streifte die hochhackigen Pumps ab und seufzte erleichtert.

»Warum trägst du überhaupt immer hohe Schuhe?« Auf einem Weingut wären Sneakers besser geeignet, dachte Sonja, doch sie hatte Margot noch nie mit flachen Schuhen gesehen.

»Es hat etwas mit der inneren und äußeren Haltung zu tun«, erklärte Margot. »Man geht aufrechter. Außerdem überrage ich Pia damit.«

»Ihr hattet vorhin Streit. Hoffentlich nicht meinetwegen.«

Margot winkte ab. »Es ging ums Geschäft. Was wolltest du mich fragen?«

»Es ist wegen Henning.«

Kaum merklich veränderte sich Margots Haltung, als ob sie mit einem Mal auf der Hut wäre.

»In dem Sommer, als wir hier waren, hat er meine Mutter betrogen. Weißt du, mit wem?«

»Hat Katja dir das nicht erzählt? Er hat etwas mit Tereza angefangen. An sie erinnerst du dich bestimmt. Die Haushaltshilfe. Sie hat dir immer Süßigkeiten zugesteckt, was deine Mama fuchsteufelswild gemacht hat. Und dann hat sie Henning vernascht. Oder umgekehrt. Vermutlich umgekehrt.«

Sonja versuchte, sich ihren Vater mit Tereza vorzustellen, doch es gelang ihr nicht.

»So war er nun einmal«, fuhr Margot fort. »Henning konnte die Finger nicht von den Frauen lassen. Er hat das Leben genommen, wie es kam, und es genossen. Wenn man bedenkt, wie kurz es war, dann war es vielleicht nicht das Schlechteste. Nur bei einer …« Margot brach ab.

»Was meinst du?«, fragte Sonja.

»Ich weiß nicht, ob ich dir das erzählen soll.« Einen Moment zögerte Margot. »Also gut. Nur bei einer ist Henning abgeblitzt, nämlich bei Pia.«

»Was?« Henning sollte die Frau seines Vaters angebaggert haben? Seine Stiefmutter, genau genommen? Eine Frau, über die er sich lustig gemacht hatte, von der er sich verdrängt und bedroht fühlte? »Das glaube ich jetzt nicht. Er hat Pia doch beinahe gehasst.«

»Was einen Mann nicht daran hindert, es zu versuchen. Sieh es als eine Art Sieg an, als einen Akt der Unterwerfung. Ich denke, das war es, was er erreichen wollte.«

»Aber zwischen den beiden lief nichts?«, fragte Sonja sicherheitshalber nach.

»Natürlich nicht. Pia hatte doch, was sie wollte: Thomas. Seinen Namen. Das schöne Leben hier.« Margot stand auf. »Wie gesagt: Henning hatte eine Affäre mit Tereza, und deine Mutter hat die beiden hier überrascht.«

Eine völlig neue Seite an ihrem Vater kam zum Vorschein. Warum hatte ihre Mutter mitgespielt?

»Ich muss wieder an die Arbeit.« Margot bückte sich nach den Schuhen. »Wenn du irgendwas brauchst, sag Bescheid.«

Eine Frage hatte Sonja noch. »Als meine Mutter mit mir in der Unglücksnacht zurückgekommen ist, war da Blut auf der Terrasse?«

Mit einem Seufzer richtete Margot sich auf. »Wie kommst du denn auf die Idee?«

»Ich kann mich erinnern, wie ich ums Haus gelaufen und auf die Terrasse gegangen bin. Dort waren Scherben und Blut und mittendrin eine von Nanes Schlangen. Ich weiß, das klingt seltsam. Aber ich bin mir beinahe sicher, dass ich das gesehen habe.«

»Das hast du auch. Aber es war kein Blut, sondern Rotwein. Henning und Thomas hatten sich gestritten. Dabei ist ein Glas zu Bruch gegangen. Dieser Streit war ja der Grund, weshalb Henning so wütend weggefahren ist. Ausgerechnet mit Pias Auto, weil Katja mit eurem unterwegs war. Hätte er doch nur das von Thomas genommen.«

*

Endlich einmal saß Nane an ihrem Arbeitsplatz, was Birgit wohlwollend kommentiert hatte. Dabei wäre Nane am liebsten weggerannt. Alles fühlte sich falsch an. Ihre Wohnung, die zu groß und zu schön war. Die Arbeit, die ihr keine Freude machte. Es kam ihr völlig sinnlos vor, einen Auktionskatalog für reiche Leute zu gestalten, die ihr Geld in Kunst investierten und darauf spekulierten, noch mehr Geld damit zu machen. Und sogar die Freude, die sie gelegentlich empfand, fühlte sich verkehrt an. Wenn sie einen Vogel beobachtete oder Musik hörte, wenn sie sich in ihrer kleinen Küche etwas kochte und ihr das Leben plötzlich glücklich und normal erschien, dann schämte sie sich und wäre am liebsten davongelaufen. So wie jetzt.

Aber der Arbeitsplatz gehörte zu den Bewährungsauflagen. Sie konnte ihn nicht hinwerfen. Allein schon wegen Birgit nicht. Sie hatte so viel für sie getan, da war es nur fair, jetzt auch etwas zurückzugeben und diesen Katalog zu entwerfen. Also riss Nane sich zusammen und arbeitete weiter am Layout, während Birgit vorne im Laden einen Kunden beriet.

Gegen zehn brachte der Briefträger zwei Päckchen und ein Einschreiben. Sie quittierte den Empfang und kehrte an ihren Schreibtisch zurück. Das Einschreiben war für sie und kam von einem Rechtsanwalt namens Peter Klaas. Ihr schwante schon nichts Gutes, als sie den Umschlag öffnete.

Hausverbot
Sehr geehrte Frau Rauch,
im Auftrag meiner Mandantin Pia von Manthey erteile ich Ihnen hiermit mit sofortiger Wirkung ein Hausverbot bezogen auf sämtliche Gebäude sowie das Gelände des Weinguts Graven.
Ferner erteile ich Ihnen in Absprache mit meiner Mandantin und der Leitung des St.-Joseph-Klinikums Trier ein Hausverbot für o. g. Klinik, insbesondere für die Station, auf

der sich mein Mandant Thomas von Manthey derzeit befindet.
Sollten wir feststellen müssen, dass Sie dem Verbot zuwider die oben aufgeführten Gelände und/oder Gebäude betreten, werden wir Sie polizeilich entfernen lassen und ohne weitere Vorankündigung Strafantrag wegen Hausfriedensbruchs gemäß § 123 StGB stellen.
Mit freundlichen Grüßen
RA Peter Klaas

Fassungslos legte Nane das Schreiben auf den Tisch. Sie wollte doch nur mit Thomas reden. Warum verwehrte Pia ihr das? Hatte sie die Befürchtung, sie würde ihn umbringen? Ihr Hass hatte immer nur ihr gegolten, nie ihm. Sie wollte ihm nichts Böses.

Ihre Hände zitterten. Sie fühlte sich so elend. *Werden wir Sie polizeilich entfernen lassen.* Entfernen, wie ein lästiges Insekt. Eine Assel, die man zertreten konnte.

Es dauerte einige Minuten, bis Nane sich wieder gefangen hatte. Wenigstens wusste sie jetzt, wo Thomas war. Doch sie durfte nicht zu ihm. Pia würde sie anzeigen, und dann wäre es vorbei mit der Freiheit. Dann würde die Bewährung widerrufen. Sie würde also nie erfahren, was sie in jener Nacht am Telefon gesagt hatte. Ob sie ihn gewarnt oder beschimpft hatte. Ob er log oder sie sich die Wahrheit zurechtbiegen wollte. Wenn er log, dann wollte sie wissen, warum. Die einzige Erklärung, die sie bisher gefunden hatte, war Rache. Er wollte sie für immer hinter Gittern sehen, und nicht nur für zehn Jahre. Sie hatte ihm sein Kind genommen, und ihre Strafe sollte darin bestehen, dass sie selbst nie eines haben würde. Hatte er das am Ende gewollt? Oder war das nur ihre Interpretation?

Das Beben saß wieder in ihr, diese Unruhe. Für einen Moment sehnte Nane ihre kleinen weißen Helferlein herbei. Doch die nahm sie schon lange nicht mehr. Es war eine Art kalter Entzug gewesen, damals während der U-Haft. Nur hatte das niemand mitbekommen, denn niemand wusste, dass sie das Zeug nahm. Mehrfach hatte sie versucht, davon loszukommen. Leider zur falschen Zeit. Doch jetzt könnte sie die Tabletten gut gebrauchen. Diese Unruhe machte sie verrückt. Sie schob das Einschreiben in die Schublade, stand auf und kippte den kalt gewordenen Kaffee ins Spülbecken. In der Schachtel mit den Teebeuteln suchte sie nach einer beruhigenden Sorte und fand einen mit dem vielversprechenden Namen Seelenharmonie.

Doch auch der Tee half nicht. Nane hielt es kaum auf ihrem Stuhl. Sie sehnte die Mittagspause herbei und lehnte Birgits Angebot ab, gemeinsam zu essen. Sie brauchte Bewegung und frische Luft und wollte einfach losmarschieren. Der Fehler war, dass sie den Wagenschlüssel bei sich trug. Als sie Birgits weinroten Peugeot sah, konnte sie nicht anders. Sie stieg ein und fuhr los.

Nach anderthalb Stunden Fahrt klingelte ihr Telefon. Birgit rief an. Nane ging nicht ran und schrieb ihr erst eine SMS, als sie in Trier auf dem Parkplatz des Klinikums stand.

Ich musste einfach raus und hab mir den halben Tag freigenommen.

Sofort kam die Antwort: *Wo bist du?*

Nane antwortete nicht und schaltete das Handy stumm. Sie überlegte, wie sie unerkannt zu Thomas gelangen konnte, denn sicher hatte Pia ein Foto von ihr im Stationszimmer an die Wand gepappt. *Wanted!* Die Sonnenbrille allein würde nicht helfen. Doch mehr hatte sie nicht. Das Auffälligste an ihr waren die hellen Haare. Auf dem Weg zum Krankenhaus war sie an einem Sportgeschäft vorbeigekommen. Sie fuhr zurück und kaufte ein Basecap, unter dem sie ihr Haar verbarg. So gerüstet betrat sie die Klinik und fragte an der Information, auf welcher Station Thomas von Manthey lag. Prompt wurde sie nach ihrem Namen gefragt.

»Anne von Manthey, seine Nichte.« Dabei hatte Thomas keine Nichten, aber das konnte die Frau ja nicht wissen. Sie erklärte ihr den Weg zu seinem Zimmer, und Nane fuhr mit dem Lift nach oben. Auf dem Flur war niemand zu sehen. Im Stationszimmer saß eine Krankenschwester mit dem Rücken zu ihr am PC. Nane steuerte das Zimmer an, das der Nummerierung nach am Ende des Flurs liegen musste. Ein Pärchen kam ihr händchenhaltend entgegen. Ein junger Mann ganz in Schwarz mit bleichem Gesicht und geschminkten Augen und Pias Tochter Lissy. Erschrocken blieb Nane stehen, was sich als Fehler entpuppte. Denn nun wurden die beiden auf sie aufmerksam. Zögernd kamen sie näher.

»Tante Nane?«, fragte Lissy. »Shit. Du solltest dich besser nicht erwischen lassen. Du hast hier Hausverbot. Weißt du das denn nicht?«

»Doch. Ich hab's schriftlich und per Einschreiben. Ich muss aber mit Thomas reden.« Plötzlich schnürte sich ihr die Kehle zu, wenn sie sich vorstellte, wie krank er war und dass er vielleicht bald sterben würde. »Ich will ihm nichts Böses. Nur reden.«

»Das kannst du nicht. Er ist bewusstlos und nicht ansprechbar.«

Nane erschrak. Sie war umsonst hierhergekommen, hatte vergeblich alles riskiert. Ihr wurde beinahe übel.

»Du solltest zusehen, dass du verschwindest«, sagte Lissy. »Mama wird ernst machen, wenn sie erfährt, dass du hier warst. Und Papa weiß sicher, wie sehr du bereust, was du getan hast. Du musst es ihm nicht sagen.«

»Darum geht es nicht. Er hat vor Gericht gelogen. Das vermute ich zumindest. Und ich will wissen, warum.«

Ungläubig sah Lissy sie an. »Warum hätte er lügen sollen? Soweit ich weiß, war alles klar, und du hast den Mord doch gestanden, oder nicht?«

Lissys Freund wurde unruhig. »Wenn du nicht willst, dass deine Tante Probleme kriegt, dann solltet ihr das woanders besprechen.«

Gemeinsam verließen sie das Krankenhaus und setzten sich in ein nahe gelegenes Café. Nane erzählte, wie sie damals voller Hass nach Graven gefahren war und an Pias Auto den größten Teil der Bremsflüssigkeit in eine mitgebrachte Flasche abgelassen hatte. In diesem Moment hatte sie den Tod ihrer Schwester gewollt. Doch auf dem Rückweg nach Frankfurt war die Reue gekommen. Nane war umgekehrt, denn sie befürchtete, Pia könnte das Auto in dieser Nacht noch benutzen, bevor sie selbst zurück war und die Bremsflüssigkeit wieder auffüllen konnte. Es war ja nicht einmal elf Uhr.

»Also habe ich in einem Dorf an einer Telefonzelle gehalten und Thomas angerufen. Mein Handy hatte ich daheimgelassen. Ich habe ihm gesagt, was ich getan habe und dass er das Auto in die Werkstatt bringen soll, weil kaum noch Bremsflüssigkeit drin ist. Dass Pia auf gar keinen Fall damit fahren darf. Ich glaube jedenfalls, dass ich das gesagt habe.« Sie schloss die Augen und kämpfte mit den widersprüchlichen Erinnerungen.

»Aber das musst du doch wissen«, entgegnete Lissy verwundert.

So einfach war das aber nicht. Das Gedächtnis war trügerisch und manipulierbar. Außerdem hatte sie ihre heimlichen Helfer nicht genommen und war deshalb total durch den Wind gewesen.

»Anfangs war ich mir auch sicher. Doch dann haben alle behauptet, es wäre eine Lüge. Ich habe angerufen, das hat die Kripo auch festgestellt, um 22.54 Uhr. Sechs Minuten vor dem Unfall. Aber was ich gesagt habe, konnten sie natürlich nicht herausfinden. Thomas sagt, ich hätte ihm Vorhaltungen gemacht. Wegen Pia. Weil er sie geheiratet hat. Aber ich wollte doch anrufen, um ihn zu warnen, und irgendwann wusste ich selbst nicht mehr, was ich gesagt habe.«

Der Gedanke war kaum zu ertragen. Hennings Tod wäre zu verhindern gewesen. *Du bist so ein charakterloses Schwein. Warum ausgerechnet meine Schwester? Warum tust du mir das an?* Hatte sie das am Telefon gesagt? Aber sie meinte sich auch zu erinnern, dass sie Thomas gewarnt hatte: *Bitte, Pia darf ihr Auto nicht benutzen. Sie darf nicht damit fahren. Du musst es in die Werkstatt bringen lassen.*

Abwartend sah Lissy sie an.

»Ein Psychologe hat es Wunschdenken genannt«, erklärte Nane. »Eine Schutzbehauptung. Der Staatsanwalt und sogar mein Anwalt haben mir irgendwann nicht mehr geglaubt. Ich habe Thomas nämlich häufig angerufen und ihm manchmal auch auf die Mailbox gesprochen. Immer habe ich ihm Vorwürfe gemacht. Und irgendwann wusste ich selbst nicht mehr, was ich gesagt habe.«

»Und warum sollte mein Vater das Gericht belügen?«, fragte Lissy. Ihre Stimmung war umgeschlagen, von freundlich interessiert zu angriffslustig. »Papa ist der ehrlichste Mensch, den ich kenne. Lass ihn in Frieden, Tante Nane. Es geht ihm nicht gut. Und falls du noch einmal hier auftauchst, decke ich dich nicht wieder.«

*

RA Reinhard Vogel – Anwalt für Wirtschaftsrecht. So stand es noch immer auf dem Firmenschild in der Trierer Altstadt. Doch Reinhard Vogel war vor drei Monaten völlig überraschend gestorben. Mit Mitte sechzig war er einfach vom Rennrad gefallen. Sekundentod.

Sein Nachfolger Julian Laufer hatte von Vogels Witwe die Kanzlei samt Mandantenstamm übernommen, zu dem seit Jahrzehnten das Weingut Graven und die Familie von Manthey gehörten. Gleich nach dem Streit mit Margot hatte Pia in der Kanzlei angerufen und um einen Termin noch für denselben Tag gebeten. Es war dringend. Bisher hatte sie mit Laufer noch nichts zu tun gehabt und war nun überrascht, einem jungen Mann gegenüberzusitzen. Sie schätzte ihn auf Anfang bis Mitte dreißig und sprach ihm spontan jegliche Erfahrung und Kompetenz ab. Beinahe noch ein Kind, dachte sie. Vermutlich frisch von der

Uni. Vogel war ein drahtiger Mann gewesen, mit scharfem Blick und scharfem Verstand. Laufer wirkte weich und nachgiebig.

Pia erklärte ihm die Situation, sprach von Thomas' Gesundheitszustand und berichtete, dass ihre Schwägerin ihr heute Morgen eine Generalvollmacht präsentiert hatte und was das für sie und ihre Tochter bedeutete. Margot hatte das Kommando übernommen, und sie waren nicht mehr als Gäste im eigenen Haus. Außerdem hatten sie keinerlei Einfluss darauf, was im Unternehmen geschah. Das war nie und nimmer im Sinn ihres Mannes. Sie reichte Laufer die Kopie über den Schreibtisch. Er las sie und sah auf.

»Formal und inhaltlich ist sie korrekt. Bezweifeln Sie die Echtheit?«

Das war eine überraschende Frage. »Eigentlich nicht. Kann ich sie noch mal sehen, bitte?«

Pia studierte die Unterschrift. Es war die von Thomas. Nur das Briefpapier kam ihr irgendwie seltsam vor. Natürlich konnte es vor zweiundzwanzig Jahren anders ausgesehen haben, doch dann entdeckte sie, dass die Mailadresse ebenso fehlte wie die Webadresse. Der Briefbogen stammte aus der Vorinternetzeit auf Graven.

»Ich glaube nicht, dass das eine Fälschung ist. Aber die Vollmacht kann nicht mehr gültig sein. Thomas und ich haben zwei Jahre später geheiratet. Wir haben eine Tochter, die in der Lage ist, die Geschäfte zu führen, bis Thomas wieder gesund ist.«

»Leider spielt der Zeitpunkt Ihrer Eheschließung keine Rolle. Die Vollmacht für Ihre Schwägerin würde ihre Gültigkeit aber verlieren, wenn es eine aktuellere gibt.

Haben Sie mal in den Unterlagen Ihres Mannes nachgesehen?«

»Er hätte mit mir darüber gesprochen, denke ich.«

»Aber sicher sind Sie nicht. Sehen Sie nach. Das wäre mein Rat. Wenn Sie nichts finden, gibt es verschiedene Möglichkeiten.« Laufer stützte den linken Ellenbogen auf und begann mit den Fingern aufzuzählen. »Erstens könnten wir die Vollmacht anfechten, wenn Ihr Mann, als er sie erstellte, krank war und nicht im Vollbesitz seiner geistigen Kräfte.«

»Damals war seine erste Frau gerade gestorben …«

»Sehr schön. Man könnte sicher Zeugen finden, die bestätigen, dass er sich in einer psychischen Ausnahmesituation befand. Zweitens kann Ihr Mann eine neue Vollmacht für Sie und Ihre Tochter ausstellen, sobald er wieder bei Bewusstsein ist.«

»Das wird hoffentlich nicht mehr lange dauern. Die Ärzte sind zuversichtlich.«

»Dann wäre das Problem ja schnell gelöst. Ich setze sie schon mal auf. So sind wir gerüstet.«

Pia revidierte ihre erste Meinung über Laufer. Der Mann hatte Biss.

»Drittens: Für den Fall, dass es nicht so schnell geht, könnten wir die Vollmacht anfechten und gleichzeitig mit einer einstweiligen Verfügung verhindern, dass Ihre Schwägerin allein Entscheidungen trifft. Die Alternative wäre, eine Kontrollbetreuung zu beantragen. In diesem Fall sieht ein gerichtlich bestellter Betreuer Ihrer Schwägerin auf die Finger. Wir könnten da auch zweigleisig fahren. Aber jetzt schauen Sie erst einmal in den Schreibtisch Ihres Mannes.«

Einigermaßen beruhigt verabschiedete Pia sich. Bevor sie nach Hause fuhr, besuchte sie Thomas. Sein Zustand war unverändert – bis auf die glatten Wangen, denn man hatte ihn rasiert. Schwester Marion kam herein und erklärte, dass am Vormittag noch einmal ein CT und weitere Untersuchungen gemacht worden seien. Das Gerinnsel war definitiv weg, es hatte sich auch kein neues gebildet. Es gab keinen erkennbaren Grund, weshalb Thomas nicht zu sich kam.

»Als ob er sich weigern würde«, sagte Schwester Marion im Hinausgehen.

Es liegt an Nane, dachte Pia, und eine Welle aus Wut und Scham überrollte sie. Doch was geschehen war, ließ sich nicht ändern, es war vergangen, vergessen, vorbei! Nane sollte sich aus ihrem Leben heraushalten. Sie wollte sie nie wiedersehen. Kein Wort mit ihr wechseln und keinen Gedanken an sie verschwenden.

Trotzdem wirbelten Bilder in ihr auf, die sie lange verdrängt hatte. Für einen Moment sah sie die roten Rücklichter wieder vor sich. Ihre nackten Füße auf dem Asphalt. Hörte ihren gellenden Schrei: *Lass dich rausfallen!* Sie riss sich zusammen und setzte sich zu Thomas ans Bett. Was in jener Nacht geschehen war, wussten nur sie beide. Ohne ihre Zustimmung würde er es nicht offenbaren. Doch es gab noch etwas, und das kannte nur sie. Die Lüge in der Lüge. Den Kern des Ganzen.

»Du solltest aufwachen, mein Lieber. Du wirst gebraucht.« Sie nahm seine Hand und erzählte ihm, was auf Graven los war. »Die Vollmacht für Margot hast du sicher längst vergessen. Sie aber nicht. Gibt es irgendwo eine für Lissy und mich, sag?« Doch er reagierte nicht auf ihre Worte. Sie atmete tief durch und sprach sich Mut zu. Er würde aufwachen, wenn es an der Zeit war. Eine Weile blieb sie noch an seinem Bett sitzen, gab ihm dann einen Kuss auf die Wange und fuhr nach Hause.

Als sie dort ankam, verließ Lissy gerade Margots Büro und knallte die Tür hinter sich zu. Pia hatte ihre Tochter über die Vollmacht informiert, bevor sie zum Anwalt gefahren war, und hatte ihr versichert, dass sie nicht gültig sein konnte. Lissy solle weitermachen wie bisher.

»Was ist denn los?«, fragte Pia.

»Marius hat mir telefonisch die Anweisung gegeben, den Prälatengarten spritzen zu lassen. Das werde ich nicht tun. Die Luftfeuchtigkeit ist gesunken, und die Reben sehen prächtig aus. Und du kommst vom Anwalt? Was sagt er?«

»Es ist nicht so einfach, wie ich gedacht habe.« Pia ging mit Lissy ins Haus und gab das Gespräch mit Julian Laufer wieder. »Ich sehe jetzt nach, ob es eine Vollmacht für dich gibt. Wenn nicht, wird Laufer morgen die Generalvollmacht anfechten. Außerdem wird er eine einstweilige Verfügung beantragen, damit die Wirksamkeit der Vollmacht ausgesetzt wird, bis das Gericht entschieden hat.«

»Das heißt, Marius hat hier gar nichts zu sagen? Margot hat nämlich vor, ihn als Geschäftsführer anzustellen, und bis dahin soll ich tun, was er mir aufträgt.«

»Du tust, was du für richtig hältst.«

Lissy nickte. »Okay. Hoffentlich findest du eine neuere Vollmacht. Soll ich dir beim Suchen helfen?«

Das Angebot nahm Pia gerne an. Während in Margots Büro die Akten in den Regalen strammstanden und die Ablage abends stets leer war, herrschte in Thomas'

Arbeitszimmer ein kreatives Chaos. Alles stapelte sich auf dem Schreibtisch, in Regalen und Ablagekörben. Prospekte, Kataloge, Einladungen, Bücher, Zeitungen und Zeitschriften und dazwischen Briefe, Karten und Notizen.

Gemeinsam machten sie sich ans Werk und nahmen sich Stapel für Stapel vor.

»Darf ich dich etwas fragen?« Lissy legte einen Katalog beiseite und griff nach einem Packen Prospekte.

»Natürlich.«

»So selbstverständlich ist das nicht. Es geht um Hennings Tod, und über den wird in diesem Haus ja nicht gesprochen. Warum eigentlich?«

Lautlos seufzte Pia. Mit Lissys Fragen hatte sie gerechnet, seit Nane hier aufgetaucht war. »Das kannst du dir doch denken. Es war eine schlimme Zeit. Vor allem für Thomas. Irgendwann muss man damit abschließen und nach vorne blicken. Es hilft nicht, die alten Wunden immer wieder aufzureißen.«

»Das verstehe ich, aber ich weiß nichts – nur, dass Nane dein Auto manipuliert hat, damit du verunglückst, und dass dann Henning damit gefahren ist.«

»Und mehr gibt es dazu auch nicht zu sagen. In ihrem Hass wollte sie mich umbringen und hat einfach nicht daran gedacht, dass auch ein anderer meinen Wagen benutzen könnte. So war sie schon immer. Erst denken, dann handeln, das ist nicht gerade ihre Stärke.«

»Sie sagt aber, dass sie Papa angerufen hat, um euch zu warnen.«

Pia ließ beinahe den Ordner fallen, den sie durchsah. »Du hast mit ihr gesprochen? War sie etwa bei Thomas im Krankenhaus?«

Sie sah, wie Lissy zusammenzuckte und nach einer Ausrede suchte. »David und ich haben sie zufällig in Trier getroffen.«

Ihre Tochter konnte nicht lügen. Dann wich sie immer mit dem Blick aus, so wie jetzt auch. »Lüg mich nicht an. Sie war in der Klinik.«

»Ja und?« Lissy zog die Schultern hoch. »Sie war nicht bei Papa. Wir haben sie vor seinem Zimmer abgefangen und hinausbegleitet. Ich habe ihr versprochen, dass ich sie dieses eine Mal decke. Stell mich also nicht bloß, indem du sie anzeigst.«

»Und dann hat sie dir das Märchen aufgetischt, dass sie Thomas angerufen hat, damit niemand mein Auto benutzt?«

»So war das nicht. Sie kann sich selbst nicht mehr genau erinnern, was sie gesagt hat. Sagt sie jedenfalls. Deshalb will sie mit Papa reden. Sie will wissen, ob er gelogen hat oder ob sie sich falsch erinnert.«

»Ich glaube es einfach nicht!« Pia knallte den Ordner auf den Tisch. »Thomas hat keinen Grund zu lügen. Sie aber schon.«

»Mich hat nur gewundert, dass Papa an sein Handy gegangen ist.«

»Was ist daran verwunderlich?«

»Ich meine, er geht spätestens um zehn ins Bett, und er nimmt sein Handy nie mit ins Schlafzimmer. Nanes Anruf kam um kurz vor elf.« Abwartend sah ihre Tochter sie an.

»Dein Vater ist keine wandelnde Uhr. An diesem Abend war er länger auf, weil er erst spät von einer Geschäftsreise zurückgekommen ist. Deshalb war er noch wach, als Nane anrief. Können wir jetzt weiter nach der Vollmacht suchen?«

»Von dir erfahre ich also auch keine Einzelheiten.«

»Lass uns später darüber reden. Ich muss Laufer heute noch Bescheid sagen, ob es eine zweite Vollmacht gibt. In Ordnung?« Lissy würde die Wahrheit erfahren, die alle kannten.

Gemeinsam suchten sie, fanden aber nichts. Lissy ging zu Leonhard, um sich einen Überblick zu verschaffen, welche Bestände im Keller lagerten, und Pia ging zurück ins Wohnzimmer, um Laufer anzurufen. Im Flur begegnete ihr Margot. Auf ihren hohen Pumps überragte sie Pia um einige Zentimeter, was ihr stets die Möglichkeit gab, auf sie herabzusehen. Manchmal hatte Pia sie in Verdacht, dass sie die Schuhe nur aus diesem Grund trug.

»Gut, dass ich dich treffe«, sagte Margot. »Ich will dich auf dem Laufenden halten. Marius wird in den nächsten Tagen kommen, um sich einen Eindruck zu verschaffen. Ich werde ihn als Geschäftsführer einstellen.«

Zorn kochte in Pia hoch. »Freu dich nicht zu früh. Mein Anwalt wird dafür sorgen, dass du ihn nicht einstellen wirst.«

»Das werde ich sehr wohl. Denn jemand muss sich um Graven kümmern, und das bin ich. Thomas will es so. Und wenn du denkst, dass du mir Knüppel zwischen die Beine werfen kannst, dann irrst du dich.« Margot warf den Kopf in den Nacken, und Pia hätte ihr am liebsten ins Gesicht geschlagen.

»Wir werden sehen«, sagte sie stattdessen betont ruhig, obwohl sie innerlich vor Zorn bebte.

»Lies die Vollmacht vielleicht noch einmal. Denn darin

steht, dass ich Thomas nicht nur in allen geschäftlichen, sondern auch in vermögensrechtlichen und persönlichen Angelegenheiten vertrete. Das bedeutet, dass ich dir und Lissy jederzeit den Geldhahn zudrehen oder euch vor die Tür setzen kann. Vor allem aber bedeutet es, dass ich entscheide, was mit Thomas passiert. Welche Behandlung er erhält, in welche Rehaklinik er kommt, und das müsste ich dir nicht einmal mitteilen.« Mit einem Lächeln wandte Margot sich ab und kehrte in ihr Büro zurück, während Pia vor Wut die Fäuste ballte.

Kapitel 8

Jahresbeginn 1998

Pia reizte der Gedanke, das Verbotene zu tun. Weshalb die Figur nicht ausarbeiten? Solange Thomas das Gemälde nicht weiterverkaufte, riskierte sie nicht allzu viel. Jedenfalls wenn es ihr gelang, ihren Namen herauszuhalten. Denn auf so etwas würde sich kein seriöser Restaurator einlassen.

Sie sah ihre Sammlung von Ausstellungskatalogen auf der Suche nach Gemälden von Catel durch, um einen Eindruck zu bekommen, wie er Personen dargestellt hatte. Wollte sie Thomas' Wunsch nachkommen, würde das allein allerdings nicht genügen. Dann musste sie Originale studieren.

Seit seinem Besuch war etwas mehr als eine Woche vergangen, als Thomas sich wieder bei ihr meldete. Er hatte beruflich in Frankfurt zu tun und fragte, ob er sein Bild besuchen könne. Wobei klar war, dass seine Aufmerksamkeit weniger dem Bild galt als seiner Restauratorin. Den Firnis hatte sie zwischenzeitlich entfernt. Die Farbgebung und das Licht waren stimmig und in ihrer Klarheit überwältigend, und die Komposition war ohne die Frauenfigur perfekt.

Das sagte sie zu Thomas, als er gegen sechs kam und zwei Tüten im Flur abstellte. Trotzdem könnte man doch überlegen, wer die Frau sei, meinte er. Vielleicht eine Kurtisane auf der Flucht vor einem eifersüchtigen Liebhaber, woraufhin Pia entgegnete, dass die verträumte Körperhaltung nun wirklich nicht auf Flucht schließen lasse.

»Lass uns doch bei einem Picknick darüber spekulieren«, schlug er vor. »Vielleicht interpretierst du den Ausdruck falsch, und sie lehnt nicht verträumt, sondern völlig erschöpft am Baum.« Da war es wieder, dieses freche Lächeln, das ihr so gefiel.

»Bei einem Picknick?« Pia sah zum Fenster, vor dem in der einbrechenden Dunkelheit Schneeregen niederging. »Dafür muss ich mich umziehen. Ich weiß nur nicht, was besser geeignet ist – Taucheranzug oder Skianzug?«

»Sommerkleid?«, schlug Thomas augenzwinkernd vor. »Wir setzen uns an den Fluss«, fuhr er fort und wies auf das Gemälde. »Und lassen die Füße im Wasser baumeln. Ich habe alles mitgebracht. Du müsstest lediglich ein paar Kissen beisteuern und Gläser für den Wein.«

»Ein Indoor-Picknick?« Was für eine verrückte Idee. Pia musste lachen und trug die Kissen des Sofas ins Arbeitszimmer, bei dessen Anblick ihre Mutter beinahe ohnmächtig geworden war. »Grauenhaft. Was haben wir bei deiner Erziehung nur falsch gemacht?«

»Vermutlich alles«, hatte Pia geantwortet, und ihre Mutter hatte das natürlich für einen Scherz gehalten.

Thomas hatte Wein aus eigener Produktion und eine Tüte voller Delikatessen mitgebracht. Käse, Oliven, Baguette, verschiedene Salate. Es wurde ein lustiger Abend. Sie saßen auf dem Boden und betrachteten den vom Rotlicht angestrahlten Catel auf der Staffelei. Während sie der Unbekannten am Fluss allerlei Geschichten andichteten, aßen sie und tranken Wein. Vielleicht ein bisschen zu viel. Denn Pia ließ es geschehen, dass Thomas seinen Arm um sie legte. Zugegeben, sie hatte sich ein bisschen in ihn verguckt. Es fühlte sich gut und richtig an, von ihm gehalten zu werden. Vor allem aber beruhigend, als könnte ihr mit ihm an der Seite nichts Böses widerfahren. Dabei war ihr erster Eindruck das genaue Gegenteil gewesen. Sie hatte eine Gefahr gespürt, die von ihm ausging. Doch nun war diese Ahnung wie weggeblasen.

Eine Weile saßen sie so da, und Pia genoss das Gefühl von Geborgenheit, das sie in ihrem Leben bisher vermisst hatte, bis Thomas fragte, ob er sie küssen dürfe.

»Besser nicht.«

»Schade. Und warum nicht?«

»Weil ich anspruchsvoll und kompliziert bin. Vor allem kompliziert.«

»Hm«, sagte er. »Einen Kuss, der dich zufriedenstellt, sollte ich hinbekommen. Und was wird kompliziert?«

»Das zwischen uns. Du erwartest dir vermutlich mehr, als ich zu geben bereit bin.«

»Ich erwarte nichts. Ich bin neugierig auf dich und genieße es, mit dir zusammen zu sein. Ein Kuss wäre jetzt folgerichtig.«

Sie nahm den herben Duft seiner Haut wahr und folgte seiner Argumentation. »Folgerichtig? Stimmt. Junge Frau fühlt sich zu älterem Mann hingezogen. Stimmt auch. Ein wenig Angst, wohin das führen soll? Auch richtig.«

Thomas beugte sich zu ihr herüber. »Du denkst zu viel. Lassen wir es einfach auf uns zukommen.« Seine Lippen fanden ihre. Sein Kuss fühlte sich ganz selbstverständlich an. Er fiel zärtlicher aus, als Pia erwartet hatte. Weniger fordernd als bei den meisten anderen Männern. Nicht, dass sie allzu viel Erfahrung hatte, aber genug, um das beurteilen zu können. Seine Hände begannen nicht, ihren Körper zu erkunden, und das gefiel ihr. Er küsste sie. Nicht mehr und nicht weniger. Eine Last fiel von ihr ab. Er würde nicht versuchen, sie zu verführen. Jedenfalls nicht heute. Er ließ es langsam angehen, und auch das mochte sie und begann, seinen Kuss zu erwidern.

Nach einer Weile lösten sie sich voneinander und schwiegen. Es war ein schönes Schweigen, in dem Pia sich die Frage stellte, ob sie sich auf Thomas einlassen sollte. Und sie beantwortete die Frage mit einem *Vielleicht*.

Irgendwann fragte er, ob er ihr noch vom Wein nachschenken dürfe, und sie nahmen ihr Gespräch wieder auf. Sie erfuhr, dass er gerade einen Preis für einen seiner Weine erhalten hatte, eine wichtige Auszeichnung der Branche. Dass er bereits Großvater war, denn sein Sohn hatte ebenso jung geheiratet wie er selbst.

Dem Thema Familie wich Pia weitgehend aus und handelte es nur an der Oberfläche ab. Ihre Eltern, die Kunsthändler. Ihre beiden Schwestern. Die eine das wandelnde Chaos, die andere extrem auf Sicherheit bedacht, und beide hatten kein Glück mit den Männern. Dann erzählte sie, wie sie Restauratorin geworden war. Es lag an ihrem Vater, der die meisten der Gemälde, die er ankaufte, erst zu einem Restaurator brachte, bevor er sie anbot. Einmal hatte er sie mitgenommen und dann immer wieder. Denn

Gemälde faszinierten sie von Kindesbeinen an. Sie erzählten Geschichten, und Pia hatte sich oft ihre eigenen dazu ausgedacht, so wie heute mit Thomas. In den Werkstätten der Restauratoren hatte sie beobachtet, was unter rissigen Schichten von verdrecktem Firnis zum Vorschein kam und manchmal auch unter dem Farbauftrag, und sie hatte miterlebt, wie man ein Gemälde retten und für die Zukunft erhalten konnte. All das hatte sie in den Bann gezogen, und so hatte sie schon mit zwölf gewusst, dass sie Restauratorin werden wollte. Und damit waren sie wieder bei seinem Bild angekommen.

Pia erklärte ihm, dass sie die Frau nicht ausarbeiten könne. Sie würde sich ihren Ruf ruinieren, wenn das herauskäme. Ein Fachmann würde erkennen, dass die Frauenfigur sehr viel jünger sei als das übrige Bild. Thomas versicherte, er würde sie nicht verpetzen, und fragte sie, ob sie etwa zur Kunstfälscherin würde, falls sie die Frau malte. Keine Fälscherin, aber die Zerstörerin des ursprünglichen Werks, erklärte sie ihm. Ihre Aufgabe sei es, Kunst zu erhalten und zu bewahren, nicht zu verändern.

Während Thomas versuchte, sie davon zu überzeugen, dass sie die Frau ausarbeitete, und sie sich sträubte, obwohl sie es gerne getan hätte, wurde es beinahe Mitternacht. Irgendwann war es Zeit für ihn zu gehen. Sie verabschiedeten sich mit einer Umarmung, und sie hätte ewig so mit ihm stehen können.

*

Bereits am nächsten Tag rief Thomas wieder an, und sie verabredete sich für das Wochenende. Er schlug vor, nach

Frankfurt zu kommen und sich Nachhilfestunden in Sachen Kunst geben zu lassen. Pia stimmte zu und schleppte ihn im Städel Museum durch die Abteilung mit den alten Meistern. Zum Schluss stand sie mit Thomas vor einem ihrer Lieblingsbilder. Johannes Vermeers *Der Geograph*. Es war ein schönes Beispiel dafür, wie die Wissenschaften im siebzehnten Jahrhundert an gesellschaftlicher Bedeutung gewonnen hatten. Plötzlich waren Forscher und Gelehrte gefragte Bildmotive gewesen. Vermeer hatte den Geografen in dessen Studierzimmer dargestellt. Der Mann stand, in einen Hausmantel gehüllt, vor seinem Arbeitstisch, umgeben von Papieren und Folianten. Im Hintergrund befand sich, als weiteres Zeichen seiner Gelehrtheit, ein Globus. Der Mann war allein und tat eigentlich nichts. Er blickte aus dem Fenster. Das einfallende Licht beleuchtete seine Stirn.

»Es sieht aus, als wäre ihm gerade eine erhellende Idee gekommen«, sagte Pia. »Nur welche? Das wird der Betrachter nie erfahren.«

»Ist es deshalb eines deiner Lieblingsgemälde?«, fragte er. »Weil es dir Raum für die eigene Fantasie gibt?«

Einen Moment zögerte Pia, doch es war eine gute Gelegenheit, um Thomas zu erklären, dass sie nicht spontan oder leidenschaftlich war, sondern kopfgesteuert. Ja, vielleicht war sie sogar ein emotionaler Krüppel. Diese Formulierung verfolgte sie, seit Nane sie gebraucht hatte.

»Das ist nur einer der Gründe«, sagte Pia. »Ich sehe in ihm einen Seelenverwandten. Einen nüchternen Pragmatiker, der sich vom Verstand leiten lässt und nicht von seinen Emotionen.«

»So wie du?«

Sie nickte. Erhoffe dir nicht zu viel von mir, dachte sie.

»Aber nur in seinem Studierzimmer. Was tut er, sobald er es verlässt?« Thomas sah sich im Ausstellungssaal um. Sein Blick stoppte bei Botticellis *Bildnis der Simonetta Vespucci*, das an der Wand gegenüber hing. »Ich glaube, dann schleicht er zu dieser wunderschönen Frau. Sieh mal, wie sie zu ihm hinüberguckt. Wie sie ihm zulächelt, als hätten die beiden ein Geheimnis. Ich wette: Sie haben eines.« In seinen Augen saß wieder der Schalk, und Pia hätte beinahe gelacht. Vermeers Geograf in Simonettas Bett. Was für eine Vorstellung! Abgesehen davon, dass der Altersunterschied zweihundert Jahre betrug, wie würden sie miteinander kommunizieren? Sie sprachen nicht dieselbe Sprache. Doch Leidenschaft brauchte nur eine Sprache, die des Körpers.

»Auch in ihren Armen wird er sein, wer er ist: ein Mann der Vernunft«, gab Pia zu bedenken.

»Das glaube ich nicht. Er vertraut sich ihr an und lässt sich fallen. Die Ratio steht solange vor der Tür und muss durchs Schlüsselloch gucken.«

Es war lieb, wie er versuchte, ihr die Angst zu nehmen, sich auf ihre Gefühle einzulassen, auf Leidenschaft und Kontrollverlust, auf hemmungslose Hingabe. Doch es machte sie traurig. Plötzlich fühlte sie sich unzulänglich.

»Er ist nicht mutig.«

»Seit wann braucht man Mut für die Liebe?«, fragte Thomas.

Sie wich seinem Blick aus, um nicht in Tränen auszubrechen. »Schon immer. Die Liebe ist eine zerstörerische Kraft. Nie sind wir verwundbarer.«

»Da hast du wohl recht. Aber was ist schlimmer? Sich der Liebe auszuliefern, auf die Gefahr hin, verletzt zu werden, oder ein Leben ohne Liebe? Ich will dir nichts Böses.«

»Ich weiß«, sagte sie. »Lass uns weitergehen. Ich will dir noch das Bildnis einer Dame in Rot zeigen.«

In der folgenden Woche lud Thomas sie auf sein Weingut ein. Erst an diesem Wochenende verstand Pia, wer er wirklich war. Nicht nur ein ausgezeichneter Winzer, sondern jemand mit einem Ruf in der Welt des Weins. Ein Vorreiter. Ein Mann mit Visionen, der eine Art Doppelleben führte. Einerseits war er Bauer, wie er bei ihrem ersten Treffen gesagt hatte. Er fuhr Traktor und stieg täglich in seine Weinberge, marschierte in dreckigen Arbeitshosen und Gummistiefeln über den Hof, um am nächsten Tag den Brionianzug und die eleganten italienischen Hemden in den Koffer zu packen und zu Ausstellungen und Messen, zu Events und Präsentationen zu reisen. Er gab Interviews und hatte gelegentlich Fernsehauftritte. Ein beeindruckendes Leben in einem beeindruckenden Ambiente.

An diesem ersten Wochenende lernte sie auch Margot kennen, Thomas' Schwester, und Leonhard, seinen Kellermeister. Voller Stolz machte Thomas sie mit seinen Leuten bekannt, führte sie herum, und Pia verstand, dass er sich mehr von ihrer Beziehung erhoffte. Vielleicht etwas Dauerhaftes. Wenn man das überhaupt Beziehung nennen konnte. Soweit waren sie noch nicht. Thomas ließ es langsam angehen, er drängte sie nicht. Und das gefiel ihr. Ein paar Küsse, mehr war bisher nicht geschehen. Was bei jedem Treffen stärker wurde, war das Gefühl von Nähe und Vertrautheit. Mit ihm konnte sie über alles reden. Vor ihm breitete sie sogar am Sonntagnachmittag während eines Gangs durch die Weinberge das Trauma ihrer Kindheit aus. Ihre verschwundene Mutter. Die Schuldgefühle, mit denen sie sich herumgeschlagen hatte. Es lag an ihr. Sie war nicht gut genug. Und selbst wenn sie nicht so schlimm wie ihre Schwester war, so hatte ihre Mutter doch immer etwas auszusetzen. *Kinder sind wie Vampire, sie saugen einem alle Kraft aus dem Leib.* Wie oft ihre Mutter dieses Bild gebraucht hatte, ohne einen Gedanken daran zu verschwenden, was eine solche Äußerung in ihren Kindern auslöste. Und plötzlich war sie weg gewesen und nach einigen Monaten wieder da. Kein Wort war darüber verloren worden. Ein angeblicher Sanatoriumsaufenthalt – das war die einzige Erklärung, die sie bekamen. Doch dass dies eine Lüge war, verstanden sogar sie und ihre Schwestern, obwohl sie Kinder waren. Seither fühlte sich Pias Leben an wie ein Drahtseilakt ohne Netz. Ein unbedachter Schritt, und sie würde fallen. Also bedachte sie jeden Schritt sorgfältig. Ja, sie war kopfgesteuert. Ihr Vater hatte in dieser Zeit zwar sein Bestes gegeben, aber was bedeutete das schon bei einem Mann, der ein halber Autist war?

Thomas nahm sie in die Arme und hielt sie fest. Für einen Moment wünschte sich Pia mit der Verzweiflung des verlassenen Kindes, dass er sie nie wieder losließ. Was sie suchte, waren nicht Liebe und Leidenschaft, sondern Geborgenheit. Das war für Pia die verwirrende Erkenntnis des Wochenendes, als sie am Sonntagabend zurück nach Frankfurt fuhr.

Der nasskalte Januar ging in einen milden Februar

über. Thomas und Pia trafen sich in Frankfurt, wenn er dort zu tun hatte, oder sie fuhr zu ihm nach Graven, wo man sich auf das Frühjahr vorbereitete, wenn die Arbeit im Weinberg begann.

Unbewusst zögerte Pia die Restaurierung des Catel hinaus, um einen Anknüpfungspunkt zu Thomas zu haben. Als ob sie fürchtete, dass mit Beendigung des Auftrags auch der Kontakt zu ihm enden könnte. Dabei wuchs ihre Freundschaft stetig.

Pia war neunundzwanzig Jahre alt und hatte nie den Wunsch verspürt zu heiraten. Vermutlich lag es an der Ehe ihrer Eltern, dass dieses Lebensmodell ihr nicht verlockend erschien, und an den Dramen der Frauen der Familie mütterlicherseits. Doch Thomas wäre der Richtige, das spürte Pia. Sie hatte sich in ihn verliebt, was für sie aber wesentlich stärker zählte, waren das Vertrauen und die Freundschaft, die im Laufe des Frühjahrs zwischen ihnen entstanden. Beinahe jedes Wochenende sahen sie sich. Manchmal schaute er auch unter der Woche bei ihr vorbei. Ihre Mutter hatte ihn längst bemerkt und gefragt, wer er war. »Ein Kunde mit einem schwierigen Auftrag«, hatte Pia geantwortet. Sie wollte nicht gefragt werden, ob sie Thomas liebte, und nicht hören, dass sie die Finger von ihm lassen sollte, falls das so war. Also ging sie weiter auf Distanz zur Familie und entschied sich, ihren Vorsatz in die Tat umzusetzen und nach einer neuen Wohnung Ausschau zu halten.

Ende Februar fand der Prozess statt. Birgit musste sich wegen Missbrauchs von Schutzbefohlenen vor Gericht verantworten. Zwei Tage vorher kam ihre Mutter nach oben und fragte, ob Pia zum Prozess gehen werde. Jemand sollte Birgit beistehen, und sie selbst habe leider keine Zeit. Die Villa eines Industriellen in Idar-Oberstein wurde aufgelöst, und sie hofften, einige interessante Objekte erwerben zu können. Als Pia hörte, dass Nane ebenfalls dort sein würde, redete sie sich mit Arbeit heraus. In ihrer Verliebtheit wollte sie nicht vor Augen geführt bekommen, wie man sich ins Verderben stürzte. Ihr war bewusst, dass das egoistisch war, aber Birgit war ja nicht allein.

Am nächsten Morgen klingelte es. Es war Nane. Sie rief nicht an, um Pia Vorhaltungen zu machen, weil sie ihre Schwester im Stich ließ, sie kam höchstpersönlich.

»Das kannst du nicht machen. Birgit braucht unsere Unterstützung. Wenn schon Papa und Mama sich drücken, müssen wir drei Schwestern zusammenhalten.«

Jetzt auf einmal?, dachte Pia. Wann hatten sie das je getan? Nicht einmal in der schrecklichen mutterlosen Zeit. Jedenfalls nicht zu dritt. Immer hatten zwei gegen die dritte gestanden. Wechselnde Bündnisse, wobei sich in der Regel Nane und Birgit gegen Pia zusammengeschlossen hatten.

Sie wollte keinen Streit und behauptete, sie werde versuchen zu kommen, könne es aber nicht versprechen. Erst jetzt fiel ihr auf, wie erschreckend blass und mitgenommen Nane aussah.

»Geht es dir nicht gut?«, fragte sie.

Mit der Hand wedelte Nane die Frage beiseite. »Schon in Ordnung.«

»Was ist denn los?«

»Wenn einen die Männer reihenweise verlassen, ist das nicht so toll.«

Pia erinnerte sich an das Telefonat mit Mark, in dem er sie gebeten hatte, pfleglich mit Nane umzugehen. »So schlimm?«

Nane zog die Schultern hoch. »Es gab da jemanden. Ich habe ihn geliebt. Doch er wollte nur sein Bett mit mir teilen. Shit happens.« Sie versuchte ihr Gesicht zu einem Lächeln zu verziehen, doch es misslang, und plötzlich stand ihr das ganze Elend dieser Beziehung ins Gesicht geschrieben. Unwillkürlich empfand Pia Mitleid mit ihr und strich Nane über den Arm. Eine völlig ungewohnte Geste.

»Dann war er es nicht wert«, sagte sie. »Ein anderer wird kommen.« Im Gegensatz zu ihr wollte Nane heiraten und Kinder bekommen, drei oder vier, und langsam wurde es Zeit, dafür den richtigen Partner zu finden.

Letztlich ging Pia nicht zur Gerichtsverhandlung. Für Birgit kam es nicht ganz so schlimm wie befürchtet. Sie musste nicht ins Gefängnis, und auch die Presse hatte sich nicht auf diese verbotene Liebe gestürzt. Doch sie wurde zu einer neunmonatigen Bewährungsstrafe verurteilt und war damit vorbestraft. Sie verlor ihren Arbeitsplatz und hatte keine Hoffnung, je wieder als Lehrerin arbeiten zu können. Sie hat es ja nicht anders gewollt, dachte Pia. Birgit war mit offenen Armen in ihr Unglück gerannt.

In der Zwischenzeit wurde die Beziehung zwischen Pia und Thomas immer enger. Sie freute sich auf jedes Treffen, sehnte es geradezu herbei. Wenn sie sich mal nicht sehen konnten, fehlte er ihr, und die Enttäuschung war groß. Er brachte sie zum Lachen und zum Nachdenken, auch über sich selbst. Seine Höflichkeit gefiel ihr ebenso wie die Gewandtheit und Souveränität, mit der er sich in den gegensätzlichen Welten bewegte, in denen er lebte.

Immer häufiger lud er sie ein, ihn zu Veranstaltungen zu begleiten. Zur Neueröffnung eines Restaurants mit Sterneauszeichnung. Zu einer Weingala, bei der er eine Rede hielt. Er stellte sie als gute Freundin vor, und auch das gefiel ihr. Er versuchte nicht, sie zu vereinnahmen, geschweige denn, sich mit ihr zu schmücken. Er war rücksichtsvoll und einfühlsam, dass er so viel älter war, registrierte sie schließlich gar nicht mehr. Das Einzige, was sie irritierte, waren die Anrufe, die er gelegentlich bekam und einfach wegdrückte.

Als Thomas ihr schließlich eines Tages erzählte, dass er eine neue Handynummer hatte, fragte sie, ob es an den Anrufen lag, die er nicht annahm.

»Du bist eine gute Beobachterin.«

»Jemand stalkt dich?«, fragte sie ins Blaue hinein.

»So würde ich das nicht nennen. Es gab da eine Frau … Ich habe sie verletzt, ohne dass es meine Absicht war. Ich bin kein Heiliger.« Entschuldigend breitete er die Arme aus.

Pia verspürte einen Stich Eifersucht. »Möchtest du darüber reden?«

Sie waren nach einem Ausstellungsbesuch in ihrer Wohnung gelandet und tranken ein Glas Wein, bevor Thomas zurück nach Graven fahren wollte. Doch nun schenkte er nach.

»Warum nicht?«, sagte er nach einem Moment des Zögerns. »Obwohl ich mir damit kein Ruhmesblatt verdient habe. Es war im vergangenen Herbst. Seit Beatrix' Tod waren anderthalb Jahre vergangen, und ich bin langsam wieder zu mir gekommen, als ich bei einer Weingala eine junge Frau kennengelernt habe. Sie war sehr attraktiv und hat mit mir geflirtet. Ich bin darauf eingegangen, weil es mir geschmeichelt hat. So ist eines zum anderen gekommen, und wir sind noch am selben Abend im Bett gelandet. Nicht, dass ich etwas dagegen gehabt hätte. Ich wusste schon gar nicht mehr, wie das geht. Es war eine … Wie soll ich das nun sagen, ohne dass es abwertend klingt?«

»Eine Bettgeschichte vielleicht?«, schlug Pia vor.

»Ein wenig mehr war es schon, aber vor allem das. Sie hat mir gezeigt, dass ich noch ein Mann bin. Und sie selbst war das Gegenteil von verklemmt. Es hat uns beiden Spaß gemacht. Das ging einige Wochen so, in denen sich ihre Haltung mir gegenüber veränderte. Sie hat sich in mich verliebt, und ich habe den richtigen Zeitpunkt verpasst, um die Sache zu beenden. Erst als sie klipp und klar wissen wollte, was sie mir bedeutet, und ich ihr nicht die Antwort geben konnte, die sie sich erhofft hat, war es schlagartig vorbei. Ich mag sie, und ich bin ihr dankbar, dass sie mich gewissermaßen ins Leben zurückgeholt hat. Aber sie kann nicht loslassen.«

»Und jetzt ruft sie dich ständig an?«

»Nicht ständig. Manchmal ist wochenlang Ruhe.«

»Was verspricht sie sich davon? Etwa, dass du sie plötzlich doch liebst?«

»Ich weiß es nicht. Manchmal lässt sie Dampf ab, dann hagelt es Vorwürfe. Manchmal bittet sie mich um ein Treffen. Wenn ich darauf einginge, würde sie sich vermutlich Hoffnungen machen, wodurch alles nur noch schlimmer wäre. Ich gehe nicht mehr ran, wenn ich sehe, dass sie es ist. Doch sie ruft auch mit unterdrückter Nummer an oder aus Telefonzellen. Deshalb habe ich jetzt eine neue Telefonnummer.«

Die Gläser waren leer. Thomas schlug vor, noch eine Flasche aufzumachen. Es war eine Frage mit doppeltem Boden. Denn es war ihnen beiden bewusst, dass er danach nicht mehr Auto fahren konnte und bei ihr übernachten würde.

»Warum nicht?«, entgegnete sie mit einem Lächeln, das die Antwort auf die unausgesprochene Frage war.

Doch plötzlich hatte sie Angst, ihm nicht zu genügen. *Sie war das Gegenteil von verklemmt. Es hat uns beiden Spaß gemacht*, hatte er gesagt. Sie selbst hingegen war verklemmt. Diesen letzten Schritt schaffte sie nie – sich einfach fallen zu lassen und sich restlos hinzugeben. Unzensiert. Spontan. Archaisch.

Sie ahnte, dass irgendwo tief in ihr diese andere Pia hauste, die wilde und leidenschaftliche, und sollte sie jemals die Oberhand gewinnen, würde danach nichts mehr so sein wie zuvor. Davor hatte sie Angst.

Kapitel 9

Sommer 2018

Nane kam nicht zur Ruhe. Die Frage, wie man Vergebung erlangte, trieb sie um. Wie erreichte man sie? Konnte Schuld enden? Wer gläubig war, beichtete, tat Buße und erhielt die Absolution. Aber Nane war nicht gläubig. Und Thomas hatte ihr nicht verziehen. Würde er es je tun?

Spielte es überhaupt noch eine Rolle, was sie zu Thomas am Telefon gesagt hatte? Am Ende war es gekommen, wie es gekommen war. Henning war tot. Durch ihre Schuld.

Bewegung half Nane dabei, ihre innere Unruhe zu bändigen. Seit sie das erkannt hatte, ging sie jeden Tag kilometerweit am Main entlang, durch die Vorstädte und Parks, über Friedhöfe und Grünanlagen. Birgit hatte mittlerweile akzeptiert, dass Nane ihre eigene Zeiteinteilung brauchte. Gehen war besser, als sich wieder auf die weißen Helferlein zu verlassen.

An diesem Tag hatte sie schon eine gewaltige Strecke zurückgelegt, als ihr auf dem Rückweg zum Schweizer Platz so schwindlig wurde, dass sie sich auf die Bank in einem Buswartehäuschen setzen musste. Sie befand sich in einem ruhigen Vorort, wo an diesem Vormittag wenig los war. Die Kinder waren in der Schule, die Erwachsenen bei der Arbeit. Auf dem gegenüberliegenden Gehweg schob eine alte Frau einen Rollator vor sich her, und Renate Soffas fiel ihr wieder ein.

Neulich waren sie sich auf dem Friedhof in Graven begegnet. Lange hatte Nane auf dem Kirchturm gestanden und auf das Pflaster vor der Eingangstür hinabgesehen. Sie hätte nur über die Brüstung klettern und sich fallen lassen müssen. Einfach loslassen – und es wäre vorbei gewesen. Aug um Aug, Zahn um Zahn, Leben für Leben. Vielleicht war das die einzig wahre Form von Gerechtigkeit. Archaisch. Alttestamentarisch. Doch auch eine Flucht.

Sie war die Treppen wieder hinuntergestiegen und über den Friedhof zum Tor gegangen. Renate Soffas kam ihr entgegen, die als Zeugin vor Gericht ausgesagt hatte. Sie hatte beobachtet, wie Henning mit Pias Wagen in den Prälatengarten gestürzt war. Nun schnappte sie nach Luft und fuhr Nane an, wie sie dazu käme, auch nur einen Fuß in das Haus Gottes zu setzen! Sie solle sich schämen und gefälligst verschwinden. Mörderin!, hatte sie ihr nachgeschrien.

Nane kämpfte die Scham nieder, die bei dieser Erinnerung in ihr aufsteigen wollte. Dabei fiel ihr Blick auf einen Satz, den jemand mit Edding an die Scheibe des Wartehäuschens geschrieben hatte. *Am Zorn festhalten ist wie Gift trinken und erwarten, dass der andere daran stirbt.*

Ja, da ist etwas Wahres dran, dachte Nane. Das Hausverbot, das Pia ihr erteilt hatte, war kein Zeichen von

Angst, dass Nane ihr etwas antun könnte. Es war ein Zeichen des Zorns, den ihre Schwester nicht loslassen konnte. Noch immer nicht. Seit zwanzig Jahren klammerte sie sich daran. Thomas vielleicht auch. Obwohl … Als sie ihn im Weinberg gefunden hatte, war in seinen Augen kein Zorn gewesen, nur Todesangst. *Bitte*, hatte er gesagt. *Bitte.*

Ein Geräusch lenkte Nane ab. Ein hagerer Kerl in schmuddeligen Klamotten näherte sich. Sein schütteres Haar war zu einem Pferdeschwanz zusammengefasst. Er zog einen Trolley voller Plastiktüten hinter sich her, den ein zusammengerollter Schlafsack krönte. Aus der Tasche der fleckigen Jeansjacke ragte eine offene Flasche Bier. Zielsicher steuerte er die Bushaltestelle an und ließ sich auf den Platz neben Nane fallen. Der Geruch von altem Schweiß stieg ihr in die Nase. Sie stand auf.

»Der Zorn richtet sich immer gegen einen selbst«, sagte er und wies auf den Spruch. »Das soll es heißen. Ich habe lange drüber nachgedacht. Das hier ist mein Wohnzimmer, und ich bin der Horst. Du kannst bleiben, wenn du magst.« Mit der Geste eines Gastgebers bot er ihr einen Platz an, und Nane setzte sich wieder. Dass er roch, war ihr egal. Sie hatte schon schlimmere Duftnoten erlebt. Manche Frauen gaben sich im Knast auf und ließen sich restlos gehen.

»Zorn ist nicht gesund«, fuhr er fort. »Besonders fies wird es, wenn der andere den Zorn gar nicht mitbekommt, weil er vielleicht ganz woanders ist.« Ihr Gastgeber zog die Bierflasche aus der Tasche und trank einen Schluck. »Dann kocht der Zornige nämlich im eigenen Saft und hat nichts davon. Außer Bluthochdruck und Magengeschwüre. Versteht du? Immer schlechte Laune, immer voller Wut. Das ist doch kein Leben.« Wieder setzte er die Flasche an. »Verstehst du?«

»Ich denke schon.«

Er hielt ihr das Bier hin. »Auch einen Schluck?«

»Nein, danke. Ich denke, der Zornige sollte dem anderen vergeben.«

»Ja. Da hast du recht. Zu dem Schluss bin ich auch gekommen.«

»Das geht aber nicht, wenn der andere unerreichbar ist.«

»Ha!« Ihr Gesprächspartner schlug mit der freien Hand auf seinen Oberschenkel, und eine Welle von Bierdunst und Schweiß breitete sich aus. »Siehst du, das habe ich auch gedacht. Aber das ist ein Irrtum. Ein großer Fehler, weißt du.« Ein Zeigefinger stach in die Luft. »Es ist nämlich so: Beim Vergeben geht es ja gar nicht um den anderen. Es geht um uns selbst. Wir sind Opfer. Und darauf konzentrieren wir uns. Auf unsere verletzten Gefühle. Unsere Gedanken kreisen nur noch darum. Wir machen das zum Mittelpunkt unseres Lebens. Und das frisst uns auf. Irgendwann merken wir, dass wir vor die Hunde gehen, wenn wir so weitermachen. Wir müssen das Opfersein loslassen. Wir müssen also verzeihen, wenn wir in Frieden weiterleben wollen. Und dafür musst du nicht zum anderen hingehen und ihm das ins Gesicht sagen. Das Verzeihen passiert ja in dir selbst. Hier drin.« Mit der Faust schlug er sich auf die Brust. »Das musst du mit dir alleine abmachen. Für dich ist es scheißegal, ob der andere weiß, dass du ihm verziehen hast. Es geht ja um deinen Seelenfrieden und nicht um seinen. Verstehst du?«

»Nicht so ganz. Der andere ist ja schuld, und auch er kann erst seinen Frieden finden, wenn wir ihm verziehen haben.«

»Haben wir doch.«

»Aber er weiß es nicht.«

»Ist ja irgendwie auch egal. Der eine verzeiht, der andere bereut. Das ist wichtig. Nicht, ob man sich das ins Gesicht sagt.«

»Du meinst, dass es ausreicht zu bereuen, was man angerichtet hat, um Frieden zu finden?«

»Würde ich so sagen. Und vielleicht Buße tun. Verschenk deinen Besitz an die Armen oder pilgere nach Santiago de Compostela. Du könntest mir auch ein Sixpack Bier spendieren.« Er lachte und schlug sich auf den Oberschenkel.

»Mit einem Sixpack wäre das in meinem Fall sicher nicht getan.«

»Was hast du denn angestellt?« Misstrauisch musterte er sie. »Einen umgebracht etwa?«

Nane nickte. »Ich habe deswegen zwanzig Jahre im Gefängnis gesessen.«

»Dann ist doch alles gut. Ihr seid quitt. Die Gesellschaft und du. Sie hat dir verziehen. Jetzt musst du dir nur noch selbst verzeihen.«

*

»Pia von Manthey hier. Ich würde gerne Rechtsanwalt Klaas sprechen.«

»Einen Moment. Ich sehe nach, ob er frei ist.« Pia hörte, wie Klaas' Anwaltsgehilfin das Telefon beiseitelegte. Dann ertönten das Quietschen, mit dem der Stuhl zurückgeschoben wurde, und Schritte, die sich entfernten.

Während Pia wartete, stellte sie sich an die offene Terrassentür und blickte in den Garten. Es war schwül geworden. An der Teerose hatten sich die ersten Knospen geöffnet, und die Clematis blühte verschwenderisch in einem blassen Lila. Pia sehnte sich nach Ruhe und Geborgenheit. Ihr Leben sollte wieder so werden, wie es gewesen war, bevor Nane auftauchte. Doch es fühlte sich an wie ein Hang, der ins Rutschen geraten war.

Nane wühlte alles wieder auf und säte obendrein Zweifel in Lissy. Plötzlich interessierte sie sich für die Vergangenheit. Wie kam Nane dazu, ihr von dem Anruf zu erzählen und zu behaupten, dass Thomas gelogen hätte? Zumindest vermutete ihre verrückte Schwester das. So sicher war sie sich dann doch nicht gewesen.

Ihr Gewissen wollte sich rühren, und wie immer verschanzte Pia sich hinter ihrem Bollwerk aus Phrasen, Rechtfertigungen und vorgeschobenen Gründen, alles so zu belassen, wie es war. Die Ereignisse von damals waren vergangen und vergessen. Wem wäre denn schon mit der Wahrheit gedient? Niemandem. Sie hatten den richtigen Zeitpunkt verpasst. Falls es den überhaupt jemals gegeben hatte. Was wäre denn die Konsequenz gewesen?

In einer schlaflosen Nacht hatte Pia sich entschlossen, dafür zu sorgen, dass Nane sie nicht weiter belästigen konnte. Sie nicht, Thomas nicht und vor allem Lissy nicht. Es war eine harte Entscheidung. Sie fühlte sich nicht wohl dabei. Doch es musste sein, und deshalb würde sie das jetzt durchziehen.

»Guten Morgen, Frau von Manthey.« Klaas' Stimme klang munter und frisch, während sie sich wie gerädert fühlte. »Was kann ich für Sie tun?«

»Meine Schwester hält sich nicht an das Hausverbot. Sie war bei Thomas im Krankenhaus. Ich möchte, dass Sie Anzeige erstatten.«

Eine Sekunde blieb es still. »Ganz sicher?«, fragte Klaas.

»Mein Mann ist gesundheitlich nicht in der Verfassung, mit der Mörderin seines Sohnes zu reden. Es wird ihn aufregen, und einen zweiten Herzinfarkt überlebt er vielleicht nicht.«

»Gut, dann stelle ich Strafanzeige. Ich nehme an, Sie sind Zeugin.«

Natürlich musste jemand Nanes Auftritt in der Klinik bestätigen können. Eigentlich wollte sie Lissy nicht mit hineinziehen, doch es ging nicht anders. »Meine Tochter und ihr Freund haben Nane auf der Station abgefangen und hinausbegleitet.«

»Gleich zwei. Das ist gut. Ich erledige das noch heute.« Klaas verabschiedete sich und legte auf. Pia drehte sich um und bemerkte Lissy, die hereingekommen war. Mit verschränkten Armen lehnte sie an der Wand. Ihre Augen waren schmal, die Brauen waagrechte Striche, der Mund verkniffen. Ihre ganze Mimik pure Ablehnung. Neben ihr stand David, er schien eher überrascht zu sein. Pia wappnete sich.

»Warum tust du das, Mama? Ich hatte Nane versprochen, sie nicht hinzuhängen.«

»Es ist besser so.«

»Dir ist schon klar, dass sie jetzt richtig Ärger bekommt? Ich will das nicht. Mit mir als Zeugin kannst du nicht rechnen.« Sie wandte sich an ihren Freund. »Was ist mit dir, David?«

Er schob die Hände in die Taschen seiner Jeans und schüttelte den Kopf. »Ich halte mich da raus.«

»Ich will nicht, dass sie Thomas weiter belästigt. Verstehst du das denn nicht?«, fuhr Pia ihre Tochter an. »Es könnte sein Tod sein. Du wirst mir diesen Gefallen tun und sagen, was du gesehen hast.«

»Warum? Ich verstehe es einfach nicht. Sie ist deine Schwester. Sie hat ihre Strafe verbüßt, und vor allem bereut sie, was sie angerichtet hat. Irgendwann muss es auch vorbei sein. Henning war nicht dein, sondern Thomas' Sohn. Du hast ihn ja kaum gekannt.«

Aus dem Nichts loderte die Wut in Pia auf. »Willst du damit etwa sagen, dass mich das nichts angeht?«, schrie sie ihre Tochter an. »Sie wollte mich umbringen! Mich! Ihre eigene Schwester! Schon vergessen? Und dich gleich mit, denn ich war mit dir schwanger.«

»Warst du nicht! Ich habe nachgerechnet. Eine Schwangerschaft dauert vierzig Wochen und nicht vierundvierzig!«, entgegnete Lissy pampig.

»Na und? Wenn sie mich umgebracht hätte, gäbe es dich nicht. Was erwartest du von mir? Soll ich sie in den Arm nehmen und sagen, dass alles gut ist und dass ich ihr verzeihe?«

»Das wäre vielleicht nicht das Schlechteste. Ihr beide solltet Nane vergeben. Du und Thomas.«

»Vergeben?«, stieß Pia hervor.

»Warum nicht? Sieh dich doch an, was dieser Hass aus dir macht. So kenne ich dich gar nicht. Du bist total hysterisch, Mama. Deine Strafanzeige werde ich jedenfalls nicht unterstützen. Ich habe Nane im Krankenhaus nicht gesehen, wenn mich jemand fragt.« Mit diesen Worten wandte Lissy sich ab und verließ das Wohnzimmer.

David zuckte mit den Schultern. »Ich finde, sie hat recht. Das Haus hier ist voller schlechtem Karma. Man müsste mal lüften.« Er folgte Lissy und schloss die Tür hinter sich.

Pia blieb allein im Wohnzimmer zurück, bebend vor Zorn.

Sie war nicht hysterisch! Sie wollte nur nicht, dass alles wieder hochkam. Sie wollte nicht verzeihen, und sie konnte das auch nicht. Wenn es nach Nane gegangen wäre, dann wäre sie, Pia, seit zwanzig Jahren tot! Und Lissy wäre nie geboren worden. Wie könnte sie ihrer Schwester jemals verzeihen, dass sie ihr nach dem Leben getrachtet hatte?

Pia atmete tief durch. Sie musste jetzt weiter nach der Vollmacht suchen, die es wahrscheinlich gar nicht gab. Auf der Ablage in Thomas' Arbeitszimmer warteten noch zwei Stapel, die sie gestern nicht mehr durchgesehen hatte. Angenommen, sie fand in diesem Chaos tatsächlich eine Vollmacht, dann würde sie Margot nicht nur in die Schranken weisen, nein, sie würde ihr kündigen. Fristlos. Und Marius brauchte gar nicht erst aufzutauchen. Die Vorstellung war ihr zuwider, dass er das Gut inspizierte, die Arbeiter instruierte, dass er in den dreihundert Jahre alten Gewölbekeller hinabstieg, der Thomas heilig war und wo in alten Holzfässern die Weine reiften, dass er durch den Mühlberg und den Prälatengarten stiefelte und alles besser wusste, dass er Lissy Anweisungen gab und sich hier als der Herr auf Graven aufspielte. Vielleicht gab es die Vollmacht ja doch.

Auf dem Weg zu Thomas' Arbeitszimmer überlegte sie, wie sie Lissy dazu bringen konnte, ihre Meinung zu ändern, bis sie erkannte, dass das nicht nötig war. Wenn sie David als Zeugen benannte, musste er aussagen. Er war nicht mit Nane verwandt, und nur Verwandte hatten ein Zeugnisverweigerungsrecht. Beim Prozess gegen ihre Schwester hatte Pia davon Gebrauch gemacht, daher wusste sie das. David musste aussagen. Nane würde zurück ins Gefängnis gehen und damit ein für alle Mal aus ihrem Leben verschwinden.

Bei diesem Gedanken wollte sengende Scham in ihr aufsteigen, doch Pia schob dieses Gefühl beiseite. Nane war ja selbst schuld! Vielleicht war es kaltherzig, und ganz sicher würde sie deswegen Ärger mit Lissy und Birgit bekommen. Doch es musste sein. Denn nur so konnte alles bleiben, wie es war.

Gleichermaßen erleichtert und schuldbewusst nahm sie die beiden Stapel von der Ablage. Blatt für Blatt legte sie beiseite und fand nichts. Obwohl sie nichts anderes erwartet hatte, war sie enttäuscht. Es wäre die einfachste Lösung des Problems gewesen. Dann musste jetzt eben Plan B greifen. Sie musste Margots Vollmacht anfechten und die einstweilige Verfügung beantragen.

Um halb elf hatte sie einen Termin bei Julian Laufer in der Kanzlei. Mit einem Blick auf die Uhr stellte sie fest, dass es Zeit war, sich auf den Weg zu machen. Während der Fahrt überlegte sie, ob sie neben Thomas' damaliger Verfassung einen weiteren Anfechtungsgrund anführen sollte. Als er die Vollmacht so kurz nach dem Tod seiner ersten Frau unterzeichnet hatte, konnte er psychisch nicht stabil gewesen sein. Das zu beweisen würde nach so langer Zeit nicht einfach werden. Wenn sie allerdings die Echtheit des Dokuments anzweifelte, musste es kriminaltechnisch untersucht werden. Bis das geschehen war, würde das Gericht hoffentlich per einstweiliger Verfügung dafür sorgen, dass Margot sich nicht darauf berufen und nach Gutdünken schalten und walten konnte. Und bis das passiert war, würde Thomas sicher aufgewacht sein. Ja, das war eine gute Idee.

Pünktlich um halb elf betrat Pia die Kanzlei in der Trierer Altstadt. Laufers Mitarbeiterin begrüßte sie. »Er erwartet Sie schon.«

Sie ging voran und öffnete für Pia die Tür. Laufer saß hinter dem Schreibtisch, und ein breites Lächeln erschien auf seinem Gesicht, als Pia eintrat. Er hob einen dünnen Hefter hoch. »Was meinen Sie, was ich hier habe?«

*

Sonja klappte den Laptop zu. Sie brauchte eine Pause und setzte sich vor der Remise auf die Bank.

Am Morgen hatte sie mit Pia und Lissy gefrühstückt und sich wie ein Störenfried gefühlt. Woran hatte es gelegen? Sie ließ die Mahlzeit Revue passieren.

Lissy war ohne David gekommen, der noch schlief. Eilig hatte sie eine Tasse Kaffee hinuntergestürzt und war gleich wieder verschwunden. »Die Traubenzonen müssen entblättert werden«, hatte sie im Gehen erklärt. »Da müssen alle mithelfen.« Sonja wusste, dass diese Arbeit auf Graven von Hand verrichtet wurde, obwohl es mittlerweile Druckluftmaschinen dafür gab. Doch Thomas hielt nichts davon. Deshalb wurden flinke Hände gebraucht, um die unteren, älteren Blätter der Reben zu entfernen. Eine natürliche Vorbeugung gegen Pilzbefall, denn so trockneten die Trauben während der Nässeperioden besser ab, außerdem bekamen sie mehr Sonne und bildeten dadurch eine dickere und widerstandsfähigere Haut.

Pia schien mit ihren Gedanken weit weg zu sein und nahm kaum Notiz von Sonja. Natürlich sorgte sie sich um Thomas. Ich sollte nicht so empfindlich sein, dachte Sonja. Trotzdem sollte sie endlich beichten, dass sie nicht mehr im Gästezimmer wohnte, also fasste sie sich ein Herz und sprach Pia an.

»Ich weiß nicht, ob du schon weißt, dass ich in die Remise umgezogen bin.«

Überrascht zog Pia die Augenbrauen hoch. »Dort sieht es furchtbar aus, und woher hast du eigentlich den Schlüssel?«

»Margot hat ihn mir gegeben, damit ich mich mal umsehe. Man könnte zwar einiges renovieren, aber für mich reicht es, wie es ist. Ich habe dort mehr Ruhe zum Schreiben.«

»Margot. Natürlich. Ich hätte es mir denken können.«

In das ewige Hickhack zwischen Pia und Margot wollte Sonja sich nicht hineinziehen lassen. »Ist es in Ordnung, wenn ich dort wohne?«

»Wenn du dich dort wohlfühlst …« Pia zuckte die Schultern, doch Sonja hatte ihr angesehen, dass es ihr keineswegs recht war.

Vielleicht sollte ich doch zu Ansgar fahren, überlegte Sonja nun. Sie fühlte sich hier alles andere als willkommen, und plötzlich verstand sie, dass es an der Abwesenheit ihres Großvaters lag. Er war es, der ihr das Gefühl gab, Teil dieser Familie zu sein, dazuzugehören. Und ohne ihn erwiesen sich die familiären Bande als äußerst fragil.

Doch Ansgar hatte recht. Wenn sie die Zeit nicht nutzte, würde nie etwas aus ihrer Romanidee. Sie beschloss, die Flinte nicht ins Korn zu werfen. Endlich hatte sie Ruhe und konnte loslegen, und genau das würde sie tun.

Entschlossen kehrte sie an den Schreibtisch zurück, klappte den Laptop auf und setzte ihre Recherche zum Thema der transgenerationalen Wiederholung fort. Seit sie sich daran erinnerte, wie ihr Vater ihre Mutter in einem Anfall von Jähzorn geschlagen hatte, stellte sie sich die Frage, ob derartige Charakterzüge genetisch weitergegeben wurden oder ob man sie durch Erziehung erwarb. Wenn sie über ihn schreiben wollte, sollte sie das wissen. Ihr Vater hatte diese Seite an sich gehabt, genau wie ihr Großvater und dessen Bruder. Doch wie hatte es bei deren Vater ausgesehen, Sonjas Urgroßvater? Das wollte sie Margot fragen. Wirklich ein interessantes Thema.

Eine halbe Stunde später bestellte sie sich ein Fachbuch, von dem sie die ersten Seiten online gelesen hatte, und ging durch den Garten nach vorne, um mit Margot zu reden. Die Terrassentür stand offen, und Sonja nutzte die Abkürzung durchs Haus.

Was ihr Traum wohl zu bedeuten hatte, in dem der Unfallwagen hier lag? Sie hatte keine Ahnung. Einen anderen Traum hingegen hatte sie inzwischen als reales Erlebnis enttarnt. Den von der Hexe, die ihr im Garten begegnet war. Im Sommer vor zwanzig Jahren war sie zur

Remise gelaufen, um nach ihren Eltern zu suchen. Sie war in der Nacht des Streits zwischen ihnen wirklich dort gewesen, und dabei musste ihr Tereza begegnet sein. Tereza mit den roten Haaren, die Mama in flagranti mit Papa erwischt hatte.

Sonja traf Margot im Büro an. In die Arbeit vertieft, saß sie am PC.

»Störe ich dich?«

»Komm ruhig rein. Mir schwirrt der Kopf. Eine kleine Pause tut gut.«

Zahlreiche aufgeschlagene Aktenordner und Papiere lagen auf dem Schreibtisch. »Du hast eine Menge zu tun«, stellte Sonja fest. »Ich komme später wieder.«

»Später ist es auch nicht weniger. Falls es sich bis zu dir noch nicht herumgesprochen haben sollte: Thomas hat mir eine Vollmacht gegeben, damit ich den Laden am Laufen halte, bis er das selbst wieder kann. Marius wird mir dabei helfen.«

Sonja war überrascht. Lissy hatte extra ihren Urlaub abgebrochen, weil sie sich um alles kümmern wollte. Vermutlich gefiel diese Entscheidung weder Pia noch Lissy, und vielleicht war das ja der Grund für die schlechte Stimmung beim Frühstück gewesen. »Kann ich dich etwas wegen Thomas' und Ferdinands Vater fragen?«

»Du meinst Berthold. Frag nur.« Margot stand auf und ging zum Bürokühlschrank. Sie nahm eine Flasche Mineralwasser heraus und zwei Gläser von der Ablage.

»War er auch so jähzornig wie die beiden?«, fragte Sonja.

»Der Jähzorn liegt in der Familie. Ferdinand ist häufig ausgerastet. Er war unbeherrscht und cholerisch. Aber bei

Thomas und seinem Vater kamen Wutausbrüche nur selten vor. Warum interessiert dich das?«

»Es beschäftigt mich, wie eine solche Eigenschaft weitergegeben wird.«

Margot reichte ihr ein Glas Wasser, kehrte mit ihrem an den Kühlschrank zurück und gab einen Schuss Weißwein hinein. »Auch eine Schorle?«

Sonja lehnte ab und fragte sich angesichts der Flasche Weißwein plötzlich, wieso Henning und Thomas in jener Nacht vor zwanzig Jahren Rotwein getrunken hatten. Auf Graven trank man hauptsächlich Riesling und Silvaner. Roten gab es eigentlich nur zum Essen, wenn Weißwein nicht passte.

»Kann ich dich noch etwas wegen der Nacht fragen, in der mein Vater starb?«

Margots Blick wich aus. »Aber sicher.«

Sonja wusste nur, dass ihr Vater und ihr Großvater sich gestritten hatten und Henning wütend weggefahren war. Mit Pias Auto, denn Katja war mit der Familienkutsche unterwegs gewesen. »Worum ging es eigentlich bei dem Streit?«

»Worum schon?« Margot hob die Hände. »Um das Übliche. Um Graven.« Sie kehrte an ihren Platz zurück. »Die beiden hatten zu viel getrunken. Sie schrien sich irgendwann an, bis Henning sagte, er würde sich das nicht länger anhören. Er schnappte sich die Schlüssel von Pias Wagen aus der Schale im Flur und fuhr los.«

»Wohin wollte er?«

»Vielleicht in eine Kneipe im Dorf oder nach Trier. Wir wissen es nicht.«

Und ein paar Minuten später war er tot, dachte Sonja.

Gestorben in einer lauen Sommernacht, als die Kirchturmuhr elf schlug und die Touristen noch ein Viertel Wein bestellten, als ihre Mutter mit dem alten Passat die Autobahn verließ und es bis Graven nur noch dreißig Kilometer waren. Wenn sie eine halbe Stunde früher losgefahren wären, wäre das nicht passiert.

Und dann fiel ihr der Brief ihres Vaters ein. Am Tag vor seinem Tod hatte Henning geschrieben, dass Thomas für zwei Tage verreist sei, um sich Weinpressen anzusehen.

»Weshalb war mein Großvater eigentlich an diesem Abend daheim? Henning hat in einem Brief an meine Mutter geschrieben, dass Thomas weggefahren war, um sich eine Maschine vorführen zu lassen.«

Margot stellte das Glas mit Weinschorle ab. »Das war der Plan. Doch er hat sich schnell für eine neue Presse entschieden und ist früher nach Hause gekommen. Er war frisch verheiratet, das darf man nicht vergessen, und hatte wohl Sehnsucht nach Pia.«

Sehnsucht nach einer Frau, die ihre Mutter nur »die Zanussi« nannte, dachte Sonja. Was Pia und Thomas wohl verband? Hatte ihr Vater am Ende mit seiner Vermutung recht gehabt, dass es Pia hauptsächlich um die materielle Sicherheit, das schöne Leben auf Graven und den Status gegangen war, als sie Thomas geheiratet hatte?

Auf dem Rückweg über die Terrasse versuchte Sonja sich vorzustellen, wie ihr Vater und ihr Großvater sich hier geprügelt hatten und Henning daraufhin wütend davongefahren war, nicht ahnend, dass er nur noch wenige Minuten zu leben hatte, weil er den Tod sterben würde, den Nane Pia zugedacht hatte. Es war ein grauenhafter Zufall, der ihr den Vater genommen hatte.

Hennings Brief lag noch auf dem Couchtisch. Sonja las ihn ein zweites Mal und verstand, dass sie ihr naives Vaterbild endlich revidieren musste. Ihr Vater hatte ihre Mutter betrogen und das als sein gutes Recht angesehen. *Ich kann allem widerstehen, nur der Versuchung nicht.* Das war doch ein Witz. Ein Mann war seinen Trieben doch nicht hilflos ausgeliefert. Das war sein Argument fürs Fremdgehen gewesen? Wie hatte ihre Mutter sich darauf einlassen können? Es war Sonja ein Rätsel. Und weshalb bezeichnete Katja Henning seit zwanzig Jahren als Mistkerl, wenn sie sein Verhalten doch offenbar gebilligt hatte? Etwas anderes musste vorgefallen sein, was die Toleranzgrenzen ihrer Mutter gesprengt hatte.

Er war ein Mistkerl. Überzeuge dich selbst, hatte sie gesagt und Sonja den Karton mit Tagebüchern und Briefen in die Hand gedrückt.

Obwohl sie sich vorgenommen hatte, ihn nicht zu öffnen, überlegte sie es sich nun anders und ging nach vorne zu ihrem Mini. Gerade als sie den Kofferraum öffnete, fuhr ein Geländewagen durchs Tor und hielt auf dem Stellplatz nebenan. Ein dunkelhaariger Mann stieg aus, etwa in ihrem Alter. Schlanke Figur, Jeans, Freizeithemd, ernster Blick.

Einen Moment musterte er sie, dann zog ein Lächeln über sein Gesicht. »Du musst Sonja sein«, sagte er und reichte ihr die Hand. »Ich bin Marius. Margots Sohn. Erinnerst du dich?«

Sie hatte ihn seit der Hochzeitsfeier vor zwanzig Jahren nicht gesehen und erkannte ihn erst auf den zweiten Blick. »Natürlich. Du warst ein kleiner Junge, als wir uns zuletzt gesehen haben.«

»Und du ein schrecklich braves Mädchen. Meine Mutter hat mir gesagt, dass du hier bist. Du willst in die Fußstapfen deines Vaters treten und Schriftstellerin werden?«

»Mal sehen, ob das hinhaut, und brav war ich eigentlich nie«, sagte Sonja. »Und du kümmerst dich um Graven, bis Thomas wieder gesund ist?«

»Ja. Das ist eine große Herausforderung. Ich muss dann mal. Wir sehen uns sicher später noch.«

Sie blickte ihm nach, wie er im Büro verschwand, und hob dann den Karton aus dem Kofferraum. Als sie ihn schloss, fuhr der nächste Wagen auf den Hof. Pia stieg lächelnd aus ihrem Jeep und schob die Sonnenbrille ins Haar.

»Du strahlst so«, sagte Sonja. »Ist Thomas aufgewacht?«

»Nein. Leider noch nicht.« Pias Blick fiel auf den Geländewagen. »Ist Marius hier?«

»Er ist gerade gekommen.«

Das Lächeln verschwand. »Das passt eigentlich ganz gut.« Mit durchgedrücktem Rücken ging Pia ins Büro.

Sonja trug den Karton in die Remise und stellte ihn auf den Schreibtisch. Würde sie einen Mistkerl darin finden? Einen Moment zögerte sie, ob sie wirklich die Tagebücher und Briefe ihres Vaters lesen und in seine Privatsphäre eindringen wollte. Doch dann siegte die Neugier, und sie öffnete den Karton.

Ein Schnellhefter lag obenauf. Zu ihrer Überraschung enthielt er eine Sammlung von Zeitungsartikeln zum Mord an ihrem Vater und zum Prozess. Es waren dieselben wie in ihrer Recherchemappe. *Tödlicher Unfall unter*

Alkoholeinfluss. Ein mörderisches Versehen. Der Racheengel von Graven. Lebenslänglich für Ariane Rauch.

Sonja legte den Hefter beiseite. Im Karton befanden sich weder Tagebücher noch Briefe, sondern zwei Aktenordner. Zusammen mit ihnen kam ein neunzehn Jahre alter Brief von Katjas Anwalt zum Vorschein, in dem dieser ihr schrieb, dass er wie gewünscht Akteneinsicht beantragt habe und diesem Schreiben die Ermittlungsakten in Kopie beilägen.

*

Pia warf die Wagenschlüssel in die Schale auf der Anrichte im Flur, wie sie das noch immer tat, und legte im Wohnzimmer die Handtasche auf die Kommode. Sie setzte sich, um ihre Tochter anzurufen, die irgendwo im Weinberg oder auf dem Gut unterwegs war. Doch Lissy ging nicht ran. Entweder hörte sie das Klingeln nicht, oder sie war so wütend auf ihre Mutter, dass sie nicht mit ihr sprechen wollte. Umgekehrt ärgerte Pia sich über ihre Tochter, die den Stab über sie gebrochen hatte. Man konnte leicht Vergebung fordern, wenn man nie in einer vergleichbaren Situation gewesen war.

Wieder stieg eine brennende Scham in ihr auf, die sie sofort unterdrückte, wie immer, wenn die Erinnerungen an jene Nacht zurückkehren wollten. Eine lange geübte Routine, ein Reflex, den sie selbst kaum noch wahrnahm.

Ihr Ausbruch von vorhin tat ihr leid. Lissy hatte ja recht. So kannte sie sich selbst nicht. Trotzdem war ihre Entscheidung richtig. Sie hatte die Kontrolle zurückgewonnen. Nane würde endgültig aus ihrem Leben verschwinden, und sie allein trug dafür die Verantwortung.

Wenn es nach ihr ging, konnte Sonja ruhig in der Remise wohnen. Es gab dort nichts zu entdecken. Es sei denn, die Wände könnten plötzlich sprechen. Was dort geschehen war, wusste außer ihr niemand. Sobald Sonja wieder in München war, würde sie Thomas davon überzeugen, dass Häuschen abreißen und an seiner Stelle einen modernen Gästebungalow errichten zu lassen. Ja, das war eine gute Idee.

Sie schrieb Lissy eine Nachricht: *Es gibt die Vollmacht. Thomas hat sie schon vor Jahren für uns beide erteilt. Wir sollten uns im Büro treffen.*

Sie drückte auf Senden und steckte das Handy ein. Vor drei Jahren, um genau zu sein, an seinem siebzigsten Geburtstag, hatte Thomas die Vollmacht ausgestellt und sich dabei von Reinhard Vogel beraten lassen. Das Dokument hatte er in der Kanzlei hinterlegt. Laufer hatte es erst gefunden, nachdem er das »sehr eigenwillige Ablagesystem seines Vorgängers« verstanden hatte.

Pia zog die Vollmacht aus der Handtasche. Vor ihr hing Catels Flusslandschaft, und die Frau am Baum blickte mahnend zu ihr. Sie sehen heute zornig aus, meine Liebe, schien sie zu sagen. Zorn lässt uns Sachen tun, die wir später bereuen. Also bewahren Sie besser einen kühlen Kopf.

Ja natürlich, dachte Pia. Wer die Kontrolle über seine Gefühle verlor, verlor postwendend auch die über sein Leben. Genau so war es!

Sie lächelte der Frau am Fluss zu und ging hinüber ins Büro. Margot saß am Schreibtisch, ihr gegenüber hatte Marius Platz genommen. Er schraubte gerade den Deckel auf den Füller, mit dem er seine Unterschrift auf einen Bogen Papier gesetzt hatte. Es bedurfte keiner hellseherischen Fähigkeiten, um zu wissen, was das war.

Pia würdigte Margot keines Blicks. »Guten Tag, Marius.«

»Hallo, Pia.« Er stand auf. »Wie geht es Thomas?«

»Momentan nicht so gut. Kann ich das mal sehen?« Sie wies auf den Arbeitsvertrag und legte die Vollmacht mit der Rückseite nach oben auf den Schreibtisch. Unterdessen lehnte Margot sich mit verschränkten Armen im Bürostuhl zurück. Vermutlich wähnte sie sich am Ziel all ihrer Wünsche, und es war Pia eine Genugtuung, ihr diese Niederlage zu bereiten.

Marius reichte ihr den Vertrag, bedankte sich dabei für Pias Vertrauen und fügte hinzu, dass er Graven ganz in Thomas' Sinn führen würde. Pia überflog die erste Seite. Margot hatte ihrem Sohn tatsächlich einen unbefristeten Vertrag als Geschäftsführer gegeben. Sie wollte ihn hier dauerhaft etablieren und Lissy hinausdrängen. Sie hatte es ja von Anfang an gewusst!

Pia sah auf. »Es tut mir leid, Marius. Daraus wird nichts. Thomas möchte, dass Lissy sich um Graven kümmert.« Mit einem Ruck zerriss sie den Vertrag und ließ ihn in den Papierkorb fallen. Margot sprang auf. »Was tust du da?«, rief sie.

»Ich verstehe nicht …« Verwundert drehte Marius die Handflächen nach oben.

Pia reichte Margot die Kopie, die Laufer ihr mitgegeben hatte. »Deine Vollmacht ist ungültig. Es gibt eine aktuellere, in der Thomas mich und Lissy benannt hat. Das Original kannst du jederzeit bei seinem Anwalt einsehen.« Mit diesen Worten wandte Pia sich wieder an Marius. »Danke für deine Bereitschaft, die Verantwortung zu übernehmen. Ich denke, wir sind hier fertig. Du kannst jetzt gehen.«

Dieser Satz löste Margots Schockstarre. »Du wirfst meinen Sohn nicht hinaus!«, rief sie mit hochrotem Gesicht. »Du nicht! Du ...« Sie schnappte nach Luft, und Pia sah, dass etwas herauswollte.

»Ich ... was?«

»Du ... du Schlampe!«

Schlampe! Während Pia noch um Fassung rang, schritt Marius ein. »Mama! Das geht zu weit.« Er nahm seiner Mutter die Kopie aus der Hand.

»Ich sage nur die Wahrheit!«, rief Margot. »Du bist eine Schlampe, eine berechnende kalte Person, die sich hier ins gemachte Nest gesetzt hat. Du hast hier gar nichts zu sagen. Du setzt meinen Sohn nicht vor die Tür. Er hat mehr Anspruch auf Graven als du und dein verzogenes Gör.«

Eine ohnmächtige Wut staute sich in Pia, doch sie zwang sich, die Ruhe zu bewahren. Sie würde sich auf diesen Tonfall nicht einlassen. Gerade, weil sie wusste, dass ihre Ruhe Margot erst recht rasend machte.

»Du hast da etwas falsch verstanden, Margot«, entgegnete Pia gelassen. »Wer hier nichts zu sagen hat, bist du. Du gehörst weder zur Familie, noch hat Thomas dir die Verantwortung für den Betrieb übertragen. Ich denke, er hat seine Gründe dafür.«

»Ich gehöre mehr zur Familie als du!«, schrie Margot. »Du Flittchen! Ich weiß ja nicht, was du mit Thomas angestellt hast, dass er sich mit dir ...«

»Hör auf, Mama! Bitte! Es reicht!« Marius ging dazwischen. Ihm schien die Szene peinlich zu sein, und Margots wütender Redeschwall verstummte tatsächlich.

Er legte die Vollmacht zurück auf den Tisch. »Es ist, wie Pia sagt. Thomas hat sich anders entschieden. Das musst du akzeptieren. Und ich auch.« Er wandte sich an Pia. »Schade. Ich hätte mich gerne um Graven gekümmert, aber es ist natürlich deine Entscheidung.«

»Danke für dein Verständnis.«

Er warf seiner Mutter einen ratlosen Blick zu. »Sollen wir uns im Dorf zum Mittagessen treffen?«

Margot, die sich inzwischen wieder gefasst hatte, nickte. »Ich bin in einer halben Stunde bei dir«, sagte sie und drückte den Rücken durch. »Vorher muss ich hier noch etwas erledigen.«

Marius ging, und Pia fragte sich, was Margot hier noch zu suchen hatte. Nichts mehr, entschied sie. Die Schlampe und das Flittchen waren zu viel. Sie hatten das Fass endgültig zum Überlaufen gebracht.

»Wenn eine Angestellte die Vorgesetzte als Schlampe beschimpft, kann man wohl von einem zerrütteten Vertrauensverhältnis ausgehen. Meinst du nicht auch?« Pia wartete eine Antwort nicht ab. Keinen Tag länger würde sie sich Margots immer vorwurfsvolles Gesicht ansehen. Diese stete stumme Anklage, dass man sie und ihren Sohn nicht angemessen würdigte. Diese Leidensmiene, weil sie keine von Manthey war und nicht wirklich zur Familie gehörte. Richtig. Sie war nur eine Angestellte. »Das ist ein Grund zur fristlosen Kündigung. Ich gebe dir eine halbe Stunde, um deine Sachen zusammenzusuchen, und dann verschwindest du von hier.«

Binnen einer Sekunde wich alle Farbe aus Margots Gesicht, und Pia befürchtete für einen Moment, dass sie umkippen würde. Doch sie ließ sich auf den Bürostuhl fallen und rang nach Luft.

»Du kannst mich nicht hinauswerfen«, stieß sie schließlich hervor. »Ich weiß, was ihr getan habt. Thomas und du.« Ihre Augen verengten sich zu Schlitzen. Mit geneigtem Kopf und zusammengepresstem Kiefer sah sie Pia an.

Pias Gedanken rasten. Was meinte Margot? Etwa die Nacht von Hennings Tod? Unmöglich. Nur Thomas und sie kannten die Wahrheit. Oder hatte er am Ende Margot eingeweiht?

»Und ich kann es beweisen«, fügte Margot hinzu. Langsam kehrte Farbe in ihr Gesicht zurück, und sie gewann wieder Oberwasser. »Ich war klug genug, mir diese Versicherung nicht entgehen zu lassen, denn ich habe immer gewusst, dass der Tag kommen wird, an dem ich sie brauche. Soll ich sie nun einsetzen? Thomas wird das nicht gefallen.«

»Ich glaube, dir geht es nicht gut. Du redest wirres Zeug.« Zu mehr an Widerspruch war Pia vor Schreck nicht in der Lage. Was um Himmels willen hatte Thomas zu Margot gesagt?

Die Tür ging auf, Lissy kam herein und registrierte die dicke Luft sofort. »Was ist denn hier los?«

»Deine Mutter hat mir gekündigt«, erklärte Margot. »Doch das wird Folgen haben.«

»Mama, das kannst du nicht machen. Papa würde das nicht wollen, und ohne Margot sind wir aufgeschmissen.« Ein Ruck ging durch Lissy, und ihr Tonfall änderte sich von überrascht zu bestimmt. »Wenn ich hier die

Verantwortung übernehmen soll, muss Margot bleiben. Sonst mache ich das nicht. Dann kannst du zusehen, wie du allein zurechtkommst.«

Und ich kann es beweisen. Diese Worte hallten in Pia nach, während sie ihrer Tochter nur mit halbem Ohr zuhörte. Es war Zeit, einzulenken. Sie sank auf den Stuhl, auf dem Minuten zuvor Marius gesessen hatte, und fuhr sich mit der Hand über die Stirn. »Entschuldige, Lissy. Es tut mir leid, Margot. Mir ist das im Moment einfach alles zu viel. Ich habe überreagiert. Natürlich kannst du bleiben.« Sie sah zu Margot auf. »Ich weiß ja auch, dass du für Graven unersetzlich bist. Thomas wäre entsetzt, wenn er wüsste, dass wir hier nicht alle an einem Strang ziehen. Entschuldige.« Sie sah Margot die Erleichterung an. »Ist schon gut. Die Situation überfordert uns wohl alle ein wenig.«

*

Am Zorn festhalten ist wie Gift trinken und erwarten, dass der andere daran stirbt. Dieser Satz hatte Nane bis in den Schlaf begleitet, und im Morgengrauen wachte sie mit ihm auf.

In der Küche machte sie sich einen Becher Kaffee, setzte sich damit auf den Balkon und sah der Stadt beim Erwachen zu. Um kurz vor fünf war kaum jemand unterwegs. Ein Zeitungsausträger schob eine Karre vor sich her. Kurz nacheinander liefen zwei Jogger über den Platz. Ab und an erschien ein Auto. Um fünf schaltete die orange blinkende Ampel an der Kreuzung auf Tagesbetrieb um und zeigte Rot an.

Seit dem Gespräch mit ihrem Gastgeber Horst im Buswartehäuschen ging Nane dieser Satz durch den Kopf. Erst wenn es einem gelang, über seinen Schatten zu springen, den Zorn loszulassen und zu vergeben, fand man Frieden.

Empfand Thomas noch Zorn ihr gegenüber? Als sie ihn im Weinberg gefunden hatte, war in seinem Blick nichts dergleichen zu erkennen gewesen. Keine Geste der Abwehr, kein Zeichen des Erschreckens, kein Hass. Eher ein Bedauern. Und er hatte *Bitte* gesagt. Sie wusste, dieses Wort bedeutete mehr als nur die Bitte um Hilfe. Vielleicht war es ja die Bitte, ihm seine Lüge zu vergeben.

Seit gestern spürte sie auch, dass es nicht mehr wichtig war, die Wahrheit über den Anruf zu erfahren. Falls Thomas gelogen hatte, was könnte sie schon tun? Ihn anzeigen, wegen etlicher gestohlener Jahre? Ihn mit ihrem Hass verfolgen? Den Prozess neu aufrollen lassen, damit ihre Strafe reduziert wurde? Das wäre sinnlos, denn die Strafe konnte nicht mehr reduziert werden. Die Zeit war vergangen, niemand konnte sie ihr zurückgeben. Falls er gelogen hatte, musste sie ihm das verzeihen. Sonst würde sie ihren Frieden nie finden und sich bis an ihr Lebensende an seiner Rache abarbeiten. Denn wenn er tatsächlich gelogen haben sollte, dann um sich zu rächen.

Pia würde ihr nie vergeben. Selbst wenn sie sich in den Main stürzte, würde Pia sagen: Das geschieht ihr recht. Selber schuld.

Und wie würde Sonja reagieren? Nane konnte sie nicht einschätzen. So gut kannte sie Hennings Tochter nicht. Der Zettel mit ihrer Telefonnummer steckte noch in der Hosentasche. Vielleicht würde sie sie anrufen, wenn sie sich stark genug für ein Gespräch fühlte.

Wer ihr tatsächlich verziehen hatte, war die Gesellschaft, genau wie Horst gesagt hatte. Das war eine verblüffende Erkenntnis gewesen. Die Gesellschaft hatte ihr eine Strafe auferlegt, sie hatte sie verbüßt und bekam die Chance eines Neuanfangs. Auf dieser Ebene war etwas ins Gleichgewicht geraten. Jetzt musste sie sich allerdings noch selbst verzeihen, und das war das Schwierigste. Mit einem Sixpack Bier war es nicht getan und mit einer Wanderung auf dem Jakobsweg erst recht nicht. Denn das wäre alles andere als eine Strafe. Es wäre eine große Freude.

Und damit war sie bei der Idee angelangt, die sie im Morgengrauen gestreift hatte. Ihr blieb noch die dritte Möglichkeit: Verschenk deinen Besitz an die Armen.

Sie war eine vermögende Frau. Ihr gehörte ein Drittel des Hauses, und obendrein hatte Birgit ihr ihren Anteil am Gewinn der Mieteinnahmen auf ein Sparbuch eingezahlt. Beinahe neunzigtausend Euro hatten sich darauf im Laufe der Jahre angesammelt.

Sie konnte ihren Anteil am Haus verkaufen und es zusammen mit dem Geld auf dem Sparbuch verschenken. Alle Sicherheit aufzugeben, auf Konsum und jeden Luxus zu verzichten, das wäre ein angemessener Ausgleich.

Tief in sich spürte sie, dass dies der richtige Weg war. So würde sie es machen. Sie ging hinein, klappte Birgits alten Laptop auf und suchte im Internet nach Immobilienpreisen. Als sie die Angebote sah, schnappte sie nach Luft. Die Altersvorsorge ihrer Eltern musste mehrere Millionen Euro wert sein. Meine Güte, was man damit machen konnte. Ein Haus für misshandelte Frauen einrichten, samt psychologischer Betreuung und Rechtsberatung.

Ein Hospiz unterstützen oder eine Kinderkrebsstation. Medizinische Betreuung für Obdachlose. Feriencamps für Kinder, deren Eltern sich das nicht leisten konnten. Zahllose Ideen wirbelten durch ihren Kopf, und sie fühlte sich plötzlich so lebendig wie seit Jahren nicht mehr.

Bis kurz vor neun klickte sie sich durch die Seiten von Hilfsprojekten und Hilfsorganisationen. Je mehr sie las, umso klarer wurde ihr, dass sie nicht nur ihr Vermögen in den Dienst einer guten Sache stellen wollte. Sie wollte selbst mit anpacken.

Um zehn ging sie hinunter ins Geschäft. Birgit war schon da und saß am Schreibtisch. »Guten Morgen, Schwesterherz. Du strahlst so. Ist etwas passiert?«

Nane setzte sich in den Eames Lounge Chair, eine Neuerwerbung aus einer Haushaltsauflösung. Sie wusste nicht, wie Birgit zu ihrem Entschluss stehen würde, und war plötzlich verunsichert. »Ich habe eine Entscheidung getroffen. Ich werde mein Leben grundlegend ändern.«

»Und was soll das genau bedeuten?«

»Ich werde mich in einem Hilfsprojekt engagieren. In welchem, das weiß ich noch nicht. Vielleicht gründe ich auch selbst eins. Aber das ist es, was ich will. Helfen.« Als sie sich selbst so reden hörte, wollte sie ihr Mut schon wieder verlassen. Vermutlich wirkte sie auf Birgit völlig durchgedreht. »Auf alle Fälle werde ich dafür meinen Anteil am Haus verkaufen«, fuhr sie fort.

»Was?« Birgit sah sie erschrocken an. »Das Haus ist sechs Millionen wert. Ich kann dich nicht auszahlen. Mit dem Laden komme ich gerade so über die Runden. Die Leute kaufen heute ja alles im Internet, sogar Antiquitäten. Pia kann dich vielleicht auszahlen, aber ich nicht.«

Sofort fühlte Nane sich schuldig. »Das wusste ich nicht.«

»Wenn ich dafür einen Kredit aufnehmen muss, dann muss ich ihn mit den Mieteinnahmen abbezahlen, und dann bleibt mir nichts mehr zum Leben. Unterm Strich würde es bedeuten, dass wir das Haus verkaufen müssen. Das will ich nicht.«

Das Letzte, was Nane wollte, war Streit mit Birgit. Sie wollte aber auch ihr Vorhaben verwirklichen und suchte einen Kompromiss. Dabei erinnerte sie sich an Charlotte, eine Immobilienmaklerin, die sie aus dem Gefängnis kannte, wo sie zweieinhalb Jahre wegen Betrugs abgesessen hatte. Sie hatte eine Wohnung verkauft, die ihr gar nicht gehörte. »Wir könnten das Haus in Eigentumswohnungen aufteilen«, schlug Nane vor. »Dann verkaufe ich meine, und ihr behaltet eure.«

»Wozu brauchst du zwei Millionen, wenn du bei einer Hilfsorganisation arbeiten möchtest? Willst du dich da etwa einkaufen?« Birgit beugte sich über den Tisch, im Blick pure Skepsis. »Das sind Nonprofit-Organisationen. Am Ende ist dein Geld weg. Was hast du vor?«

Nane erläuterte Birgit ihr Vorhaben, oder besser gesagt, ihre Ideen.

»Du willst also dein gesamtes Vermögen für Kranke, Arme und Bedürftige verwenden. Und was ist mit dir? Wovon willst du leben?«, fragte Birgit.

»Von meiner Arbeit. Entweder gründe ich eine Organisation, dann leite ich sie auch und bezahle mir ein kleines Gehalt aus, oder ich lasse mich von einer Hilfsorganisation anstellen.«

»Die dir dann deine Lohntüte mit deinem gespendeten

Geld füllt. Hast du dir gerade selbst zugehört? Das klingt ziemlich verrückt.«

»Es ist bisher ja nur eine Idee. Ich muss mich erst einmal informieren. Aber ich will mit meinem Geld etwas Sinnvolles anstellen.«

»Ja, das habe ich verstanden. Es ist deine Art, dich weiter zu bestrafen. Gönne dir nichts. Keine Designerjeans, keinen Urlaub in New York, keinen Lippenstift und keine Schokotorte, keine Freude am Leben. Richtig?«

Es klang wie eine Anklage. Nane zuckte innerlich zusammen, als Birgit New York erwähnte.

»Du hast deine Strafe aber längst verbüßt. Du hast es hinter dir«, fuhr Birgit fort. »Und wenn du dich schon unbedingt selbst bestrafen willst, dann bitte nicht auf meine Kosten. Ich will das Haus nicht verkaufen, Nane. Wir sind hier aufgewachsen. Das ist unsere Kindheit, unser Leben. Ich will hier nicht weg.«

»Lass es uns so machen, wie ich vorgeschlagen habe. Wir machen Eigentumswohnungen daraus, dann kannst du hierbleiben.«

»Und wo willst du leben? Auf der Straße? Man kann es auch übertreiben. Das muss doch nicht sein.«

Ein schönes Leben führen. Einen Augenblick erschien ihr der Gedanke verlockend. Vor allem das Reisen. Wo war sie denn schon gewesen, außer mal in Spanien und in London? In New York, mit Thomas. Damals, als alles begonnen hatte. Ein diffuses Fernweh erfasste sie. Wohin sie überall fahren könnte. Plötzlich sah sie Regenwälder vor sich und Eisberge, Gipfel hoch in den Wolken, die Lichter von Hongkong und Pagoden in Tibet. Doch das ging nicht.

»Wie wäre es damit?«, sagte Birgit. »Du spendest das Geld vom Sparbuch für eine gute Sache. Dann suchst du dir einen Job bei einer Hilfsorganisation und arbeitest dort entweder ohne Bezahlung, dann kannst du deinen Lebensunterhalt von deinem Anteil an den Mieteinnahmen bestreiten, oder du lässt dich bezahlen und spendest jeden Monat deinen Anteil.« Abwartend sah Birgit sie an. »Von irgendwas musst du schließlich leben. Was meinst du?«

Birgits Vorschlag klang vernünftig. Wenn Nane ihren Anteil am Haus nicht verkaufte, stand ihr eine stetig sprudelnde Quelle für wohltätige Zwecke zur Verfügung. »Ich denke darüber nach.«

»Gut«, sagte Birgit. »Mach das. Und heute Mittag gehen wir shoppen. Du hast ja nur ein paar Klamotten.«

»Ich brauche nichts.«

»Doch, du brauchst was. Auch bei Hilfsorganisationen bewirbt man sich nicht in Sack und Asche.« Aufmunternd zwinkerte Birgit ihr zu. »Du bist PR-Frau und wärst vermutlich gut darin, Spendenaktionen für so einen Verein zu organisieren. Ja, ich glaube, das wäre was für dich.«

»Ach, Birgit.« Nane fiel ihrer Schwester um den Hals. Sie war ihr dankbar für ihr Verständnis und für die Ermutigung und dafür, dass sie an sie glaubte und sie unterstützte. Zum ersten Mal, seit sie das Gefängnis verlassen hatte, sah Nane eine Zukunft für sich.

Die Glocke an der Ladentür bimmelte. Ein Kunde kam herein. Unwillkürlich drehten Birgit und Nane sich um. Doch es war kein Kunde, sondern Jens Klein, ihr Bewährungshelfer. Was wollte er denn hier? Hatte sie etwa einen

Termin bei ihm verpasst? So verärgert, wie er dreinsah, verflüchtigte sich Nanes gute Laune schlagartig.

»Frau Rauch«, sagte er kopfschüttelnd, und es klang wie ein einziger langer Seufzer. »Sie haben wohl Sehnsucht nach dem Gefängnis.«

Ganz sicher nicht. Nie wieder wollte sie einen Tag hinter Gittern verbringen. Was meinte er? Plötzlich lag die Angst wie ein kalter Stein in ihrer Brust. Lissy und David. Sie hatten nicht Wort gehalten. Sie hatten es Pia erzählt. Und Pia ... Nanes Knie wurden weich, sie musste sich setzen. Pia konnte den Zorn nicht loslassen, sie trank das Gift, von dem sie hoffte, dass es Nane umbringen würde.

»Worum geht es denn?«, fragte Birgit. »Nane hat sich nichts zuschulden kommen lassen. Sie hat alle Auflagen erfüllt.«

»Die Auflagen schon«, sagte Klein. »Aber sie hat sich nicht an das Hausverbot gehalten.«

»Welches Hausverbot denn?« Ratlos sah Birgit zu Nane.

»Ich habe ganz vergessen, dir davon zu erzählen«, gab Nane kleinlaut zu.

»Sie war im Krankenhaus beim Vater ihres Opfers«, berichtete Klein. »Und nun haben wir den Salat. Es liegt eine Strafanzeige wegen Hausfriedensbruchs vor.«

*

Die Ermittlungsakten lagen ausgebreitet vor Sonja auf dem Boden. Seit Tagen arbeitete sie sich durch diesen Wust an Papieren. Fotos und Skizzen, Protokolle und Berichte, verfasst in einem umständlichen Beamtendeutsch, das den Ereignissen jener Nacht einen zusätzlichen eigenwilligen Charakter verlieh. Als könnte man das Grauen hinter einer nüchternen Sprache verbergen. Doch dadurch wurde es paradoxerweise umso sichtbarer. Da war von fehlenden Gurtmarken die Rede, von der Fahrgastzelle, von Fahrzeugüberschlag mit Herausschleudern des Insassen. Und Sonja sah plötzlich vor sich, wie der Wagen die Leitplanke durchbrach, in den Prälatengarten stürzte und sich wieder und wieder überschlug. Sie sah, wie ihr Vater herausgeschleudert wurde, weil er sich nicht angeschnallt hatte, wie er zehn Meter weit flog und unterhalb des demolierten Wagens mit dem Kopf auf einem Felsen aufschlug und liegen blieb. Genickbruch. Das hatte die Rechtsmedizin Frankfurt als Todesursache festgestellt.

Während sie den Tatortbefundbericht durchblätterte – auch so ein Wort –, kam ihr die *Chronik eines angekündigten Todes* in den Sinn. Ein Roman von Gabriel García Márquez, in dem er schildert, wie es in einem südamerikanischen Dorf zu einem Mord kommt, den niemand verhindern kann, obwohl sogar die Täter hoffen, dass man sie aufhalten wird, was leider nicht geschieht.

Eine Analyse der Ereignisse, die zum Tod ihres Vaters geführt hatten. Das Drama einer scheinbaren Unausweichlichkeit. Wenn Thomas nicht einen Tag früher nach Hause zurückgekehrt wäre, hätte der Streit nicht stattgefunden. Wenn Henning Katja nicht mit Tereza betrogen und obendrein geschlagen hätte, wäre Katja nicht weggefahren. Wenn sie Graven nicht mit der Familienkutsche verlassen hätte, wäre Henning nicht in Pias Wagen gestiegen. Wenn Nane Thomas wirklich gewarnt hätte, anstatt ihn mit Vorwürfen zu überhäufen, wäre der

Unfall zu verhindern gewesen. Wenn Thomas Nane nie kennengelernt hätte, sondern gleich ihre Schwester Pia … Und so weiter. Hatte der Countdown zu Hennings Tod an dem Tag begonnen, an dem Thomas Pia begegnet war? Also sieben Monate vorher an einem eisigen Januartag in Frankfurt? Oder bereits Monate früher, als er Nane zum ersten Mal getroffen hatte?

Die Idee, Hennings Schicksal auf diese Weise zu erzählen, reizte Sonja. Eine Art Puzzlespiel. Sie beschloss, sich die Zusammenhänge genauer anzusehen und dabei mit dem letzten Tag zu beginnen. Mit der Klimax. Mit der Katastrophe. Von dort würde sie sich in die Vergangenheit vorarbeiten. Was war am 17. Juli 1998 geschehen, und weshalb war es unvermeidlich gewesen?

An diesem Tag hatte Ariane Rauch irgendwann den Entschluss gefasst, sich an ihrer Schwester Pia zu rächen und sie zu töten. In welcher psychischen Verfassung musste man sich befinden, um einen hinterhältigen Mord nicht nur zu planen, sondern auch auszuführen? Wenn die Fantasie alleine nicht mehr ausreichte, weil sie sich abgenutzt hatte und die ersehnte Erleichterung ausblieb, schritt man dann zur Tat? Sonja beschloss, mit Nane darüber zu sprechen.

Am selben Tag hatte ihre Mutter – nach nur einer Nacht im Ferienhaus – in der Normandie gegen Mittag entschieden, zurück nach Graven zu fahren und sich mit Henning zu versöhnen. Sie hatte die Reisetaschen wieder gepackt, sich von den Freunden verabschiedet, die ihr rieten zu bleiben und nicht verstanden, wieso Katja zu dem Mann zurückkehren wollte, der sie betrog und schlug. Zu diesem Zeitpunkt war er also für ihre Mutter noch nicht der Mistkerl gewesen, der er nach seinem Tod geworden war. Was war passiert, dass sie ihre Meinung über ihn radikal geändert hatte? Diese Information müsste doch in den Akten zu finden sein. Am frühen Nachmittag hatte ihre Mutter sie, Sonja, im Kindersitz angeschnallt und sich auf die beinahe siebenhundert Kilometer lange Rückfahrt gemacht.

An diesem Tag hatte Thomas sich in der Nähe von Münster eine Weinpresse vorführen lassen und entschieden, sie zu kaufen. Damit fiel die Vorführung eines ähnlichen Modells bei einem anderen Hersteller aus, die für den nächsten Tag vereinbart war. Thomas fuhr also vierundzwanzig Stunden früher zurück nach Graven als geplant, wo er am späteren Abend eintraf.

Dort war an diesem Tag alles seinen gewohnten Gang gegangen. Margot im Büro. Die Arbeiter in den Weinbergen. Leonhard im Keller. Die Bauarbeiten an der Vinothek waren vorangeschritten. Henning saß fluchend an seinem Roman in der Remise und beendete den am Vortag begonnenen Brief an seine Frau nicht. Warum nicht? Oder hatte er es doch getan, und die zweite Seite war verloren gegangen?

Pia restaurierte in ihrer Werkstatt ein Gemälde, und Margot kochte ausnahmsweise für alle, denn sie hatte Tereza am Vortag fristlos gekündigt, nachdem Henning ihr erzählt hatte, dass sie ihren Teil zum Zerwürfnis mit Katja beigetragen habe.

Sonja beschloss, den Abend möglichst genau zu rekonstruieren. Was sie nicht wusste, konnte sie bei Margot erfragen, oder sie würde es in den Ermittlungsakten finden.

Sie griff nach ihrem Collegeblock, schlug eine neue Seite auf und begann mit dem Zeitraum zwischen zwanzig und zweiundzwanzig Uhr.

Gegen zwanzig Uhr war Thomas zurückgekommen. Es war ein lauer Sommerabend. Sicher hatte er sich auf die Terrasse gesetzt, etwas zu Abend gegessen und ein Glas Wein getrunken oder zwei. Ob es wirklich Rotwein gewesen war, bezweifelte sie allerdings. Wo war Pia gewesen? Vermutlich hatte sie sich zu ihrem Mann gesetzt. Und Margot? Damals hatte sie mit Marius noch in der Wohnung über dem Büro gelebt.

Henning hatte bis kurz nach zweiundzwanzig Uhr in der Remise gearbeitet. Das wusste Sonja aus den Akten. Auf dem Weg ins Schlafzimmer, das sich im Haus befand, bemerkte er seinen Vater auf der Terrasse und setzte sich zu ihm. Etwa um dieselbe Zeit machte Katja mit Sonja auf der A31 zwischen Metz und Diedenhofen Pause in einem Rasthof, während Nane sich unbemerkt in die Garage auf Graven schlich und den größten Teil der Bremsflüssigkeit von Pias Auto in eine mitgebrachte Plastikflasche abließ.

Was geschah zwischen zweiundzwanzig und dreiundzwanzig Uhr? Thomas und Henning waren auf der Terrasse nicht sofort in Streit geraten, denn eine knappe Stunde lang hätte Henning sich nicht mit seinem Vater gestritten. Noch dazu über ein derart ausgereiztes Thema. Vermutlich hatten sie sich zunächst nett unterhalten und waren erst später bei ihrem ewigen Streitpunkt angelangt, weshalb Henning Graven nicht übernehmen wollte. Sie mussten wirklich beide zu viel getrunken haben, um sich derart in die Haare zu geraten, dass Henning nicht wütend zu Bett gegangen war, sondern ins Dorf oder nach Trier fahren wollte. Wie hoch war sein Blutalkoholspiegel gewesen? Sonja notierte diese Frage.

Kurz vor 23 Uhr verließ Katja bei Trier die Autobahn. Etwa eine halbe Stunde dauerte die Fahrt von dort nach Graven. Nane befand sich auf der Rückfahrt nach Frankfurt und bekam Gewissensbisse oder einen Wutanfall. Sie rief Thomas von einer Telefonzelle aus an. Nach ihrer Version, um ihn zu warnen, damit niemand das Auto benutzte. Nach Thomas' Aussage, um ihren verletzten Gefühlen freien Lauf zu lassen und ihn zu beschimpfen. Das Gericht war seinen Angaben gefolgt, dass Nane ihm die üblichen Vorhaltungen gemacht hatte.

Hier stutzte Sonja. Nanes Anruf war um 22.54 Uhr eingegangen. Henning war um 23.00 Uhr verunglückt. Nur sechs Minuten später. Wenn man voraussetzte, dass die Kirchturmuhr richtig ging. Die Frage, ob das der Fall gewesen war, notierte sich Sonja. Wo war Pia zu diesem Zeitpunkt gewesen, wo hatten sich Margot und der zwölfjährige Marius aufgehalten? Hatten sie den Streit mitbekommen und Hennings wütenden Abgang?

Und wo war Henning, als Nane anrief? Hatte ihr Anruf den Streit beendet, bei dem es hoch hergegangen sein musste? Immerhin waren Weingläser zu Bruch gegangen.

Sonja versuchte sich die Szene vorzustellen. Die beiden brüllen sich an, Henning fegt im Zorn die Gläser vom Tisch. Vielleicht auch Thomas. Das Handy klingelt. Thomas zieht es aus der Tasche, Henning verlässt wütend die Terrasse, nimmt Pias Wagenschlüssel aus der Schale im Flur und geht in die Garage. Unterdessen telefoniert Nane mit Thomas, weil … weil was?

Nane hatte Thomas angerufen, um ihn zu beschimpfen, entschied Sonja. Wenn sie ihn gewarnt hätte, dann hätte Thomas doch verhindert, dass Henning den Wagen nahm. Dazu hätte Thomas allerdings wissen müssen, dass Henning nicht zu Bett, sondern runter ins Dorf wollte und gerade in Pias Wagen stieg.

Dreiundzwanzig Uhr. Henning steuert auf die erste Haarnadelkurve zu, er will bremsen, doch die Bremsen versagen. Weshalb hatte er sich nicht aus dem Wagen fallen lassen, als er erkannte, was gleich passieren würde? Da er nicht angeschnallt war, wäre es schnell gegangen, hätte allerdings auch eine schnelle Reaktion erfordert. Mit diesem Gedanken kam Sonja wieder bei der Frage nach dem Blutalkoholspiegel an. Sie kreiste die Frage auf dem Collegeblock ein.

Etwa zwanzig Minuten später war Katja die Straße zum Weingut hochgefahren. Sie hatte die Einsatzfahrzeuge und den Unfall gesehen, und ohne zu ahnen, wer da verunglückt war, hatte sie bissig bemerkt, dass die Leute hier einfach zu viel soffen. Als sie mit Sonja Graven erreichte, war niemand wach – bis auf Margot, die auf der Terrasse die Scherben wegräumte.

Wieso hatte niemand den Unfall gehört? Oder wenigstens die Martinshörner der Rettungsfahrzeuge? Pia und Thomas waren gerade erst zu Bett gegangen, zumindest Thomas. Er konnte eigentlich noch nicht geschlafen haben. Margot und er mussten den Trubel mitbekommen haben, der sich nur etwa fünfhundert Meter entfernt zutrug. Aber sie hatten ihn nicht auf sich bezogen. Denn Thomas hatte sicher angenommen, Henning sei wütend zu Bett gegangen, bis er herausgeklingelt und eines Besseren belehrt wurde. Sonja erinnerte sich, dass ihre Mutter immer wieder erzählt hatte, dass sie noch keine zwei Minuten in Graven gewesen waren, als es vorne an der Haustür klingelte. Es war der Hauptmann der Freiwilligen Feuerwehr in Begleitung eines Polizisten, der die schreckliche Nachricht überbrachte.

In den Unterlagen suchte Sonja nach dem Obduktionsbericht und fand ihn nicht gleich, obwohl sie ihn schon gesehen hatte. Dafür fiel ihr ein Protokoll in die Hände, das ihre Aufmerksamkeit erregte. Es war die Abschrift der polizeilichen Befragung von Thomas, durchgeführt von Kriminalhauptkommissar Stefan Wächter von der Kriminaldirektion Trier. Sie überflog die ersten Zeilen und vertiefte sich dann verwundert in den Bericht. Wenn stimmte, was da stand, dann hatte ihre Mutter recht, dann war Henning wirklich ein Mistkerl gewesen.

Kapitel 10

Frühjahr und Sommer 1998

Der März brachte eine Reihe warmer Tage. Beinahe über Nacht überzogen sich Bäume und Sträucher mit einem zarten Grün. Pia hatte sich entschieden, aus dem Haus am Schweizer Platz auszuziehen, und befand sich auf Wohnungssuche.

Ihre egozentrische Mutter machte sie wütend, und ihr Vater mit seiner abgrenzenden Zurückgezogenheit machte sie traurig. Die beiden strahlten etwas so Hoffnungsloses aus, dass Pia ihre Nähe kaum noch ertrug. Und dann noch Birgits heiliges Leiden. Wie eine Märtyrerin schlich sie durchs Haus und wusste nicht, was sie mit ihrem Leben anfangen sollte. Sie war arbeitslos, denn keine Schule wollte sie einstellen. Kurz hatte sie mit dem Gedanken gespielt, selbst eine zu gründen, doch dafür brauchte man ein einwandfreies Führungszeugnis, und das hatte sie nicht.

Aus Birgits Sicht trug Oliver die Schuld an ihrem Unglück. Oliver, der sich gegen sie gewandt hatte, und seine Exfreundin, mit der er wieder zusammen war. Dabei war

Birgit selbst für dieses Desaster verantwortlich. Ihre Mutter hingegen wurde nicht müde, auf den Fluch zu verweisen, der angeblich über den Frauen der Familie hing wie das Schwert des Damokles und der nun auch Birgit ereilt habe. Pia hätte am liebsten geschrien, Mama solle ihre blöde Klappe halten. Sie tat es nicht, sondern machte sich auf die Suche nach einer Wohnung mit möglichst großer Distanz zum Haus am Schweizer Platz.

Wenn sie sich mit Thomas traf, mied sie das Thema Familie nach wie vor und genoss die unbeschwerte Zeit mit ihm. Was sich zwischen ihnen entwickelte, hatte sie so noch nicht erlebt. Es war nicht Liebe, sondern Freundschaft und ein tiefes Vertrauen, die mit jedem Treffen wuchsen. Seit Thomas nach dem Ausstellungsbesuch bei ihr übernachtet hatte, schliefen sie auch miteinander. Ihre Angst, ihm nicht zu genügen, weil sie im Gegensatz zu seiner vorherigen Freundin verklemmt war, erwies sich als unbegründet. Auch im Bett ließ er es langsam angehen. Er bevorzugte weder exotische Stellungen noch ungewöhnliche Praktiken. Sie hatten ganz normalen Sex miteinander. Er meistens oben, weil er das offenbar so mochte. Ihr war es egal. Sie kam so oder so nicht und spielte ihm ein wenig Ekstase vor. In diesem Punkt war es mit ihm nicht anders als mit den Männern vor ihm. Vermutlich war sie wirklich frigide. Dann war das eben so.

Das Schönste am Sex mit Thomas war das Vorspiel, bei dem er sich Zeit ließ, und das Kuscheln danach. Wenn sie aneinandergeschmiegt im Bett lagen und ihren Gedanken nachhingen und sich leise unterhielten. Nur deswegen ließ sie den eigentlichen Akt über sich ergehen. Thomas schien nichts davon zu bemerken. Er gab ihr das Gefühl, eine vollwertige Frau zu sein, ohne dass sie dafür die andere Pia wecken musste, die archaische und wilde, die irgendwo tief in ihrem Inneren in einem Kerker hauste.

An einem Tag Anfang April besichtigte Pia eine Wohnung in der Nähe der Universität. Sie gehörte einem Onkel von Fabian, der Pia als Mieterin empfohlen hatte. Nun stand sie mit einem gemütlichen Mann mittleren Alters in modernen und hellen Räumen und wusste sofort, dass es die richtige Wohnung für sie war. Sie bat ihren künftigen Vermieter um zwei Stunden Bedenkzeit, weil sie die Wohnung gerne ihrem Freund zeigen wollte. Mit Thomas hatte sie ohnehin eine Verabredung, denn er war zu einem Termin in der Stadt. Fabians Onkel händigte ihr die Schlüssel aus und sagte, er werde im Café gegenüber auf sie warten.

Als Pia Thomas die Wohnung zeigte, stieß sie ganz unerwartet auf Ablehnung. »Gefällt sie dir nicht?«

»Doch. Sie ist schön. Und die Lage ist toll.«

»Was stört dich dann?«

Er lehnte sich ans Fensterbrett und sah sich im leeren Raum um. »Wenn du sie mietest … Wie sage ich das nun am besten?« Ratlos hob er die Hände.

»Ich weiß nicht, worauf du hinauswillst.«

»Du kennst doch den Film *Harry und Sally*, oder?«

Sie lachte. »Natürlich. Männer und Frauen können nie Freunde sein. Der Sex wird ihnen immer einen Strich durch die Rechnung machen.«

Thomas nickte. »In der letzten Szene sagt Harry zu Sally: *Wenn man begriffen hat, dass man den Rest des Lebens zusammen verbringen will, dann will man, dass der Rest des Lebens so schnell wie möglich beginnt.* Ich liebe dich, Pia. Ich habe nicht gedacht, dass ich das je wieder sagen würde. Aber es ist so. Ich liebe dich, und ich will mit dir zusammen sein. Nicht nur an den Wochenenden, sondern immer, und das geht nicht, wenn du diese Wohnung mietest.«

Verblüfft sah sie ihn an. »War das jetzt eine Einladung, zu dir nach Graven zu ziehen?«

»Ich meine …« Er kam auf sie zu und nahm ihre Hände. »Genau genommen war das ein Heiratsantrag. Allerdings zu spontan und daher wirklich schlecht formuliert.« Auf seinem Gesicht erschien ein unsicheres Lächeln.

Pia wusste im ersten Moment nicht, was sie sagen sollte, doch schon im nächsten fühlte sich die Vorstellung, seine Frau zu werden, gut und richtig an. Thomas gab ihr alles, wonach sie sich sehnte. Geborgenheit und Sicherheit. Einen ruhigen Hafen. Trotzdem zögerte sie. Eine Ehe hatte nie auf ihrer Agenda gestanden.

»Ich weiß nicht, was ich sagen soll. Das kommt so plötzlich, und wir kennen uns ja erst drei Monate.«

»Du sagst aber nicht Nein.«

»Nein«, sagte sie und musste lachen. »Das heißt: Ja, ich sage nicht Nein. Gib mir Zeit, um darüber nachzudenken.«

Sie mietete die Wohnung nicht. Dafür traf sie eine andere Entscheidung. Als Thomas sie wieder bat, die Frau am Ufer auszuarbeiten, willigte sie ein. Für ihn würde sie es tun, und er freute sich darüber wie ein kleiner Junge, und das freute wiederum sie. Als sie ihm erklärte, dass sie dafür anhand von Originalen analysieren müsse, wie Catel seine Figuren angelegt hatte, erkundigte er sich, wo sie das tun könne. Die bedeutendste Sammlung befand sich in der Fondazione Catel in Rom. Museen in Berlin und München besaßen ein knappes Dutzend, im Metropolitan Museum of Art in New York hingen sechs weitere seiner Werke, darunter eines, das Pia nur zu gerne gesehen hätte. Es trug den Titel *First Steps*. Darauf macht ein Kleinkind im Kreis der Familie seine ersten Schritte. Während alle ganz auf das Kind konzentriert sind, lehnt im Bildvordergrund eine Frau an der Wand und beschäftigt sich mit einer Spindel. Sie nahm eine ähnliche Haltung ein wie die Frau am Fluss.

Thomas schlug eine mehrtägige Reise nach Rom vor. Im Juni musste er ohnehin zu seinem Importeur nach New York und bat Pia, ihn zu begleiten. Während er mit seinen Geschäftspartnern verhandelte, konnte sie sich mit Catels Spinnerin beschäftigen.

Pia schrieb die Museen in Rom und New York per Fax an, stellte sich als Restauratorin vor und bat darum, einige Werke Catels studieren zu dürfen. Die Zusagen kamen schnell.

Frühling in der Ewigen Stadt. Die Tage in Rom vergingen wie im Flug. Die Vormittage verbrachten sie mit Besuchen der üblichen Touristen-Highlights. Engelsburg, Petersdom, Via Appia und natürlich das Kolosseum. Mittags suchten sie sich kleine Restaurants abseits der Touristenströme. Die Nachmittage verbrachte Pia in der Fondazione mit dem Studium ausgewählter Gemälde. Abends bummelten sie durch die Straßen. Nachts liebten sie sich bei offenem Fenster, während Geräusche und Gerüche der Stadt zu ihnen hereindrangen.

Es waren Tage voller Nähe. Mit Thomas konnte sie lachen, mit ihm konnte sie ihre Leidenschaft für Kunst teilen. Er war ein begieriger Schüler und humorvoll obendrein. Er stellte ganz eigene Verbindungen zwischen den Kunstwerken her, so wie er es schon mit Vermeers *Geograph* und Botticellis *Bildnis der Simonetta Vespucci* getan hatte. Er war aufmerksam und großzügig. Sie genoss die bewundernden Blicke, die manche Frauen ihm ganz ungeniert zuwarfen, und die neugierigen der Männer, die ihr galten. Sie waren nicht nur ein ungewöhnliches Paar, sondern auch glücklich miteinander, wie Pia sich eines Abends eingestand. Das war mehr, als sie sich je von einer Beziehung erhofft hatte, und sie begann über seinen Heiratsantrag nachzudenken. Was sprach eigentlich dagegen? Dass sie ihn nicht liebte, war aus ihrer Sicht nebensächlich. Der Altersunterschied ebenfalls. Er drängte sie nicht, aber er zeigte ihr, welches Leben sie an seiner Seite erwartete. Aufregend, abwechslungsreich, materiell abgesichert.

Nach der Rückkehr aus Rom begann sie die Ausarbeitung der Frau am Fluss vorzubereiten, und wich den Fragen ihrer Mutter nach Thomas aus. Er sei ja wohl mehr als nur ein Kunde, so häufig, wie er am Schweizer Platz aufkreuze. Die Reise nach Rom hatte Pia vor ihr verbergen können. Sie hatte behauptet, dass sie allein und zu Recherchezwecken unterwegs gewesen sei. Falls sie Thomas heiratete – und dieser Gedanke erschien ihr jeden Tag verlockender –, würde sie sich den Kommentaren ihrer Mutter stellen müssen.

Die Reise in die USA kündigte Pia erst am Abend vor dem Flug an. Einzig und allein, damit ihre Eltern sie nicht bei der Polizei als vermisst meldeten, wenn sie entdeckten, dass sie verschwunden war. »Ich fliege für eine Woche nach New York«, erklärte sie ihrer Mutter. »Für die Post habe ich einen Lagerauftrag gestellt, und Blumen, die man gießen müsste, gibt es bei mir nicht. Niemand muss sich kümmern.«

»Du fliegst aber nicht allein«, sagte ihre Mutter, die sie über den Rand der Lesebrille hinweg taxierte. »Er begleitet dich. Der Mann, dem der Catel gehört, oder?«

»Wie kommst du denn auf die Idee?«

»Weshalb machst du ein Geheimnis um ihn?«

»Weil du dann fragen wirst, ob ich ihn liebe, und dann geht die alte Leier von diesem Familienfluch wieder los.« Die Worte brachen aus Pia heraus, zu lange hatten sie sich angestaut. »Dabei ist dieser Fluch nichts als deine Erfindung. Er ist deine verdammte Rechtfertigung dafür, dass du uns verlassen hast. Wir waren Kinder. Wir haben dich gebraucht, aber du bist dem besten Fick deines Lebens hinterhergerannt. Das war wichtiger. Und hinterher hast du dich mit der unabwendbaren Macht des Schicksals herausgeredet. Verdammt! Gib es doch endlich zu! Du warst einfach nur scharf auf Günther, und wir haben dich einen Dreck interessiert. Es war allein deine Entscheidung! Und wenn du noch einmal das Märchen vom Fluch bemühst, flippe ich aus. Gönn Birgit, Nane und mir unsere Liebschaften, statt sie uns immer madig zu machen!«

Ihre Mutter erhob sich aus dem Sessel. Das weißblonde Haar umgab sie wie ein Heiligenschein, doch ihre Mimik war die eines Racheengels. »Dann flippst du also aus! Erst dann? Sieh dich doch an. Außerdem ist er zu alt für dich. Er könnte dein Vater sein.« Sie ließ Pia stehen und verließ den Raum.

Wütend kehrte Pia in ihre Wohnung zurück und verabschiedete sich am nächsten Morgen nicht von ihren Eltern. Bereits als sie auf den Platz vor dem Haus trat, konnte sie leichter atmen. Sie musste hier raus. Und sie beschloss, auf der Reise die Entscheidung zu treffen. Falls sie Thomas' Antrag nicht annahm, musste sie sich schnellstmöglich eine neue Wohnung suchen.

New York war ein Traum. Pia war erst einmal dort gewesen. Kurz nach dem Abitur mit einer Schulfreundin. Zehn Tage im August, in einem billigen Hotel im Norden von Manhattan an der Grenze zu Harlem. Sie erinnerte sich an eine drückende Hitze, an Lärm und Gestank. An Dreck.

Anfang Juni war es zwar warm, aber die Hitze erträglich, und Thomas wohnte mit ihr natürlich nicht in einer preiswerten Absteige, sondern in einem Luxushotel am Columbus Circle unmittelbar am Central Park. Das New York, das er ihr zeigte, war das der Hollywoodfilme. Elegant und edel. Sie fuhren nur Taxi, aßen Hummer auf Lobster Island, nahmen ihren nächtlichen Absacker am Sea Point in Battery Park, shoppten an der Fifth Avenue und kauften bei Macy's und Bergdorf ein. Angesichts der eleganten Lackschachteln erinnerte Pia sich an Nanes Geschenke, und sie fragte sich für einen Moment, mit wem ihre Schwester wohl in der Adventszeit hier gewesen war.

Während Thomas die Termine mit seinem Großhändler und Journalisten von Gourmet- und Weinzeitschriften wahrnahm, ging Pia ins Museum, um Catels Gemälde *First Steps* hinsichtlich Maltechnik und Aufbau zu studieren. Die Figur der Spinnerin war detailreich ausgearbeitet und lieferte ihr zahlreiche Anregungen für die Gestaltung der Frau am Fluss.

An ihrem vorletzten Abend in New York aßen sie in einem französischen Gartenrestaurant am East River. Es war eine sternenklare Nacht, und eine schmale Mondsichel hing über Manhattan. Die Tage mit Thomas waren wunderschön gewesen. Zwischen ihnen herrschte eine Verbundenheit, wie Pia sie bisher nicht gekannt hatte. Sie wusste, dass er auf ihre Antwort wartete, obwohl er sie nicht drängte und seit der Wohnungsbesichtigung kein Wort darüber verloren hatte.

Jetzt war der richtige Moment, es war das richtige Ambiente, und auch die Stimmung dieser lauen Sommernacht war perfekt, um ihm zu sagen, dass sie seinen Antrag annahm. Mit ihm an ihrer Seite würde sich das Leben nicht länger anfühlen wie ein Balanceakt auf dem Seil. Unter ihr das Nichts und nirgendwo ein Netz.

Sie griff über den Tisch nach seinen Händen. Es waren schöne, kräftige Hände. Gespannt sah er sie an. »Jetzt ist er also da, der Augenblick der Wahrheit?«

Sie nickte.

»Du sagst doch hoffentlich nicht Nein?«

»Nein«, sagte sie und lachte, als sie sein Gesicht sah. »Das heißt Ja: Ich sage nicht Nein.«

»Meine Güte, hast du mir einen Schreck eingejagt.« Lachend drückte er ihre Hand und wurde dann ganz ernst. »Danke, Pia. Liebes. Das macht mich sehr glücklich. Du wirst es nie bereuen.«

Eng umschlungen gingen sie am Fluss entlang und zurück ins Hotel. In dieser Nacht war Thomas so zärtlich wie noch nie zuvor, doch wie immer, wenn die Erregung sie mit sich reißen wollte, legte eine unbekannte Macht in ihr den Schalter um, und ihr Verstand übernahm wieder die Kontrolle, während die Andere in ihr, die Wilde und Ungezügelte, die Hemmungslose an den Gitterstäben rüttelte. Pia war sich auch in dieser Nacht ihres Mankos bewusst, und sie verbarg es wie immer. Es war nicht wirklich schlimm. Man konnte auch ohne Orgasmus leben.

Später lagen sie aneinandergekuschelt und schweigend im Bett, doch es war ein angenehmes Schweigen. Nach einer Weile, als Pia schon am Einschlafen war, begann Thomas sie zu streicheln und zu küssen, fragte sie, wie es mit einer zweiten Runde wäre und ob sie mal etwas anderes ausprobieren sollten, etwas Aufregenderes als die übliche Stellung. Pia ließ sich die Panik nicht anmerken, die sie überrollte. Sie reagierte ausweichend und schließlich abwehrend, woraufhin Thomas sich zurückzog. Der aufregende Sex fiel ihr ein, den er mit der Frau vor ihr gehabt hatte, und wieder einmal fühlte sie sich unzureichend. Sie war ein Mängelexemplar und hätte am liebsten geweint. Weshalb gelang es ihr nicht, über ihren Schatten zu springen?

Thomas akzeptierte ihre Ablehnung. Sie unterhielten sich über ihre Hochzeit. Er fragte, ob sie kirchlich heiraten wolle, im weißen Kleid und mit Pferdekutsche, und sie winkte lachend ab. »Ich bin nicht der romantische Typ. Das solltest du eigentlich wissen. Außerdem bin ich nicht gläubig. Eine kirchliche Trauung wäre Heuchelei, und das liegt mir nicht.«

»Mir geht es genauso«, sagte er und gab ihr einen Kuss auf die Schulter.

»Am liebsten würde ich im kleinen Kreis feiern.« Die Vorstellung einer Hochzeitsfeier mit der ganzen Verwandtschaft war ihr zuwider.

»Nur wir beide. Das wäre schön.«

»Ja, das wäre perfekt.« Sie legte ihren Kopf auf seine Brust und sog den vertrauten Duft seiner Haut ein.

Thomas strich ihr eine Strähne aus dem Gesicht. »Dann lass uns das doch machen.«

*

An einem Mittwochmorgen Anfang Juni wachte Nane in ihrem neuen Apartment auf und ging ins Bad. Die Zweizimmerwohnung am Botanischen Garten hatte sie aufgegeben. Allein konnte sie sich die Miete nicht leisten.

Wie jeden Morgen griff sie zuerst zur Packung mit den weißen Helferlein und schämte sich im selben Moment. Sie wollte von ihnen loskommen, doch es gelang ihr nicht, ohne ihre Hilfe den Tag zu überstehen. Ein paarmal hatte sie es für kurze Zeit geschafft. Doch ohne ihre Unterstützer hatte sie sich nicht im Griff und tat Dinge, die sie eigentlich nicht tun wollte. Sie rief Thomas an, zehn Mal am Tag und mehr. Oder sie fuhr nach Graven, nur um von Margot gebeten zu werden, wieder zu gehen, ohne Thomas gesehen zu haben. Im Januar war sie kurz davor gewesen, zu einer Messe nach Brügge zu fahren, nachdem sie gelesen hatte, dass er dort sein würde. Mark hatte es ihr ausgeredet. Das glaubte er zumindest. In Wahrheit waren es ihre heimlichen Helfer gewesen. Ohne sie verwandelte sich ihre Trauer in etwas anderes. In Scham, Zorn und Wut – und die trieben sie dazu, Dinge zu tun, die sie nicht tun wollte und für die sie sich schämte. Dann nahm sie die Pillen wieder und hasste sich für ihre Schwäche. Es war ein Teufelskreis, aus dem sie herausfinden musste. Aber nicht heute. Sie drückte eine Tablette aus dem Blister und schluckte sie.

Auf dem Balkon hing der Hosenanzug zum Lüften, den sie gestern zum Scheidungstermin getragen hatte. Danach hatten Mark und sie das Ende ihrer Ehe im Casa Bianca besiegelt. Ihre Ehe war zerbrochen, doch etwas Neues war entstanden. Freundschaft. Sie hatten es geschafft, ein versöhnliches Ende zu finden, und darauf war Nane stolz.

Nach dem Duschen hatte die kleine weiße Pille ihre Arbeit bereits aufgenommen. Nane fühlte sich ruhig und abgeschnitten von ihren Gefühlen. Sie überlegte, was sie anziehen sollte. Am Vormittag hatte sie einen Termin mit dem Inhaber der größten Autohauskette im Frankfurter Raum. Abels Weingalas hatte sie an eine Kollegin abgegeben. Sie wollte Thomas zwar sehen, aber nicht im beruflichen Umfeld, denn sie wusste nicht, wie ein solches Treffen enden würde, und ihren Job wollte sie auf keinen Fall verlieren.

Seit jenem schrecklichen Wochenende vor Weihnachten hatten sie noch einige Male telefoniert, bis er den Kontakt abgebrochen hatte. Er sah keinen Sinn in einem Treffen. Er konnte ihr nicht geben, was sie sich erhoffte, und würde sie nur enttäuschen. Das hatte er gesagt, und bald darauf hatte er sich eine neue Handynummer zugelegt. Als sie das festgestellt hatte, war sie drauf und dran gewesen, zu ihm zu fahren. Stattdessen hatte sie eine Extrapille eingeworfen.

Sie entschied sich für den Hosenanzug. Er war formeller und für ein erstes Meeting besser geeignet als ein Kostüm. Um acht machte sich auf den Weg zur Arbeit. Draußen waren schon beinahe zwanzig Grad. Endlich wurde es

Sommer. Wie sehr sie ihn herbeigesehnt hatte, die langen, hellen Tage, die Heiterkeit. Bis dahin würde sie Thomas überwunden haben. Das hatte sie zumindest geglaubt.

Die Trauer über das Scheitern der Liebe und der Schock darüber, wieder einmal verlassen worden zu sein, zogen sich wie ein roter Faden durch ihr Leben. Mama, Mike, Mark, Thomas. Dazwischen ein paar unbedeutende andere. Wer würde der Nächste sein? Niemand. Sie würde sich einfach auf nichts mehr einlassen, dann konnte ihr das nicht noch einmal passieren.

Was wog mehr? Einige Wochen auf rosa Wolken zu schweben, sich geliebt und angenommen zu fühlen, oder der Sturz danach, der bohrende Schmerz, die Trauer, die schlaflosen Nächte, die Wut und die Rachegedanken – diese Hölle, die man sich selbst schuf. War es das wert? Nein, entschied Nane.

Der Sommer war im Anmarsch, doch die Wunden waren nicht verheilt. Sie liebte Thomas noch immer, und auch ihr Selbsthass war nicht geringer geworden. Es gelang ihr nicht, ein liebenswerter Mensch zu sein. Zum ersten Mal hatte Nane eine Vermutung, woran es liegen könnte. An ihren heimlichen Helfern.

Sie musste von ihnen loskommen. Sie wollte ihr altes Leben zurück und nicht wie ein Zombie durch die Tage schleichen. Sie wollte wieder fröhlich und unbekümmert sein und vielleicht auch irgendwann mal wieder glücklich. Sie musste von diesen Pillen loskommen.

Auf dem Weg ins Büro kam ihr zum ersten Mal der Gedanke, sie könnte von den Tabletten tatsächlich abhängig sein. Sie war süchtig. Sie war keinen Deut besser als die Junkies am Bahnhof. Lebensuntüchtig. Statt ihre Probleme zu lösen, wich sie ihnen aus und hatte dabei starke Verbündete gefunden. Heute Abend würde sie alle in den Müll werfen und die Tabletten, die sie im Büro gebunkert hatte, ebenfalls. Mit denen konnte sie gleich anfangen.

Doch als sie ins Büro kam, fragte ihr Chef gleich nach irgendwelchen Unterlagen, und ihre Kollegin brauchte Hilfe beim neuen Computerprogramm. Der Tag nahm seinen Lauf, und Nane warf dann doch eine Tablette ein, als sie merkte, wie die negativen Gefühle aus der Betäubung erwachten. Die konnte sie jetzt nicht gebrauchen. Aber ab heute Abend würde sie keine Pille nehmen. Nie wieder! Sie würde das jetzt durchziehen.

Am Nachmittag rief Birgit an, um zu quatschen. Sie hatte ja sonst nichts zu tun. Doch Nane hatte keine Zeit. Sie saß am Protokoll des Vormittagsmeetings und schlug vor, Birgit am Abend zu besuchen. »Wir kochen und sehen alte Filme an. Ich bringe Wein mit.« Ein Abend ohne kleine weiße Pillen. Und wenn sie nach Hause kam, würde sie alle Packungen im Klo herunterspülen. Sie sah es vor sich, wie sie Tablette für Tablette in die WC-Schüssel drückte und hinunterspülte.

Es war eine so ermutigende Vorstellung, dass Nane sich einen Ruck gab und gleich den Anfang machte. Sie nahm die Dose Pfefferminzbonbons aus ihrem Schreibtisch und kippte die Tabletten, die sie darin versteckt hatte, ins Klo. Weg waren sie. Nane musste einen Moment der Panik bezwingen. Sie konnte auch ohne sie leben.

Nach Feierabend besorgte sie Wein und eine Packung Eis und klingelte an Birgits Wohnungstür. Pizzaduft schlug ihr entgegen. »Selbst gemacht«, erklärte Birgit. »Ich habe ja sonst nichts zu tun.«

Sie aßen auf dem Sofa, hörten Musik und unterhielten sich. Birgit wusste nicht, wie es beruflich für sie weitergehen sollte. Nane riet ihr zu einem Zweitstudium, zu einem Fach, das ihr Spaß machte. Doch Birgit konnte sich nichts anderes vorstellen, als mit Kindern und Jugendlichen zu arbeiten. Das konnte sie vergessen. Niemand würde sie näher als zehn Meter an ein Kind herankommen lassen, als hätte sie ein Kind vergewaltigt. Dabei war die Affäre von Oliver ausgegangen. Nane versuchte von diesem Thema abzulenken und erkundigte sich nach Pia.

Birgit winkte ab. »Sie ist mit einem Kerl in New York.«

»Mit einem Kerl?«, fragte Nane überrascht. Ausgerechnet in New York! Es versetzte ihr einen Stich, und sie griff unwillkürlich nach ihrer Tasche, doch sie hatte die Tabletten herausgenommen und ins Handschuhfach gelegt. New York! Dort hätte sie jetzt auch sein können. Zusammen mit Thomas. Er hatte gesagt, dass er im Juni wieder hinfliegen würde. Den Gedanken, dass er jetzt ohne sie dort war, konnte sie kaum ertragen.

»Na, mit ihrem neuen Lover«, sagte Birgit.

Die Eisprinzessin hatte also einen Freund, während ihr die Männer reihenweise davonliefen.

»Zuerst hat sie es abgestritten«, erzählte Birgit und leerte ihr Glas. »Er sei nur ein Kunde mit einem schwierigen Auftrag, hat sie wochenlang behauptet. Aber bevor sie zusammen verreist sind, hat sie es zugegeben.«

»Und wer ist er?« Eigentlich interessierte es Nane nicht wirklich. Sie wollte nur nicht weiter über Oliver sprechen.

»Ich habe ihn nur einmal im Treppenhaus gesehen. Sieht gut aus, ist aber viel älter als sie. Und offenbar hat er Geld. Jedenfalls war er teuer gekleidet.«

Etwas rührte sich in Nane. Eine vage Sorge. »Wie meinst du das? Viel älter?«

»Na, viel älter eben. Er könnte ihr Vater sein.«

Gut aussehende, vermögende ältere Männer gab es in Frankfurt zuhauf. Es musste nichts zu bedeuten haben. Und New York im Juni auch nicht. Doch der Verdacht ließ sich kaum unterdrücken. Pia, die ihr immer alles wegnahm. »Wie sieht er aus? Was macht er beruflich?«

»Wie schon gesagt: Ich habe ihn nur kurz gesehen. Groß, schlank. Grau melierte Haare. Warum interessiert dich das?«

»Ist er Winzer?«

Verblüfft sah Birgit sie an. »Du glaubst doch nicht etwa, dass es dein Thomas ist?«

Nanes Gedanken rasten. Wenn er es war, wie hatte Pia ihn kennengelernt? Plötzlich fiel der Groschen. Sie erinnerte sich, wie sie in Thomas' Wohnzimmer gestanden und das Gemälde betrachtet hatte, das dringend restauriert werden sollte.

»Wenn er ein Kunde ist, muss er ihr ein Bild zum Restaurieren gebracht haben. Hast du es gesehen?«

»Ich nicht, aber Papa. Eine Landschaft von Franz Ludwig Catel.«

In Nane brach etwas zusammen. Für einen Moment glaubte sie, ihr Herz habe keine Kraft weiterzuschlagen. Im nächsten Augenblick explodierte sie. Sie sprang auf und schrie: »Dieses verdammte Miststück! Nichts gönnt sie mir! Alles muss sie mir nehmen!« Sie brüllte ihre Wut über diesen doppelten Verrat heraus, und Birgit gelang es erst, Nane zu beruhigen, als die Nachbarn klingelten und fragten, ob alles in Ordnung sei.

Hinterher konnte Nane sich kaum erinnern, wie sie nach Hause gekommen war. Als sie am nächsten Morgen aufwachte, war ihr Kopf mit Watte gefüllt. Auf dem Nachttisch lag die Packung Schlaftabletten neben den Beruhigungspillen. Es war eindeutig der falsche Zeitpunkt, damit aufzuhören. Nane nahm noch vor dem Aufstehen einen ihrer heimlichen Helfer. Irgendwie musste es weitergehen. Irgendwie musste sie diesen Tag überstehen. Und dann den nächsten. Sie wollte Pia nie wiedersehen. Ihre Schwester war für sie gestorben.

Was hatte Pia, das sie nicht hatte? Wieso konnte Thomas sie lieben? Ausgerechnet diese kalte falsche Schlange. Dann der rettende Gedanke: Er liebte sie nicht. Es war eine Bettgeschichte. Denn Thomas hatte ja gesagt, dass er nicht mehr lieben könne. Und wenn er sich je wieder verlieben würde, dann ganz sicher nicht in Pia.

Die Gedanken kreisten und kreisten und wollten nicht aufhören, und Nane warf eine zweite Pille ein, damit es nicht den ganzen Tag so weiterging. Noch im selben Moment schämte sie sich, weil sie so schwach war und so lebensuntüchtig. So war sie doch früher nicht gewesen. Sie musste von den Dingern loskommen. Sie wollte wieder lachen können und fröhlich sein, sie wollte sich wieder spüren können.

Und sie wollte Thomas.

Kapitel 11

Sommer 2018

Pia begann die Landschaft auf Rügen vom Firnis zu befreien, doch der Streit mit Margot verfolgte sie. Sie war nicht recht bei der Sache. Nur weil Lissy darauf bestanden hatte, durfte Margot vorerst bleiben. Wie Thomas wohl auf den Rauswurf reagiert hätte? Keine Frage. Er hätte ihn nie und nimmer gutgeheißen. Wenn er endlich wieder auf dem Damm war, musste sie ihn davon überzeugen, Margot zu kündigen. Es war mehr als genug. Zwanzig Jahre hatte Pia ihre Feindseligkeit ertragen, doch als Schlampe beschimpft zu werden, war zu viel.

Margots Satz ging ihr nicht aus dem Kopf. *Und ich kann es beweisen.* Beunruhigt legte Pia Wattestäbchen und Skalpell beiseite. Was wusste Margot? Und wie wollte sie das beweisen?

Was hast du ihr erzählt?, fragte sie in Gedanken ihren Mann. Hast du Margot etwa eingeweiht? Ich dachte immer, wir beide wären die Einzigen, die die Wahrheit kennen.

Pia setzte sich in den Sessel und starrte auf die gegenüberliegende Wand. *Ich weiß, was ihr getan habt.* Es gab keine andere Erklärung dafür. Thomas hatte Margot ins Vertrauen gezogen und ihr, Pia, nie etwas davon gesagt. Ihr Mann hatte Geheimnisse vor ihr. Auch von der Vollmacht hatte sie nichts gewusst. Mit keinem Wort hatte er angedeutet, dass es sie gab. Wobei die Vollmacht ja die gute Nachricht des Tages gewesen war. Lissy hatte das Heft wieder in der Hand. Dieses Problem war gelöst und ein weiteres ebenfalls. Nane würde sich hier nicht mehr blicken lassen. Jetzt musste nur noch Thomas aufwachen, und alles wäre wieder gut.

Beinahe alles. Wie wollte Margot heute noch beweisen, was vor zwanzig Jahren geschehen war? Niemand würde ihr glauben. Sie musste mehr haben als Thomas' Beichte.

Das Summen des Smartphones riss Pia aus ihren Überlegungen. Es war Birgit. Im ersten Moment wollte sie das Gespräch wegdrücken, doch Birgit würde nicht aufgeben, und sie fiel auch gleich mit der Tür ins Haus. »Das kannst du nicht machen, Pia. Du musst die Anzeige zurückziehen. Bitte«, fügte sie hinzu.

Es klang so flehentlich, dass sich Mitleid in Pia rührte. Doch sie schob dieses Gefühl beiseite. »Ich habe Nane gewarnt. Sie hat gewusst, was sie tut. Es war ihre Entscheidung.«

»Das kann nicht dein Ernst sein. Ich verstehe ja, dass du sie nicht sehen willst, aber du ruinierst ihr Leben. Jetzt, wo sie gerade wieder auf die Beine kommt und eine Zukunft plant.«

»Ihr Leben hat sie sich selbst ruiniert.« Pia wurde schwindelig. Sie musste sich setzen. Die Wahrheit drängte seit Tagen an die Oberfläche und mit ihr das schlechte

Gewissen, ihre Schuldgefühle. Mit zwanzigjähriger Routine wies Pia sie in die Schranken. Nane hatte ihre Strafe verdient. Hinterhältig und eiskalt hatte sie den Mord geplant. Wie oft hatte Pia in den ersten Jahren dieses Rechtfertigungsmantra bemüht? Sie wusste es nicht. Sie wusste nur, dass es kein Zurück gab. Es ließ sich nicht mehr ändern.

Aber sie konnte die Anzeige zurückziehen, wenn Nane versprach, sie und Thomas in Ruhe zu lassen. Versprechen würde sie es vermutlich, aber sich nicht daran halten. Sie würde Thomas bearbeiten, bis er irgendwann beichtete. Er war aus weicherem Holz geschnitzt als sie selbst. Vor zehn Jahren war er schon einmal kurz davor gewesen und hatte nur ihr zuliebe darauf verzichtet.

»Mag sein. Aber sie hat ihre Strafe abgesessen«, sagte Birgit. »Ich verstehe dich nicht. Nur weil sie Thomas sehen wollte, soll ihre Bewährung verfallen? Dann muss sie zurück ins Gefängnis.«

»Ja, ich weiß.«

»Und das willst du?«

Sie wollte es nicht. Und sie wollte es doch. Die Angst war größer als das Mitleid. »Sie selbst hat es so gewollt.«

Sie hörte, wie Birgit durchatmete. »Das ist dein letztes Wort?«

Pia schwieg.

»Gut. Dann sind wir quitt. Ich will dich nie wieder in meinem Leben sehen oder auch nur ein Wort mit dir wechseln, wenn Nane deinetwegen wieder eingesperrt wird.«

»Du verdrehst da etwas. Nicht meinetwegen. Sie hätte sich nur an das Hausverbot halten müssen.«

Birgit erwiderte nichts und wartete noch eine Weile, bevor sie auflegte. Das Gespräch war weg, und Pia fühlte sich so schrecklich, dass sie am liebsten geweint hätte. Sie war im Begriff, die Kontrolle zu verlieren. Alles wegen einer Lüge. Genauer gesagt, wegen der Lüge in der Lüge in der Lüge. Lauter ineinandergeschachtelte Matrjoschkapuppen. Was sollte sie nur tun? Nichts. Es ließ sich nicht mehr aufdröseln und schon gar nicht erklären.

Die Welle ebbte ab, die Vernunft kehrte zurück und mit ihr Margots Satz. Wenn es tatsächlich einen Beweis gab, dann hatte Margot ihn bei sich in der Wohnung versteckt, ganz gewiss nicht hier. Die Arbeit musste warten. Pia ging nach unten, nahm Thomas' Schlüsselbund aus der Schale auf der Anrichte und sagte zu Irene, dass sie ins Krankenhaus wolle.

Aber sie fuhr nicht nach Trier in die Klinik, sondern ins Dorf und parkte in einer Seitenstraße. Dank der Reserveschlüssel, die Margot Thomas für alle Fälle gegeben hatte, betrat Pia ungehindert das Haus, in dem ihre Schwägerin wohnte. Niemand begegnete ihr. Leise sperrte sie die Wohnungstür auf und trat ein.

Drei Zimmer, Küche, Bad. Pia hatte weder eine Vorstellung, wonach sie suchen, noch eine Ahnung, wo sie beginnen sollte. Margot hielt Ordnung. Wo würde sie seit zwanzig Jahren etwas verstecken, von dem sie hoffte, es nie brauchen zu müssen? Sicher nicht in einem Schrank oder einer Kommode. Jedenfalls nicht, solange Marius noch hier gelebt hatte. Kinder schnüffelten. Der sicherste Platz wäre ein Bankschließfach. Ein bedrückender Gedanke. Selbst wenn sie den Schlüssel dafür finden sollte, würde sie nicht ohne Vollmacht an den Inhalt kommen.

Am besten begann sie die Suche systematisch. Es war kurz vor halb vier. Margot arbeitete gewöhnlich bis fünf. Anderthalb Stunden blieben ihr.

Als Erstes nahm Pia sich das Schlafzimmer vor. Sie sah in jede Schublade und tastete auch deren Unterseiten ab. Sie inspizierte den Kleiderschrank und den Nachttisch, sah unter das Kopfkissen, unter die Matratze und unter das Bett. Margots Kleidung und Wäsche interessierte sie ebenso wenig wie ihr Schmuck und das schmale Bündel Briefe, das in der Nachttischschublade lag und von Margots geschiedenem Mann stammte.

Sie sah in der Lampe nach, die über dem Bett hing, und hinter dem Paris-Aquarell an der Wand. Weiter ging es mit dem Wohnzimmer und dem ehemaligen Kinderzimmer, das Margot in einen Hauswirtschaftsraum verwandelt hatte. Zwei Körbe voller Bügelwäsche, Bügelbrett und Kleiderstange. Auch hier fand Pia nichts. Es blieben noch Küche, Gäste-WC und Bad.

Obwohl sie sogar im Eisfach und im Dunstabzug nachsah und im Bad nach losen Fliesen suchte, fand sie nichts. In der Wohnung war der angebliche Beweis nicht. Sie ging auf die Terrasse und sah sich um. Im Garten vielleicht? Dann hatte Margot ihn vergraben. Eine entmutigende Vorstellung. Oder er lag im Keller. Die Kirchturmuhr schlug fünf, als Pia in die Wohnung zurückkehrte. Der Zugang zum Keller befand sich neben dem Gäste-WC. Die Tür war verschlossen, doch der Schlüssel steckte. Leise zog Pia die Tür hinter sich zu, betätigte den Lichtschalter und stieg die geflieste Treppe hinunter. Falls Margot pünktlich Schluss machte, würde sie in etwa einer Viertelstunde hier sein.

Der Keller hatte in etwa die Größe der Wohnung. Vorplatz, Waschküche, Hobbyraum und ein kleiner fenster- und türloser Raum voller Regale, in denen Margot alles aufbewahrte, was sie nur sporadisch brauchte oder von dem sie sich nicht trennen konnte. Christbaumschmuck und eine ausrangierte Schreibmaschine, Skistiefel und Schlittschuhe. In einem Karton entdeckte Pia ein Waffeleisen und einen elektrischen Entsafter. In einem anderen etliche Paare hochhackiger Schuhe, die noch gut, aber aus der Mode gekommen waren. Kinderbücher, Fotoalben und Margots alte Polaroidkamera steckten in einem anderen. Ein Karton enthielt Legobausteine, ein anderer die Wimpel und Trophäen, die Marius während seiner Zeit im Judoverein eingeheimst hatte.

Ganz unten im Regal stand noch eine Schachtel, davor ein Korb mit Gartenwerkzeug. Pia zog beides heraus und nahm den Deckel der Schachtel ab. Im selben Moment schlug oben die Wohnungstür mit einem dumpfen Knall zu. Pia fuhr zusammen. Margot war da, doch sie würde sicher nicht als Erstes in den Keller gehen. Und ihr würde auch nicht auffallen, dass die Wohnung durchsucht worden war, denn Pia hatte darauf geachtet, alles wieder so hinzulegen, wie es gewesen war.

Pia machte also weiter. Sie sah in den Karton und atmete scharf aus. Grundgütiger! Margot hatte nicht geblufft. Das waren tatsächlich Beweise! Pia raffte die Sachen zusammen und schob sie in die Umhängetasche, als ein Geräusch am oberen Ende der Treppe erklang. Jemand war an der Kellertür. Pia lief die zwei Schritte zum Lichtschalter, verbarg sich in der Nische daneben und drückte ihn. Es wurde dunkel. Ihr Herz raste, als ob es jeden Moment bersten wollte. Sicher war Margot aufgefallen, dass die Tür nicht abgeschlossen war. Wenn sie sich nun misstrauisch im Keller umsah, war Pia geliefert. Was sollte sie dann tun? Oben wurde die Tür geöffnet, und das Licht ging an. Margot kam die Treppe herunter und ging barfuß geradewegs in die Waschküche. Pia hörte sie darin rumoren. Offenbar leerte sie die Waschmaschine.

Der Karton stand vor dem Regal. Wenn Margot herauskam, würde sie ihn sehen. Pia schlich hinüber, schloss ihn mit dem Deckel und schob ihn leise zurück an seinen Platz. Ihr Smartphone gab genau in dem Moment den Eingang einer Nachricht bekannt, als in der Waschküche der Trockner in Betrieb ging. Pia fuhr vor Schreck zusammen, doch Margot hatte nichts gehört, denn sie klapperte laut mit Kleiderbügeln. Pia schaltete ihr Handy auf lautlos und stellte den Korb wieder vor den Karton. Alles sah aus wie zuvor. Sollte sie es wagen, die Treppe hinaufzugehen? Besser nicht. Sie versteckte sich in dem kleinen Raum. Gerade noch rechtzeitig. Nur Sekunden später erschien Margot und ging nach oben. Das Licht erlosch. Oben knirschte der Schlüssel im Schloss. Verdammt!

Pia schaltete das Licht wieder an und überlegte, wie sie unbemerkt aus dem Keller kommen konnte. Es gab keine Tür, die ins Freie führte. Die einzige Möglichkeit war das Fenster in der Waschküche. Davor befand sich ein Lichtschacht und darüber ein Gitter, das mit zwei Ketten gesichert war. Die Ketten waren an den Seitenwänden des Lichtschachts verankert, allerdings waren die Enden nur mit Metallstiften befestigt.

Pia öffnete das Fenster, legte den Riemen der Umhängetasche diagonal über die Brust und schob die Tasche auf den Rücken. Aus dem Flur holte sie den Kasten mit Mineralwasser und stieg darauf. Noch immer raste ihr Herz, und ihre Hände waren schweißfeucht. Nun erreichte sie die Stifte, die sich erstaunlich leicht aus den Haltebügeln der Ketten ziehen ließen. Sie sollten ja vor Einbrechern schützen und nicht vor einer Ausbrecherin, dachte Pia und hätte beinahe gelacht. Sie befand sich in einer Art Endorphinrausch, während sie in den Lichtschacht kletterte, das Gitter beiseiteschob und sich hochzog. Erstaunlich gelenkig für mein Alter, dachte sie und klopfte sich den Schmutz von der Jeans. Sie stand im Vorgarten des Hauses, unterhalb von Margots Badezimmerfenster. Eine Hecke schirmte sie von der Straße ab. Der Wasserkasten und das offene Fenster würden Margot verraten, was geschehen war. Sie konnte sich also die Mühe sparen, das Gitter zurückzulegen. Pia atmete tief durch und verließ rasch das Grundstück.

Erst als sie die Autotür hinter sich zuschlug und die Zentralverriegelung betätigte, fühlte sie sich wieder sicher. Die Tasche landete auf dem Beifahrersitz. Als sie den Wagen starten wollte, erinnerte sie sich an die Nachricht und zog das Smartphone hervor. Es war eine SMS von Birgit.

> *Bitte, Pia, schlaf eine Nacht drüber, und denk einmal nicht nur an Dich, sondern auch an Nane. Ich verstehe ja, dass Du ihr den Mordversuch nicht verzeihen kannst. Aber ich kann mir nicht vorstellen, dass Du derart rachsüchtig bist, dass Du sie wieder ins Gefängnis schickst. Thomas würde Dich bitten, die*

Anzeige zurückzuziehen, wenn er könnte. Er hätte es gar nicht erst so weit kommen lassen. Das weißt Du. Du hast es in der Hand. Du allein. Spring über Deinen Schatten.

Pia schloss die Augen und lehnte den Kopf zurück. Zielsicher hatte Birgit den Finger in die Wunde gelegt. Thomas würde nicht verstehen, was sie tat. Und nie und nimmer würde er es billigen. Vielleicht hatte er sich sogar gefreut, Nane zu sehen, als er da im Gras gelegen hatte und mit dem Tod rang. Nicht nur, weil sie ihm das Leben retten konnte, sondern weil sie frei war. Endlich.

Also gut, dachte Pia. Sie würde die Anzeige zurückziehen. Aber nicht sofort. Erst nachdem Nane bei der Polizei ihre Aussage gemacht hatte. Sie musste erkennen, wie nah sie daran war, wieder in den Knast zu wandern. Es würde ihr hoffentlich eine Lehre sein, und sie würde sich nie wieder blicken lassen.

*

Sonja setzte die Maschine an und bohrte das zweite Loch für das Whiteboard in die Wand, das sie in Trier besorgt hatte. Seit sie endlich eine Konzeptidee für ihren Roman hatte, war sie voller Energie. Sie setzte die Dübel, schraubte die Haken hinein und hängte das Board auf. Dann sortierte sie ihre Notizen und heftete die Zettel mit der Rekonstruktion der letzten Tage und letzten Stunden ihres Vaters an die Tafel. Es folgten farbige Post-its mit ihren Fragen und die Gegenüberstellung der Wenns und Danns.

Ein weiteres Paar hatte sich dazugesellt: Wenn Henning

nicht so ein verdammter Mistkerl gewesen wäre, dann hätte es keinen Streit zwischen ihm und Thomas gegeben. Er wäre nicht ins Auto gestiegen und würde noch leben. Denn bei dem Streit war es nicht um das Übliche gegangen, wie Margot gesagt hatte.

Sonja kehrte zum Schreibtisch zurück, auf dem das Protokoll lag. Kriminalhauptkommissar Stefan Wächter hatte Thomas von Manthey befragt. Der größte Teil des Gesprächs drehte sich um den Ablauf des Tages und des Abends und lieferte Antworten auf einige von Sonjas Fragen.

Beispielsweise erfuhr sie, wo Pia an jenem Abend gewesen war. Sie hatte sich bereits um halb acht hingelegt, weil sie sich nicht wohlfühlte. Das hatte sie jedenfalls zu Thomas gesagt, als dieser kurz nach acht nach Hause gekommen war und sie im abgedunkelten Schlafzimmer im Bett fand. Angeblich hatte sie Kopfschmerzen gehabt.

Daraufhin hatte Thomas sich mit Margot und dem kleinen Marius auf die Terrasse gesetzt, wo sie gemeinsam zu Abend gegessen hatten. Gegen halb zehn war Margot mit dem Kind nach oben in die Wohnung gegangen. Es waren zwar Ferien, doch der Junge brauchte seinen Schlaf. Thomas hatte eine Flasche Wein geöffnet und den Sommerabend genossen. Als er kurz vor zehn zu Bett gehen wollte, kam Henning aus der Remise. Er war auf dem Weg ins Haus und setzte sich zu seinem Vater. Ihr Gespräch drehte sich zunächst um die Hochzeitsfeier, und irgendwann waren sie wieder bei Hennings Weigerung angekommen, das Werk von Generationen fortzuführen. Es gab Streit, und Henning hatte wütend die Terrasse verlassen.

So lautete die erste Version, die Thomas bei der Befragung der Kripo präsentierte, doch als Kommissar Wächter nachfragte, woher die Hautabschürfungen an seinem Arm und seinem Handrücken stammten, musste Thomas einräumen, dass es auf der Terrasse eine körperliche Auseinandersetzung mit Henning gegeben hatte. Der Kommissar wollte nicht recht glauben, dass es nur um die Fortführung des Weinguts gegangen war, und bohrte nach, bis Thomas schließlich mit der Wahrheit herausrückte.

Sonja griff nach dem Protokoll und las den genauen Wortlaut nach.

TvM: *Ja, Sie haben recht. Es ging bei dem Streit nicht um die Nachfolge. Er hatte aber nichts mit dem Mord zu tun. Es war eine reine Familienangelegenheit.*
KHK Wächter: *In einem Mordfall ist nichts privat, Herr von Manthey.*
TvM: *Aber es gibt keinen Zusammenhang.*
KHK Wächter: *Ich muss mir ein Bild machen, was in dieser Nacht geschehen ist. Was war der Grund für die Prügelei?*
TvM: *Es war keine Prügelei, mehr eine Rangelei. Also gut. Meine Frau will zwar nicht, dass das bekannt wird, aber wenn es sein muss … Pia kam kurz nach halb elf auf die Terrasse. Sie wollte sehen, wo ich bleibe. Normalerweise bin ich spätestens um zehn im Bett. Sie ist regelrecht zusammengezuckt, als sie Henning sah, und wollte gleich wieder gehen. Dabei ist das Tuch zu Boden gefallen, das sie sich um die Schultern und Arme gelegt hatte. Mich hat*

das gewundert. Die Nacht war so warm, und sie hatte sich von Kopf bis Fuß verhüllt. Das Nachthemd war auch lang.
KHK Wächter: *Und?*
TvM: *Sie hatte blaue Flecken an den Oberarmen. Als ob jemand sie dort gepackt hätte. Es sah richtig schlimm aus, und ich habe sie gefragt, was passiert ist. Und sie … Sie hat Henning angesehen … Und in ihrem Gesicht war nur noch Abscheu und Ekel. Ich habe meine Frage wiederholt und dabei meinen Sohn angeschaut und erkannt, wie unangenehm ihm die Situation war. Kurz und gut: Henning hat noch nie etwas anbrennen lassen. Aber dass er es bei Pia versucht hat …*
KHK Wächter: *Sie meinen, Ihr Sohn hat Ihre Frau vergewaltigt?*
TvM: *Nein. Das nicht. Aber er hat es versucht! Sie konnte ihn abwehren. Die blauen Flecken an den Armen sind nicht die einzigen.*
KHK Wächter: *Darum ging also der Streit. Deshalb haben Sie sich geschlagen.*
TvM: *Es war mehr ein Gerangel. Ich habe ihn angeschrien und ihm eine gescheuert. Er hat Pia eine Schlampe genannt und mich einen Idioten. Dann hat er mich nach hinten geschubst. Ich bin gestrauchelt und konnte mich an der Hauswand nicht abfangen. Stattdessen bin ich zu Boden gegangen, wenn Sie es genau wissen wollen. Die Abschürfungen stammen vom Verputz.*

KHK Wächter: *Wie ging es danach weiter?*
TvM: *So, wie ich es schon gesagt habe. Mein Handy hat geklingelt. Henning hat die Terrasse verlassen, und ich habe gedacht, er geht zu Bett.*

Sonja legte das Protokoll zur Seite und blickte in den Garten. Margot wusste von Hennings Vergewaltigungsversuch. Nichts anderes bedeutete ihre Andeutung, Henning habe es bei Pia versucht. Was hatte sie gleich noch gesagt, als Sonja zu bedenken gegeben hatte, dass Henning Pia doch beinahe gehasst habe? *Was einen Mann nicht daran hindert, es zu probieren. Sieh es als eine Art Sieg an, als einen Akt der Unterwerfung.*

Wenn das stimmte, verstand Sonja, warum ihre Mutter Henning als Mistkerl bezeichnete, seit sie es wusste. Wobei Mistkerl für einen Beinahevergewaltiger noch zu harmlos war. Wie hatte Henning nur so etwas tun können?

Was am Abend vor seinem Tod in der Remise passiert war, stand in der Zeugenbefragung von Pia, die auch KHK Wächter geführt hatte. Sonja griff zum Protokoll. Zum größten Teil drehte sich das Gespräch um Nane und ihre Eifersucht und um die Frage, ob niemand Nane bemerkt hatte. Wieso der Schlüssel in der Schale im Flur lag. Ob jeder an das Auto kommen konnte und ob die Garage abgeschlossen war. Zum Ablauf des Abends konnte Pia nur wenige Angaben machen. Sie sei früh zu Bett gegangen und habe erst kurz nach halb elf nach ihrem Mann gesehen und ihn auf der Terrasse angetroffen, wo er mit Henning saß.

Pia bestätigte, dass Henning am Vorabend versucht habe, sie zu verführen. Sie habe ihn abgewiesen, daraufhin sei er gewalttätig geworden. Sie habe ihn sich nur mit Mühe vom Leib halten können. Das habe aber alles nichts mit Nanes Mordanschlag zu tun. Sie wolle nicht weiter darüber reden.

Sonja blätterte zur nächsten Seite. KHK Wächter hatte sich mit Pias Aussage nicht zufriedengegeben. Zuerst hatte er sich bestätigen lassen, dass dieser Übergriff Ursache des Streits zwischen Vater und Sohn auf der Terrasse war und damit auch der Grund für die Rangelei.

> PvM: *Wie mein Mann reagiert hat? Fassungslos war er und dann … Er hat Henning ins Gesicht geschlagen. Der hat zurückgeschlagen und Thomas von sich weggeschubst. Er werde sich nicht mit einem alten Mann prügeln, hat er gesagt. Dann hat er mich eine Schlampe genannt, den Tisch mit den Gläsern umgeworfen und ist gegangen.*
> KHK Wächter: *Als Henning Ihren Mann geschubst hat, was ist da genau passiert?*
> PvM: *Ich verstehe die Frage nicht.*
> KHK Wächter: *Hat Ihr Mann daraufhin Abstand gehalten, oder hat er sich gesetzt? Was hat er getan?*
> PvM: *Thomas hat das Gleichgewicht verloren. Er ist erst gegen die Hauswand geschlagen und dann am Putz entlang zu Boden gerutscht. Es sah aus, als würden seine Beine unter ihm nachgeben.*

KHK Wächter: *Können Sie mir mehr zu dem Vorfall in der Remise erzählen, als Henning versucht hat, Sie zu vergewaltigen?*
PvM: *Muss ich das?*
KHK Wächter: *Es ist für die Ermittlungen nicht wichtig, würde das Bild allerdings abrunden.*
PvM schweigt eine ganze Weile, dann erzählt sie:
Also gut. Es ist am Vorabend passiert. Mein Mann war nach Münster gefahren, das wissen Sie ja. Ich wollte nicht allein zu Abend essen und habe überlegt, Henning zu fragen. Er mochte mich nicht, das wissen Sie wahrscheinlich auch schon. Jedenfalls habe ich gedacht, dass es mir vielleicht gelingt, sein Bild von mir bei einem gemeinsamen Essen zu ändern. Ich wollte nicht der Keil zwischen Vater und Sohn sein. Also bin ich zur Remise gegangen, um ihn zu fragen.
Er saß mit einem Glas Wein am Schreibtisch und bot mir auch eins an. Ich habe das Angebot angenommen, weil ich es als versöhnliches Zeichen gedeutet habe. Er war ein wenig angeheitert, aber nicht betrunken, und er las mir eine Szene aus seinem Manuskript vor. Eine anzügliche Szene. Das hat ihn wohl auf die Idee gebracht, einen Versuch zu starten, ob er mich ins Bett bekommen würde. Ich habe ihn freundlich, aber bestimmt abgewiesen. Und da ist er … (PvM beginnt zu weinen

und spricht erst nach einer längeren Pause weiter.) *Er hat mich bedrängt ... Ich musste ihn mir vom Leib halten. Es gab ein Gerangel ... Wobei Gerangel es nicht richtig beschreibt. Ich musste mich mit Händen und Füßen gegen ihn wehren und habe ihm schließlich das Knie zwischen die Beine gerammt. Da hat er mich endlich losgelassen, und ich bin zurück ins Haus gelaufen.*

KHK Wächter: *Warum wollten Sie den Vergewaltigungsversuch vor Ihrem Mann verheimlichen?*

PvM: *Warum wohl?*

KHK Wächter: *Sie haben sich geschämt, nehme ich an.*

PvM: *Natürlich. Aber das war nicht der eigentliche Grund. Henning hatte zu viel getrunken. Er hatte sich nicht im Griff ... Bitte verstehen Sie das nicht falsch, das soll keine Entschuldigung sein. Aber Thomas leidet unter der Entfremdung von seinem Sohn. Ich wollte nicht, dass es zum endgültigen Bruch zwischen den beiden kommt. Deshalb hatte ich mir vorgenommen, nichts zu sagen. Ein Vorhaben, das natürlich zum Scheitern verurteilt war, angesichts der blauen Flecken.*

Sonja legte das Protokoll beiseite und schämte sich einen Moment für ihren Vater. Pia hatte in dieser Familie keinen leichten Start gehabt. Margot hatte von Anfang an keinen Hehl aus ihrer Abneigung gemacht, und auch

Henning hatte sie nicht mit offenen Armen empfangen. Und dann noch dieser Übergriff!

Sie vervollständigte ihre Notizen und klappte den Laptop auf, um die Geschehnisse des 17. Juli in chronologischer Reihenfolge zu ordnen. Als sie fertig war, schloss sie das Programm und wollte auch den Collegeblock zuklappen, als ihr Blick an der Notiz *Nanes Anruf* hängen blieb. Sie hatte die beiden Worte eingekreist.

Etwas war an diesem Anruf seltsam. Nane behauptete in ihrer Aussage, sie hätte um kurz vor elf angerufen, um Thomas zu gestehen, was sie mit Pias Wagen getan hatte, und ihn so zu warnen. Thomas hatte den Anruf bestätigt, jedoch gesagt, Nane hätte ihn mit Vorwürfen überhäuft, wie unzählige Male zuvor.

Sonja versuchte sich in Nane hineinzuversetzen. Sie war in einem Ausnahmezustand gewesen, zerfressen vom Hass auf ihre Schwester und seit Wochen erfüllt von Rachefantasien. Pia hatte ihr den Mann genommen, den sie liebte, sie hatte ihr das Leben gestohlen, das sie sich erträumte. Pia musste sterben. Nane borgte sich unbemerkt den Wagen ihres Exmannes und fuhr damit von Frankfurt nach Graven. Dort manipulierte sie das Auto ihrer Schwester und machte sich auf den Rückweg. Ihr Plan war es gewesen, nicht erwischt zu werden. Es sollte wie ein Unfall aussehen. Deshalb hatte sie auch Handschuhe und Mütze getragen und darauf geachtet, keine Fingerabdrücke und kein Haar zu hinterlassen. Ihren Wagen hatte sie bei einem Einkaufszentrum in die Feuerwehranfahrtszone gestellt, wo er erwartungsgemäß abgeschleppt worden war. In ihrer Wohnung lief der Fernseher, damit die Nachbarn glaubten, sie wäre zu Hause. Sie hatte alles bedacht. Und dann sollte sie Thomas von unterwegs angerufen haben, um ihn zu beschimpfen? Damit hätte Nane all ihre Vorsichtsmaßnahmen überflüssig gemacht, denn mit diesem Anruf ließ sich nachweisen, dass sie zur Tatzeit in der Nähe des Tatorts gewesen war.

Nane hatte Thomas nicht beschimpft, sondern ihn gewarnt. Nur so ergab dieses Telefonat einen Sinn.

*

Margot blickte in den Korb voller Wäsche, der vor ihr im Bügelzimmer stand. Anstatt sich an die Hausarbeit zu machen, ging sie in die Küche und schenkte sich ein Glas Silvaner ein. Es war schon das zweite. Der Schreck saß ihr noch in allen Gliedern. Ein Vibrieren und Beben. Für einen Moment hatte sich die Erde vor ihr aufgetan und gedroht, sie zu verschlingen. Wenn Lissy nicht gewesen wäre … Es war zu entsetzlich, sich das auszumalen. Ihr Leben schien sich auf einer abschüssigen Bahn zu befinden, seit Thomas diesen verfluchten Herzinfarkt gehabt hatte, seit seiner Embolie. Seit er im Koma lag. Ja, das musste jetzt mal laut ausgesprochen werden. »Er ist nicht einfach nur bewusstlos«, sagte sie in die Stille ihrer Küche. »Man kann nicht tagelang bewusstlos sein.«

Bewusstlosigkeit war ein vorübergehender Zustand. Thomas stand an der Schwelle des Todes, und er sollte sich jetzt verdammt noch mal zusammenreißen und umkehren. Er durfte sie nicht allein lassen. Und schon gar nicht allein mit Pia.

Sie würde jetzt zu ihm fahren, sich an sein Bett setzen und nicht eher gehen, bis er aufgewacht war. Das war eine gute Idee. Auch wenn sie ein wenig angetrunken war. Na und! Sie leerte das Glas, zog im Flur die Pumps wieder an, und dann fiel ihr ein, dass die Kellertür nicht abgeschlossen gewesen war, als sie nach Hause gekommen war. Sie musste es vergessen haben. Jetzt war sie jedenfalls zu. Mit einem Griff vergewisserte sie sich noch einmal und verließ dann das Haus.

Im Auto drehte sie die Musik auf volle Lautstärke. Dylan, Springsteen und die Stones. Die Musik ihrer Jugend. Sie ließ das Fenster herunter und sang lauthals mit. »I see a red door and I want to paint it black!«

Es war ein schöner Abend, der sie unweigerlich an jenen vor zwanzig Jahren erinnerte. Damit war sie wieder bei dem Rauswurf angelangt. Endlich hatte Pia die Maske abgenommen und ihr wahres Gesicht gezeigt. Was für eine Freude es ihr bereitet hatte, den Vertrag vor Marius' Augen zu zerreißen und ihm die Tür zu weisen. Und was für ein Vergnügen es offenbar gewesen war, ihr fristlos zu kündigen. Diese Schlampe! Denn das war sie. Eine Schlampe! Die Wahrheit durfte man ja wohl laut sagen.

»I look inside myself and see my heart is black«, sang Margot mit und meinte jedes Wort genau so. »I see a red door, I must have it painted black.« Ja, ihr Herz war schwarz vor Zorn, der ihre Angst kaum kaschierte. Pias Worte hatten einen Krater in ihr aufgerissen, an dessen Rand sie nun balancierte. Hilflos taumelnd, alleingelassen von Thomas, der das niemals dulden würde. Er musste endlich für Ordnung sorgen!

Noch immer war ihr ein wenig übel. Seit Pia diese Worte gesagt hatte. *Das ist ein Grund zur fristlosen Kündi-*

gung. Ich gebe dir eine halbe Stunde, um deine Sachen zusammenzusuchen, und dann verschwindest du von hier.

Wohin sollte sie denn? Sie hatte doch sonst nichts!

Graven war ihre Heimat, ihr Leben. Es war ihre Familie.

Eine Welle von Dankbarkeit durchströmte Margot, weil Lissy das Schlimmste verhindert und ihre Mutter in die Schranken gewiesen hatte. Lissy hatte sich auf ihre Seite gestellt, das würde Margot ihr nie vergessen. Lissy war doch eine echte von Manthey. Pia stand allein auf weiter Flur.

»Here comes the story of the Hurricane!«, sang Margot mit Bob Dylan. Die Landschaft flog vorbei. Das Singen tat gut. Der Druck in ihr ließ nach.

Marius war auf die Anstellung in Graven nicht angewiesen. Man riss sich um ihren Sohn! Nur Pia wusste das natürlich nicht zu schätzen. Sie sollte sich besser warm anziehen, diese eingebildete Schlampe. Wenn sie wüsste!

»She sees the bartender in a pool of blood.« Ein See von Blut. Margot lachte. »Here comes the story of the Hurricane!«

Sie hatte Beweise! Und wenn es hart auf hart kam, konnte sie ihre Trumpfkarte hervorziehen. Kalt lächelnd. Niemand würde sie vertreiben, falls Thomas starb.

Wenn er doch nur schon wieder gesund wäre.

Doch was, wenn er den anderen Weg wählte und nicht umkehrte? Was wog dann stärker? Ihre Liebe und Verbundenheit zu ihm – oder würde sie ihre Rückversicherung aus dem Keller holen und benutzen? Wie gut, dass sie damals …

Ihr Gedankenstrom stoppte und spulte zurück. Die

Rückversicherung! Die Kellertür! Natürlich! Pia brauchte ja nur Thomas' Schlüsselbund zu nehmen. Margots Fuß knallte auf die Bremse. Mit quietschenden Reifen kam der Wagen zum Stehen. Hinter ihr trat der Fahrer eines Lieferwagens in die Eisen. Er stoppte nur Zentimeter hinter ihr, scherte dann aus und zog laut hupend an ihr vorbei.

Margot hatte Trier beinahe erreicht. Sie wendete, raste zurück und stellte zwanzig Minuten später den Wagen auf dem Garagenvorplatz ab. Vorm Haus begegnete ihr Herr Müller aus dem ersten Stock, der bei der Gemeinde in der Abfallentsorgung arbeitete. Man könnte auch sagen, dass er Müllmann war. Mit solchen Leuten musste sie hier wohnen, weil Pia es so gewollt hatte.

»Da sind Sie ja. Ich wollt schon die Polizei rufen.« Müller baute sich vor ihr auf. In der Hand hielt er sein Smartphone. Er trug kurze Hosen und Adiletten. Das T-Shirt spannte über seinen Muskeln. Reichlich braune Haut. Borstenkurze Haare. Grillgeruch zog aus dem Garten zu ihr, obwohl laut Hausordnung das Grillen auf den Gemeinschaftsflächen und den Balkonen verboten war. Müller hielt sich nicht daran.

»Wieso denn die Polizei?«

»Dat Gitter vom Fensterschacht liegt im Gras. Und dat Kellerfenster is auf. Ihren Keller, mein ich. Is ja klar. Vielleicht isser noch drin.«

Nicht er, dachte Margot, sondern sie. Etwas in ihr gab nach. Beinahe wäre sie in Tränen ausgebrochen. Dieses verdammte Luder.

»Soll ich nachsehen?« Erwartungsvoll blickte Müller sie an. »Wenn ich den Kerl kriege, gibt's was uff de Fresse.«

»Danke. Das war ich.«

»Sie?«

»Ich habe den Fensterschacht geputzt und wohl vergessen, das Gitter wieder aufzulegen.« Sie wollte ihn nicht in der Wohnung haben und im Keller erst recht nicht.

»Man kann's auch übertreiben mit Putzen.« Müller sah sie an, als wäre sie nicht ganz dicht.

Sie ließ ihn stehen und ging ums Haus. Es war so, wie er gesagt hatte. Pia musste durch das Fenster herausgeklettert sein. Wieso war sie nicht auf demselben Weg hinausgegangen, wie sie hineinmarschiert war? Es dauerte einen Moment, bis Margot es verstand. Sie waren zur selben Zeit im Keller gewesen. Sie hatte Pia nicht bemerkt und dort unten eingesperrt. Margot wusste nicht, was sie getan hätte, wenn sie Pia erwischt hätte. Aber sie wusste eines: Sie würde es nicht ertragen, ihr triumphierendes Lächeln zu sehen. *Du stehst mit leeren Händen da, Margot.*

Sie legte das Gitter auf den Lichtschacht, ging hinunter in den Keller und sicherte es mit den Ketten. Dann sah sie im kleinen Raum neben der Treppe nach, obwohl sie wusste, dass sie sich das sparen konnte. Der Karton stand hinter dem Korb mit dem Gartenwerkzeug. Er sah unberührt aus, und für einen Augenblick keimte in ihr die Hoffnung, dass Pia ihn nicht entdeckt hatte. Doch schon als sie ihn herauszog, wusste sie, dass er leer war. Er war zu leicht. Dennoch nahm sie den Deckel ab und sah hinein.

Alles war weg. Wütend trat sie gegen die Schachtel. Sie flog gegen die Wand, prallte ab und blieb vor ihren Füßen liegen. Es war ein Faltkarton, bei dem man vier Teile überlappend ineinanderschieben musste, damit ein Boden entstand. Unter einem der Teile ragte etwas hervor. Der weiße Rand eines Polaroidfotos. Margot zog es heraus und betrachtete es. Zwanzig Jahre war das nun her, und die Erinnerungen waren plötzlich so klar, als wäre es gestern geschehen.

Mit dem Bild in der Hand ging sie nach oben. Sie setzte sich mit der Flasche Silvaner und einem Weinglas aufs Sofa und überlegte, was sie tun konnte. Entweder sorgte Pia dafür, dass sie alles verlor, oder umgekehrt, sie selbst sorgte dafür, dass Pia aus ihrem Leben verschwand.

Umgekehrt, entschied Margot.

*

»Da sitzen Sie aber richtig in der Tinte, Frau Rauch.« Mit diesen Worten bekräftigte Jens Klein seine Einschätzung von Nanes derzeitiger Lage.

Eine Woche war vergangen, seit Pia sie wegen Hausfriedensbruchs angezeigt hatte. In einer halben Stunde musste Nane bei der Polizei ihre Aussage machen und hatte sich davor mit Jens Klein in Marks Coffee & Soul verabredet. Noch immer konnte sie nicht fassen, dass Pia ihr das antat. Warum war es ihr wichtig, den Hass weiter zu schüren? Sie versaute sich damit doch auch ihr eigenes Leben.

Vor allem aber versaute sie Nanes Zukunft. Bei der Vorstellung, zurück ins Gefängnis zu müssen, verkrampfte sich ihr Magen, und kalter Schweiß trat ihr auf die Stirn. Sie würde nicht zurückgehen. Schließlich hatte sie ihre Strafe verbüßt. Mit der Gesellschaft war sie quitt. Auch wenn sie ihre Schuld deswegen nicht abgetragen hatte. Sie war bereit, Buße zu tun, aber nicht im Gefängnis, sondern mit ihrem Vermögen und ihrem … wie auch immer man das nennen wollte. Konsumverzicht vielleicht. Denn Birgit hatte den Nagel auf den Kopf getroffen, als sie sagte, dass sie sich weiter bestrafte, indem sie sich nichts gönnte. Kein heißes Bad, keinen Urlaub, keinen Luxus. Es stand ihr nicht zu, ein schönes Leben zu führen. Sie war bereit, auf all das zu verzichten, auch wenn es schwerfiel oder, besser gesagt, weil es ihr schwerfiel. Vor allem das heiße Bad. Aber sie wollte nicht wieder hinter Gitter.

Mark stellte zwei Gläser Latte macchiato auf den Tisch. Der Frühstücksansturm war vorüber, und er hatte ein wenig Zeit, um sich Nanes Misere anzuhören. Im Raum hinter dem Tresen entdeckte sie seinen Handgepäckkoffer. »Du fliegst nach Paris?«

»Nach zwölf gemeinsamen Jahren bin ich Claire einen Abschied schuldig«, sagte er. »In ein paar Tagen bin ich zurück.« Einen Moment sah es aus, als ob er noch etwas sagen wollte, doch dann wandte er sich an Jens Klein. »Ein Bewährungswiderruf wegen Hausfriedensbruchs. Das ist völlig überzogen.«

»So sind die Spielregeln. Sie hat es gewusst«, konterte Klein. »Die Richter haben Frau Rauch eine gute Prognose bescheinigt, und sie hat sie enttäuscht und ist doch wieder straffällig geworden. Sie hat die Erwartungen nicht erfüllt. Das Gericht wird seine Fehleinschätzung korrigieren wollen. Aber so weit sind wir noch lange nicht. Erst muss ein rechtskräftiges Urteil auf dem Tisch liegen. Vorher können sie die Aussetzung zur Bewährung nicht widerrufen. Selbst wenn es so weit kommt, wird das Monate dauern.«

»Es ist trotzdem unverhältnismäßig. Angenommen, sie hätte ein Päckchen Kaugummi geklaut …«

»Das wäre etwas anderes. Nicht jede Straftat widerlegt die Erwartungen des Gerichts. Aber Frau Rauch hat ausgerechnet den Vater ihres Opfers aufgesucht. Da besteht ein Zusammenhang. Beim Kaugummiklauen nicht.«

»Und wenn sie es leugnet?«

»Dann ist sie auch noch wegen Falschaussage dran. Es gibt Zeugen. Und wer weiß, was die noch aus dem Ärmel zaubern.« Jens Klein sah sich nach den Toiletten um und verschwand dorthin. Mark blieb mit Nane am Tisch zurück.

»Warum machst du auch solche Sachen?«, fragte er.

»Ich wollte Thomas nur wegen des Anrufs sprechen.«

»Das ist doch nicht mehr wichtig.«

»Ich weiß. Niemand kann mir die Jahre zurückgeben, die ich zu viel gesessen hätte, wenn er gelogen hat. Die Zeit ist vorbei. Und damit auch die Zeit, in der ich Kinder bekommen konnte. Weißt du, manchmal denke ich, dass das meine eigentliche Strafe ist. Dann sehe ich den Richter vor mir, der mich mit strengem Blick ansieht und sagt: Im Namen des Volkes verurteile ich Sie zu lebenslanger Kinderlosigkeit.« Nane lachte, doch es klang verbittert. »Aber es ist ein Unterschied, ob das meine Schuld ist oder die von Thomas.«

Mark griff nach ihrer Hand. »Hör auf, dich damit verrückt zu machen. Selbst wenn Thomas sich auf diese Weise an dir gerächt haben sollte, würde er das doch nicht zugeben.«

»Ich glaube schon, dass wir darüber reden könnten.«

»Du kennst ihn kaum. Ihr wart nur ein paar Wochen

zusammen, und das ist ewig her. Du projizierst da eine Ehrlichkeit in ihn hinein, die es vermutlich nicht gibt. Wer besitzt schon die Größe, eine Lüge zuzugeben? Noch dazu eine von solch einer Tragweite?«

»Ja, vielleicht hast du recht.« Nane war zu nervös, um den Kaffee zu trinken. Sie drehte das Glas in der Hand. »Weißt du, was der Witz an der ganzen Sache ist?« Sie sah zu Mark auf.

»Nein«, antwortete er.

»Ich hätte ihn gar nicht fragen können. Er liegt im Koma. Ich habe umsonst alles riskiert.«

»Das auch noch. Sag mal, Nane, kommt dein Anwalt mit?«

»Wir treffen uns dort. Er wird mir vermutlich raten, den Mund zu halten. Ich muss mich nicht selbst belasten.«

»Dann mach das. Und ich werde zu Pia fahren und mit ihr reden, wenn ich zurück bin. Vielleicht hört sie ja auf mich.« Mit einem Mal wirkte er besorgt.

»Was ist mit dir?«, fragte sie.

»Claires Beisetzung … Sie liegt mir im Magen. Eigentlich wollte ich gleich danach zurückfliegen. Aber Claires Vater hat mich gebeten, etwas länger zu bleiben. Es gäbe da etwas zu besprechen.«

»Aber was, hat er nicht gesagt?«

Mark schüttelte den Kopf. »Vielleicht hat sie mich als Erben eingesetzt. Dann gehört mir jetzt ein zweihundert Jahre alter Bauernhof in den Vogesen. Wenn ihr Vater ihn haben will, gerne. Ich bin nicht scharf darauf.«

Ein Gast kam, und Mark verschwand hinter den Tresen. Bald darauf kehrte Jens Klein von der Toilette zurück, und dann war es so weit.

Mark umarmte sie zum Abschied. »Das wird schon!«

Nane machte sich mit Klein auf den Weg zur Polizeiinspektion. Vor dem Eingang trafen sie auf Kai Frieling, ihren Anwalt. Er hatte erreicht, dass der Rest ihrer Strafe zur Bewährung ausgesetzt wurde, nachdem ihr vorheriger Anwalt damit gescheitert war. Er würde sie auch aus diesem Schlamassel retten. Er musste. Nane schüttelte die Angst ab, die sich um sie legen wollte. Von Frieling kam kein Wort des Vorwurfs. Er war ganz darauf konzentriert, die Kuh vom Eis zu holen, wie er es nannte.

»Sie lassen mich reden, Frau Rauch. Sie sagen erst dann etwas, wenn ich sie dazu auffordere.«

Sie nickte.

»Gut, dann auf in den Kampf.« Er klingelte. Die Gegensprechanlage rauschte. Frieling stellte sich vor. Der Türöffner summte, und sie traten ein. Nach zwanzig Minuten hatte Nane es hinter sich gebracht. Sie hatte keinerlei Angaben gemacht, bis auf ihre Personalien. Kurz und schmerzlos. Doch das dicke Ende würde noch nachkommen, wenn Mark genau wie Birgit scheiterte und es auch ihm nicht gelang, Pia zu überzeugen, auf ihre Rache zu verzichten.

Sie verabschiedeten sich vor der Tür, und Nane sah ihrem Anwalt nach, der in seinen Wagen stieg, und Jens Klein, der zur U-Bahn ging. Sie wollte laufen, solange sie das noch konnte. Immer am Main entlang bis nach Hanau oder Seligenstadt. Einfach nur gehen. Immer weiter. Fort von allem.

Ihr Handy summte. Es war Sonja, und prompt rührte sich Nanes schlechtes Gewissen, weil sie Sonja neulich versetzt hatte. »Entschuldige, dass ich nicht gekommen bin.«

»Das ist schon in Ordnung«, sagte Sonja. »Ich war mir auch nicht so sicher, ob es eine gute Idee war. Aber heute bin ich in Frankfurt und habe mir gedacht, wir könnten reden, wenn es dir passt.«

Nane zögerte. So unangenehm das Gespräch mit Hennings Tochter vielleicht werden würde, sie musste da durch. Also sagte sie zu und schlug als Treffpunkt das Coffee & Soul vor. Dort fühlte sie sich sicher. Mark würde ihr beistehen, falls das Gespräch aus dem Ruder lief.

Als sie eine Viertelstunde später in Marks Café eintraf, war es Mittag, und alle Tische waren besetzt. Bei ihm am Tresen war ein Platz frei, und er wollte wissen, wie es bei der Polizei gewesen sei. Sie erzählte ihm davon und auch, dass Sonja in einer halben Stunde hier sein wolle. Kurzerhand stellte Mark ein Reserviert-Schild auf einen Tisch, der gerade frei wurde, und brachte ihr einen Chaitee mit Fenchel und Ingwer. »Hat eine beruhigende Wirkung.«

Sonja kam pünktlich und sah sich suchend um. Von ihrem Vater hatte sie das dunkle Haar, die vollen Lippen und das flächige Gesicht. Vor allem aber hatte sie die schiefergrauen Augen der von Mantheys. Nane hob zögernd die Hand und wappnete sich, als Sonja in ihre Richtung blickte und dann den Tisch ansteuerte.

»Hallo, Nane.« Sie legte die Umhängetasche ab und setzte sich. »Hübsch hier.«

Das klang nicht so, als wollte Sonja sich mit ihr streiten und einen Berg voller Vorwürfe abladen. Erleichtert atmete Nane durch. »Das Café gehört meinem Exmann«, erklärte sie und wies auf Mark, der neugierig zu ihnen herübersah. Sonja nickte ihm zu, und Nane trat die Flucht nach vorne an. »Du weißt hoffentlich, wie leid mir die ganze Sache tut?«

»Ja. Natürlich. Meine Mutter hat es mir gesagt, und auch in den Protokollen kann man das nachlesen. Du hast Pias Tod gewollt, nicht den meines Vaters. Es war ein Zufall. Was es für mich eigentlich noch schlimmer macht.«

»Verstehe«, entgegnete Nane kleinlaut.

»Warum hast du das überhaupt getan? Ich meine: Ich verstehe, dass man vor lauter Wut und Hass Rachefantasien entwickelt, aber es dann auch zu tun … das ist etwas ganz anderes. Und du hast das alles auch noch geplant. Das war ja keine spontane Aktion.«

Was sollte sie sagen? Es gab nichts, womit sie rechtfertigen konnte, was sie getan hatte. Sie konnte es Sonja ebenso wenig erklären wie sich selbst. »Ich weiß es nicht. Ich bin damals … Ich habe total neben mir gestanden.« Das beschrieb ihren damaligen Zustand wohl am ehesten. Außerdem hatte sie ihre heimlichen Helfer abgesetzt, weil sie endlich ihr altes Leben zurückhaben wollte. Das war ein Fehler gewesen. Mit den Pillen wäre das ziemlich sicher nicht passiert. Aber die Verantwortung von sich zu weisen und auf ihre durcheinandergeratene Gehirnchemie zu schieben, wäre zu einfach. Außerdem wusste niemand, dass sie damals ihr Leben in weiten Teilen auf Tabletten gestützt hatte.

»Wolltest du Pia wirklich töten?«

»An dem Tag, ja, da wollte ich das. Ich verstehe das ja selbst nicht mehr. Und dann, als ich heimgefahren bin …« Nane brach ab. Es war sinnlos. Niemand hatte ihr geglaubt.

»Du meinst deinen Anruf?«

Nane zuckte mit den Schultern. »Ich kann mich einfach nicht mehr erinnern, was ich gesagt habe.«

»Aber das vergisst man doch nicht.«

»Ich weiß es aber nicht mehr. Wenn alle dir erklären, dass du was anderes gesagt hast, dann glaubst du das irgendwann selbst. Es tut mir leid, Sonja. Das weißt du. Und ich würde alles dafür geben, es ungeschehen zu machen.«

Sonja nickte. »Es war Schicksal, ein furchtbarer Zufall. Das ist es, womit ich mich gerade beschäftige. Ob der Tod meines Vaters zu verhindern gewesen wäre oder ob er unausweichlich war. An diesem Tag wurden so viele Entscheidungen gefällt, und wenn auch nur eine davon anders ausgefallen wäre, dann wäre das alles nicht passiert. Darüber will ich schreiben.«

»Du bist Schriftstellerin?«

Sonja verzog den Mund. »Ich versuche, eine zu werden.«

Mark kam an den Tisch, und Sonja bestellte einen Cappuccino.

»Du siehst Henning ähnlich«, sagte Nane. »Wobei ich ihn ja nur einmal gesehen habe, ganz kurz. Bei der Hochzeitsfeier.«

»Ich erinnere mich allerdings gut an dich«, entgegnete Sonja mit einem Grinsen. »Dein Auftritt war beeindruckend. Ich war ja noch ein Kind, und diese Nummer mit den Schlangen … Woher hattest du die eigentlich?«

»Von einem Bekannten mit einer Zoohandlung. Die Grasnattern waren ein sehr teures Hochzeitsgeschenk für Pia.« Nane hätte beinahe gelacht, als sie an Pias Reaktion dachte. Als wollte sie auf einen Tisch klettern, den es leider nicht gab. Dabei war sie diejenige gewesen, die sich lächerlich gemacht hatte.

»Es gibt noch einen Grund, weshalb ich mit dir sprechen wollte«, sagte Sonja. »Meine Mutter hat mir die Kopien der Ermittlungsakten gegeben. Ich rekonstruiere den letzten Tag meines Vaters aus den verschiedenen Perspektiven. Du hast um kurz vor elf angerufen.«

»Ja, stimmt«, sagte Nane. »Ich wollte Thomas warnen.«

»Er bestreitet das. Aber ich glaube dir.«

»Was? Wieso denn?«, fragte Nane ungläubig. »Niemand hat mir geglaubt.«

»Weil es die einzig logische Erklärung ist. Mit diesem Anruf hast du deine Deckung aufgegeben. Deine ganzen Vorkehrungen. Das hättest du doch nicht getan, nur um ihn zu beschimpfen. Ich glaube dir, dass du ihn gewarnt hast.«

»Danke«, sagte Nane verwirrt. »Aber ich war damals ziemlich durch den Wind.«

»Ich frage mich, warum mein Großvater deswegen gelogen hat.«

»Das ist doch klar: So habe ich die größtmögliche Strafe bekommen. Lebenslänglich.«

»Du meinst, das war der Grund?«

»Ja. Oder hast du eine andere Idee?«

Sonja zog die Stirn kraus. »Weißt du eigentlich, dass mein Vater am Vorabend versucht hatte, Pia zu vergewaltigen?«

»Was? Das höre ich zum ersten Mal. Woher weißt du das?«

»Es steht in den Ermittlungsakten. Vor Gericht hat das also keine Rolle gespielt?«

»Nein. Ich höre zum ersten Mal davon. Worauf willst du hinaus?«

»Wenn ich recht habe und du Thomas gewarnt hast, war das rechtzeitig genug, um den Unfall zu verhindern. Vorausgesetzt, die Uhr im Dorf ging richtig. Ich weiß nicht, wie ich das herausfinden könnte. In den Akten steht jedenfalls nicht, dass die Polizei das überprüft hätte. Theoretisch gibt es zwei Gründe, warum Thomas meinen Vater nicht zurückgehalten hat. Der eine: Falls er angenommen hat, Henning wäre zu Bett gegangen, war es nicht nötig, ihn zu warnen. Allerdings schaltet vorm Haus ein Bewegungsmelder die Lampen an, sobald jemand den Hof betritt. Das sind die reinsten Scheinwerfer. Ich habe es gestern Nacht ausprobiert. Wenn sich die Lampen einschalten, bekommt man das auch auf der Terrasse mit. Sie hingen damals schon. Daran erinnere ich mich. Thomas muss bemerkt haben, dass jemand im Hof war. Nachts um elf. Er wird entweder nachgesehen haben, oder er hat angenommen, dass es Henning ist, der ja gerade erst gegangen war. Und damit bin ich beim zweiten möglichen Grund: Thomas muss stinkwütend gewesen sein. Vielleicht hat er es darauf ankommen lassen, dass Henning Pias Wagen nimmt.«

Kapitel 12

Sommer 1998

Pia blickte aus zweitausend Metern Höhe auf die Landschaft, die sich unter ihr im Morgenlicht ausbreitete. Dörfer, Wiesen und Wälder, durchschnitten von Straßen und Flüssen. Das Flugzeug befand sich im Sinkflug. In einer halben Stunde würden sie in Frankfurt landen. Thomas saß neben ihr. Nach dem Frühstück hatte er sich wieder zurückgelehnt und döste noch ein wenig, während Pia kaum ein Auge zugetan hatte und sich völlig zerschlagen fühlte. Ihre innere Uhr sagte ihr, dass es elf Uhr nachts war und nicht acht Uhr morgens.

Die Lippen waren von der klimatisierten Luft spröde geworden. Sie nahm den Pflegestift aus der Handtasche. Dabei fiel ihr Blick auf den schlichten Goldring an ihrer rechten Hand. Sie saß neben ihrem Mann, und eine tiefe Ruhe und Zufriedenheit erfüllte sie.

»Dann lass uns das doch machen«, hatte Thomas vor drei Tagen in New York gesagt. »Nur wir beide. Wir fliegen nach Las Vegas und heiraten dort. Ganz ohne Familie. Was meinst du?«

»Das ist genial«, hatte sie geantwortet. Nicht aus romantischen Gründen, sondern aus praktischen Erwägungen. So vermieden sie den Trubel, den eine Hochzeit daheim mit sich bringen würde. Ebenso entzog sie den Fragen und Erklärungen weitestgehend den Boden, warum sie einen Mann heiratete, der ihr Vater sein könnte.

Am nächsten Morgen hatte Thomas die Flüge umgebucht und ein Hochzeitspaket bei einem Anbieter in Las Vegas zusammengestellt. Es war alles vorbereitet, als sie am Abend eintrafen. Die Beantragung der Hochzeitserlaubnis, die Stretchlimo, ein Helikopterflug zum Grand Canyon, vor dessen Kulisse sie sich am folgenden Tag das Jawort gaben. Champagner, Hochzeitsfotos und sogar die Hochzeitstorte. Ihre Trauzeugen, die obligatorisch waren, hatten sie auf der Straße angesprochen. Joanne und Simon, ein Pärchen aus Chicago, das begeistert zustimmte, diese Rolle zu übernehmen. Das ist ja wie im Film, hatte Joanne gesagt.

Noch immer sah Pia auf den Ring. Frau von Manthey. Es fühlte sich wunderbar an.

Als das Flugzeug auf der Landebahn aufsetzte und zum Terminal rollte, wich das Hochgefühl praktischen Überlegungen. Gleich morgen würde sie eine Firma beauftragen und den Umzug organisieren. Außerdem musste sie ihre Eltern über die Heirat informieren, auch wenn sie es am liebsten verschwiegen hätte. Ein letztes Mal noch die Einmischung ihrer Mutter und die Gleichgültigkeit ihres Vaters ertragen. Dazu den Neid von Birgit und das Unverständnis von Nane. Wie kannst du nur einen alten Mann heiraten?, würden sie sagen. Ganz sicher.

Thomas beugte sich zu ihr. »Konntest du einigermaßen

schlafen?« Auf seinen Wangen spross ein Zweieinhalbtagebart, der ihm richtig gut stand.

»Ging so. Den Bart solltest du stehen lassen. Er verleiht dir so einen verwegenen Touch.«

»Kratzt er nicht beim Küssen?« Thomas versuchte es gleich und brachte sie zum Lachen.

»Doch, er kratzt. Und wie! Du hast also die Wahl zwischen verwegenem Aussehen und Sex.«

»Ich krame sofort den Rasierapparat hervor.«

Das Flugzeug dockte am Finger an. Lachend und scherzend verließen sie es, holten ihr Gepäck und traten schließlich Arm in Arm aus dem Sicherheitsbereich in den Terminal. Thomas fragte gerade, ob sie nicht erst irgendwo frühstücken sollten, bevor er sich ihren Eltern als Schwiegersohn vorstellte, als Pia Nane bemerkte. Sie stand zwanzig Meter von ihnen entfernt unter dem Ankunftsschild und entdeckte sie im selben Moment. Pia blieb stehen.

»Was ist?«, fragte Thomas.

»Nichts. Nur meine Schwester. Wir haben offenbar ein Empfangskomitee«, sagte sie verwundert. Woher wusste Nane, dass sie heute aus Amerika zurückkam? Von Mama vermutlich. Pia hatte es ihr gesagt. Aber nicht, mit welchem Flug.

Mit zusammengekniffenen Augen kam Nane auf sie zu. Es sah aus, als marschierte sie in einen Kampf. Was war denn mit ihr los?

»Das ist deine Schwester?«, fragte Thomas. »Das glaube ich jetzt nicht.«

»Wieso?« Verwundert sah Pia ihren Mann an, der Nane anstarrte, als sähe er ein Gespenst. »Du kennst sie?«

»Ja. Sie ist … Das kann nicht wahr sein.« Mit der Hand fuhr er sich übers Gesicht.

Mittlerweile hatte Nane sie erreicht. »Du bist ein solches Miststück, Pia! Weißt du das?« Nanes Faust donnerte gegen Pias Schulter.

Unwillkürlich wich sie zurück. »Spinnst du? Was hast du denn geraucht?«

Thomas schritt ein. »Können wir das in Ruhe irgendwo besprechen?«

Was denn besprechen?, fragte sich Pia.

»Warum musst du mir immer alles wegnehmen?«, rief Nane.

Wovon redete sie eigentlich? Dann fiel bei Pia der Groschen. Nane war die Frau vor ihr gewesen. Die Frau, die Thomas zurück ins Leben geholt hatte. Die Frau, die alles andere als verklemmt war. Die Frau, die ihre Triebe hemmungslos auslebte, die ihre archaische und wilde Seite nicht in einem Verlies einsperrte. Eine richtige Frau.

»Du warst mit Nane zusammen? Mit meiner Schwester?«, fragte sie und sah Thomas ungläubig an.

»Wir haben uns geliebt!«, schrie Nane.

»Ich hatte ja keine Ahnung«, sagte Thomas, den die Situation zu überfordern schien.

»Und du musst das natürlich kaputt machen. Wie immer!« Nane schubste sie erneut. Pia torkelte einen Schritt zurück und wäre beinahe gestürzt. Sie fing sich gerade noch.

Thomas schritt ein. »Hör auf, Nane. Oder soll ich die Polizei rufen?« Er zog das Handy aus der Tasche. Die umstehenden Leute wurden schon aufmerksam.

»Ja, das würdest du glatt tun!«, rief Nane. »Du mieser Kerl! Mich in Handschellen zu sehen, dafür hast du ja eine Schwäche.«

Jemand lachte.

»Es tut mir leid. Ich hatte wirklich keine Ahnung.« Thomas breitete die Hände aus.

»Und du bist einfach nur Abschaum!« Nane spuckte Pia ins Gesicht.

»Das reicht jetzt!« Thomas riss Nane am Arm zu sich. »Wenn du nicht sofort verschwindest, rufe ich die Polizei. Verstanden?« Er fixierte sie mit einem Blick, den Pia noch nie an ihm gesehen hatte. Ihr wurde angst und bange. Jede Sehne und jeder Muskel seines Körpers schienen vor unterdrückter Wut zu beben. Diese Seite kannte sie an Thomas nicht. Hoffentlich schlug er nicht zu.

Nane riss sich los. Pia zog ein Papiertaschentuch aus der Tasche und wischte sich die Spucke aus dem Gesicht. Dabei fiel Nanes Blick auf den Ring, und alle Spannung in ihr ließ nach. Die Schultern sackten herab.

»Was ist das denn? Habt ihr etwa geheiratet?«, stieß sie hervor. Ihr ohnehin bleicher Teint wurde noch bleicher.

»Brauchen Sie Hilfe?« Die Frage kam von einem Mann, der die Uniform der Flughafensicherheit trug.

»Ich hoffe nicht«, sagte Thomas. »So weit lässt du es nicht kommen, oder?« Wieder starrte er Nane an. Und sie nickte so kraftlos, als wäre alle Energie schlagartig verpufft.

»Sie sehen aus, als könnten Sie frische Luft vertragen.« Der Security-Mitarbeiter bot Nane seinen Arm. »Ich begleite Sie ein Stück.«

Einen Moment sah Pia ihrer Schwester nach und verbannte die Bilder, die in ihr aufstiegen. Thomas und Nane im Bett.

*

Thomas beteuerte noch einmal, dass er keine Ahnung gehabt habe. Wie auch? Sie sahen sich nicht ähnlich und trugen verschiedene Nachnamen. Keine der beiden hatte ihm gegenüber je die andere erwähnt. Pia hatte immer nur von ihren Schwestern gesprochen, ohne je Namen zu nennen.

Thomas war die Angelegenheit peinlich, und Pia wollte sie nicht weiter vertiefen. Seine Affäre mit Nane war längst vorbei. Er hatte mit ihr schon Schluss gemacht, bevor er Pia kennenlernte. Nane also war die Frau gewesen, die Thomas gestalkt hatte. Ihretwegen die neue Handynummer. Ja, das passte zu ihr. Wie bei Mark. Am besten würde es sein, den Kontakt erst einmal abzubrechen. Bis sie sich beruhigt hatte.

Sie gingen erst frühstücken und fuhren dann zum Schweizer Platz, um Pias Familie zu informieren. Die wusste schon Bescheid. Nane hatte die Neuigkeit bereits verbreitet. Mamas Reaktion war nicht anders als erwartet. »Liebst du ihn denn?«, fragte sie.

Pia erlaubte sich einen Scherz und antwortete leise: »Natürlich nicht. Ich will mich ja nicht ins Unglück stürzen.« Wobei sie tatsächlich nicht hätte sagen können, dass sie Thomas liebte. Liebe musste etwas anderes sein. Größer, dramatischer, überwältigender. Sie war mit ihm glücklich. Ihr genügte das.

»Dann ist es ja gut«, sagte Mama und lächelte Thomas an.

Papa war wie immer schweigsam und mit seinen Gedanken weiß Gott wo, jedenfalls nicht hier. »Schön, schön«, sagte er und schüttelte Thomas die Hand. »Dann wünsche ich euch beiden Glück.« Es waren Kunden im Laden. Ihre Eltern hatten keine Zeit. Pia war es recht.

Thomas musste nach Graven, um dort nach dem Rechten zu sehen. Ihre Wege trennten sich für einige Tage. Pia begann den Umzug noch am selben Tag zu organisieren. Sie beauftragte ein Unternehmen, ließ sich gleich Kartons bringen und begann zu packen, während ihr Koffer noch gepackt im Flur stand.

Am Nachmittag kam Birgit. Sie hatte die Neuigkeit eben erst erfahren. Verwundert sah sie sich um, nachdem sie Pia gratuliert hatte. »Es sieht aus, als wärst du auf der Flucht.«

Vielleicht war sie das ja. Birgit wollte natürlich alles ganz genau wissen. Wo sie geheiratet hatten und wieso so schnell. Wo sie ihre Flitterwochen verbringen würden. Pia hielt sich bedeckt. Ja, sie würden eine Hochzeitsreise machen. Aber erst im Winter, wenn der Weinberg ruhte und Thomas auf dem Gut für länger als ein paar Tage abkömmlich war. Es würde natürlich eine Feier geben, im kleinen Kreis, Familie und Freunde, in zwei oder drei Wochen auf Graven. Birgit fragte, ob Nane auch eingeladen werde. Offenbar hatte sie ihren Auftritt auf dem Flughafen nicht kleingeredet. Birgit kannte jedes Detail, sogar das Anspucken.

Pia musste nicht lange überlegen. Für sie stand bereits fest, dass sie Nane nicht einladen würde, und sie ging davon aus, dass Thomas das nicht anders sah. Nicht nach dem Vorfall am Morgen.

Seine ehemalige Geliebte, die seine Frau auf der Hochzeitsfeier angriff – unvorstellbar. Wieder wollten Bilder in Pia aufsteigen: Thomas und Nane im Bett. Verglich er sie etwa miteinander? Sein Vorschlag in New York, mal etwas Aufregenderes auszuprobieren, hatte bestimmt mit Nane zu tun. *Mich in Handschellen zu sehen, dafür hast du ja eine Schwäche.*

In den folgenden Tagen gingen ihr diese Gedanken immer wieder durch den Kopf. Ihre sexuellen Fantasien waren begrenzt und reduzierten sich auf das, was man vermutlich Blümchensex nannte. Eine unbewusste Kraft in ihr hatte offenbar schon vor langer Zeit eine Schranke eingezogen. Bis hierhin und nicht weiter. Die Vorstellung von ungezügeltem Sex machte ihr Angst, und sie wusste nicht, warum.

Was hatte Nane mit Thomas getrieben? An einem Nachmittag hielt Pia es nicht mehr aus. Sie fuhr zur Videothek am Hauptbahnhof und lieh sich drei Pornofilme aus. Sie wollte das jetzt wissen.

Zu Hause schob sie den ersten in den Videorekorder. Ein Mann besorgte es zwei Frauen, die ihn darum anflehten. Es war einfach nur widerlich. Zehn Minuten sah Pia sich das an, dann wechselte sie den Film. Was sie jetzt zu sehen bekam, war mehr oder weniger eine Vergewaltigung, frauenverachtender Schund. Für den dritten Film hatte sie sich wegen der Handschellen auf dem Cover entschieden. Es war ein Sadomaso-Movie, und die Vorstellung, dass Thomas auf so etwas stand, war für sie nicht erregend, sondern erschreckend. Sie wollte das nicht. Sie konnte das nicht. Dergleichen durfte er von ihr nicht erwarten.

Vielleicht waren die Filme der falsche Ansatz gewesen. Pia gab sie zurück. Anschließend suchte sie eine große Buchhandlung auf und fand tatsächlich das Kamasutra, ohne danach fragen zu müssen. Sie setzte sich damit in die Leseecke, doch es erging ihr ähnlich wie mit den Filmen. Die gezeigten Stellungen weckten nichts in ihr, kein Verlangen, keine Erregung. Manche waren lächerlich, manche abstoßend. Sie hatte das Gefühl, als ob etwas sie von ihrer Sexualität abschnitt. Vielleicht sollte sie einen Therapeuten aufsuchen, denn normal war das vermutlich nicht.

Warum beschäftigte sie das auf einmal? Bisher hatte sie kein Problem damit gehabt. Es war das Bild von Nane und Thomas im Bett, das ihr nicht aus dem Kopf ging. Der Vergleich mit ihrer Schwester und das Wissen darum, dass sie dabei nur verlieren konnte. Was erwartete Thomas von ihr? Und konnte sie es ihm geben? Wollte sie das überhaupt?

Pia schlug das Buch zu und stellte es zurück ins Regal. Nein, sie wollte das nicht.

Der Umzug nach Graven fand an einem Mittwoch statt. In all dem Trubel bemerkte Pia zunächst nicht, wie reserviert sich Margot ihr gegenüber verhielt. Nicht, dass sie bisher die Herzlichkeit in Person gewesen wäre, aber diese unterkühlte Freundlichkeit war neu. Es dauerte eine Weile, bis Pia darauf reagierte und Thomas fragte, was mit seiner Schwester los sei.

»Sie fühlt sich übergangen, weil ich geheiratet habe, ohne sie vorher einzuweihen«, erklärte er. »Das wird sich legen.«

Thomas hatte im Herrenhaus zwei Räume im ersten Stock für Pia ausräumen lassen. Einen großen und hellen für die Werkstatt und den angrenzenden mit einem kleinen Balkon. Er sollte Pias Refugium werden. Als Erstes stellte sie die Staffelei in die Werkstatt und Catels Flusslandschaft darauf. Noch lehnte die Frau nur in ihren Konturen am Baum, und für einen schrecklichen Augenblick fühlte sich Pia ihr so ähnlich. Sie war nicht mehr als ein Schemen. Jedenfalls, was ihre Sexualität anbelangte.

Das Schlafzimmer war zu Pias Überraschung neu eingerichtet. Thomas hatte eine befreundete Innenarchitektin darum gebeten, die es in Rekordzeit verwandelt hatte. Er musste Pia nicht sagen, was der Grund dafür war. Sie sollte sich nicht vorstellen, dass er mit Nane im selben Bett geschlafen hatte. Nichts sollte sie daran erinnern, dass er eine Affäre mit ihrer Schwester gehabt hatte.

Auch die Vorbereitungen für die Feier kamen gut voran. Es sollte nur ein kleines Fest werden mit den engsten Freunden und Verwandten. Pia war froh, dass Thomas die Vorbereitungen an Margot delegiert hatte. Sie selbst war mit dem Umzug vollauf beschäftigt und hoffte außerdem, dass Margot sich dadurch nicht länger übergangen fühlte.

Nanes Name erschien nicht auf der Gästeliste, und Pia bat sicherheitshalber Birgit, mit ihr zu reden und ihr klarzumachen, dass es so für alle das Beste sei.

Bereits am Wochenende vor der Feier wollte Thomas' Sohn Henning aus München kommen. Er hatte den Urlaub auf Graven schon seit Langem geplant und würde am Freitagabend mit seiner Familie eintreffen. Margot bat

Tereza, die Remise für Henning zu lüften und die beiden Gästezimmer in der zweiten Etage herzurichten.

An diesem Abend packte Pia den letzten Karton aus. Die Werkstatt war so weit eingerichtet, dass sie darin arbeiten konnte. Sie war verschwitzt und ging unter die Dusche. Als sie, nur in ein Badetuch gehüllt, zurück ins Schlafzimmer kam, saß Thomas auf der Bettkante. Die Fensterläden waren halb geschlossen, das Abendlicht sickerte herein. Am Weinkühler perlte das Kondenswasser, und Thomas hielt zwei beschlagene Gläser Sekt in den Händen.

»Ein Gruß von Anneliese Dahlheim. Sie ist eine gute Freundin und ebenfalls Winzerin.« Er reichte Pia ein Glas, und sie setzte sich zu ihm. »Du wirst sie bei der Feier kennenlernen. Willkommen in deinem neuen Zuhause.«

Sie stießen an. Der Sekt war eiskalt und perlte auf ihren Lippen.

»Vermisst du Frankfurt schon? Den Trubel der Stadt?«

»Nein. Es ist schön hier«, sagte Pia und meinte es genau so. Sie genoss die Ruhe auf Graven. Das Zwitschern der Vögel am frühen Morgen, von dem sie geweckt wurde. Den unaufgeregten Takt, in dem die Tage verliefen. Ihr Leben und das Leben hier hatten einen ähnlichen Rhythmus. Sie würde sich hier wohlfühlen. Nicht nur für ein paar Wochen, wie im Urlaub, sondern ein Leben lang. Und falls ihr die Betriebsamkeit der Großstadt fehlte, mussten sie sich nur ins Auto setzen. In zwei Stunden waren sie in Frankfurt, und shoppen konnte man auch im nahen Trier.

Thomas stellte das Glas ab. »Ich bin rasiert. Fühl mal.«

Sie strich ihm über die glatten Wangen und ahnte, worauf das hinauslaufen sollte. Innerlich wappnete sie sich. Sie würde ihr Bestes geben und diese Hürde endlich überwinden. Sex als Hindernislauf. Sie sollte wirklich einen Therapeuten aufsuchen.

»Glatt wie ein Kinderpopo. Wo ist denn der verwegene Kerl geblieben?«

»Er ist schon noch da. Er sieht nur zivilisierter aus.«

Sie küssten sich, und sie schmeckte den Sekt auf seinen Lippen, spürte, wie er das Handtuch löste und es von ihrem Körper glitt. Was erwartete er von ihr? Würde er gleich Handschellen unter dem Kopfkissen hervorziehen? Würde er sie bitten, sich fesseln zu lassen, weil ihn das erregte, oder akrobatische Verrenkungen zu vollführen, damit er tiefer in sie eindringen konnte und sie beide mehr vom Orgasmus hatten? Sie wusste ja nicht einmal, was das war.

Thomas' Lippen glitten über ihre Brüste, sie spürte sie an ihren Brustwarzen und fühlte nichts. Die Schranke war früher heruntergerauscht als je zuvor, und Pia war kurz davor, in Tränen auszubrechen. Doch wie sollte sie Thomas das erklären? Also riss sie sich zusammen und erwiderte seine Zärtlichkeit.

Unten im Hof erklang ein dreifaches Hupen. Thomas richtete sich auf und sah auf die Uhr. »Henning ist aber früh dran. Wenn er wüsste, wobei er uns stört …« Lachend knöpfte Thomas sich das Hemd zu, und Pia schlüpfte eilig in ihre Sachen. Unten schlugen Autotüren. Stimmen erklangen. Margots und Leonhards mischten sich darunter. Pia folgte Thomas über die Treppe nach unten. Im Flur kamen ihnen bereits Henning und seine

Frau Katja entgegen. Sie war ein eher burschikoser Typ, drahtig und sehnig. Der praktische Kurzhaarschnitt und eine Brille unterstrichen diesen Eindruck noch.

An ihr vorbei lief ein Mädchen auf Thomas zu. »Opa, Opa!« Das war also Sonja, seine Enkelin. Ein hübsches Kind mit brünetten Locken und einer Zahnlücke. Thomas fing sie auf und drehte sich mit ihr einmal um die eigene Achse, bevor er sie wieder abstellte. »Du bist aber ganz schön gewachsen.« Er legte den Arm um Pia. »Und das ist sie also, Pia. Meine Frau.«

»Dann bist du jetzt meine neue Oma?« Sonja sah zu ihr auf.

»Gewissermaßen schon. Aber nenne mich bitte Pia, sonst fühle ich mich so alt.«

»Ja, dann herzlichen Glückwunsch und alles Gute euch beiden.« Katja umarmte erst Thomas und dann Pia. Ihr Griff war fest und herzlich.

»Da schließe ich mich doch flugs den guten Wünschen meiner Frau an.« Henning sah aus wie Thomas in jüngerer Ausgabe. Vielleicht nicht ganz so groß, und er wirkte etwas weicher. Ihm fehlte das Raue eines Menschen, der sich täglich in der Natur bewegte und körperliche Arbeit verrichtete. »Henning sitzt am Schreibtisch und denkt über die großen Zusammenhänge nach.« Das hatte Thomas über seinen Sohn gesagt, und es hatte ein wenig abfällig geklungen.

Einen Moment schien er nicht zu wissen, wohin mit seinen Händen, bis er sich entschloss, es seiner Frau gleichzutun und seinen Vater zu umarmen. Eher widerwillig, wie Pia fand. Ihr reichte er lediglich die Hand, und damit war bereits alles gesagt. Er hielt Distanz. Ihm gefiel die neue Beziehung seines Vaters nicht. Ein abschätzender Blick streifte sie, und Pia bemerkte das Paynesgrau seiner Augen. Dieselbe Farbe wie bei seinem Vater.

Das Handy in ihrer Hosentasche begann zu klingeln, und Pia wandte sich erleichtert ab. Als sie jedoch sah, wer anrief, unterdrückte sie einen Fluch und schaltete das Handy aus. Wenn das so weiterging, brauchte sie eine neue Nummer.

*

Dann eben nicht. Irgendwann würde sie Pia schon erwischen und ihr sagen, was sie von ihr hielt. Nane stand auf dem Bootssteg bei Marks Ruderfreunden, blickte über den Fluss und steckte das Handy ein.

Die drei Single Sculls näherten sich. Mit beinahe synchronen Schlägen tauchten Ruderpaare ins Wasser des Mains und wieder heraus. Ihr Rhythmus verlangsamte sich. Die Boote glitten nacheinander an den Steg, und Nane half Mark, Jörg und Susanne, sie auf den Trailer zu hieven.

Das Training war beendet. Die Sportler zogen sich um, und dann ging es mit dem geselligen Teil des Abends weiter. Das Feuer im Grill hatte Nane bewacht, und die Glut war bereit. Jörg legte Schweinenackensteaks und Bratwürste auf, während Mark und Susanne den Trailer mit den Booten in den Schuppen zogen. Auf dem Tisch standen Frischhaltedosen mit Kartoffel- und Gurkensalat. Nane hatte Zaziki und gefüllte Weinblätter beigesteuert. Die hatte sie noch rasch beim Griechen gekauft, nachdem Mark ihr vorgeschlagen hatte, ihn zum Training zu begleiten. Nun kam er mit zwei Flaschen Bier und reichte ihr eine.

»Geht es besser?«, erkundigte er sich besorgt. Kein Wunder, schließlich war sie am frühen Abend wie ein Häufchen Elend bei ihm aufgetaucht.

Statt einer Antwort nickte sie halbherzig. In Wirklichkeit litt sie noch immer. Ein Schmerz wie eine aufgeschürfte Wunde, die nicht heilen wollte. Und jetzt hatte Pia auch noch Salz hineingerieben. Seither hatte Nanes Zorn endlich ein Ziel. Er flatterte nicht länger wie ein loses Tau im Wind, zwischen Zweifel und Selbsthass und Wut auf Thomas. Nun richtete er sich ganz und gar gegen ihre Schwester, und damit war etwas in Bewegung geraten. Nane wusste nicht genau, was es war, aber etwas tat sich in ihr, da braute sich etwas zusammen. Und das war der Grund, weshalb sie wieder ihre heimlichen Helfer nahm, von denen sie beinahe schon losgekommen war, wenigstens für ein paar Tage. Sie fragte sich, wo das enden mochte.

Auf gar keinen Fall würde sie Mark wegen ihres Helferleinproblems ins Vertrauen ziehen. Er würde nämlich dafür sorgen, dass sie sich professionelle Hilfe holte und einen richtigen Entzug machte, und dann konnte sie ihre Stelle in der PR-Agentur vergessen. Denn wie sollte sie das erklären?

Sie straffte den Rücken und warf den Kopf zurück. »Wie soll es mir schon gehen? Sie feiern Hochzeit, und mich haben sie nicht eingeladen.«

»Was hast du denn erwartet? Du spuckst Pia ins Gesicht, und sie rollt im Gegenzug den roten Teppich für dich aus?«

Mark hatte ja recht. Trotzdem war es demütigend, so behandelt zu werden. »Sie hätte mich bestimmt auch so nicht eingeladen.«

»Du würdest dir das Glück der beiden also gerne ansehen. Seit wann bist du masochistisch veranlagt?«

»Darum geht es doch nicht. Es geht um die Botschaft, die mit dieser Nichteinladung verbunden ist. Ich bin das Allerletzte. Weißt du was, ich gehe einfach hin.«

»Das lässt du bleiben.«

»Niemand kann mir verbieten, meiner Schwester zur Hochzeit zu gratulieren.«

Mark sah das anders. Er redete auf sie ein, nicht nach Graven zu fahren. Sie war nicht eingeladen. Das sollte sie respektieren, auch wenn es verletzend war. Es wäre peinlich für alle, wenn sie dort erschien. Und die Gefahr, dass sie sich lächerlich machte, war bei ihrer Neigung zu Übersprunghandlungen nicht von der Hand zu weisen. Sie musste ihm versprechen, nicht zu fahren, und sie versprach es ihm, obwohl sie dafür nicht die Hand ins Feuer legen konnte.

Jörg und Susanne kamen mit einem Teller Grillfleisch, und das Gespräch wandte sich anderen Themen zu. Der Abend wurde dann doch noch ganz nett, vor allem weil Nane eine Pille nahm, damit sie nicht ständig an Pia und Thomas denken musste.

Auf der Rückfahrt in die Stadt beschloss sie, endlich von den Tabletten loszukommen. Am besten jetzt sofort! Am Schwanheimer Ufer hielt sie in einer Parkbucht und ging hinunter ans Wasser. In hohem Bogen warf sie die Medikamentenpackung aus ihrer Handtasche in den Main. Ein leises Platschen, und weg war sie. Die Reserven aus

Geldbeutel und Hosentasche folgten. Und schließlich das Rezept für den Nachschub, das sie sich heute bei einem ihrer Ärzte geholt hatte. Inzwischen hatte sie drei, die ihr das Zeug verschrieben und nichts voneinander wussten.

Sie zerriss das Rezept in kleine Schnipsel und pustete sie von ihrer Handfläche. Fehlte nur noch die Notfallpackung im Handschuhfach. Nane kehrte zum Wagen zurück, kramte die Tabletten hervor und warf sie ins Gebüsch.

Für einen Moment fühlte sie sich unbeschwert und frei. Doch dann kam die Angst. Was sollte sie ohne ihre heimlichen Helfer tun? »Leben«, sagte sie in die Stille. »Wieder ich selbst werden.« Sie würde das schaffen. Es war nicht so schwer, auf die Tabletten zu verzichten. Früher hatte sie die schließlich auch nicht gebraucht.

In ihrer Wohnung angekommen, suchte sie die Tabletten zusammen, die sie dort an verschiedenen Plätzen deponiert hatte. Wenn Mark sie so sehen könnte. Oder Thomas. Bei der Vorstellung wurde ihr ganz heiß vor Scham. Eine nach der anderen drückte sie die Pillen aus der Folie in die Kloschüssel und spülte sie hinunter.

Das war ein guter Anfang. Aus dem Kühlschrank nahm sie eine Dose Bier und aus dem Badezimmerregal die Packung Schlaftabletten. Sie wusste, ohne die würde sie in nächster Zeit kein Auge zutun. Und dann erinnerte sie sich an ein Tablettenblister, das noch im Zeitschriftenkorb lag, und an ein Rezept in der Schublade im Flur. Heute nicht mehr. Morgen war auch noch ein Tag, und eine kleine Reserve für alle Fälle war vielleicht nicht verkehrt.

Am Wochenende schlief sie trotz der Schlaftabletten schlecht. Sie war unruhig und nervös und konnte nicht still sitzen. Sie tigerte in der Wohnung auf und ab, bis sie schließlich rausging und einen Zehnkilometerspaziergang absolvierte. Trotzdem war sie fahrig und nervös. Sie war unruhig und hatte Hitzewallungen, als wäre sie schon in den Wechseljahren. Doch sie stand den Samstag und Sonntag ohne Medikamente durch, bis auf die Schlaftabletten und zwei oder drei Bier. Was ihr half, kurzzeitig Ruhe zu finden, war ihre Fantasie. Sie malte sich allerlei Szenarien aus, wie sie es Pia heimzahlen könnte, und zerkratzter Autolack war dabei noch das Geringste. Sie sah sich rote Farbe über das weiße Brautkleid schütten, eine Rede vor den versammelten Gästen halten und dabei Pias wahren Charakter enthüllen. Sie sah sich aber auch dabei zu, wie sie souverän bei den Gästen stand und Pia und Thomas aufrichtig gratulierte. Doch diese selbstlose Größe fehlte ihr. Sie sann nach Rache für das, was ihre Schwester ihr angetan hatte, diese falsche Schlange.

Schlange war das Stichwort, an dem sie sich schließlich festhielt. Ein ehemaliger Schulfreund von ihr betrieb eine Zoohandlung. Er hatte sich auf Terrarien spezialisiert und deren Bewohner. Eine Kreuzotter wäre nicht schlecht, dachte Nane, oder eine Kobra, ein Königspython oder eine giftige Natter. Sie wollte Pia, die panische Angst vor Schlangen hatte, allerdings nicht umbringen, sondern nur erschrecken. Sie wollte ein Zeichen setzen. Also suchte sie Uwe am Tag vor der Feier in seinem Geschäft auf und besorgte das Hochzeitsgeschenk. Ein halbes Dutzend Grasnattern, giftgrün und irre teuer. Beinahe fünfhundert Mark blätterte sie dafür hin.

Einerseits war ihr klar, dass sie das nicht machen konnte. Andererseits schrie alles in ihr nach Rache. Als wohnten zwei Nanes in einem Körper. Eine rationale Nane und eine rasende Furie. Die beide miteinander rangen. Wobei die Furie eindeutig die Stärkere war. Die Vorstellung, Pia die Schlangen vor die Füße zu werfen, fühlte sich so verdammt gut und erleichternd an, dass Nane einfach wusste, dass sie es tun würde.

Kapitel 13

Sommer 2018

Es war fünf Uhr morgens. Die erste Morgendämmerung erhellte das Schlafzimmer. Pia hatte die ganze Nacht kaum ein Auge zugetan. Ihre Gedanken waren um Thomas gekreist und natürlich um den Sommer vor zwanzig Jahren. An Schlaf war nicht mehr zu denken, und sie entschloss sich, aufzustehen und endlich zu erledigen, was sie am besten gleich gestern erledigt hätte.

Sie schlüpfte in Jeans und Sweatshirt, streifte Sneakers über und hörte, wie Lissy nach unten ging. Mit ihrer Tochter wollte sie später reden. Also wartete sie, bis die Küchentür zuschlug, und ging dann leise aus dem Haus.

Der Morgen war kühl, doch man konnte die Kraft der Sonne bereits erahnen, die als rote Scheibe über den Horizont stieg. Der Hof lag noch ruhig da. Die Arbeiter begannen erst um sieben. Pia ging in die Garage und startete den Wagen. Als sie losfuhr, sah sie Lissy am Fenster stehen. Verwundert blickte sie ihr nach.

Zehn Minuten später hielt Pia einige Kilometer hinter dem Dorf Graven an einem Parkplatz, an dem ein Wanderweg entlang der Saar begann. Bevor sie den Kofferraum öffnete, sah sie sich um. Keine Menschenseele war in der Nähe. Nur die Vögel zwitscherten in den Bäumen. Pia öffnete die Abdeckung für das Ersatzrad und zog den Jutebeutel aus der Mulde darunter hervor. Dann steckte sie noch das Feuerzeug aus dem Handschuhfach ein und ging los.

Zehn Minuten später erreichte sie einen Picknickplatz mit einer Feuerstelle und zündete die Polaroidfotos an. Eine Minute später war nicht mehr von ihnen übrig als schwarze Asche. Pia nahm sie heraus und verstreute sie im Wind. Weiter ging es zur Fußgängerbrücke, die über den Fluss führte und im Morgenlicht dalag. Pia knotete den Stoffbeutel mit seinen Trägern zu, holte mit aller Kraft aus und warf ihn, so weit sie konnte. Etwa sechs Meter entfernt schlug er aufs Wasser auf und ging sofort unter. Selbst wenn er irgendwann gefunden wurde, konnte niemand etwas damit anfangen.

Erleichtert kehrte sie zu ihrem Wagen zurück. Es war gut, etwas zu tun, anstatt immer nur Gedanken zu wälzen, wie letzte Nacht, als sie nicht mehr aus der Angst herausgefunden hatte, Thomas könnte zum Pflegefall werden oder gar sterben. Sie hatte sich völlig verrückt gemacht, denn bei Tageslicht betrachtet, sah die Situation wesentlich hoffnungsvoller aus als in der Dunkelheit der Nacht. Denn wie Professor Weigel gesagt hatte: Thomas hatte einen Herzinfarkt und eine Embolie überlebt. Er war stark und robust und würde sich rasch erholen. Ihr Mantra seit Tagen. Doch es verfehlte seine Wirkung nicht. Sie fühlte sich wieder zuversichtlich.

Möglicherweise war es so, wie Schwester Marion gesagt hatte. Womöglich wollte er nicht aufwachen. Vielleicht wollte er sich dem nicht stellen, was auf sie zukam. Das musste er auch nicht. Jetzt konnte alles so bleiben, wie es war.

Margot würde den Mund halten. Niemals würde sie ihrem geliebten Bruder schaden. Obendrein konnte sie jetzt nichts mehr beweisen. Ihre Beschuldigungen wären nichts als üble Nachrede. Niemand würde ihr glauben. Von Margot ging keine Gefahr mehr aus. Und deshalb war es jetzt Zeit, mit Lissy zu reden. Pia hatte sich entschlossen, Margot zu kündigen. Auch wenn sie sich für unersetzlich hielt, war sie das nicht. Niemand war das. Margot war mit ihren Beschimpfungen, vor allem aber mit ihrem Erpressungsversuch zu weit gegangen. Sie hatte es sich selbst zuzuschreiben.

Pia fuhr nach Hause, ging unter die Dusche und setzte sich wie immer um acht zum Frühstück. Kurz darauf erschien Lissy. Allein und mit derart verkniffenem Gesicht, dass Pia sich fragte, ob David seine Chance genutzt und sich unmöglich gemacht hatte.

»Guten Morgen, Lissy. Was ist denn los?«

Ihre Tochter schenkte sich einen Becher Kaffee ein. »David packt grad seinen Kram. Danke, Mama.«

»Ich bin also schuld?«

»Auch. Zu viel negative Energie in diesem Haus, sagt er. Und deinen Rachefeldzug gegen Nane findet er total daneben. Ich soll dir Folgendes ausrichten: Er hat seine Aussage bei der Polizei gemacht, weil er das musste. Das hat ihm der Anwalt seines Vaters erklärt. Doch leider kifft er zu viel. Er kann sich nicht erinnern, mit wem wir im Krankenhaus gesprochen haben. Er war total stoned.« Lissy setzte sich nicht zu ihr, sondern lehnte sich ans Fensterbrett. »Nimm diese beschissene Anzeige zurück, Mama. Das kannst du echt nicht machen.«

»Ich hatte nie vor, das bis zum bitteren Ende durchzuziehen. Es sollte Nane nur eine Warnung sein. Ich rufe nach dem Frühstück Klaas an.« Sie hatte es sich ja ohnehin vorgenommen, und es würde helfen, Lissys Zustimmung zu Margots Kündigung zu erhalten. Erst lenkte sie ein und dann ihre Tochter.

»Das ist gut.« Nun setzte Lissy sich doch zu ihr. »Gibt es was Neues von Papa?«

»Ich fahre nach dem Frühstück nach Trier, um dort etwas zu erledigen. Danach besuche ich ihn.«

»Ich dachte nur, weil du heute so früh weggefahren bist.«

»Ich konnte nicht schlafen. Mir ist die Decke auf den Kopf gefallen, und deshalb bin ich runter zum Fluss, wo ich ein wenig gelaufen bin.«

»Papa wird schon wieder.« Lissy strich ihr über den Arm. »Mach dich deswegen nicht verrückt. Er packt das.«

»Natürlich.« Und wenn er es nicht packte? Für einen Moment hatte Pia das Gefühl, keine Luft mehr zu bekommen.

Lissy strich sich eine Locke hinters Ohr. »Wenn Papa wieder auf dem Damm ist … Also, David hat mich gefragt, ob ich mit ihm für ein Jahr nach Australien gehen würde. Work and Travel. Er will sich von seinen Eltern für einige Zeit unabhängig machen. Das würde ich auch gerne.«

David hatte also nicht Schluss gemacht, wie Pia gehofft

hatte. Wenn er erst einmal in Australien war, würde Lizzy ihn rasch vergessen. »Vorerst wirst du hier gebraucht. Oder soll ich Marius zurückholen?« Einen Teufel würde sie tun!

Lissy verdrehte die Augen. »Ich sagte doch, wenn Papa wieder gesund ist. Bis dahin mache ich, was er von mir erwartet.«

»Von uns«, korrigierte Pia. »Er hat uns gemeinsam bevollmächtigt.«

»Willst du jetzt im Weinberg rumstiefeln?«

»Ich möchte etwas mit dir besprechen, und zwar in aller Ruhe. Hör mir also bitte erst zu.«

»Okay.« Lissy lehnte sich im Stuhl zurück.

»Es geht um Margot. Zwanzig Jahre habe ich ihre Feindseligkeit hingenommen, aber was sie sich neulich geleistet hat, ist zu viel. Ich lasse mich von niemandem Schlampe nennen. Entgegen deiner Annahme ist sie nicht unersetzlich. Sie macht ihre Arbeit gut und vor allem ordentlich. Jemand, der sich in der Materie auskennt, wird sich im Büro schnell zurechtfinden und sich rasch einarbeiten. Das ist der Grund, weshalb ich jetzt nach Trier fahre. Ich habe einen Termin bei einem Personalvermittler. Ich werde Margot kündigen.«

»Ich finde das nicht gut«, entgegnete Lissy. »Das weißt du. Papa würde sie nicht rauswerfen. Das weißt du auch.«

»Irrtum. Er würde. Bei aller Liebe: Auch er würde ihr die Schlampe nicht durchgehen lassen.«

»Sicher?«, fragte Lissy überrascht.

»Es gab ganz am Anfang unserer Ehe schon einmal eine Phase, in der Margot mehr als deutlich gezeigt hat, was sie von mir hält. Die Folgen kennst du. Thomas hat sie gebeten, ins Dorf zu ziehen. Er hat ihr den Umzug zwar vergoldet, indem er ihr die Wohnung gekauft hat. Aber wenn er Partei ergreifen muss, stellt er sich auf meine Seite. Er würde ihr kündigen.«

»Weil du das so willst.«

»Ja, weil ich das so will. Aber er würde dafür sorgen, dass sie weich fällt, und ihr eine großzügige Abfindung zahlen.«

»Und was erwartest du jetzt von mir? Dass ich das abnicke?«

»Ich erwarte nicht, dass du meiner Meinung bist. Aber ich erwarte, dass du mich weder vor Margot noch vor Leonhard und den Arbeitern bloßstellst. Und ich hoffe, dass du nicht damit drohst, den Kram hinzuwerfen.«

»Keine Panik. Ich enttäusche Papa nicht.« Mit gerunzelter Stirn saß Lissy da und dachte nach. »Also gut«, sagte sie schließlich. »Wir machen jetzt Arbeitsteilung. Ich kümmere mich um alles, was außerhalb des Büros passiert. Das Büro ist dein Bereich. Ich mische mich nicht ein, wenn du Margot kündigst. Du müsstest schließlich mit ihr zusammenarbeiten und nicht ich.«

*

Margot sperrte gerade die Tür zum Büro auf, als sie durch das offene Fenster Lissys Worte hörte: »Ich mische mich nicht ein, wenn du Margot kündigst.« Wie ein Schwarm Hornissen bohrten diese Worte ihre Stacheln in ihr Fleisch. Ihr Körper reagierte schneller als ihr Verstand. Noch bevor sie den Sinn dieses Satzes wirklich begriffen hatte, verschwamm die Welt vor ihr. Sie musste sich gegen die Mauer lehnen, um nicht ohnmächtig zu werden. Bunte Sterne flimmerten vor ihren Augen, sie torkelte die wenigen Schritte zu ihrem Schreibtisch und ließ sich auf den Stuhl fallen. *Ich mische mich nicht ein, wenn du Margot kündigst.*

Einatmen. Ausatmen. Füße hoch.

Füße hoch!

Mit letzter Willenskraft gelang es Margot, die Beine auf den Tisch zu legen. Sie sah die Cessna am blauen kenianischen Himmel. Ein beruhigendes Brummen und Surren, bis die Motoren plötzlich aussetzten und Stille herrschte. Lautlos verlor die Maschine an Geschwindigkeit und Höhe, ging in einen taumelnden Flug über und sank tiefer und tiefer, bis sie schließlich auf dem Boden aufschlug. Roter Staub wirbelte auf. Sie sah ihre Freundinnen bei der Trauerfeier und ihre Lehrerin mit dem bedauernden Blick: *Jetzt bist du eine Waise.* Alle winkten ihr nach, als sie in das Auto stieg und in ihre neue Heimat entschwand, in eine neue Zukunft ohne Mama und Papa, ohne ihr Zuhause, ohne ihre Freundinnen.

Als Margot wieder zu sich kam, lag sie auf dem grauen Nadelfilzboden neben ihrem Bürostuhl. Kalter Schweiß perlte auf ihrer Stirn. Der Rock war hochgerutscht, einer ihrer Schuhe lag in ihrem Blickfeld. Wenn jemand sie so sah! So hilflos! Sie zwang sich, ruhig zu atmen. Ihr Kreislauf stabilisierte sich langsam. Irgendwann fühlte sie sich kräftig genug, um aufzustehen. Wankend streifte sie den Schuh über, strich den Rock glatt und ging zur Kaffeemaschine. Sie machte sich eine doppelte Portion und zwang sich, ruhig weiterzuatmen.

Sie würde sich nicht vertreiben lassen. Niemals! Und

schon gar nicht von Pia, dieser Drecksschlampe, die bei ihr eingebrochen war und sie bestohlen hatte. Und auch nicht von Lissy, die vor ihrer Mutter kuschte.

An keinem einzigen Tag der letzten zwanzig Jahre hatte sie geglaubt, dass sie ihre Rückversicherung jemals einsetzen müsste. Warum war sie nur so dumm gewesen und hatte gesagt, dass sie Bescheid wusste und das auch beweisen könne? Hätte sie doch nur ihren Mund gehalten. Es musste der Schock gewesen sein. Der Schock über die fristlose Kündigung, die Lissy dann verhindert hatte. Und nun fiel sie ihr doch in den Rücken.

Sie würde sich von hier nicht vertreiben lassen. Sie brauchte einen Plan.

Sie hatte doch längst einen Plan!

Seit sie entdeckt hatte, dass Pia bei ihr eingebrochen war und sie bestohlen hatte, gab es einen Plan B. Eine radikale Lösung, die auf eins hinauslief: entweder sie oder ich. Es war eine Art Roulettespiel. Russisches Roulette. Eine Patrone in der Trommel.

Margot hob die Handtasche auf und holte das Polaroidfoto heraus. Das war alles, was ihr geblieben war. Doch es würde genügen.

*

Nane saß im Wartebereich vor Kai Frielings Büro und blätterte nervös in einer Zeitschrift. Sie fühlte sich wie beim Zahnarzt. Ihr Anwalt hatte sie einbestellt. Das konnte nichts Gutes bedeuten.

»Bitte, Frau Rauch, Herr Frieling erwartet Sie.«

Nane folgte seiner Mitarbeiterin, die ihr die Tür aufhielt. Frieling saß an seinem Schreibtisch, einem modernen Stück aus Chrom und Acrylglas, das unter einem Berg von Aktendeckeln kaum zu erkennen war. Er stand auf, als Nane hereinkam. In Jeans und Poloshirt wirkte er weniger beeindruckend als in Robe.

»Frau Rauch. Guten Morgen.« Er bot ihr einen Platz an, und sie setzte sich. »Darf ich Ihnen etwas zu trinken anbieten?« Er wies auf ein Sortiment an Saft- und Wasserfläschchen.

Nane schüttelte den Kopf. »Danke. Nein. Ich sitze auf Kohlen. Was ist denn los?«

»Wir müssen etwas besprechen.«

»Die Kuh auf dem Eis?«, fragte sie.

Frieling nickte. »Wir kriegen sie nicht runter.«

»Soll heißen, ich werde wirklich angeklagt?«

»Ich habe gestern Abend den zuständigen Staatsanwalt im Fitnessstudio getroffen«, sagte Frieling. »Er wird Anklage erheben. Es gibt zwar keine Zeugen, weil Ihre Nichte von ihrem Zeugnisverweigerungsrecht Gebrauch macht, und ihr Freund war angeblich so bekifft, dass er sich an den Besuch im Krankenhaus nicht erinnern kann, aber mein Kollege ist ein ganz Gründlicher. Der Anwalt Ihrer Schwester hat im Krankenhaus nach Zeugen suchen und außerdem die Überwachungsbänder der Videokameras beschlagnahmen lassen. Total überzogen, als hätten wir es mit einem Kapitalverbrechen zu tun.«

»Wessen Brot ich esse, dessen Lied ich singe«, bemerkte Nane. »Es liegt an Pia. Sie hasst mich, und sie will mich wieder im Gefängnis sehen.«

»Warum?«, fragte Frieling. »Ich verstehe es nicht.«

»Ich wollte sie schließlich umbringen, und das kann sie

nicht vergessen.« Nane erinnerte sich an das Gespräch mit Sonja. »Vielleicht auch, weil …« Wie sollte sie das ihrem Anwalt erklären?

»Weil?«

»Ich habe mich neulich mit Hennings Tochter getroffen. Sie will ein Buch über den Tod ihres Vaters schreiben und hat die Ermittlungsakten gelesen. Darin steht etwas, das ich bisher nicht wusste. Am Abend bevor Henning gestorben ist, hat er versucht, Pia zu vergewaltigen. Das war der Grund für den Streit zwischen ihm und seinem Vater. Mein Anruf hat ihn vermutlich beendet. Wenn ich Thomas tatsächlich gewarnt habe, hätte er Henning daran hindern können, in den Wagen zu steigen. Dann wäre nichts passiert. Vielleicht hat er in diesem Moment Hennings Tod aber gewollt, und Pia weiß das. Vielleicht verfolgt sie mich deshalb mit so viel Hass, weil sie sich schuldig fühlt. Weil ich dann ja viel zu lange im Gefängnis gesessen hätte und Thomas und sie eine Mitschuld treffen würde.«

Ihr Anwalt stützte die Ellenbogen auf. »Vor Gericht hat der Vergewaltigungsversuch aber keine Rolle gespielt?«

»Nein. Ich wusste nichts davon, bis Sonja es mir erzählt hat. Meinen Sie, das würde für ein Wiederaufnahmeverfahren reichen?«

Frieling überlegte und schüttelte bedächtig den Kopf. »Nur wenn wir den Inhalt des Telefonats beweisen könnten. Das wird auch der Grund sein, weshalb mein Vorgänger das beim Prozess nicht angeführt hat. Jetzt müssen wir erst einmal zusehen, dass wir eine Verurteilung wegen Hausfriedensbruchs abwenden. Das wird nicht einfach. Wie schon gesagt, hat der Anwalt Ihrer Schwester Videos, die zeigen, wie Sie die Klinik und die Station betreten, für die Sie ausdrücklich Hausverbot haben. Sie haben sich zwar mit Basecap und Sonnenbrille getarnt, was belegt, dass Sie sich des Unrechts Ihres Tuns durchaus bewusst waren, aber es hat nichts geholfen. Sie sind erkennbar. Außerdem erinnert sich die Mitarbeiterin an der Pforte an Sie. Sie haben sich dabei als Anne von Manthey vorgestellt, als Nichte. Das sieht alles nicht gut aus.«

»Aber es ist doch nur Hausfriedensbruch.«

»Aber in Ihrem Fall keine Bagatelle. Wenn Sie nicht vorbestraft wären und nicht Bewährung hätten, wäre es kein Problem, dann kämen Sie vermutlich mit einer Geldstrafe davon.«

»Und so muss ich wieder ins Gefängnis. Für den Rest meines Lebens.«

»Das werde ich hoffentlich verhindern können.«

»Und wissen Sie schon, wann?«

»Einen Prozesstermin gibt es noch nicht. Aber Ihr Fall gehört zu den einfachen. Die werden schnell weggearbeitet. Die komplizierten schieben sie vor sich her.«

»Also noch diesen Sommer?«

Ihr Anwalt nickte. »Eher im Herbst. Falls der Staatsanwalt Fluchtgefahr sieht, müssen Sie vielleicht Ihren Ausweis abgeben, und schlimmstenfalls müssen Sie in Untersuchungshaft. Aber so weit werde ich es nicht kommen lassen.«

In U-Haft! Wegen Hausfriedensbruchs! Das war doch ein Witz. Doch Frieling erklärte ihr noch einmal den Zusammenhang mit der Aussetzung zur Bewährung ihrer lebenslangen Haftstrafe. Die Aussicht, diese vielleicht doch absitzen zu müssen, könnte sie zur Flucht veranlassen. Falls der Staatsanwalt das so sah und ihm die Abgabe des Passes nicht genügte, war es möglich, dass er U-Haft beantragte.

»Das sind Möglichkeiten und keine Tatsachen. Ich werde das verhindern, Frau Rauch.«

Auf dem Weg zum Schweizer Platz hallte das Wort *Untersuchungshaft* in Nane nach, doch statt an ihren Schreibtisch zurückzukehren, ging sie einfach drauflos. Birgit hatte ihr etliche Stellenanzeigen aus dem Internet ausgedruckt: Ärzte ohne Grenzen suchte Standwerber, Oxfam eine PR-Assistentin und eine Kinderschutzorganisation eine Koordinatorin für Fundraising. Außerdem lag auf ihrem Schreibtisch eine Infobroschüre mit dem Titel *Ausbildung zum Sozialarbeiter*. Birgit war wieder einmal unermüdlich. Gestern hatte Nane noch über ein Studium der Sozialpädagogik nachgedacht und jetzt ... Jetzt musste sie höchstwahrscheinlich zurück hinter Gitter.

Nanes Stimmung verschlechterte sich Schritt für Schritt im Gleichklang mit dem Wetter. Der Himmel war grau. Bald würde es regnen, und es wollte ihr nicht gelingen, optimistischer auf ihre Situation zu blicken. Tiefer und tiefer stieg sie hinab in einen Sumpf düsterer Gedanken und Gefühle.

Sie wollte nicht zurück ins Gefängnis. Sie wollte nicht wieder abgeschnitten sein von ihren Freunden. Doch Pia würde dafür sorgen, und Nane würde nie wieder eine eigene Entscheidung treffen können. Nie wieder eigene Klamotten tragen. Nie wieder Cappuccino im Coffee & Soul trinken. Nie wieder die Füße im Main baumeln lassen. Nie wieder im eigenen Bett schlafen, einen Tag vertrödeln oder ein Picknick im Park machen. Sie würde nie einen Fuß in die Fachhochschule setzen und nicht einen Tag Sozialpädagogik studieren. Sie würde nie bei einer Hilfsorganisation arbeiten und nicht sehen, was mit ihrem Geld geschah. Nie wieder würde jemand sie in den Arm nehmen. Keine Leidenschaft, keine Liebe. Das war doch kein Leben!

Es fing an zu nieseln, und ihr Weg führte sie durch den Südfriedhof, vorbei an Gräbern und Kreuzen. Nane gab dem Druck in ihrem Hals nach und begann zu weinen. Sie ging ziellos weiter, bis sie am Waldspielplatz angelangt war. Als Kind war sie oft hier gewesen und seit ihrer Freilassung schon einige Male. Die Rasenflächen und Sandkästen, das Labyrinth und der Springbrunnen lagen verlassen vor ihr. Nur weiter hinten kickten sich zwei Jungen einen Ball zu. Am Rand stand ein hölzerner Aussichtsturm, von dessen Plattform man einen Blick auf die Skyline der Stadt hatte.

Über vierzig Meter ging es nach oben. Als sie die letzte Stufe erklomm, war sie außer Atem und weinte noch immer. Sie sah keine Zukunft für sich. Ins Gefängnis würde sie nicht zurückgehen. Es blieb also nur die Flucht. Sie besaß keinen Reisepass, nur einen Personalausweis. Neunzigtausend Euro auf dem Sparbuch. Einen Teil davon konnte sie abheben, sich einen Wagen kaufen und dann abhauen. Doch wohin? Man würde sie finden. Diese Art von Flucht war keine Option.

Ein hüfthohes Geländer umgab die Plattform. Zwischen der Brüstung und dem Dach spannte sich auf allen vier Seiten Maschendraht. Denn die Stadtverwaltung wollte nicht riskieren, dass Selbstmörder den Turm für sich entdeckten. Doch auf einer Seite klaffte der Maschendraht auf. Jemand hatte ihn senkrecht durchgeschnitten und die Teile zur Seite gebogen. Nane steckte den Kopf hindurch und sah hinunter, ob da jemand lag, der sich ähnlich elend gefühlt hatte wie sie. Doch da war niemand.

Sie setzte sich rittlings auf die Brüstung, schob erst das eine Bein durch die Öffnung, dann das andere und ließ sie vierzig Meter über dem Erdboden baumeln. Jetzt musste sie nur noch die Augen schließen, sich fallen lassen, und dann wäre es vorbei. Ihr Herz raste. Das Blut rauschte in ihren Ohren. Sie spürte den Sog, und ihr wurde schwindelig. Ihre Hände fanden den Draht. Sie beugte den Oberkörper vor. Einfach loslassen. Es würde schnell gehen.

Die beiden Jungs mit dem Ball näherten sich. Sie mochten fünfzehn oder sechzehn sein. Als sie Nane entdeckten, blieben sie unschlüssig stehen und sahen zu ihr herauf. Der eine zog sein Handy aus der Tasche und hielt es vor sich. »Spring doch!«

»Ja, spring!«, rief auch der andere und ließ den Ball fallen. »Mach schon!« Kichernd zog auch er sein Handy hervor. »Wir verewigen dich auf YouTube.«

»Dann bist du unsterblich!«

Sie hielten ihre Handys auf Nane gerichtet und warteten. Etwas in ihr gab nach. Sie war nichts als Abschaum, und die einzig gerechte Strafe für sie war der Tod. Langsam rutschte sie auf der Brüstung nach vorne. Ein Schuh löste sich von ihrem Fuß. Einen Moment baumelte er noch an ihren Zehen, dann fiel er in die Tiefe und schlug vor den Jungs auf dem Boden auf.

»Weiter!« rief der eine, und der andere fiel ein.

»Weiter! Weiter! Weiter!«, brüllten sie im Duett.

Das Handy in der Hosentasche läutete. Nane erschrak und der Sog ließ nach. Vielleicht war es ja Birgit? Was würde sie sagen, wenn Nane sprang? Vorsichtig rutschte sie zurück, zog die Beine über die Brüstung ins Innere und nahm das Handy aus der Tasche, während die Jungs von unten riefen, dass sie feige sei und eine Spielverderberin.

Die Telefonnummer kannte sie nicht. »Ja?«, sagte sie mit einer Stimme, die so wacklig klang, wie sie sich derzeit fühlte. »Ariane Rauch hier.«

»Hallo, Frau Rauch. Hier ist Margot. Margot Ahrendt vom Weingut Graven.«

»Ich weiß, wer Sie sind. Ist was mit Thomas? Ist er gestorben?«

»Er liegt im Koma. Aber wir beide müssen reden. Es gibt etwas, das Sie über die Nacht wissen sollten, in der Henning starb.«

Kapitel 14

Sommer 1998

Ein paar Tage nach der Hochzeitsfeier saßen alle beim Mittagessen unter der Kastanie im Hof. Pia mit Thomas, neben ihm Leonhard. Margot und ihr Sohn Marius, der Ferien hatte. Außerdem Henning mit Katja und Sonja und natürlich Tereza, die Haushaltshilfe, die auch für alle kochte. Auf Graven wurden die Mahlzeiten gemeinsam eingenommen. Bei schönem Wetter draußen. Mittags im Hof an dem großen Holztisch und abends auf der Terrasse, ansonsten in der geräumigen Küche. Es war ein harmonisches Bild wie aus einem Familienfilm.

Doch Pia fühlte sich in dieser Runde nicht wohl. Thomas' Schwester Margot gab sich wenig Mühe, ihre Abneigung zu verbergen. Mit Henning war es nicht anders. Gestern hatte Pia zufällig einen Teil eines Gesprächs zwischen Vater und Sohn mit angehört, in dem es um den Nachlass gegangen war. Henning gefiel nicht, dass er nicht mehr Alleinerbe war. Ein Punkt, über den Pia sich noch keine Gedanken gemacht hatte. Thomas würde höchstwahrscheinlich vor ihr sterben und sie vielleicht mit der Verantwortung für dieses Gut zurücklassen, denn Henning wollte es nicht. Er würde es verkaufen, und das wollte wiederum Thomas nicht.

Sie hatte aufgeschnappt, wie Henning zu seinem Vater sagte, dass er Pia für berechnend halte und dass die Basis dieser Ehe sicher nicht Liebe sei, sondern Geld.

Nur Hennings Frau Katja war freundlich zu ihr. Und dann war da noch Sonja. Ein fröhliches und fantasiebegabtes Kind. Seltsamerweise hielt auch sie Abstand, als würde sie die Feindseligkeit ihres Vaters spüren. Vielleicht sprach er ja in Gegenwart des Kindes ganz ungeniert über diese unmögliche Ehe.

Pia aß ihren Salat, während sich alle lebhaft unterhielten und sie sich wie das sprichwörtliche fünfte Rad am Wagen fühlte.

Tereza räumte die Salatteller ab und verkündete, dass es als Nächstes Huhn geben werde. Sie verschwand mit dem vollen Tablett in Richtung Haus. Ihr kupferrotes Haar glänzte in der Sonne. Sie trug ein weinrotes Jerseykleid, das ein wenig zu eng war und ihre Rundungen betonte. Nicht nur Leonhard sah ihr nach, sondern auch Henning. Katja folgte dem Blick ihres Mannes, und ein missmutiger Zug legte sich um ihren Mund.

Das Tischgespräch drehte sich um die Arbeit auf dem Gut. Thomas wollte in den nächsten Tagen nach Münster fahren und sich neue Weinpressen ansehen. Henning hatte sich in der Remise einen Arbeitsplatz eingerichtet und schrieb. Katja unternahm mit Sonja und Marius Ausflüge, und Pia hatte begonnen, Catels Frau am Fluss auszuarbeiten. Nur schien sich niemand dafür zu interessieren, was sie eigentlich tat. Pia lehnte sich im Stuhl zurück und betrachtete die Wiesenblumen im Rondell, das den Kastanienbaum umgab.

Tereza kehrte zurück und tischte ein Salbeihuhn auf, als Pia eine von Nanes giftgrünen Schlangen bemerkte, die sich durch die Wiesenblumen wand. Sie sprang schreiend auf, der Stuhl fiel hinter ihr krachend zu Boden. Das Gespräch verstummte. Alle Augen richteten sich auf sie.

»Eine Schlange«, stammelte sie wie erstarrt und wusste, dass sie sich lächerlich machte. Auch wenn das ihrer sonst so rationalen Art nicht entsprach, sie hatte panische Angst vor Schlangen.

»Das haben wir gleich.« Thomas stand auf und fing das Tier mit der bloßen Hand, wie er es seit Nanes furiosem Auftritt schon zweimal getan hatte.

»Vermutlich hat sie mehr Angst vor dir als umgekehrt«, meinte er lachend. »Dieses war der dritte Streich, und die anderen bekommen wir auch noch.«

Leonhard lief zur Garage und kam mit einer Transportbox zurück, die Thomas in einem Zoogeschäft in Trier besorgt hatte. Darin wurde das Tier verstaut, und Thomas bat Leonhard, das Reptil in der Zoohandlung abzugeben, wenn er ohnehin später in die Stadt fuhr.

»Danke, Thomas«, sagte Pia. »Hoffentlich sind wir sie bald alle los. Ich träume nachts schon von ihnen.« Sie hob den Stuhl auf, und alle setzten sich wieder.

»Du träumst von Schlangen?«, fragte Henning. »Das ist interessant. Die Schlange gilt ja seit jeher als das Symbol des Bösen schlechthin. Die berechnende Verführerin. Und in der Traumdeutung wird sie als Zeichen der Triebe und des Phallus gesehen. Wirklich interessante Träume, die du da hast.« Er verzog seinen Mund zu einem süffisanten Lächeln. Was er damit sagen wollte, war klar. Doch da hatte Henning sich die falsche Gegnerin ausgesucht.

»Solange man seine Interpretation aufs Alte Testament und Freud beschränkt.« Pia zuckte betont lässig mit den Schultern, obwohl sie innerlich bebte. »Doch es gibt auch andere Deutungen. In der indischen Philosophie gilt die Schlange als Symbol der Lebenskraft, die alle Kreaturen durchflutet und Geburt, Leben und Tod umfasst. In anderen Kulturkreisen gilt sie als weises Wesen, als Hüterin des geheimen Wissens über Leben und Gesundheit. Außerdem wird sie aufgrund der Häutung als Symbol der Unsterblichkeit gesehen. Und letztlich ist die Schlange, die sich um den Äskulapstab der Apotheker und Mediziner windet, nichts anderes als ein Zeichen der Heilkunst. Diese Deutungen halte ich für wesentlich schlüssiger und interessanter als die simple Reduktion auf die böse, triebgesteuerte Verführerin.«

Thomas warf ihr einen liebevollen Blick zu, also wollte er sagen: *Bravo, du schlägst dich wacker.*

Henning konnte nicht aufgeben. »Mag ja sein. Aber du übersiehst, dass in den westlichen Kulturen die Schlange mit negativen Attributen besetzt ist. Sie gilt als doppelzüngig, falsch, boshaft, hinterlistig, alles verschlingend.«

Pia wollte keinen Streit auf offener Bühne, aber sie wollte diesen verbalen Angriff auch nicht so stehen lassen.

Den heraufziehenden Disput beendete überraschenderweise Sonja. »Ich mag Schlangen. Vor allem die roten Gummischlangen mit dem Marshmallow-Bauch. Die sind echt lecker.«

Alle lachten. Katja fragte nach, woher Sonja solche

Gummischlangen bekam, und das Mädchen wurde rot. Offenbar war diese Art von Süßigkeiten verboten. Henning warf Pia einen Blick zu, den sie nicht deuten konnte. Etwas zwischen überrascht und irritiert, aber auch verärgert. Offenbar hatte er sie bis vor zwei Minuten für ungebildet und einfältig gehalten. Wenn sie durch ihren Konter erreicht hatte, dass er sein Bild von ihr überdachte, dann war es das wert gewesen.

Es sah jedenfalls ganz danach aus, als müsste sie sich ihren Platz in dieser Familie erkämpfen. Gut, dann würde sie das eben tun.

Nach dem Essen machten sich alle wieder an die Arbeit. Pia nahm sich eine Tasse Kaffee mit nach oben in die Werkstatt und stellte sich damit vor die Staffelei. Die Frau am Ufer erwachte langsam zum Leben, dennoch blieb sie rätselhaft, und Pia entschloss sich, ihr diese Eigenschaft zu lassen. So konnte sie weiter als Projektionsfläche für die Geschichten dienen, die Thomas und sie sich ausdachten.

Auf der Treppe hörte sie Schritte, und kurz darauf kam Thomas herein. »Ich weiß, es ist kein leichter Start für dich. Aber sie werden sich schon an dich gewöhnen.«

»Henning vielleicht. Bei Margot habe ich so meine Zweifel.« Bei Henning hatte sie immerhin ein Anzeichen dafür bemerkt, dass er bereit war, seine Meinung zu revidieren.

»Was du vorhin über die Schlange als Symbol für die Lebenskraft gesagt hast, das hat mir gefallen«, fuhr Thomas fort. »Ein steter Strom, der uns vom Moment unserer Zeugung über die Geburt und durch unser Leben bis in den Tod begleitet. Das ist ein schönes Bild. In dem Moment, als du das gesagt hast, wusste ich plötzlich, dass ich gerne ein Kind mit dir hätte.«

Das war ein überraschender Vorschlag. Bis vor Kurzem hatte sie sich nicht einmal vorstellen können zu heiraten, geschweige denn, Mutter zu werden. Doch Thomas hatte alles auf den Kopf gestellt. »Warum eigentlich nicht?«, sagte sie. »Es spricht eigentlich nichts dagegen.«

Thomas zog sie an sich und küsste sie, und wieder dachte Pia: Ja, warum nicht ein Kind?

»Sollen wir gleich einen Versuch starten?«, fragte er, hob sie hoch und trug sie über den Flur Richtung Schlafzimmer.

»Jetzt? Und der Weinberg?«

»Kommt eine Stunde ohne mich aus.«

Er legte sie aufs Bett und sich daneben, strich ihr eine Strähne aus ihrem Gesicht, und sein Blick war weich, und sie stellte sich einen kleinen Jungen mit seinen Augen vor. Dieses Paynesgrau mit einer Spur Kobalt. Ihren Sohn. Ja, warum eigentlich nicht?, dachte sie wieder. Während sie Thomas' Hand spürte, die über ihren Körper glitt, Knöpfe öffnete und ihre Haut berührte, musste sie an Nane denken und dass seine Hand auch über ihren Körper geglitten war und wie sie seine Zärtlichkeit wohl erwidert hatte. Es war eine furchtbare Vorstellung, dass ihre Schwester ihm gegeben hatte, was sie ihm nur vorspielen konnte. Wieder knallte die Schranke früher herunter als sonst und gönnte ihr nicht einmal ein wenig Erregung. Doch sie tat wieder einmal so, als ob sein Tun sie in Ekstase versetzte, während gleichzeitig tief in ihr die andere Pia an den Gitterstäben rüttelte. Wovor hatte sie eigentlich solche Angst?, fragte sie sich.

Hinterher lagen sie nebeneinander, und sie genoss, wie er sie streichelte, wie sie halblaut miteinander redeten, sich liebevolle Worte sagten. Das Vorher und Nachher war den Mittelteil wert, den eigentlichen Akt. Wieder nagte dieser Zweifel an Pia. Sie war keine vollwertige Frau. Etwas stimmte nicht mit ihr.

Am Abend, bevor er nach Münster fuhr, ging Thomas zum monatlichen Treffen der Winzer. In dieser Jahreszeit würden sich die Gespräche hauptsächlich ums Wetter drehen, ob man spritzen sollte und womit. Biologisch oder chemisch oder gar nicht? Pia würde sich nur langweilen, außerdem brachte niemand seine Frau mit. Für Pia war das kein Problem. Sie blieb daheim und vermied das gemeinsame Abendessen auf der Terrasse mit Margot, ihrem Sohn Marius und Henning und seiner Familie. Aus der Küche holte sie sich einen Joghurt und etwas Obst und setzte sich damit auf den Balkon vor ihrem Refugium, wie Thomas den Raum neben der Werkstatt nannte, der nun ihr Zimmer war. Sie musste es noch einrichten. Die meisten Kartons waren noch nicht ausgepackt, und die Möbel standen kreuz und quer. Das scheußliche Sofa aus dem Möbelmarkt passte nicht in dieses schöne Haus. Es hatte seinen Zweck erfüllt, und Pia beschloss, es auszusortieren und sich ein neues zu kaufen. Vielleicht sogar eines, das ihrer Mutter gefallen würde.

Schließlich begann sie, die Bücher auszupacken und in die eingebauten Regale zu stellen. Um halb zehn war sie fertig und holte sich ein Glas Wein aus der Küche. Es war schon spät, und auf der Terrasse war niemand mehr. Margot war mit ihrem Sohn oben in ihrer Wohnung. Katja und Henning brachten Sonja zu Bett. Pia setzte sich mit ihrem Glas Wein an den Tisch und genoss die Ruhe. Die Dämmerung ging in die Nacht über. Eine friedvolle Stille lag über dem Anwesen.

Sie hörte das Zirpen der Grillen und von weit entfernt das gleichmäßige Murmeln von Katjas Stimme aus dem Gästezimmer. Vielleicht las sie Sonja eine Gutenachtgeschichte vor. Das Weinglas war leer. Pia stand auf und folgte ihrem Impuls, eine Runde durch den Garten zu gehen, bevor sie hineinging. Ein Igel huschte über den Rasen. Über dem Teich funkelten die Lichter der Glühwürmchen. Die Enten am Ufer hatten die Schnäbel unter die Flügel geschoben und schliefen. Der Weinberg zeichnete sich als Schemen vor dem Abendhimmel ab, und eine tiefe Ruhe und Gelassenheit erfasste Pia. Wenn Glück sich so anfühlte, so leicht und beschwingt, dann war sie glücklich.

Aus der Remise fiel ein Lichtschein in den Garten. Henning schrieb also noch. Sie bemerkte eine Bewegung hinter dem Fenster und erkannte ihn und noch jemand anderen. Zu Pias Überraschung war Tereza bei ihm. Was Katja wohl dazu sagen würde? Das Fenster stand offen, leises Lachen und Musik klangen in den Garten. Die beiden tanzten und zogen sich dabei aus. Was sie taten, hatte etwas so Unbeschwertes und Selbstverständliches an sich, dass Pia fasziniert stehen blieb und sie beobachtete. Schließlich tanzten die beiden nackt durch den Raum, und es war nicht abstoßend oder obszön, sondern von einer großen Natürlichkeit. Zwei schöne Körper beim Liebesspiel. So konnte das also auch sein. Ein unbeschwertes Spiel. Kein komplizierter Akt, kein Hochleistungssport und akrobatische Verrenkungen. So einfach und leicht.

Leise summte Pia die Melodie mit, die durchs offene Fenster zu ihr drang, ihr ganzer Körper summte mit. Bis sie bemerkte, dass das, was Henning mit Tereza trieb, sie erregte, dauerte es eine Weile. Ein leises Prickeln, das langsam in ihr aufstieg, ihre Atmung ebenso beschleunigte wie ihren Herzschlag und das Wunderland zwischen ihren Beinen in Aufruhr versetzte. Diesmal knallte die Schranke nicht herab. Etwas tat sich in ihr, und plötzlich wehrte sich Pia nicht mehr, als sie erkannte, dass die Andere in ihr im Begriff war zu erwachen. Mit einem leisen Stöhnen lehnte sie sich gegen den Baum und sah zu, wie Henning Tereza auf den Schreibtisch setzte und in sie eindrang. Er tat das mit aufreizend langsamen rhythmischen Bewegungen. Pia keuchte und biss sich auf die Lippen, damit man sie nicht hörte. Ihr Herz raste, und ein bisher ungeahntes Verlangen stieg in ihr auf. Brennend, lodernd. Eine tiefe, nie gekannte Lust.

Ein Geräusch ließ sie zusammenfahren. Der Bann war gebrochen. Jemand kam den Weg entlang, und sie verbarg sich eilig im Schatten des Gebüschs.

Es war Katja, die auf dem Weg zur Remise war und nichts ahnend eintrat. Ein kurzer Aufschrei. Vermutlich Tereza. Laute Stimmen. Kurz darauf kam Tereza im Slip aus dem Häuschen, zog sich das Kleid über den Kopf und verschwand mit eiligen Schritten. Pia wollte ihr einen Vorsprung geben und wartete einen Moment. Im Häuschen schrien sich mittlerweile Katja und Henning an, und Pia wollte sich gerade aus der Deckung wagen, als sie Sonja bemerkte, die zur Remise lief und auf die Bank vor dem Fenster kletterte. Arme Kleine, dachte Pia und ging leise davon.

Kapitel 15

Sommer 2018

Sonja saß mit dem Manuskriptfragment ihres Vaters, das sie im Schreibtisch gefunden hatte, vor dem Häuschen und suchte nach der anzüglichen Stelle, die Henning Pia vorgelesen und die ihn zu seinem Übergriff veranlasst hatte. Doch es war keine derartige Szene zu finden.

Sehr weit war Henning mit dem Roman über seinen Onkel Ferdinand nicht gekommen. Nur bis zu der Zeit in Camden, kurz nachdem der Protagonist seine künftige Frau Veronika kennengelernt hatte. Die erste gemeinsame Nacht war mehr angedeutet als beschrieben. Er hatte, wenn man so wollte, die Schlafzimmertür von außen geschlossen, bevor es zur Sache ging, und das fand Sonja bemerkenswert.

Er, der sich Affären neben der Ehe gegönnt und das als selbstverständlich angesehen hatte, der die Frau seines Vaters zu vergewaltigen versucht hatte, ein Mann also, in dessen Leben Sex eine übergroße Rolle spielte, verhielt sich als Schriftsteller erstaunlich rücksichtsvoll. Das war eine Überraschung.

Sonja schlug den Manuskripthefter zu und legte ihn beiseite. Henning war der nette und liebevolle Vater gewesen, an den sie sich erinnerte. Niemand konnte ihn ihr nehmen. Doch er hatte eine andere Seite gehabt, die sie als Kind natürlich nicht gesehen hatte. Nur einmal. In jener Nacht, als er ihre Mutter geschlagen und sie ihm den Tod gewünscht hatte. Seit sie aus den Ermittlungsakten vom Vergewaltigungsversuch wusste, war die Haltung ihrer Mutter für sie nachvollziehbar. Sonja war bereit, sie zu akzeptieren und ihr Vaterbild neu zu justieren.

Außerdem war es Zeit, Katja von dem Brief zu erzählen, den sie nie erhalten hatte. Sonja ging hinein, nahm ihr Handy und den Papierbogen vom Schreibtisch und las die eine Passage noch einmal:

> *Du kennst meine Schwäche, und ich erinnere mich, wie Du schallend gelacht hast, als Uwe Ochsenknecht in Schtonk den Satz sagt: Ich kann allem widerstehen, nur der Versuchung nicht. Der könnte von Dir sein, hast Du gesagt.*

Ihr Vater hatte einen Freibrief beansprucht und offenbar auch erhalten. Es war eine Sache zwischen ihren Eltern gewesen und ging sie nichts an.

Sonja erreichte ihre Mutter in der Arbeit. Sie hatte gerade Mittagspause und saß mit einer Kollegin auf der Kantinenterrasse.

»Warte einen Moment. Ich suche mir einen ruhigeren Platz.«

Sonja hörte das Quietschen eines Stuhls. »Ich kann auch später anrufen.«

»Nicht nötig. Ich nehme an, du hast in den Karton gesehen.«

»Das sollte ich schließlich.«

»Jetzt weißt du also, dass dein Vater kein Heiliger war.«

»Ja, jetzt weiß ich das. Aber du hast nie etwas gesagt, hast stur auf deinem ›Mistkerl‹ beharrt, ohne mir zu erklären, wieso. Was hätte ich denn tun sollen? Ich hab's einfach nicht verstanden, und natürlich sind meine Erinnerungen an ihn ganz andere. Er war trotz allem ein liebevoller Vater.«

»Ja, das war er.« Ein Seufzer klang durchs Telefon. »Mit Kindern konnte er gut umgehen, und er hat dich geliebt.«

»Und warum hast du mir nie erklärt, welchen Grund du plötzlich hattest, ihn so zu verdammen? Und zwar kurz nach seinem Tod? Das war furchtbar für mich. Und dann hast du sofort wieder geheiratet, als könntest du ihn gar nicht schnell genug vergessen.«

»Für mich war das auch keine leichte Zeit. Und weißt du, Martin und ich hatten uns schon vorher gern. Wir waren mehr als nur gute Freunde, und vermutlich hätte ich mich von Henning scheiden lassen, wenn er nicht gestorben wäre.«

Ihre Kinderangst, ihre Eltern könnten sich trennen, war also berechtigt gewesen. Sie hatte sich das nicht eingebildet.

»Und weshalb ich dir so lange nichts von dem Vergewaltigungsversuch gesagt habe … Es hat sich einfach so ergeben. Anfangs warst du zu klein, da konnte ich dir so etwas doch nicht erklären, und später wollte ich dir deinen heiß geliebten Vater nicht ein zweites Mal nehmen.

Du hast ihn verklärt. Als du ausgezogen bist, hatte ich den richtigen Zeitpunkt verpasst, und ich dachte, es wäre nicht mehr wichtig. Erst als du dich in den letzten Jahren immer wieder darüber aufgeregt hast, dass ich Henning nicht auf einen Sockel gestellt habe, habe ich beschlossen, dir bei Gelegenheit Einblick in seinen wahren Charakter zu geben. Er war ein Vergewaltiger, um das Kind beim Namen zu nennen.«

»Er hat es versucht.«

»Ja, gut. Dann hat er es eben versucht. Wenn Pia ihm nicht ihr Knie in die Eier gerammt hätte, hätte er es getan. Und sie wollte ihn offenbar nicht mal anzeigen.«

»Darüber wollte ich mit dir reden. Weißt du, ob sie es getan hätte, wenn Henning nicht gestorben wäre?«

»Ich glaube nicht. Nicht innerhalb der Familie. Trotz aller Differenzen hat Thomas Henning geliebt. Pia hat das respektiert. Du hast ja gelesen, dass sie nicht der Keil zwischen Vater und Sohn sein wollte. Ich glaube nicht, dass sie zur Polizei gegangen wäre.«

Sonja kam auf den eigentlichen Grund ihres Anrufs. Den Brief, den ihre Mutter nie erhalten hatte. Oder besser gesagt, die erste Seite des Briefs.

»Henning schreibt darin, dass er dich liebt. Uns. Seine Familie. Soll ich ihn dir schicken?«

»Ich weiß nicht.«

»Du pflegst also lieber das Bild vom Mistkerl weiter, während du von mir verlangst, dass ich meines von ihm ändere. Aber ihr habt euch doch mal geliebt. Deswegen bist du doch damals zurückgefahren nach Graven.«

Einen Moment schwieg ihre Mutter. »Also gut, dann zeig mir den Brief. Du musst ihn mir nicht zuschicken.

Bring ihn einfach mit, wenn du zurück nach München fährst. In Ordnung?«

»Gut. Das werde ich tun.« Sonja beendete das Gespräch und überlegte, wie schön es für ihre Mutter wäre, wenn auch die zweite Seite des Briefs noch irgendwo auftauchen würde.

*

»Es gibt etwas, das Sie über die Nacht wissen sollten, in der Henning starb«, sagte Margot.

»Etwa wegen meines Anrufs?«, fragte Nane und war plötzlich wie elektrisiert. Vielleicht hatte Thomas seiner Schwester die Wahrheit gesagt.

»Ich möchte das nicht am Telefon besprechen. Können Sie nach Graven kommen?«, fragte Margot.

»Jetzt gleich?«

»Gegen vier würde es mir passen.«

»Ja, gut. Bis dahin kann ich es schaffen.« Birgit würde ihr sicher das Auto leihen. »Wir müssen uns aber anderswo treffen. Für das Gut habe ich Hausverbot.« Nane wollte es nicht noch schlimmer machen, als es ohnehin schon war.

»Ich weiß. Sie werden verstehen, welche Gründe Pia für das Hausverbot hat, wenn wir miteinander gesprochen haben. Ich wohne im Dorf und schicke Ihnen eine SMS mit meiner Adresse.«

Nane schob das Handy ein und stieg den Aussichtsturm hinab. Das Fehlen des einen Schuhs war lästig, aber nicht lästig genug, um den anderen Schuh auszuziehen. Unten angekommen, sah sie sich danach um. Die beiden Jungs, die sie angefeuert hatten zu springen, waren weg. Vermutlich war ihnen langweilig geworden, als die Sensation ausgeblieben war. Wie konnte man nur so grausam sein? Was war im Leben der beiden schiefgelaufen, dass sie keinen Funken Mitgefühl in sich hatten?

Wenn Margot nicht angerufen hätte, wäre ich gesprungen. Dann wäre ich jetzt tot, und jeder könnte sich das auf YouTube ansehen, dachte Nane beschämt.

Bis sie Horst in seinem Bushaltestellenwohnzimmer getroffen hatte, war Selbstmord durchaus eine Option für sie gewesen, die einzige Möglichkeit, ihrer Schuld zu entkommen. Doch Horsts Vorschlag, mit ihrem Vermögen zu helfen, war weitaus besser. Allerdings tat Pia alles, um sie wieder hinter Gitter zu bringen. Pia, die ihr nicht verzeihen konnte. Pia, die ihr immer alles genommen hatte. Zuerst Spielzeug und Kleidung, dann Make-up und die Jungs, schließlich den Mann, den sie geliebt hatte – und jetzt klaute sie ihr die Freiheit. Weil sie am längeren Hebel saß und es genoss, Nanes Leben zu zerstören.

Eine Welle von Hass überrollte sie. Eine unbändige Wut, wie sie sie lange nicht mehr gespürt hatte. Ihretwegen wäre sie beinahe gesprungen! War es das, was Pia am Ende wollte?

Der Schuh lag nicht im Gras. Wo hatten die beiden ihn nur versteckt? Nane fand ihn schließlich im Sandkasten und zog ihn an. Im Laufschritt kehrte sie zum Schweizer Platz zurück.

Birgit war im Laden und räumte um. Der Laccio Table von Marcel Breuer stand nun vor Aksel Kjersgaards Elroy Buffet.

»Da bist du ja. Wie findest du's?« Birgit wies auf das Ensemble.

»Sieht gut aus.«

»Was wollte Frieling denn von dir?« Birgit griff zur Möbelpolitur.

»Es wird eine Anklage geben. Pia sorgt dafür, dass ich wieder ins Gefängnis muss.«

Birgit ließ Spray und Staubtuch sinken. »Das kann sie doch nicht machen. Sie muss diese verdammte Anzeige zurückziehen. Thomas sollte langsam mal zu sich kommen, damit er ihr das ausreden kann. Auf ihn hört sie sicher.«

»Mich hat gerade Margot angerufen. Sie will etwas mit mir besprechen. Kann ich den Wagen haben?«

»Margot vom Weingut?«

»Es geht um etwas, das ich wissen sollte, hat sie gesagt.«

»Du gibst nicht auf.« Ein angedeutetes Kopfschütteln begleitete ihre Bemerkung, und Nane ersparte sich die Antwort. Natürlich gab sie nicht auf.

»Vergiss nicht: Du hast Hausverbot.«

»Keine Sorge. Wir treffen uns bei ihr.«

»Du weißt ja, wo die Wagenschlüssel liegen.«

»Danke.«

Nane programmierte das Navi mit Margots Adresse und fuhr los. Zwei Stunden später parkte sie Birgits Wagen vor einem Mehrfamilienhaus im Dorf Graven. Sie klingelte an der Erdgeschosswohnung. Der Summer erklang, und kurz darauf stand sie Margot gegenüber, die sich in den vergangenen zwanzig Jahren kaum verändert hatte. Noch immer ganz Dame. Noch immer sehr schlank. Lediglich die Silberfäden im Haar und einige Falten um Mund und Augen wiesen auf ihr Alter hin.

»Schön, dass Sie gekommen sind.« Margot bat sie herein, und Nane folgte ihr in die Küche.

»Ich habe Pflaumenkuchen für uns besorgt. Den macht ein französischer Bäcker hier im Ort. Sie werden ihn lieben. Den Kuchen meine ich natürlich«, fügte sie mit einem Lächeln hinzu. »Dünner Mürbeteigboden und ein saftiger Belag. Wirklich köstlich.«

Erst jetzt bemerkte Nane, wie hungrig sie war. Seit dem Frühstück hatte sie nichts gegessen. Der Kuchen stand auf dem Küchentisch, daneben lag ein Messer mit langer Klinge.

»Sie können schon mal den Kuchen aufschneiden, während ich uns Kaffee mache.«

Nanes Nerven waren zum Zerreißen gespannt. Sie wollte jetzt keinen Kaffeeklatsch abhalten, sondern wissen, was Margot ihr mitzuteilen hatte. Aber es sah so aus, als wollte diese das Ganze inszenieren. Nane griff nach dem Messer und schnitt den Kuchen auf, während Margot die Kaffeemaschine füllte und eine Schüssel Schlagsahne aus dem Kühlschrank holte.

Einen Moment später klingelte Margots Handy. »Hallo, Pia, schön, dass du zurückrufst«, sagte sie und hörte einen Moment zu. »Nein. Das lässt sich nicht verschieben«, fuhr sie fort. »Es gibt offenbar ein Problem mit der Einkommenssteuervorauszahlung. Da läuft eine Frist aus, und er braucht eine Unterschrift, hat er gesagt. Um halb fünf ist er da. Schaffst du das?« Eine Pause folgte. »Dann bis morgen. Ich habe heute früher Schluss gemacht.« Sie beendete das Gespräch.

»Soll Pia sich doch um den Steuerberater kümmern«, sagte sie zu Nane. »Sie weiß ja eh immer alles besser. Kaffee?«

»Gerne.«

Margot servierte Kaffee und Kuchen, und schließlich tat Nane den ersten Schritt. Sonst würde Margot vielleicht nie auf den Grund dieses Besuchs zu sprechen kommen.

»Sie wollten mir etwas über die Nacht erzählen, in der Henning starb. Ich bin hier, und ich bin ganz Ohr. Es geht um meinen Anruf, oder?«

»Nein. Nicht um den Anruf. Um etwas anderes.« Margot öffnete die Schublade des Tischs. »Manchmal sagt ein Bild mehr als tausend Worte.« Sie reichte Nane ein Polaroidfoto. Die Farben waren ein wenig verblichen, und es dauerte einen Augenblick, bis Nane erkannte, wer darauf abgebildet war. Henning. Mit geöffneten Augen sah er ins Nichts. Das war es wohl, was man als gebrochenen Blick bezeichnete. Nane hatte noch nie einen Toten gesehen, doch Henning war tot, keine Frage. In seinen Augen war kein Leben mehr. Eine kleine Wunde war an seiner Stirn, etwa daumennagelgroß. »Woher haben Sie das?«

»Ich habe es gemacht«, sagte Margot.

»Und weshalb zeigen Sie es mir?«

»Sehen Sie sich den Boden an, dann werden Sie es verstehen.«

Den Boden? Plötzlich begriff sie. Schieferplatten. Fugen. Der tote Henning lag nicht im Prälatengarten.

»Wo haben Sie das gemacht?«

»Auf der Terrasse in Graven. Thomas hat Henning im Streit erschlagen, und Pia hat ihm geholfen, das zu vertuschen. Das ist es, was ich Ihnen sagen wollte. Nicht Sie sind schuld an Hennings Tod. Er war schon tot, als sie ihn ins Auto gesetzt haben.«

Etwas zog sich in Nane zusammen, als sie verstand, was das bedeutete, verdichtete sich zu einem Schrei, der sich einen Weg nach draußen bahnte, mehr ein Stöhnen als ein Brüllen. Sie krümmte sich, fegte die Kuchenplatte vom Tisch. Scherben spritzten über den Boden. Sie war keine Mörderin! Nie gewesen! Ihr halbes Leben hatte sie im Gefängnis gesessen. Wegen nichts!

»Sie haben beschlossen, es wie einen Unfall aussehen zu lassen«, fuhr Margot ungerührt fort, während Nane nach Luft rang. »Und dafür haben sie Pias Wagen benutzt, denn Katja war mit Hennings Auto weg, und das von Thomas hätte er nie genommen. Thomas wollte mit Hennings Leiche auf dem Beifahrersitz an den Abhang beim Mühlberg fahren, dort aussteigen und den Wagen hinunterrollen lassen. Er hatte ja keine Ahnung, dass Sie die Bremsflüssigkeit abgelassen hatten, und musste sich aus dem Wagen fallen lassen, als er die Kontrolle verlor. Er wäre beinahe mit Henning in den Prälatengarten gestürzt.«

»Und mein Anruf?«, fragte Nane keuchend.

»Thomas' Handy lag auf dem Terrassentisch. Pia ist rangegangen, als Sie angerufen haben. Er war schon in der Garage. Sie haben mit ihr gesprochen. Leider war es zu spät, um Thomas zu warnen. Sie ist hinter ihm hergerannt, aber er war schon unterwegs.«

Nane starrte auf das Foto. Hennings Leiche lag auf der Terrasse und nicht im Weinberg. Das war keine Fälschung. Was Margot sagte, musste stimmen: Thomas hatte seinen Sohn erschlagen. Nane war keine Mörderin! Und Pia hatte es gewusst!

Ihre eigene Schwester hatte sie im Gefängnis verrotten lassen. Sie hatte ihr Leben gestohlen! Hatte ihr all ihre Hoffnungen genommen, ihr Glück, die Möglichkeit, ein Kind zu bekommen! Sie hatte zugesehen, wie sie sich mit ihrer Schuld quälte, dabei war sie gar nicht schuld! Und sie hatte es nicht einmal gewusst!

Dafür würde Pia bezahlen!

Neben dem Foto lag das Messer. Nane riss beides an sich und rannte aus der Wohnung zum Wagen. Mit aufheulendem Motor raste sie los.

*

Pia fuhr den Jeep in die Garage. Es war kurz vor halb fünf, ein paar Minuten hatten sie noch, bis der Steuerberater eintreffen würde. Sie fand es seltsam, dass er nach Graven kam. Normalerweise besprach Thomas sich mit ihm in seiner Kanzlei. Und jetzt rief er bei Margot an und bat um einen kurzfristigen Termin. Pia hatte keine Ahnung von Steuern. Aber Margot hatte ja gesagt, dass er nur eine Unterschrift benötigte, und die konnte sie leisten.

Der Tag war bisher gut gelaufen. Der Personalvermittler war zuversichtlich, kurzfristig Ersatz für Margot zu finden. Mit der Kündigung wollte Pia allerdings warten, bis die Neue da war. Außerdem gab es endlich Anzeichen dafür, dass Thomas aufwachen würde, und darüber war sie unsagbar erleichtert. Sie kam direkt aus dem Krankenhaus und wäre viel lieber bei ihm geblieben. Hätte sie doch nur das Handy nicht angeschaltet, dann hätte sie

Margots Nachricht nicht entdeckt und auch nicht zurückgerufen, und Margot hätte sie nicht zurückbeordern können. Pia ärgerte sich über diesen unaufschiebbaren Termin.

Manchmal zuckte Thomas mit einem Lid, oder er bewegte einen Finger. Doch es konnte noch Stunden dauern oder Tage. Schwester Marion hatte versprochen, sie zu benachrichtigen, wenn es so weit war.

Pia ging ins Haus und beschloss, endlich ihren Anwalt Peter Klaas anzurufen. Ein paar Minuten blieben ihr noch. Nachdem Nane ihre Aussage bei der Polizei gemacht und hoffentlich die Botschaft verstanden hatte, war jetzt der richtige Zeitpunkt gekommen. Pia wählte die Nummer der Kanzlei, erreichte aber nur eine Mitarbeiterin und bat sie, Klaas auszurichten, dass er die Anzeige zurückziehen könne.

Sie wollte gerade nach oben gehen, als sie den Wagen im Hof hörte und kehrtmachte, um dem Steuerberater zu öffnen. Doch noch bevor sie an der Tür angekommen war, wurde diese aufgerissen, und Nane stürmte herein. Sie hat die Botschaft also nicht verstanden, dachte Pia noch. Dann sah sie das Messer in der Hand ihrer Schwester und ihren hasserfüllten Blick. Vor Schreck zuckte sie zusammen. Nane war ja total neben der Spur. Wie ein Racheengel kam sie auf sie zu. Das Gesicht so weiß wie das Haar und zu einer Fratze verzerrt. Die Sehnen am Hals traten hervor. Jeder Muskel ihres Körpers schien zu vibrieren. Pia erkannte sie kaum und wich unwillkürlich zurück.

»Was willst du hier?« Sie hörte die Angst in ihrer eigenen Stimme. »Du hast hier Hausverbot.«

Doch ihre Schwester reagierte nicht. Pias Fluchtinstinkt erwachte. Sie wandte sich um und lief zur Treppe. Doch Nane holte sie ein, riss sie an der Schulter herum, legte ihr den Unterarm an den Hals und drückte sie mit dem vollen Körpergewicht gegen die Wand. Lernte man so was im Knast?, schoss es Pia durch den Kopf, während sie nach Luft rang.

»Spinnst du?«, stieß sie keuchend hervor. »Was soll das?«

Nane ließ den Arm schlagartig sinken und setzte ihr das Messer an die Kehle. Kalter Stahl an ihrer Haut. Pia erstarrte und wagte kaum zu atmen. Ihr Herz jagte in wilden Sprüngen.

»Drehst du jetzt durch? Ich habe die Anzeige doch schon zurückgenommen«, flüsterte Pia.

»Als ob es darum ginge!« Nanes Lachen klang wie das einer Irren. »Was das soll!«, schrie sie, zog etwas aus der Jeans und hielt es Pia so dicht vor die Augen, dass sie nichts erkennen konnte. Nur dass es ein Polaroidfoto war. Doch dann erkannte sie das Motiv, und ihr wurde schlecht. Nane wusste Bescheid. Margot hatte es ihr gesagt.

»Nicht ich habe Henning getötet«, schrie Nane, »sondern Thomas! Und du weißt das und lässt mich im Knast verrotten. Zwanzig Jahre, Pia! Zwanzig Jahre! Du hast ja keine Ahnung, was das bedeutet.«

Der Blick ihrer Schwester war fiebrig, der Stahl des Messers kalt. Die Spitze bohrte sich langsam in Pias Haut, und ein warmes Rinnsal lief ihr den Hals hinab. Sie tastete danach und sah auf ihre blutigen Finger. Nane würde sie töten, obwohl sie das Messer kaum ruhig halten konnte. Wie kam sie nur hier raus? Gar nicht. Bei der kleinsten Bewegung würde Nane sie abstechen.

»Bitte, Nane. Das kannst du nicht machen.«

*

Nane bebte am ganzen Körper, als hätte sie Schüttelfrost. Ihr Hirn war leer gefegt. Ein Sturm von Hass und Schmerz wütete darin. Glutwolken, die sich in einer Blutlawine entladen wollten. Der archaische Wille nach Rache beherrschte sie. Vergeltung für das, was man ihr angetan hatte! Ihr gestohlenes Leben!

Sie sah die Todesangst in den Augen ihrer Schwester, doch es war ihr eine Genugtuung.

»Nane, bitte! Das kannst du nicht machen! Lass uns darüber reden!«

Doch da gab es nichts zu reden. Es gab nichts zu verzeihen. Es gab nichts wiedergutzumachen. Vorbei war vorbei. Sie hatten eine Mörderin aus ihr gemacht. Pia und Thomas! Und dafür würden sie jetzt bezahlen.

Doch sie war keine Mörderin!

Nane ließ das Messer sinken. Sie war keine Mörderin, und sie wollte auch keine sein. Es würde Pia nicht gelingen, aus ihr zu machen, was sie nie gewesen war. Sie trat einen Schritt zurück. Pia löste sich von der Wand und ging auf Abstand, die Hand noch am Hals. Ein Rinnsal Blut versickerte im T-Shirt.

Im selben Moment ging die Haustür auf. Lissy kam herein und blieb stehen, als sie die Situation erfasste. »Was ist denn hier los?«

Nane warf das Messer auf die Kommode und sah ihrer Schwester in die Augen. »Soll ich es Lissy erklären?«, fragte sie. »Oder machst du das selbst?«

*

Finsternis und Vergessen umhüllten Thomas von Manthey. Wie ein tiefer traumloser Schlaf schenkten sie seinem Körper Ruhe, damit er Kraft sammeln konnte. Die Kraft, die er benötigen würde, um den letzten Abschnitt seines Wegs zu gehen. Es wurde Zeit dafür. Langsam wachte er auf.

Erinnerungsfetzen flogen vorüber wie Wolken am stürmischen Himmel. Sein Vater stieg mit ihm durch den Weinberg. *Du wirst einmal die Verantwortung dafür tragen.* Mama mit einem bunten Tuch im Haar und einem Lachen im Gesicht. Das Weingut hoch über dem Dorf auf dem Hügel. Beatrix weinte. Was hast du unserem Kind angetan?

Stöhnend kam Thomas von Manthey zu sich. Sonnenlicht fiel durchs offene Fenster und blendete ihn. Ein regelmäßiges leises Fiepen erklang von irgendwoher. Die Quelle dafür konnte er nicht ausmachen. Die Luft roch nach Desinfektionsmittel. Wo war er? Blinzelnd sah er sich um und erinnerte sich, was geschehen war. Wie Nane sich über ihn gebeugt und er zuerst gedacht hatte, das wäre nun seine Strafe, ausgerechnet in ihren Armen zu sterben. Wie sie ihn in seiner Todesangst beruhigt und ihm versichert hatte, dass sie Hilfe holen werde, und das Handy hervorgezogen hatte, während in seiner Brust ein nie gekannter Schmerz tobte. Eine Faust, die sein Herz zerquetschen wollte. Es war der Moment gewesen, in dem er erkannt hatte, dass er mit dieser Lüge nicht sterben durfte, dass er endlich die Wahrheit sagen musste, auch wenn Pia das nicht billigen würde. Er war es Nane ebenso schuldig wie seiner Enkelin Sonja. Hennings Tochter.

Einzig der Gedanke an Lissy machte ihm Angst. Wie würde sie darauf reagieren? Würde sie ihre Eltern verdammen und sich von ihnen lossagen? Würde sie Graven im Stich lassen? Dann sollte er besser schweigen und sein Geheimnis mit ins Grab nehmen. Erschöpft schloss er die Augen und kehrte in seinen Erinnerungen zurück zu jenem unglückseligen Abend, zu jener schrecklichen Nacht.

Die Hitze des Tages war vorüber, und die Sonne hatte schon tief gestanden, als er nach dreistündiger Fahrt nach Hause gekommen war und sich darauf freute, Pia zu sehen. Seine Frau. Sie hatte Ja gesagt. Sie hatte ihn tatsächlich geheiratet. Und sie wollte ein Kind mit ihm. Nach Beatrix' Tod hatte er nicht geglaubt, dass er noch einmal lieben könne, und nun war es doch geschehen. Er war ein glücklicher Mann und sehnte sich nach seiner Frau.

Beschwingt betrat er das Haus. Überrascht kam Margot aus der Küche. Sie erklärte, dass sie Tereza gekündigt habe. Henning habe es mit ihr in der Remise getrieben. Katja habe die beiden überrascht und daraufhin den Urlaub hier abgebrochen. Sie sei mit Sonja zu Freunden in die Normandie gefahren. Bis Ersatz für Tereza käme, wollte Margot sich um den Haushalt kümmern. »Essen gibt es in einer halben Stunde auf der Terrasse«, sagte sie. »Pia ist oben.«

Thomas lief die Treppe hinauf, zwei Stufen auf einmal nehmend. In der Werkstatt fand er Pia nicht. Catels Bild stand auf der Staffelei. Die geheimnisvolle Frau nahm langsam Gestalt an. Pia hatte sich entschieden, ihr ein moosgrünes Kleid anzuziehen und nicht ein rotes, wie er vorgeschlagen hatte. »Rot ist zu eindeutig«, hatte sie erklärt. »Es legt die Figur fest und lässt uns wenig Interpretationsspielraum für unsere Geschichten. Rot ist aggressiv, laut, manchmal ordinär. Eine Frau, die ein solches Kleid trägt, ist eher ein offenes Buch als eins mit sieben Siegeln.« Letztlich musste Thomas ihr recht geben. In diesem Kleid verschmolz die Figur beinahe mit dem Baumstamm, an dem sie lehnte.

Doch wo steckte Pia? Thomas ging ins Schlafzimmer. Die Läden waren geschlossen, und der Raum war beinahe dunkel. Pia lag im Bett und hatte die Decke bis zum Hals hinaufgezogen.

»Was ist mit dir?«, fragte er und tastete nach dem Lichtschalter.

»Lass bitte das Licht aus. Ich habe furchtbare Kopfschmerzen.«

Er setzte sich auf die Bettkante und griff nach ihrer Hand. Sie war eiskalt. »Kann ich irgendetwas für dich tun?«

»Das ist lieb von dir. Aber ich habe schon eine Tablette genommen. Ich brauche einfach nur Ruhe.«

Eine Weile blieb er noch unentschlossen sitzen. Vielleicht sollte er besser den Arzt rufen. Doch Pia lehnte ab und sagte, es seien nur Kopfschmerzen. Morgen wäre alles wieder gut. Ruhe sei die beste Medizin. Also ging er nach unten auf die Terrasse und aß mit Margot und Marius zu Abend, denn Henning wollte beim Schreiben nicht gestört werden. Thomas war das recht, sonst hätte er seinem Sohn vermutlich den Kopf gewaschen. Musste er Katja derart demütigen und vor aller Augen seine Affäre ausleben?

Marius hatte einen Pokal mit auf die Terrasse genommen, den Thomas vor Kurzem bei einer Weinprämierung gewonnen hatte. Meist waren das hässliche Humpen oder Schüsseln voller Verzierungen, doch diesen hatte ein moderner Designer entworfen. Er war sehr schlicht. Ein glatt geschliffener Stab aus dem Holz einer Weinrebe, den ein matt gebürstetes Band aus Edelstahl einfasste. Aus dem Sockel wand es sich nach oben und glich dabei einer Schlange.

Mit leuchtenden Augen erklärte Marius, dass er später auch einmal solche Preise gewinnen wolle, und fragte, ob er morgen in aller Herrgottsfrühe Thomas bei seiner Runde durch den Weinberg begleiten dürfe. Er interessierte sich für Weinbau und stellte sich geschickt an. Bis vor ein paar Tagen hatte Thomas sich mit dem Gedanken getragen, ihn zum Nachfolger heranzuziehen, wie Margot es vorgeschlagen hatte. Doch jetzt, da er vielleicht noch einmal Vater werden würde, beschloss er abzuwarten, wie die Dinge sich entwickelten. Also wuschelte er Marius durchs Haar und meinte, dass es für ihn Zeit sei, zu Bett zu gehen, wenn er so früh rauswolle. Margot lächelte ihm zu, räumte das Geschirr ab und ging dann mit ihrem Sohn hinein.

Ein Glas Wein noch, überlegte Thomas, dann wollte auch er zu Bett gehen. Er ging in die Küche, nahm eine Flasche aus dem Kühlschrank und bemerkte, wie im Hof alle Lichter angingen. Als er aus dem Fenster sah, war da niemand. Vermutlich eine Katze. Wie so häufig. Er musste den Bewegungsmelder anders einstellen. Mit diesem Vorsatz kehrte er auf die Terrasse zurück.

Es war eine warme Neumondnacht. Die Dunkelheit lag heiß und schwer über Graven. Thomas trank in aller Ruhe ein Glas Wein und hing seinen Gedanken nach, bis sich Schritte auf dem Kiesweg näherten, der von der Remise zum Haus führte. Henning kam. Als er seinen Vater sah, setzte er sich zu ihm.

»Auch ein Glas Wein?«, fragte Thomas.

Henning nickte. »Ich wollte ohnehin mit dir reden.« Aus der Küche holte er sich ein Glas, füllte es und setzte sich. »Ein weiterer Preis?« Er wies auf den Pokal, der noch auf dem Tisch stand.

Thomas nickte. »Der neueste in der Sammlung. Bald brauchen wir eine weitere Vitrine.« Abrupt wechselte er das Thema. »Wie willst du eigentlich deine Ehe retten? Hast du einen Plan, oder ist es dir egal, wenn Katja die Scheidung einreicht?«

»Das lass meine Sorge sein.«

Der Tonfall gefiel Thomas nicht, und die entspannte Stimmung begann zu kippen. »Ich soll mich also nicht einmischen?«

»Wenn dir das gelingen würde ... Im Übrigen verstehe ich dein Interesse nicht. Du hast Katja nie gemocht.«

»Und ich verstehe nicht, warum du überhaupt geheiratet hast, wenn du nicht treu sein kannst. Du musst dir nicht ständig beweisen, dass du ein toller Kerl bist. Nicht, wenn du die Verantwortung für eine Familie trägst.«

»Wenn du glaubst ...« Die Terrassentür wurde geöffnet, und Henning brach mitten im Satz ab. Pia kam heraus, und Thomas' Herz machte einen erfreuten Satz. Sie hatte sich ein Tuch um die Schultern gelegt und trug ein langes Nachthemd. Vielleicht brauchte sie doch einen Arzt, dachte Thomas. Sie sah krank und elend aus, und als sie Henning bemerkte, schrak sie derart zusammen, dass ihr das Tuch entglitt und zu Boden fiel. Das Nachthemd war zwar bodenlang, aber ärmellos, und Thomas sah die Hämatome, die sich rund um ihre Oberarme zogen. Dunkelblau und lila. Als ob jemand sie gepackt und geschüttelt hätte.

»Was ist denn passiert? Wer war das?«, fragte Thomas entgeistert, während Pia sich nach dem Tuch bückte und dabei mit einem Blick voller Abscheu und Ekel zu Henning hinübersah. Thomas verstand schlagartig und stand auf. »War er das?«

Pia nickte. »Ich wollte ihn nur fragen, ob er mit mir zu Abend isst, und da … da ist er … Er ist auf mich losgegangen. Ich konnte ihn mir kaum vom Leib halten.«

»Was!« Henning sprang auf. Nun standen sie sich gegenüber wie Feinde. Thomas bebte vor Wut. Er wusste, was jetzt passieren würde, und konnte sich doch nicht zügeln. Der Jähzorn überfiel ihn wie ein wildes Tier. »Wollte er dich etwa vergewaltigen?«

Pia nickte, doch Henning schüttelte den Kopf. »Wow!«, sagte er mehr amüsiert als verärgert. »Es ist nicht zu fassen, was für eine Schlampe du dir angelacht hast.« Mit einem affektierten Lachen wollte er das Feld räumen, doch Thomas sah rot.

»Wie hast du meine Frau genannt?«, brüllte er. Seine Hand schoss vor, schloss sich um den Pokal, und ehe er sich's versah, schlug er ihn seinem Sohn vor die Stirn.

»Wow!«, sagte Henning noch einmal verblüfft und griff

sich an den Schädel. Aus einer kleinen Platzwunde lief Blut über sein Gesicht. Dann ging er zu Boden. Dabei schlug er mit dem Kopf auf der halbhohen Mauer auf, die die Terrasse einfasste. Etwas knirschte, sein erstaunter Blick brach. Pia stieß einen unterdrückten Schrei aus und sank auf einen Stuhl, während Thomas auf seinen Sohn starrte, der sich nicht mehr rührte.

Nach einer Weile, die ihm wie eine Ewigkeit erschien, ging er vor ihm auf die Knie und suchte nach einem Puls. Fassungslos und ungläubig. Das konnte nicht sein. Doch er fand keine Spur von Leben in ihm. Henning kippte zur Seite. Blut lief aus der Wunde an der Stirn auf die Steine, nur wenig, denn sein Herz schlug nicht mehr, und der Kreislauf war zum Stillstand gekommen.

Mit einem leisen Stöhnen blinzelte Thomas in das Licht der Krankenhauslampe. Dieses Geräusch, mit dem Hennings Genick gebrochen war, würde er nie vergessen. Es würde ihn bis in den Tod verfolgen, das hatte er immer gewusst.

Es war höchste Zeit, reinen Tisch zu machen. Er suchte erst nach seinem Handy und dann, als er es nicht fand, nach dem Klingelknopf und rief die Schwester.

*

Das Polaroidfoto zitterte in Nanes Hand. Sie konnte das Beben nicht abstellen. Auch brüllen konnte sie nicht, obwohl sie wollte. Tief in ihr hatte sich der Schrei verkeilt. Er saß fest und wollte nicht raus. Was Thomas und Pia ihr angetan hatten, war so unfassbar, dass es ihre Vorstellungskraft sprengte.

Sie warf das Bild auf den Beifahrersitz und gab Gas. Wie eine Wahnsinnige raste sie mit Birgits Wagen ins Dorf hinunter und hätte beinahe die letzte Kurve nicht bekommen. Der Wagen schlingerte, das Heck brach aus, sie fing ihn gerade noch ab. Um Haaresbreite wäre sie in den Weinberg gestürzt. Das war eigentlich zum Brüllen komisch. Doch sie konnte nicht brüllen. Immerhin hatte sie Pia das Messer nicht in den Hals gerammt. Darüber war sie froh.

Als sie auf der Strecke zur Autobahn beinahe einen Radler umfuhr, besann sie sich, bog auf einen Parkplatz am Waldrand ein und stellte den Motor aus. Nun saß sie hier mit Margots Foto und konnte es noch immer nicht fassen.

Sie war keine Mörderin!

Sie hatte niemanden umgebracht.

Und sie hatte das bis heute nicht gewusst!

Der Schrei saß hinter dem Brustbein, drückte auf Rippen und Herz. So musste Thomas sich gefühlt haben, als sie ihn im Gras liegend gefunden hatte. Wieder sah sie seine Hand, die er nach ihr ausstreckte. *Bitte.*

Und sie hatte ihm auch noch geholfen!

Sie sah sich auf der Balustrade des Aussichtsturms sitzen, sah dem Schuh nach, der zuerst baumelte und dann fiel, und erinnerte sich an ihre Bereitschaft, ihm zu folgen. Wieder sah sie das Messer an ihrem Handgelenk, das sie in ihrem ersten Jahr in der Gefängnisküche hatte mitgehen lassen, und sah das Blut aus der aufgeschlitzten Ader quellen.

Es war unvorstellbar!

Pia und Thomas hatten ihr zwanzig Jahre ihres Lebens

geraubt. Sie waren für Prügel, Tritte, Schläge verantwortlich, für all die Gewalt, die ihr im Knast angetan worden war, aber auch für alles, was man ihr zwanzig Jahre lang vorenthalten hatte. Die Liebe eines Mannes, Zärtlichkeit, Sex. Spaziergänge durch regennasse Wälder. Schwimmen im Fluss, Sternschnuppen in sternenklaren Nächten. Selbst bestimmen zu können, mit wem man sich umgab. Selbst entscheiden zu dürfen, was man tat.

Pia und Thomas hatten ein tolles Leben geführt, während sie an ihrer Schuld beinahe zugrunde gegangen war! An ihrer vermeintlichen Schuld.

Etwas zerriss in ihr. Explodierte. Sie sprang aus dem Wagen. Der Schrei löste sich, brach aus ihr heraus wie eine Urgewalt. Sie brüllte, wie sie noch nie in ihrem Leben gebrüllt hatte. Sie prügelte und trat auf den Baum ein, bis sie nicht mehr konnte und sich erschöpft auf den Boden fallen ließ.

Sie war keine Mörderin!

Sie war es nie gewesen!

Hass brodelte in ihr und der Wunsch nach Rache, nach Vergeltung. Doch sie durfte sich nicht rächen. Sie wollte nie wieder ins Gefängnis. Sie musste mit jemandem reden, sonst würde sie verrückt werden oder doch noch zur Mörderin!

*

Mit zitternden Händen zog Pia ein Papiertaschentuch hervor und presste es an den Hals. Nanes Messer lag neben der Schale. Die Klinge dunkelrot verkrustet. Plötzlich durchfuhr sie eine panische Angst. War ihre durchgeknallte Schwester damit etwa in der Klinik gewesen und hatte Thomas die Kehle durchgeschnitten? Doch dann entdeckte sie die Krümel. Ein Kuchenmesser. Obstsaft.

»Verdammt, Mama! Was wird hier gespielt?«

Lissy hatte diese Frage schon einmal gestellt und wartete auf eine Antwort. Doch wie sollte sie ihr das erklären?

»Warum ist Nane mit dem Messer auf dich losgegangen? Muss ich hinter ihr herlaufen, um das zu erfahren?«

Im Hof sprang ein Motor an. Nane brauste davon. Um Haaresbreite hätte sie mich umgebracht, dachte Pia.

»Okay. Ich rufe jetzt die Polizei.« Lissy griff zum Handy.

»Lass das!« Es waren die ersten Worte, die Pia sprach, seit sie Nane angefleht hatte, von ihr abzulassen. Ihre Stimme klang rau und fremd. »Ich brauche keine Polizei. Gib mir einen Moment. Dann erkläre ich es dir.« Wobei sie keine Vorstellung hatte, wie sie das tun sollte. Sie ging in die Küche, um sich ein Glas Wasser einzuschenken. Lissy folgte ihr, zog einen Küchenstuhl heran und setzte sich. Ein unmissverständliches Zeichen, dass sie nicht lockerlassen würde.

»Es sah aus, als ob sie dich umbringen wollte«, sagte Lissy schließlich.

»Das hatte sie auch vor.« Pia stellte das Glas ab und setzte sich zu ihrer Tochter an den Tisch.

»Warum?«

Pia atmete durch. »Manchmal muss man sich entscheiden, auf wessen Seite man sich stellt. Da gibt es nur entweder oder. Und das habe ich vor zwanzig Jahren getan. Ich habe mich auf die Seite deines Vaters gestellt und damit gegen Nane.«

»Und was soll das jetzt genau heißen? Geht es etwa um den Anruf? Hat Papa doch gelogen, und du hast ihn gedeckt?«

Wenn es doch nur dieser Anruf wäre. Einen Moment spielte Pia mit dem Gedanken, Nanes Attacke darauf zu reduzieren. Doch Lissy würde die Wahrheit erfahren. Entweder von Margot oder von Nane. Dann besser von ihr.

»Es hat auch mit dem Anruf zu tun. Thomas hat ihn nicht entgegengenommen, sondern ich. Sein Handy lag auf dem Terrassentisch, als sie anrief. Ich habe mich so gemeldet, wie ich mich immer melde, mit einem Ja, und sie hat wohl geglaubt, mit Thomas zu sprechen. Zuerst habe ich nicht verstanden, wer dran ist. Die Worte sprudelten nur so aus ihr heraus. Es ging um mein Auto, dass niemand es benutzen sollte. Ich habe aufgelegt, als ich verstanden habe, dass sie meinen Tod wollte.«

»Sie wollte ihn nicht. Jedenfalls nicht mehr. Sie hat euch gewarnt. Sie dachte also, dass sie mit Papa spricht?«

Pia nickte.

»Warum habt ihr Henning nicht zurückgehalten?«

»Es war zu spät. Er saß zu diesem Zeitpunkt schon im Wagen.« Ihr Herz begann zu rasen. Schweiß trat auf ihre Stirn. »Auf dem Beifahrersitz. Er war … Er war schon tot.« Die entscheidenden Worte waren gesagt.

Lissys Augen weiteten sich. »Mama, was erzählst du da? Wieso war er tot?«

Wie sollte sie das nur erklären? »Du weißt doch, dass es diesen Streit auf der Terrasse gab«, begann Pia.

Dann erzählte sie vom wahren Grund des Streits und dramatisierte die versuchte Vergewaltigung zur vollzogenen Vergewaltigung, als ob das etwas ändern würde.

Doch sie wollte ihre Tochter nicht verlieren, und vielleicht würde es ihr so gelingen, die Waagschalen voller Schuld in eine Art Gleichgewicht zu bringen. Vielleicht würde Lissy am Ende wenigstens Thomas nicht vollends verachten, den Mann, der aus Versehen den Vergewaltiger seiner Frau erschlagen hatte. Sie berichtete, wie der Streit eskaliert war, und dramatisierte auch diesen. In ihrer Version musste Thomas sich gegen seinen Sohn wehren. Henning stürzte unglücklich und brach sich das Genick. Den Schlag mit dem Pokal ließ sie unerwähnt. Es war ein Unfall, der von der Polizei vielleicht als Totschlag gewertet worden wäre. Thomas hatte das nicht gewollt, und nun standen seine Freiheit und seine Existenz auf dem Spiel. So war die Idee entstanden, einen Autounfall zu inszenieren.

»Thomas hat mich ins Bett geschickt. Er wollte das alleine erledigen. Doch ich habe es oben nicht ausgehalten und bin nach ein paar Minuten wieder hinunter auf die Terrasse. Als ich kam, lag das Handy auf dem Tisch, und Thomas war mit Henning bereits vorne in der Garage. Ich habe gehört, wie er den Wagen gestartet hat. Im selben Moment hat Nane angerufen.«

Sie erinnerte sich an die Panik, die sie ergriffen hatte. Die Angst, dass Thomas mit dem Wagen verunglücken würde, holte sie beim Erzählen ein, als würde es in diesem Moment geschehen.

Sie rannte nach vorne in den Hof, doch alles, was sie noch sah, waren die Rücklichter. Sie musste Thomas aufhalten! Von Angst getrieben, rannte sie hinter ihm her. Rief, er solle anhalten. Das Nachthemd wickelte sich um ihre Beine. Sie verlor das Gleichgewicht und knallte auf den Asphalt. »Lass dich aus dem Wagen fallen!«, schrie sie. Dann verschwanden die Lichter. Eine Sekunde später hörte sie einen dumpfen Schlag, rappelte sich auf, rannte weiter. »Thomas!« Das Bersten von Glas klang zu ihr, das metallische Scheppern, als der Wagen sich überschlug, wieder und wieder. »Thomas!« Ihre Beine wollten nachgeben. »Thomas!« Da sah sie ihn. Er lag auf der Straße, und im ersten Moment dachte sie, er wäre tot, doch er bewegte sich. Unten im Dorf schlug die Kirchturmuhr elf.

»Thomas hat gemerkt, dass mit dem Wagen etwas nicht stimmte, und hat sich aus dem Wagen fallen lassen.« Damit beendete Pia ihre Beichte.

Lissy hatte ihr schweigend zugehört. Doch mit jedem von Pias Worten hatte sich die Mimik ihrer Tochter verändert. Von Neugier über Fassungslosigkeit bis zur Ablehnung, und die machte Pia Angst.

»Thomas hat das nicht gewollt. Es war ein Unfall«, wiederholte Pia.

»Ja, das habe ich schon verstanden.« Lissy umfasste ihre Oberarme mit den Händen. »Das ist aber nur die eine Seite der Wahrheit. Ihr habt Nane und alle Welt glauben lassen, dass sie Henning getötet hat. Sie ist dafür ins Gefängnis gegangen. Für einen Mord, der nie ein Mord war und mit dem sie gar nichts zu tun hatte. Und ihr habt das gewusst! Warum habt ihr das zugelassen?«

Weil niemand mehr an Thomas' Unschuld geglaubt hätte, nachdem sie diesen Unfall inszeniert hatten. Es hatte nur zwei Möglichkeiten gegeben: Entweder wäre er ins Gefängnis gegangen – oder Nane.

»Weil sie Strafe verdient hat!«, brach es aus Pia heraus. »Sie wollte mich töten! Ihre eigene Schwester!« Die alte

Rechtfertigungsleier klang so schal und hohl wie immer. Woraufhin sie es umso heftiger wiederholen musste. »Sie. Wollte. Mich. Töten!«, schrie Pia und versuchte so, ihre Feigheit zu übertönen, statt sich ihrer Verantwortung zu stellen. Dabei wusste sie es ganz genau: Sie hätten ihr schönes Leben aufgeben, sich an den Pranger stellen lassen und sich für Jahre trennen müssen. Sie hatten es getan, weil sich die Möglichkeit geboten hatte. Mit beiden Händen hatten sie zugegriffen. Es war so viel einfacher gewesen.

»Mama! Hör dir doch mal selbst zu! Nane hat nichts getan. Vielleicht hat sie dich gehasst und sie war eifersüchtig, aber darauf stehen nicht zwanzig Jahre Gefängnis. Was habt ihr nur getan? Ihr habt ihr Leben ruiniert. Und jetzt hat sie das irgendwie rausgekriegt, oder? Deshalb wollte sie dich abstechen!« Lissy sprang auf. »Ich kann sie verstehen! Weißt du das? Ihr seid Monster, Papa und du. Monster!«

Lissy knallte die Tür hinter sich zu. Krachend fiel sie ins Schloss. Den Bruchteil einer Sekunde bebte die Glasfüllung, dann barst die Scheibe mit einem Knall. Scherben spritzten über den Boden.

Wie gelähmt saß Pia am Tisch. Sie hatte die Kontrolle endgültig verloren. Sie hatte das alles nicht mehr im Griff. Dank Margot! Sie war ihrem eigenen Bruder in den Rücken gefallen, den sie angeblich so sehr liebte!

Eilige Schritte näherten sich. Irene kam angelaufen. »War das ein Schuss?«

»Nein. Nur der Luftzug.« Pia stand auf und straffte die Schultern. »Seien Sie bitte so lieb und räumen das auf. Und rufen Sie den Glaser an.« Sie war schon auf dem Weg hinaus, als ihr der Termin einfiel. »Und dann bringen Sie mir bitte eine Kanne Kaffee ins Büro. Der Steuerberater wird gleich da sein.«

Mit einem Blick auf die Uhr stellte sie fest, dass es schon fünf war, und dann wurde ihr klar, dass der Steuerberater nicht kommen würde, dass er gar nichts von seinem Termin hier wusste. Die Puzzleteile setzten sich zu einem Ganzen zusammen. Wie von selbst rutschten sie an ihren Platz. Margot hatte Nane nicht nur die Wahrheit verraten, sie hatte ihr auch das Messer in die Hand gedrückt, damit sie erledigte, wozu sie selbst zu feige war. Damit ihr Plan sein Ziel nicht verfehlte, hatte sie nur noch dafür sorgen müssen, dass das Opfer auch auf der Schlachtbank saß und nicht irgendwo anders.

Pia ballte die Hände zu Fäusten.

*

»Ach, Irene, lassen Sie das mit dem Kaffee. Ich habe etwas verwechselt.« Pia ging nach oben in die Werkstatt. Das Porträt der Kaufmannstochter stand fertig restauriert auf einer Staffelei. Ihr Blick erschien Pia heute verwirrt. So wie sie selbst sich fühlte. Durcheinander. Was sollte sie nur tun? Falsche Frage: Was konnte sie tun? Nichts, wie sie erkannte. Der Geist war aus der Flasche. Ohnmächtig musste sie zusehen, was er anrichten würde. Als Erstes hatte er jedenfalls den Versuch unternommen, sie zu töten. Noch saß der Schreck über Nanes Angriff in ihr. Unwillkürlich tastete sie nach der kleinen Wunde am Hals und ging dann ins Schlafzimmer und zog ein frisches T-Shirt an.

Was würde Nane nun tun? Vermutlich war sie auf dem Weg zu ihrem Anwalt oder gleich zur Polizei. Von dort drohte keine Gefahr. Schlimm wäre es, wenn ihre Schwester zu den Medien rannte und eine Hetzjagd anzettelte. Dann würden sie an den öffentlichen Pranger gestellt und konnten hier einpacken.

Wie würde Lissy sich verhalten? Pia wusste es nicht und hoffte, dass sich der Sturm der Entrüstung bald legte und sie in Ruhe über alles reden konnten. Letztlich war Lissy vernünftig und pflichtbewusst. Sie würde Graven nicht im Stich lassen. Am Ende würde die Verbundenheit größer sein als die Empörung. Vielleicht ließ sich das Thema ja im kleinen Kreis abhandeln. Innerhalb der Familie. Das war ein beruhigender Gedanke.

Margot saß sicher Nägel kauend in ihrer Wohnung und wartete darauf, dass Polizeisirenen erklangen, der Notarztwagen den Berg hinaufraste und der Leichenwagen gleich hinterher. Das würde ihr noch leidtun!

Hätte Nane sich nicht in letzter Sekunde besonnen, dachte Pia, dann wäre ich jetzt tot. Sie zitterte so, dass sie sich setzen musste. Die Messerspitze an der Kehle konnte sie noch immer spüren. Sie stand wieder auf und ging ins Bad. Im Spiegel betrachtete sie die Wunde. Sie war winzig, kaum größer als ein Stecknadelkopf, und doch hatte nicht viel gefehlt.

Nane war wirklich durchgeknallt!

Sie hatte nicht umsonst im Gefängnis gesessen!

Sie hatte es ja schon wieder versucht! Eine gemeingefährliche Irre, die in die Psychiatrie gehörte.

Pia starrte ihr Spiegelbild an und konnte sich nicht in die Augen sehen. So einfach war das nicht.

Der Geist war aus der Flasche. Ein böser, zerstörungswütiger Dschinn, der ihr zuflüsterte, dass sie diejenige war, die bereuen und alles verlieren würde.

Irgendwann stellte sie fest, dass ihre Handtasche mit dem Handy noch im Flur lag. Sie ging nach unten. Tatsächlich hatte sie einen Anruf verpasst. Sie hörte die Mailbox ab. Schwester Marion hatte versucht, sie zu erreichen. Schon vor anderthalb Stunden.

»Frau von Manthey, stellen Sie sich vor, Ihr Mann ist aufgewacht. Er ist putzmunter, und er fragt nach Ihnen und Ihrer Tochter. Sie sollen gleich zu ihm kommen.«

Endlich! Vor Erleichterung begann Pia zu weinen. Thomas ließ sie nicht allein. Mit dem Handrücken wischte sie die Tränen weg und machte sich auf die Suche nach Lissy.

In ihrem Zimmer war sie nicht. Auch nicht im Hof. Am Handy meldete sich nur die Mailbox. Vielleicht war Lissy zur Linde an der schönen Aussicht gegangen, wie früher, wenn sie Probleme gewälzt hatte. Pia schlüpfte in ihre Sneakers und ging los, denn der Aussichtspunkt war nur zu Fuß über den Pfad entlang des Höhenzugs zu erreichen. Nach zehn Minuten war sie da. Lissy saß tatsächlich auf der Bank und nahm keine Notiz von ihr. Sie blickte unverwandt ins Tal, als Pia sich zu ihr setzte.

»Thomas ist zu sich gekommen. Er will uns sehen.«

»Ich ihn aber nicht.« Lissy klang weder pampig noch zornig, sondern ruhig und entschlossen.

»Und was soll ich ihm sagen?«

»Die Wahrheit, wenn du das hinkriegst. Ich will ihn nicht sehen. Vielleicht nie wieder. Dich übrigens auch nicht. Ich werde meinen Kram packen und verschwinden.«

»Das kannst du nicht machen. Schlaf eine Nacht darüber und lass uns morgen reden.«

»Über Nacht wird sich nichts ändern.«

»Nicht an den Tatsachen. Da gebe ich dir recht. Aber vielleicht an deinem Blick darauf. Ich fahre jetzt zu ihm.«

Abwartend sah Pia Lissy an. Sie saß wie auf Kohlen. Thomas wartete auf sie. Schon seit mehr als anderthalb Stunden. »Also ich fahre jetzt.«

»Ich komme nicht mit!«

Dann eben nicht. Pia stand auf und ging. Zu Hause zog sie sich noch rasch um, tupfte ein paar Tropfen Parfum aufs Handgelenk und fuhr sich mit der Bürste durch die Haare. Sie freute sich auf Thomas. Alles andere war im Moment nebensächlich.

Eine halbe Stunde später war sie in der Klinik und fuhr mit dem Lift hinauf zur Station. Als die Türen sich öffneten, stand Sonja davor. Mit einem Arm stützte sie sich an der Wand ab, sah auf den Boden und versuchte, ruhig und gleichmäßig zu atmen.

»Sonja? Geht es dir nicht gut?«

Hennings Tochter sah auf, und Pia erschrak über den Hass in ihren Augen. »Das fragst ausgerechnet du!« Sie schubste Pia beiseite und stieg ohne ein weiteres Wort in den Lift. Die Türen schlossen sich hinter ihr.

Verdutzt sah Pia ihr nach. Erst dann verstand sie, was hier gespielt wurde. Sonja wusste Bescheid. Nane war hier gewesen. Oder Margot.

Alle wandten sich von ihnen ab. Am Ende würden sie alleine dastehen. Sie und ihr Mann. Pia gab sich einen Ruck und öffnete die Tür zu Thomas' Zimmer. Er lag in seinem Bett, und auch er hatte geweint. In diesem Moment begriff sie, dass nicht Nane oder Margot, sondern er selbst es Sonja gesagt hatte, und sie fühlte sich von ihm verraten und hintergangen. Vorgeführt.

Was dieser Tag an Zumutungen für sie bereithielt, war zu viel, aber irgendwie musste sie ihn durchstehen.

»Hallo, Thomas. Da bist du ja wieder.« Sie setzte sich auf die Bettkante und gab ihm einen Kuss.

»Pia, Liebes!« Er zog sie an sich, und der vertraute Duft seiner Haut wirkte auf sie auch nach so vielen Jahren noch beruhigend und tröstend. Sie legte ihren Kopf auf seine Brust, und er umfing sie mit seinen Armen.

»Mir ist gerade Sonja über den Weg gelaufen. Du hast es ihr gesagt?«

Thomas nickte. »Sie war vor dir hier. Eigentlich wollte ich erst mit dir darüber sprechen. Es war höchste Zeit, die Wahrheit ans Licht zu bringen. Ich will so nicht sterben. Nicht mit dieser Lüge.«

»Du wirst nicht sterben.«

Gott sei Dank. In dieser Hinsicht war das Schlimmste überstanden. Und den Sturm an Entrüstung und Empörung, der jetzt über sie hereinbrechen würde, den würden sie schon irgendwie überstehen.

»Der Tod ist die einzige Gewissheit, die wir in unserem Leben haben«, entgegnete Thomas.

»Aber nicht jetzt. Du kannst mich hier nicht allein in diesem Schlamassel sitzen lassen.« Pia richtete sich auf und strich ihm über die Wange. »Du wirst steinalt. Uns bleiben noch viele gute Jahre. Aber jetzt werden sie erst einmal alle über uns herfallen.«

Selbst wenn er weiter geschwiegen hätte, dachte sie, hätte es nichts genützt. Margot war ihm zuvorgekommen. Dieses eine Polaroidfoto musste sie übersehen haben.

»Wo ist Lissy?«

»Sie wird dich morgen besuchen. Hoffentlich.« Pia erzählte ihm, was geschehen war. Von Margots Versuch, Marius zum Geschäftsführer zu machen, was dank der Vollmacht misslungen war. Von dem darauffolgenden Streit und Margots Drohung. *Ich weiß, was ihr getan habt. Und ich kann es beweisen.* Von ihrem Einbruch bei Margot und wie sie die »Rückversicherung« an sich genommen hatte. Polaroidfotos von Hennings Leiche auf der Terrasse, von dem Blutfleck neben seinem Kopf und dem Pokal, mit dem Thomas zugeschlagen hatte. Den hatte Margot nicht nur fotografiert, sondern auch mitgenommen. Sie hatte ihn all die Jahre aufbewahrt. Jetzt lag er im Fluss.

Margot musste ihr Gespräch mit Lissy belauscht haben, in dem es um eine Nachfolgerin für sie ging, überlegte Pia, sonst hätte sie Nane nicht als Waffe benutzt.

»Warum hast du Margot eingeweiht?«, fragte sie Thomas.

»Sie kam dazu, als du gerade nach oben gegangen warst. Was hätte ich tun sollen? Sie hat gesehen, was passiert war, und angeboten, die Terrasse aufzuräumen, während ich …« Thomas fuhr sich über die Augen. »… während ich Henning wegbrachte.«

Seltsam, dachte Pia, denn als sie zurück auf die Terrasse gekommen war – im selben Moment, in dem Nane anrief –, war dort niemand gewesen. Sie hatte die Scherben und das Blut gesehen, aber nicht den Pokal. Plötzlich erinnerte sie sich, dass ihr das damals schon aufgefallen war und sie gedacht hatte, Thomas hätte ihn mitgenommen. Wo war Margot zu diesem Zeitpunkt gewesen? Drinnen, um Putzzeug zu holen, oder hatte sie die Polaroidkamera und den Pokal verschwinden lassen? Vermutlich Letzteres.

»Du hättest mir sagen können, dass Margot Bescheid weiß.«

»Dann hättest du dich von ihr bedroht gefühlt.«

Ganz sicher nicht zu Unrecht. Pia spürte wieder das Messer an der Kehle. Das Messer, mit dem Margot Nane losgeschickt hatte. Unwillkürlich glitten ihre Finger an die Stelle, und Thomas folgte ihnen mit seinem Blick. »Was hast du da?«

»Das war Nane. Margot hat ihr die Wahrheit gesagt, und Nane ist wie eine Furie auf mich losgegangen. Leider weiß jetzt auch Lissy Bescheid. Das ist der Grund, weshalb sie nicht mitgekommen ist. Sie sagt, sie will dich nicht sehen. Für sie sind wir Monster.«

»Das sind wir auch, Pia.« Thomas griff nach ihren Händen. »Das sind wir.«

Ärger flammte in ihr auf. »Nein, das sind wir nicht! Nane wollte mich töten. Sie hat ihre Strafe verdient! Heute hat sie es ja schon wieder versucht. Sie wollte mich erstechen.«

Pia dachte an die Wochen und Monate nach Nanes hinterhältigem Anschlag zurück. Diese Zeit würde sie nie vergessen. Immer wieder hatten sie und Thomas kurz davorgestanden, die Wahrheit preiszugeben, doch irgendwann war es zu spät gewesen. Niemand hätte ihnen abgenommen, dass Hennings Tod unbeabsichtigt gewesen war. Außerdem war Pia schwanger geworden, und sie wollten auf keinen Fall das Risiko eingehen, dass Thomas ins Gefängnis musste.

Also hatten sie gehofft, dass niemandem die Manipulation am Auto auffallen würde. Was natürlich nicht geschehen war. Und zu viele Menschen hatten Nanes Auftritt bei der Feier beobachtet. Jemand hatte den Ermittlern davon erzählt, woraufhin Nane unter Verdacht geraten war und schon bald ihre Tat gestanden hatte. Oder besser gesagt: das, was sie für ihre Tat hielt.

Als der Prozess begann, wäre noch die Möglichkeit gewesen, sich zu offenbaren. Sie hatten darüber gesprochen, doch in Pia wuchs das Kind heran. Sollte sie es alleine großziehen? Und was sollte aus Graven werden?

Über den Inhalt des Telefonats, von dem Nane glaubte, sie hätte es mit Thomas geführt, mussten sie lügen, sonst hätten sie die Frage beantworten müssen, weshalb sie Henning nicht gewarnt hatten. Die Polizei hatte den Ablauf minutiös nachgestellt, so wie sie ihn geschildert hatten. Dabei waren die Bewegungsmelder bemerkt worden, die die Lampen im Hof einschalteten. Wenn Thomas zu dieser Zeit auf der Terrasse gewesen war, dann hätte er logischerweise merken müssen, wenn jemand in die Garage gegangen wäre und das Auto genommen hätte. Also hatten sie behauptet, Thomas und Henning hätten eine Auseinandersetzung gehabt, woraufhin Henning wutentbrannt davongelaufen sei. Thomas hatte ausgesagt, er sei davon ausgegangen, dass Henning mit Pias Auto ins Dorf gefahren sei. Es habe kein Grund bestanden, ihm hinterherzulaufen, um ihn davon abzuhalten.

Die Jahre waren ins Land gegangen, und sie hatten weiter geschwiegen. Mit jedem Tag, der verging, war es unmöglicher geworden, die Wahrheit zu sagen. Wenn jemand über dieses Thema sprechen wollte, biss er auf Granit. Es wurde zum Tabu, denn nur so konnten sie mit ihrer Lüge weiterleben.

»Wir sind keine Monster, Thomas. Wir sind Menschen und haben Fehler gemacht. Unter denjenigen, die jetzt mit Fingern auf uns zeigen, werden einige sein, die wie wir handeln würden, wenn sie in dieselbe Situation kämen. Lissy wird dich besuchen. Morgen. Versprochen.«

Schwester Marion kam herein, um Blutdruck zu messen und die Medikamente für die Nacht zu verabreichen. Für Pia war es Zeit zu gehen. Sie gab Thomas einen Kuss und versprach, am nächsten Morgen wiederzukommen.

Sie verließ das Krankenhaus und steuerte ihren Wagen an, als ihr das Auto ihrer Schwägerin auffiel, die gerade einparkte. Pia blieb stehen und wartete, bis Margot ausgestiegen war. Einen Moment zögerte diese, als sie Pia sah, dann ging sie hocherhobenen Hauptes weiter. Doch Pia stellte sich ihr in den Weg.

»Dein Plan ist nicht aufgegangen. Wenn du mich tot sehen willst, dann mach es selbst und benutze nicht Nane!«

Ein erschrecktes Zucken lief über Margots Gesicht, dann hatte sie sich gleich wieder unter Kontrolle. »Ich weiß nicht, wovon du redest.«

»Soll ich den Steuerberater anrufen und fragen, weshalb er nicht gekommen ist?«, fragte Pia. »Er hatte gar keinen Termin bei uns. Das wissen wir beide. Und falls du jetzt zu Thomas willst, vergiss es. Er weiß, was du getan hast, und will dich nicht sehen. Nie wieder.«

*

Als Pia vom Krankenhaus zurückkam und mit dem Jeep in den Hof fuhr, warf Sonja gerade ihr Gepäck in ihren Mini. Hinter ihr stand ein Taxi. Der Fahrer lehnte an seinem Wagen und rauchte eine Zigarette. Wartete er etwa auf Lissy?

»Ich breche die Zelte ab«, erklärte Sonja. »Das verstehst du sicher.« Sie bedankte sich weder für die Gastfreundschaft, die sie ihr gewährt hatten, noch verabschiedete sie sich richtig. Sie knallte die Wagentür zu und fuhr los.

Es war Pia gleichgültig. Sie ging ins Haus. Im Moment zählte einzig und allein Lissy. Sie durfte Graven nicht im Stich lassen. Das konnte sie Thomas nicht antun. Doch genau das schien ihre Tochter vorzuhaben. Mit einem Koffer kam sie die Treppe herunter und wollte an ihr vorbei zur Tür gehen. Pia stoppte sie.

»Wohin willst du?«

»Zum Bahnhof.« Lissy stellte den Koffer ab. »Ich fahre erst einmal zu David.«

Zu David! Natürlich! Sie hätte es sich denken können. Doch der kiffende David tat ihrer Tochter nicht gut. Er würde sie mit in diesen Sumpf hinabziehen, in dem er bereits bis zum Hals steckte. Er würde eine Süchtige aus ihr machen, einen Junkie. Bis sich ihre Tochter irgendwann das Geld für ihre Sucht mit Einbrüchen beschaffte oder sich prostituierte. Für einen Augenblick sah Pia die Welt rabenschwarz, dann rief sie sich zur Ordnung und biss sich auf die Lippen, um es nicht zu sagen. Die Worte ihrer Mutter würden nie aus ihrem Mund kommen.

»Thomas geht es besser. Er setzt auf dich, das weißt du, Lissy. Du trägst die Verantwortung für Graven. Du kannst ihn nicht enttäuschen.«

»Du stehst auch in der Vollmacht. Marius kann dir helfen«, entgegnete Lissy. »Er kann das. Und frag mal, wie enttäuscht ich von euch bin. Ich bin weg. Mich seht ihr hier nicht wieder.«

Pia versuchte, die Ruhe zu bewahren. »Und dein Studium?«

»Keine Ahnung. Vielleicht lass ich es sausen.«

»Dann dreht Thomas dir den Geldhahn zu. Wovon willst du leben?«

»Dann jobbe ich eben. Kellnern. Babysitten. Putzen. Machen andere auch. Ich gehe jetzt erst einmal mit David nach Australien. Work and Travel. Schafe scheren.« Lissy griff nach dem Koffer.

In Pia zog sich alles zusammen. Ihre Tochter durfte so nicht verschwinden, nicht mit dieser Verachtung im Gesicht. Sie wollte sie nicht verlieren. Zugleich wusste sie, das würde nur gelingen, wenn sie jetzt über ihren Schatten sprang und Lissy ziehen ließ.

»Ist das mit David etwas Ernstes?«, fragte sie. Nun fragte sie also doch und hörte ihre Mutter reden.

Lissy verzog das Gesicht. »Du meinst, ob wir uns lieben? Ja. Das tun wir. Auch wenn es dir nicht gefällt.«

Im letzten Augenblick bekam Pia die Kurve. »Ich habe nichts gegen ihn. Geh mit ihm nach Australien, wenn es das ist, was du willst, und melde dich ab und zu, damit wir uns nicht allzu große Sorgen machen müssen.« Sie wollte ihre Tochter umarmen.

Doch Lissy wich zurück, als wäre sie eine Aussätzige. »Tschüs, Mama.« Sie zog den Koffer hinter sich her und ging.

Pia lief ihr in den Hof nach. Lissy stieg ins Taxi. »Wir

haben dich lieb, Lissy. Vergiss das nicht. Pass auf dich auf und lass uns reden, wenn du so weit bist.« Sie winkte dem Wagen nach, bis die Rücklichter aus ihrem Blickfeld verschwanden. Dann brach sie in Tränen aus und ging weinend ins Haus zurück.

Lissy würde wiederkommen. Sie war mit Graven verwachsen, wie ihr Vater. Sie liebte den Weinberg wie er, die Arbeit darin. Sie brauchte Zeit und Abstand. Dann würden sie miteinander reden können und wieder aufeinander zugehen.

Pia wischte sich die Tränen vom Gesicht und setzte sich.

Was sollte sie jetzt tun?

Etwa Marius anrufen? Niemals! Diese Genugtuung würde sie Margot nicht gönnen. Thomas musste rasch wieder auf die Beine kommen, und bis dahin würde sie eine andere Lösung finden.

Dann stellte sie sich vor, wie Lissy in den Zug stieg. Vielleicht machte sie ernst und kam nie wieder zurück. Die Vorstellung, ihre Tochter für immer zu verlieren, schnitt ihr ins Herz.

Am Ende würden sie ganz alleine sein. Isoliert und verachtet. Thomas und sie. Und es war einzig ihre Schuld. Die Lüge in der Lüge und die bittere Erkenntnis, dass ihre Mutter am Ende recht behalten hatte.

Kapitel 16

Sommer 1998

Die Bilder von Henning und Tereza gingen Pia nicht aus dem Kopf. Sie verfolgten sie in den Schlaf und in ihre Träume. Sie sah Hennings Hände, die sich in Terezas Pobacken gruben, während er in dieser aufreizenden Langsamkeit in sie stieß. Wie Tereza sich mit den Armen auf der Tischplatte abstützte, den Kopf zurückwarf, ihm mit durchgebogenem Kreuz die Brüste entgegenreckte und genoss, was er mit ihr tat.

Verwirrt wachte Pia mit einem Verlangen auf, das sie nicht kannte. Hätte Thomas jetzt neben ihr gelegen, hätte sie sich auf ihn gestürzt. Doch er war bereits aufgestanden und drehte seine Runde durch den Weinberg, bevor er nach Münster fahren würde.

Gleich nach dem Frühstück brach Thomas auf. Pia hatte sich wieder im Griff und verabschiedete sich im Hof von ihm. Henning war mit seiner Familie nicht zum Frühstück gekommen, und auch jetzt war von ihnen nichts zu sehen. Pia vermutete, dass Katja ihren Mann dazu verdonnert hatte, in der Remise zu übernachten.

Als sie ins Haus ging, kamen Katja und Sonja gerade nach unten. Sie hatten ihr Gepäck dabei, zwei Reisetaschen und einen Kinderrucksack. Katjas Augen waren gerötet und verquollen. Auf dem Jochbein prangte ein blauroter Fleck. Verblüfft blieb Pia stehen. »Du fährst?«

»Henning braucht Ruhe zum Schreiben. Ich besuche mit Sonja Freunde in der Normandie. Wenn du Thomas und Margot siehst, grüß sie bitte von mir.«

»War er das?« Unbeholfen wies Pia auf das Hämatom.

»Ihm ist die Hand ausgerutscht. So nennt er das.« Katja wandte sich zu Sonja um. »Kommst du?«

Die beiden verabschiedeten sich. Pia begleitete sie noch bis zum Wagen und sah ihnen nach, als sie davonfuhren. Einen Augenblick später kam Margot und fragte, wohin Katja so früh morgens mit dem Kind wollte.

»Sie hat gestern Henning mit Tereza in flagranti erwischt. Jetzt fährt sie zu Freunden.«

Margot schüttelte den Kopf. »Kann er sich nicht anderswo seine Bettgeschichten suchen? Wie soll ich jetzt so schnell Ersatz für Tereza bekommen?«

»Du kündigst ihr?«

»Worauf du dich verlassen kannst, und zwar fristlos. Kannst du kochen?«

Pia verneinte, denn sie hatte nicht die Absicht, die Rolle der Haushaltshilfe zu übernehmen. Sie erntete einen nahezu fassungslosen Blick und die halblaut gemurmelte Erwiderung, was Thomas eigentlich mit einer Frau wie ihr wolle.

Margot verschwand im Büro. Pia ging ins Haus und stieg unter die Dusche. Wieder sah sie Hennings Hände vor sich, die sich in Terezas Fleisch krallten, und ihr wurde ganz schwindelig. So etwas kannte sie nicht von sich. Das musste die Andere in ihr sein, die sie normalerweise unter Kontrolle hatte. Doch jetzt ging es nicht um Gefühle, sondern um Triebe.

Im Laufe des Tages bekam Pia ihre Erregung immer weniger in den Griff. Ihre Triebe ließen sich nicht unterwerfen, bis sie schließlich nachgab, sich im Schlafzimmer einsperrte und es sich selbst machen wollte. Sie fantasierte sich an Terezas Stelle und spürte diese kräftigen Hände, die sie packten. Doch schon bald schämte sie sich und hörte wieder auf. Die einzige Möglichkeit, sich abzulenken, war Arbeit. Also beschäftigte sie sich mit Catels Flusslandschaft und der geheimnisvollen Frau, die heute ihre erotische Seite zeigen wollte. Es war wie verhext. Pia bekam die Bilder nicht aus dem Kopf.

Fürs Mittagessen schob Margot Tiefkühlpizza in den Ofen. Sie waren nur zu viert, denn Tereza hatte bereits ihren Arbeitsplatz geräumt. Marius fand das Essen toll. Henning nahm seine Pizza mit in die Remise, was Pia nur recht war. Sie wollte nicht mit ihm an einem Tisch sitzen. Die Mahlzeit dauerte nicht lange. Ein richtiges Gespräch kam nicht in Gang, und Pia war erleichtert, als sie endlich gehen konnte. In der Küche machte sie sich einen Cappuccino und nahm ihn mit nach oben in die Werkstatt. Den Rest des Tages blieb sie dort.

Um fünf kam Margot zu ihr. »Um das Abendessen musst du dich heute kümmern. Ich fahre mit Marius nach Trier zu Freunden und bin vor Mitternacht sicher nicht zurück.«

Das war der Moment, in dem sich die Andere in Pia genüsslich reckte und streckte und aus dem Schlaf erwachte. Die Wilde, die Archaische. Das Verlies war längst nicht mehr verschlossen. Seit gestern stand die Tür sperrangelweit offen, und Pia bekam sie nicht mehr zu. Die Andere in ihr übernahm nach jahrelanger Knechtschaft das Kommando.

Während ihr Kopf Nein sagte, ging die Andere an den Kleiderschrank und nahm das etwas zu enge Kleid heraus, das ihren Körper betonte – und der konnte sich sehen lassen. Es war die Andere in ihr, die nach dem mit Spitzen besetzten BH suchte und nach dem passenden Höschen, die sie ins Bad schickte, um die Beine zu rasieren, obwohl sie das erst gestern getan hatte, die ihr die teure Bodylotion in die Hand drückte und das dazu passende Parfum. Es war die Andere, die ihr schließlich, als sie vor dem Spiegel stand, aufmunternd zunickte. Sie sah klasse aus. Sexy und begehrenswert. Jeder Mann würde sich die Finger schlecken, wenn er sie ins Bett bekäme, um sie zu vögeln, zu ficken, es ihr zu besorgen, flüsterte die Andere. Worte, die Pia nie laut aussprach, kaum jemals dachte und die sie jetzt erregten.

Sie gewann die Kontrolle nicht zurück. Die Andere war stärker, jeder mahnende Gedanke wurde im Keim erstickt. In der Küche trank Pia sich mit einem Glas Wein Mut an und schüttete ein zweites hinterher. Dann füllte sie den Korb mit Gläsern, Wein und Baguette und ging zur Remise.

Henning saß am Schreibtisch, an dem er gestern Tereza genommen hatte, und schrieb einen Brief. Aus den Lautsprechern der CD-Anlage klang Bluesmusik. Erstaunt sah er auf, als sie eintrat, und registrierte sofort die Veränderung. Sein Blick wanderte an ihrem Körper entlang. Von oben bis unten und wieder hinauf. Am Dekolleté blieb er hängen. Die Knöpfe waren bis zum Brustansatz geöffnet, Spitze blitzte hervor.

»Welch Glanz in meiner Hütte. Was verschafft mir denn diese Ehre?«

»Margot hat mich zum Hausmädchen degradiert. Tereza steht nicht länger zur Verfügung. Ich soll heute den Herrn bedienen.« Pia erschrak über sich selbst. Hatte sie das wirklich gesagt? Sie spürte das wilde Pochen ihres Herzens bis hinauf in die Halsschlagader.

Sie zog die bereits geöffnete Weinflasche aus dem Korb, füllte die Gläser und reichte ihm eines. Ihre Hand zitterte. Henning lachte. »Sieh mal einer an. Oder verstehe ich das jetzt falsch?« Er stand auf und zog sie an sich, presste seinen Körper gegen ihren, schob ihr das Knie zwischen die Beine. Ihr Herz raste. Ja, genau das wollte sie. »Hat Margot mir da wirklich eine folgsame Dienerin geschickt, die tut, was der Herr verlangt?«, flüsterte er in ihr Ohr. Sein Atem war warm, und eine Hand fuhr zu ihrer Brust und packte zu.

»Du hast das schon richtig verstanden«, flüsterte die Andere in ihr.

Henning ließ sie so plötzlich los, dass sie beinahe gefallen wäre. »Wow«, sagte er und trat einen Schritt zurück. »Dann zieh dich aus. Ganz langsam. Ich will was davon haben.« Er lehnte sich an die Kante des Schreibtischs und griff nach dem Weinglas, während sie ihn erst verdutzt ansah und dann begann, sich im Takt der Musik zu wiegen. Erst streifte sie einen Schuh ab und dann den anderen. Langsam drehte sie sich um ihre Achse und präsentierte Henning ihren Rücken, während sie sich weiter im Rhythmus der Musik bewegte. Das Herz schlug ihr bis zum Hals, und ein nie gefühltes Verlangen brannte in ihr. Er zog den Reißverschluss ihres Kleides herunter, und sie wandte sich ihm wieder zu. Henning beobachtete sie mit einem unergründlichen Blick.

Der langsame Takt des Blues brachte ihren Körper zum Schwingen. Sie ließ das Kleid zu Boden gleiten und stieg darüber hinweg, drehte sich, öffnete langsam den BH und ließ ihn fallen. Er taxierte ihren Körper und zeigte kaum eine Reaktion. Das Höschen folgte. Sie stand nackt vor ihm und wusste nicht weiter. Mitten in der Bewegung hielt sie inne. Jede Faser ihres Körpers war gespannte Erwartung.

Henning streifte sich das Shirt über den Kopf und stand mit nacktem Oberkörper vor ihr. Unter dem Stoff der Hose konnte sie seine Erregung erkennen, und das machte sie beinahe wahnsinnig vor Verlangen. Gleich würde er in ihr sein. Gleich. Und dann würde er ganz langsam in sie stoßen, so wie er es mit Tereza getan hatte.

Sie stand vor ihm, in der Erwartung, dass er sie packen und auf den Tisch setzen würde, doch er sagte, sie solle sich umdrehen. »Ich besorge es dir von hinten, und zwar richtig. So wie Thomas das nicht kann.«

Sie tat, was er verlangte, lehnte sich vor, spreizte die Beine und glaubte zu verbrennen. Er trat hinter sie. Mit einer Hand fasste er ihr an die Brust, so fest, dass sie aufschrie, die andere schob er zwischen ihre Beine und rieb sie mit einem Finger, bis sie stöhnte.

»Sag es«, flüsterte er in ihr Ohr. »Sag es!«

In diesem Moment gab es nichts anderes mehr. Nichts, was sie mehr wollte. »Fick mich«, sagte sie. Ganz leise.

»Lauter.«

»Fick mich!«, schrie sie. »Fick mich! Besorg's mir!« Sein Finger machte sie noch wahnsinnig.

»Sag bitte.«

»Bitte«, stöhnte sie. Keine Sekunde länger würde sie das aushalten. »Bitte«, wimmerte sie. Sie wollte ihn spüren. Tief in sich. Ganz langsam. Ganz langsam. Jetzt!

Er ließ sie los und trat zurück. Erschrocken wandte sie sich um, und Henning lachte.

»Was hat mein Vater sich doch für eine kleine Schlampe angelacht. Es ist nicht zu glauben.«

Seine Worte waren wie ein Kübel Eiswasser, den er über ihr ausschüttete. Die Andere verzog sich in ihr Verlies, knallte die Tür zu und ließ Pia allein. Sie wusste nicht, wie ihr geschah.

»Zur Nutte reicht's noch nicht ganz«, fuhr er fort. »Die Schuhe hättest du besser anbehalten.«

Scham, Wut und ein nie gekannter Hass auf sich selbst ergriffen sie. Sie sah rot, riss die Flasche an sich und ging auf ihn los. »Du Dreckskerl!«

Er packte sie an den Handgelenken, bis sie die Hände öffnete. Die Flasche fiel zu Boden und zerbarst. Erst dann ließ er sie los. »Beruhige dich und hau ab!«

Noch nie war sie so gedemütigt worden. Eine ohnmächtige Wut ergriff sie. Mit den Fäusten schlug sie auf ihn ein. Er scheuerte ihr eine, dass ihr Kopf zur Seite flog, griff sie an den Armen und hielt sie auf Distanz. Nun trat sie mit den Füßen nach ihm und rammte ihm schließlich das Knie zwischen die Beine. Das hätte sie besser nicht getan, denn er krümmte sich vor Schmerz. Nur einen Moment, dann schlug er zurück. Seine Fäuste prasselten auf sie nieder, bis sie wimmernd auf dem Boden lag. Erst da ließ er von ihr ab und richtete sich keuchend auf. »Und wenn du mich auf Knien anflehst, ich ficke dich nicht. Und jetzt verschwinde.«

Kapitel 17

Sommer 2018

Ich muss mit jemandem reden, dachte Nane, sonst werde ich noch verrückt, oder ich bringe Pia doch noch um. Dann fiel ihr ein, dass Mark heute aus Paris zurückkam und sie es rechtzeitig zum Flughafen schaffen konnte, um ihn abzuholen.

Erschöpft und heiser vom Schreien, stieg sie in Birgits Wagen und brauste los. Als sie den Ankunftsbereich betrat, sah sie an der Anzeigetafel, dass sein Flug schon vor einer halben Stunde gelandet war. Jeden Moment musste er kommen. Tatsächlich entdeckte sie ihn einen Moment später. Mit nachdenklicher Miene trat er aus dem Gate und rechnete offenbar nicht damit, abgeholt zu werden. Nane hob ihren Arm und rief seinen Namen. Doch er hörte sie nicht. Er war so vertieft in seine Gedanken, dass sie ihm nachlaufen und auf die Schulter klopfen musste.

»Hallo, Mark.«

Er drehte sich um. »Nane!« Ein Lächeln erschien. »Das ist ja eine Überraschung.« Sie begrüßten sich mit Wangenküsschen. »Geht es dir nicht gut?«, fragte er dann.

»Kann man so sagen. Ich muss mit jemandem reden. Kann ich mit zu dir kommen?«

»Aber sicher.«

Sie gingen zu Birgits Wagen, und Mark fragte, ob nicht besser er fahren sollte. »Du siehst ziemlich fertig aus, wenn ich das so unverblümt sagen darf.«

»Darfst du.« Nane gab ihm den Schlüssel. Er legte sein Gepäck in den Kofferraum, während sie auf dem Beifahrersitz Platz nahm, den Kopf an die Nackenstütze lehnte und die Augen schloss. Ja, sie war ziemlich fertig. Sie hatte keine Kraft mehr. Wut, Zorn und Hass waren verflogen. Übrig geblieben war eine große Leere, eine unvorstellbare Fassungslosigkeit.

Mark fuhr sicher durch den dichten Berufsverkehr nach Preungesheim, wo er noch immer in der Doppelhaushälfte wohnte, die er mit Claire gekauft hatte. Während der Fahrt fragte er, ob sie erkältet sei, so heiser, wie sie war, und ob er bei einer Apotheke halten solle. Sie schüttelte den Kopf. »Es liegt am Schreien. Ich erkläre es dir später.«

Die Doppelhaushälfte war schlicht und elegant. Viel Weiß, viel Glas. Ein Vorgarten mit Kies und Koniferen. Mark hielt ihr die Tür auf, stellte den Koffer im Flur ab und in der Küche den Wasserkocher an.

»Ich mache dir einen Tee für die Stimme.« Aus dem Schrank nahm er einen Becher und Teebeutel. »Darf man fragen, warum du schreien musstest, bis du heiser warst?«

Plötzlich wusste sie, was sie jetzt wollte. Sie erinnerte sich an ihre ersten Stunden in Freiheit in ihrer Wohnung am Schweizer Platz, an den Luxus, ein eigenes Bad zu haben. Mit Wanne! Und wie sie sich dann selbst bestraft und sich das erste heiße Bad seit zwanzig Jahren nicht gegönnt und den Stöpsel gezogen hatte. Es stand ihr nicht zu, hatte sie gedacht. Es war ein Witz! Ein böser, böser Witz.

»Darf ich ein Bad nehmen?«

Überrascht sah er sie an. »Es hat draußen dreißig Grad.«

»Es ist genau das, was ich jetzt brauche.«

Er ging mit ihr nach oben, zeigte ihr das Badezimmer und drehte den Hahn auf. »Ich serviere den Tee hier.«

»Lieber wäre mir ein Bier oder ein Glas Wein. Bring dir auch was mit.«

Sie gab einen Badezusatz ins Wasser. Schaum begann zu knistern, und ein herber Duft breitete sich aus. Langsam ließ sie sich in die Wanne gleiten und schloss die Augen. Wie gut das tat. Das warme Wasser an ihrer Haut. Der Duft nach Zedernholz und grünem Tee. Sie atmete tief durch und entspannte sich.

Und dann erkannte sie, dass sie frei war. Tatsächlich frei. Frei von jeder Schuld. Nichts lastete auf ihrer Seele. Sie fühlte sich plötzlich so leicht und unbeschwert, dass es ihr die Tränen in die Augen trieb. Sie hatte nichts Böses getan!

Mark kam mit zwei Dosen Bier herein, reichte ihr eine und zog einen Hocker neben die Wanne. »Und nun?«

Ihre Jeans lag auf dem Boden. Sie wies darauf. »In der Hosentasche steckt ein Foto. Erschrick aber nicht. Es zeigt den toten Henning.«

Verwundert zog Mark das Polaroidfoto hervor. »Woher hast du das?«

»Margot hat es mir gegeben.«

Dann erzählte Nane ihm die ganze Geschichte – ohne etwas zu verschweigen. Sogar wie sie zu Pia gefahren war, um sie abzustechen, und es dann doch nicht getan hatte. Gott sei Dank nicht!

Mark sah fassungslos auf das Foto. »Was für eine hundsgemeine Intrige. Wie kann man so bösartig sein?«

»Sie haben ihre Haut gerettet.«

»Auf deine Kosten! Was haben sie dir nur angetan!«

»Ich muss jetzt nach vorne denken und nicht rückwärts. Sonst drehe ich durch und bringe sie doch noch um. Alle beide. Morgen werde ich als Erstes Frieling anrufen. Er soll Anzeige erstatten gegen Thomas und Pia und auch gegen Margot. Sie hat es die ganze Zeit gewusst und die beiden gedeckt. Frieling muss ein Wiederaufnahmeverfahren in Gang bringen. Ich will rehabilitiert werden. Vollständig. Pia und Thomas müssen hinter Gitter.«

Bier und ein heißes Bad waren keine gute Kombination. Plötzlich fühlte sie sich schwindlig. Sie stand auf und stieg aus der Wanne.

Mark legte das Badetuch um sie und zog sie an sich. »Es tut mir so leid für dich. Es ist so unvorstellbar böse, was sie dir angetan haben. All die gestohlenen Jahre.«

All die gestohlenen Hoffnungen und Träume. Mark hielt sie und strich ihr über das nasse Haar. Er war ein echter Freund. Vielleicht hatten sie es falsch angefangen. Verliebt, verlobt, verheiratet, geschieden. Erst danach waren sie Freunde geworden. Umgekehrt wäre es vielleicht besser gewesen. Womöglich wären sie dann noch heute ein glückliches Paar.

Mark dachte offenbar ähnlich, denn sie spürte plötzlich seine Lippen an ihrer Stirn und auf ihrer Nasenspitze. Er setzte kleine Küsse darauf und machte sich los. »Du siehst hungrig aus. Heute schon etwas gegessen?«

»Ich würde mich jetzt gerne bis zur Bewusstlosigkeit betrinken.«

»Das ist keine Lösung. Du packst das schon richtig an. Sieh nach vorne, und zieh die beiden zur Rechenschaft. Und ich mache mir jetzt eine Portion Tagliatelle. Letzte Chance, sonst musst du mir beim Essen zusehen.«

Es war lieb von ihm, wie er sie aufmunterte, und hungrig war sie auch. »Also gut.«

Sie zog sich an, föhnte die Haare und ging nach unten. Mark warf die Nudeln ins kochende Wasser. Ein Tablett mit Geschirr und Gläsern stand neben dem Herd.

»Soll ich den Tisch decken?«, fragte sie.

»Das wäre nett. Ich dachte, wir essen auf der Terrasse.«

Sie trug das Tablett hinaus. Es war ein so schöner Abend, dass er gar nicht zu den Ereignissen des Tages passen wollte. Ein Unwetter mit Gewitter und Hagel und einem gewaltigen Sturm – das hätte ihren Gefühlen wesentlich besser entsprochen. Doch das Leben ging weiter, als wäre nichts geschehen. Sie zündete die Kerzen in den Windlichtern an. Mark kam mit zwei Tellern dampfender Tagliatelle und zwei weiteren Dosen Bier.

Sie aßen und unterhielten sich. Die Dämmerung senkte sich herab, und irgendwann zogen sie auf die Gartenmuschel um.

Nane erkundigte sich bei Mark, wie es ihm in Paris bei Claires Beisetzung ergangen sei.

»Es war ein schwerer Abschied«, sagte er. »Sie ist viel zu jung gestorben, und das auch noch durch einen Akt brutaler Gewalt.«

Mark erzählte von ihrer schwierigen Beziehung, die dennoch zwölf Jahre gehalten hatte. Irgendwann kam er auf François und Juliette zu sprechen, seine Fast-Schwiegereltern. Bei ihnen hatte er eine Nacht verbracht, denn es gab etwas zu besprechen, wie François ihm schon angekündigt hatte.

»Und jetzt bist du Besitzer eines zweihundert Jahre alten Steinhaufens in den Vogesen?«, fragte Nane.

»Das ist mir erspart geblieben«, antwortete Mark.

»Was dann?«

»Ich bin Vater eines anderthalb Jahre alten Sohns.«

»Was?« Überrascht setzte Nane sich auf.

»Claire hat die Schwangerschaft erst nach unserer Trennung festgestellt. Sie konnte stur sein und wollte nicht, dass ich davon erfahre. Mit meinem Café wäre ich nicht in der Lage, eine Familie zu ernähren, hat sie ihrer Mutter erklärt. Jedenfalls nicht so, wie sie sich das vorstellte. Ihr neuer Partner hatte das nötige Kleingeld. Sie hat ihm mein Kind als seines untergejubelt. Doch er ist vor ein paar Monaten dahintergekommen und hat sich von ihr getrennt.«

»Ist nicht wahr«, sagte Nane. »Und jetzt?«

»Ich weiß es nicht. Keine Ahnung.«

»Wo ist der Junge?«

»Bei Claires Schwester. Aber sie kann sich nicht dauerhaft um Luca kümmern. So hat sie ihn genannt. Luca. Und ihre Eltern sind zu alt dafür. Sie wollten wissen, ob ich Luca zu mir nehmen kann.« Mark blickte sie an und legte seinen Arm um sie. »Meinst du, wir beide könnten ihn zusammen großziehen?«

*

Auf Graven war es ungewöhnlich still. Pia kam es vor wie die Ruhe vor dem Sturm. Zwei Tage waren vergangen, seit Sonja zurück nach München und Lissy zu David gefahren war. Thomas fehlte an allen Ecken und Enden. Margot ließ sich nicht blicken. Pia hatte Leonhard gebeten, sich vorerst um den Weinberg zu kümmern, während sie selbst im Büro saß und auf die neue Mitarbeiterin wartete, die morgen beginnen sollte. Die Personalagentur in Trier war schnell gewesen.

Erstaunlicherweise machte die Geschichte über Hennings wahre Todesumstände noch nicht die Runde. Niemand sah Pia scheel an, niemand sprach sie darauf an. Offenbar hielt Margot den Mund, und das konnte nur einen Grund haben: Sie hoffte auf eine Rückkehr.

Nane würde allerdings nicht schweigen. Ihr Anwalt war sicher längst dabei, die Anzeigen zu formulieren. Danach würde sie sich an die Presse wenden, und die Hetzjagd konnte beginnen. Vielleicht wäre es besser, für eine Weile zu verreisen. Doch das ging nicht. Thomas war dafür nicht gesund genug, außerdem konnten sie hier nicht weg. Nicht vor der Lese.

Pia überlegte, ob sie Birgit anrufen und als Vermittlerin einschalten sollte, damit Nane nichts unternahm. Doch dieses Ansinnen war zum Scheitern verurteilt. Nane würde auf ihre Rache nicht verzichten, und schon gar nicht auf ihre Rehabilitierung. Das würde eine Selbstlosigkeit erfordern, die Pia nicht erwarten konnte, nach allem, was sie ihrer Schwester angetan hatte.

Sie stand auf und stellte sich ans Fenster. Graue Wolken hingen über dem Tal. Die Hitze staute sich darunter wie in einem Waschhaus. Botrytis-Wetter, würde Thomas jetzt sagen. Die sogenannte Edelfäule war unter bestimmten Bedingungen durchaus erwünscht, denn sie ermöglichte die berühmte Graven'sche Trockenbeerenauslese. Aber dafür war es zu früh im Jahr. Vier Wochen später, und der Pilz wäre willkommen. Jetzt konnte er Schaden anrichten, denn er machte die Stängel der Trauben mürbe. Dann reichte ein Sturm, und die Arbeit eines Jahres war dahin. Was Leonhard wohl unternahm? Ließ er spritzen? Sie musste ihn fragen.

Pia lehnte die Stirn gegen die Scheibe. Ihr wuchs das alles über den Kopf. Hätte sie doch nur nie diese Lüge in die Welt gesetzt! Es war eine einzige Sekunde gewesen, die zu dieser Katastrophe geführt hatte. Eine einzige Entscheidung. Der Moment in dieser verfluchten Nacht auf der Terrasse, in dem sie erkannt hatte, dass Henning seinem Vater sagen würde, was sie getan hatte. Dass er sie verraten und bloßstellen würde. Vor Scham wäre sie am liebsten gestorben. Thomas durfte das nie erfahren! Bevor Henning es sagen konnte, musste sie es tun. Ein einziger Augenblick. Wenn sie den Mund gehalten hätte, würde Henning noch leben. *Ich konnte ihn mir kaum vom Leib halten.* Warum hatte sie das gesagt? *Wollte er dich etwa vergewaltigen?* Sie hatte genickt.

Das Schrillen des Telefons riss Pia aus ihren Gedanken. Sie ging zum Schreibtisch und nahm ab. Professor Weigel meldete sich höchstpersönlich.

»Frau von Manthey, ich habe leider keine gute Nachricht für Sie.«

Ihr wurde ganz flau, sie musste sich setzen. »Was ist mit meinem Mann?«

»Er hatte einen zweiten Infarkt. Einen gravierenden.«

»Einen gravierenden?«

Kälte kroch über ihren Nacken hinauf in den Schädel. Sie wusste es, bevor er es sagte. Thomas war gestorben. Ihr Mann war tot. Er hatte sie verlassen.

*

Die Dunkelheit hatte sich bereits über Graven gelegt, als Pia aus der Klinik zurückkehrte. Ein letzter Kuss auf Thomas' Stirn. Er hatte so fremd ausgesehen, so fern. Er war ohne Abschied gegangen und ließ sie allein zurück. Sie konnte es noch gar nicht glauben. Woher kam diese Ruhe in ihr? Diese unheimliche Ruhe.

Irene war schon weg. In Leonhards Wohnung brannte kein Licht. Pia ging nach oben ins Schlafzimmer und legte sich aufs Bett. Das Bett neben ihr war leer und würde es bleiben. Thomas würde nicht zurückkehren, nie wieder einen Fuß in seinen geliebten Weinberg setzen. Nie wieder *Pia, Liebes!* zu ihr sagen. Nie wieder würden sie Geschichten über die Frau am Fluss spinnen. Nie wieder gemeinsam frühstücken. Nie wieder würde der Blick aus seinen paynesgrauen Augen auf ihr ruhen.

Es schnürte ihr die Kehle zu, und sie hatte Angst vor ihren Tränen. Wenn sie erst einmal anfing zu weinen, würde sie nicht aufhören können.

Sie stand auf, ging ans Fenster und sah in die Dunkelheit. Ich muss Lissy anrufen, dachte sie. Ich hätte das längst tun sollen. Doch wie sollte sie ihr diese furchtbare Nachricht überbringen?

Sie drehte sich um und legte sich auf Thomas' Bett. Auf dem Nachttisch lag noch das Buch, in dem er gelesen hatte. Martin Walser. *Meßmers Momente*. Das Lesebändchen lag zwischen den Seiten. Pia schlug den schmalen Band auf. Es war kein Roman, wie sie angenommen hatte, sondern eine Sammlung von Gedanken. Eingefangene Augenblicke.

Ich bin die Asche einer Glut, die ich nicht war.

Das stand auf der Seite, die Thomas zuletzt gelesen hatte. Und diese Worte lösten die Starre in ihr. Sie begann zu weinen. Ja, das war sie. Die Asche einer Glut, die sie nie gewesen war. Sie war verbrannt, ohne je zu brennen. Ein einziges Mal in ihrem Leben war sie kurz davor gewesen und danach nie wieder. Denn nach dieser grauenvollen Nacht hatte sie die Andere in sich verrotten und zu Staub zerfallen lassen. Nie wieder hatte Pia ihr die Tür auch nur einen Spaltbreit geöffnet. Nur dieses eine verheerende Mal in ihrem Leben hatte sie das getan, in diesem Moment, der die Kraft besessen hatte, Leben zu zerstören.

Sie hatte es nicht besser gemacht als ihre Mutter. Nicht besser als Nane und Birgit, nicht besser als Erika und Gertraud und wie sie alle geheißen hatten. Der Fluch der Frauen ihrer Familie hatte auch sie eingeholt. Jede von ihnen hatte sich auf ihre eigene Art ins Unglück gestürzt, doch die Klammer war die vermeintliche Leidenschaft. Das Wunderland zwischen ihren Beinen, das in Wahrheit ein Höllenschlund war. Dieser Fluch würde auch Lissy ereilen. Es war unausweichlich.

Weinend stand Pia auf. Sie musste endlich ihre Tochter anrufen. Doch vorher wollte sie noch etwas erledigen. Sie ging hinunter in die Küche, nahm die Streichhölzer aus der Schublade und im Hof den Benzinkanister aus dem Kofferraum.

Die Nacht war dunkel und schwül und der Weg in den hinteren Teil des Gartens kaum zu erkennen. Ein fahles Band wies ihr den Weg. Kiesel drückten in ihre Fußsohlen. Sie war barfuß. Erst jetzt bemerkte sie es. Der Umriss der Remise erschien vor dem Nachthimmel. Sie stieß die Tür auf und ging hinein. Ein einziges Mal war sie hier gewesen, und trotzdem glaubte sie seine Stimme wieder zu hören.

Zieh dich aus, ganz langsam.

Der Kanister ließ sich nicht aufschrauben. Sie riss sich die Hand auf. Blut tropfte aus der Wunde. Es war ihr egal. Endlich gab der Deckel nach.

Sag es.

Sie verschüttete das Benzin, tränkte das Sofa damit, kippte es über den Tisch, auf dem er Tereza genommen hatte, goss es über den Dielenboden.

Lauter!

Dämpfe breiteten sich aus. Pia hustete und würgte.

Was hat mein Vater sich doch für eine kleine Schlampe angelacht.

Sie riss das Fenster auf und ging hinaus.

Zur Nutte reicht's noch nicht ganz. Die Schuhe hättest du besser anbehalten.

Ein Ratschen, dann war das Streichholz entflammt. Einen Augenblick wartete sie, bis es richtig brannte, dann warf sie es durchs Fenster und wich zurück. Mit einem Knall verpuffte das Benzin-Luft-Gemisch. Einen Moment später brannte die Remise lichterloh.

Pia sah zu, bis Leonhard angerannt kam. Er rief, dass die Feuerwehr bereits unterwegs sei. Erst dann ging sie zurück ins Haus.

Ich bin die Asche einer Glut, die ich nicht war.

Sie hatte Thomas geliebt, und das war nach zwanzig Jahren Ehe eine bittere Erkenntnis. Sie hätte ihm im Bett mehr geben können – ihm und damit auch sich –, wenn sie mit ihm gemeinsam die Andere aus dem Verlies entlassen hätte.

Doch sie hatte es mit dem Falschen versucht.

Und danach nie wieder.

*

Der Sommer ging in den Spätsommer über. Die Tage wurden kürzer und das Licht klarer. Der Herbst nahte. Es war ein Mittwochmorgen Anfang September, als Nane ihren Rucksack packte. In einer halben Stunde wollte sie los. Von Birgit und Mark hatte sie sich am Vorabend schon verabschiedet. Vermutlich für einige Wochen, vielleicht auch Monate. Es würde dauern, bis sie ihr Ziel erreicht hätte, denn sie wusste nicht einmal, wohin sie gehen wollte. Es war kein geografischer Ort, sondern ein innerer, den sie finden musste.

Sie rollte die Softshelljacke zusammen und verstaute sie. Auf dem Tisch lagen noch die Briefe. Vermutlich würde es keine Gerechtigkeit für sie geben. Keine juristische jedenfalls, keine Rehabilitation.

Es war ein Witz. Thomas' Tat – egal ob Totschlag oder Körperverletzung mit Todesfolge – war verjährt. Ebenso die von Pia: Vertuschung einer Straftat. Es würde keinen Prozess geben. Obendrein wurde gegen Tote nicht ermittelt, und Thomas war tot. Hatte sich einfach aus dem Staub gemacht, heimlich und leise.

Frieling wollte dennoch versuchen, ein Wiederaufnahmeverfahren zu erreichen. Es würde nicht leicht werden. Alles, was Nane hatte, waren ein Polaroidfoto und die Geschichte, die Margot ihr erzählt hatte. Hörensagen, denn Margot war nicht dabei gewesen und hielt sich im Moment sehr bedeckt. Pia schwieg, und Lissy konnte nur wiederholen, was ihre Mutter ihr erzählt hatte, wobei sich das wenigstens mit dem Geständnis deckte, das Thomas Sonja gegenüber gemacht hatte.

Frieling würde sich darum kümmern. Das war das eine. Das andere war viel schwieriger. Der Hass saß in Nane. Der Wunsch nach Rache. Ein Zorn, der immer wieder in ihr aufstieg. Es gab auch Phasen der Ruhe und der Freude darüber, frei zu sein und keine Schuld an Hennings Tod zu tragen. Doch kurz darauf gärte wieder diese ohnmächtige Wut in ihr, ein tiefer Groll. Es war wie Ebbe und Flut, und sie wusste, dass sie so nicht leben wollte. Sie wollte nicht den Rest ihres Lebens mit ihrem Schicksal hadern, ihre Schwester anklagen und sich fragen, was gewesen wäre, wenn alles anders gekommen wäre.

Sie wollte nach vorne blicken und ihr Leben genießen, und das ging nur, wenn es ihr gelang, Thomas und Pia zu verzeihen. Ob sie das konnte, musste sie herausfinden.

Sie stopfte Socken und Shirts in den Rucksack und die Salbe für die Blasen, die sie sich unweigerlich laufen würde. Sollte sie nach Santiago de Compostela wandern? Sie war nicht gläubig und keine Pilgerin. Auf alle Fälle erst einmal Richtung Frankreich und dann vielleicht weiter an die Côte d'Azur. Der innere Weg war wichtig. Nicht der äußere.

Geldbeutel, Kreditkarte, Handy, Ausweis – alles fand

seinen Platz. Auch die Isomatte und der Schlafsack. Sie zog die Wanderschuhe an, schulterte den Rucksack und schloss die Wohnung hinter sich ab. Kein Abschiedskomitee, darum hatte sie Birgit und Mark gestern Abend gebeten.

Auf dem Platz vor dem Haus tobte das Leben. Radfahrer, Fußgänger. Kinder und Hunde. Es roch nach Kreuzkümmel und Bratwürsten. Und dann ging sie doch erst einmal auf die andere Seite des Mains zu Marks Coffee & Soul.

Die Frage, ob sie mit ihm gemeinsam Luca großziehen wollte, hatte er nur einmal gestellt, und die Antwort war sie ihm schuldig geblieben.

Das Café war gut besucht. Mark stand hinter dem Tresen und hantierte mit mehreren Tassen gleichzeitig. Überrascht sah er auf, als sie vor ihm stand. »Noch einen Cappuccino, bevor es losgeht?«

»Ja. Und eine Antwort.«

»Wegen Luca?«

Sie nickte.

»Dann gib mir eine Minute.«

Einer der Stehtische wurde frei. Sie ging hinüber und wartete, bis Mark kurz darauf mit dem Cappuccino kam. »Meine Antwort lautet: Ich weiß es nicht. Ich muss erst mit mir ins Reine kommen. Wenn du warten kannst, bis ich zurück bin, dann kann ich es dir sagen.«

Ein erleichtertes Lächeln erschien. »Ich dachte schon, du schließt es ganz aus. Tabuthema.«

»Das ist es nicht. Du weißt, wie gerne ich Mutter geworden wäre. Aber jetzt bin ich Mitte vierzig. Alles hat seine Zeit, und ich weiß nicht, ob ich das kann. Du darfst die Entscheidung nicht von mir abhängig machen, ob du den Jungen zu dir holst.«

»Habe ich auch nicht. Ich habe das schon entschieden. Es gibt so viele alleinerziehende Mütter. Da werde ich das als Vater auch auf die Reihe bekommen. Trotzdem: Ich warte auf dich, Nane. Vielleicht sollten wir einen Neustart versuchen, wenn du wieder da bist.« Er umarmte sie zum Abschied und gab ihr zwei Küsse rechts und links auf die Wange und dann noch einen flüchtigen auf die Lippen.

»Mal sehen«, sagte sie, aber es erschien ihr durchaus möglich.

Bevor es endgültig losging, machte sie noch einen Umweg durch die Vorstadt. Sie war auf der Suche nach der Bushaltestelle von Horst.

Er war nicht da, als sie kam. Gerade hielt ein Bus, Leute stiegen aus, andere ein. Dann fuhr er weiter. Der Spruch stand noch an der Wand. *Am Zorn festhalten ist wie Gift trinken und erwarten, dass der andere daran stirbt.*

Das war es, was sie schaffen musste. Den Zorn loszulassen und ihr eigenes Leben nicht mit Hass zu vergiften. Nane stellte ein Sixpack Bier für Horst unter die Bank des Wartehäuschens.

Dann ging sie davon.

Lesen Sie auch >>

LESEPROBE

Der große Bestseller
der Spannungsmeisterin

Spätsommer 2018. Über Nacht ist Mona Lang reich. Ihre Großtante Klara hat ihr ein großes Haus in München-Schwabing vermacht, denn sie war sich sicher: »Mona wird das Richtige tun.« Was damit gemeint ist, versteht Mona nicht. Doch kaum hat sie Klaras Erbe angetreten, kommt sie einer Intrige auf die Spur, die sich um die Vergangenheit des Hauses rankt – und um ihre Familie.

München 1938. Die junge Klara belauscht an der Salontür ein Gespräch zwischen ihrem Vater und ihrem Vermieter, dem jüdischen Unternehmer Jakob Roth. Es geht um die bevorstehende Auswanderung der Roths – und ein geheimes Abkommen …

Klara

Sommer 1938

Es war ein wunderschöner Sommertag. Ein bunter Tag, wie Klara dachte. Weiß-blau spannte sich der Himmel über München. Rote Hakenkreuzfahnen wehten am Stadtarchiv. Durch das tiefgrüne Laub der Kastanien und Linden davor strich der Wind. Beschwingt bog Klara von der Winzerer- in die Elisabethstraße ein und geriet so in Sichtweite ihrer Mutter. Vielleicht stand sie oben am Fenster und hielt Ausschau nach ihr. Unwillkürlich blieb Klara vor dem Schaufenster des Schuhladens Meyer stehen und prüfte ihre Erscheinung. Mit geübtem Griff zog sie den Lederknoten am schwarzen Halstuch nach oben, streifte einen Fussel von der weißen Bluse und strich den marineblauen Rock ihrer BDM-Uniform glatt. Keine Strähne hatte sich aus dem Zopf gestohlen. Sie sah tadellos aus und ging weiter, so wie ihre Mutter es erwartete. Ordentlich voreinander gesetzte Schritte und nicht breitbeinig nebeneinander, wie ein Bauernmädchen vom Land.

Seit Klara dienstags den Gymnastikunterricht und freitags den Volkstanzkurs des Bunds Deutscher Mädel besuchte, spürte sie, wie ihr Körper sich veränderte. Er wurde beweglicher, geschmeidiger, und sie ging aufrechter. Hoch erhobenen Haupts. Wie sich das für ein deutsches Mädchen geziemte. Sie nahm jede Sehne wahr und jeden Muskel, und es war ein gutes Gefühl, all das zu spüren. Noch besser fühlte es sich an, dass ihr bereits Brüste sprossen. Im November wurde sie vierzehn. Es war also höchste Zeit dafür. Das behauptete jedenfalls ihre Schulfreundin Therese, die es bei vier älteren Schwestern schließlich wissen musste. Nichts sehnte Klara mehr herbei, als vom Mädchen zum Fräulein zu werden. Und irgendwann zu einer eleganten Dame, wie ihre Mutter es war.

Klara steuerte auf das Haus mit dem Schwanenrelief im Giebel zu. Vor vier Jahren waren ihre Eltern mit ihr aus drei Zimmern in Milbertshofen in eine elegante Fünfzimmerwohnung im Schwanenhaus gezogen. Ganz oben in der vierten Etage. Die konnten sie sich nur leisten, weil Herr Roth, der Hauseigentümer, Papa mit der Miete entgegengekommen war. Mama meinte, die Größe und Lage wären ihrem Status angemessen, und das Entgegenkommen bei der Miete sei ein wohlüberlegtes Kalkül von Roth. In diesen Zeiten wäre es für einen jüdischen Unternehmer und Hausbesitzer nur von Vorteil, jemanden in der Justiz zu haben, der einem einen Gefallen schuldete.

Mama war eine anspruchsvolle Frau, wie ihr Vater einmal angemerkt hatte, und schwer zufriedenzustellen. Derzeit hatte sie sich eine Köchin in den Kopf gesetzt. Sie habe zu wenig Personal. Neben einem Dienstmädchen gehöre eine Köchin in den Haushalt eines Oberstaatsanwalts. Doch Papas Beförderung stand erst bevor, Mama musste sich gedulden. Mit dem Gehalt eines Staatsanwalts wäre kein großer Staat zu machen. Das sagte sie häufig, und Klara wusste, dass ihr Vater sich darüber ärgerte. Er gab sein Bestes, aber Mutter war das selten genug.

Der Duft von Lavendel, Jasmin und Bergamotte schlug Klara entgegen, als sie die Straße überquerte und die Parfümerie erreichte, die sich im Erdgeschoss des Schwanenhauses befand. Auf dem schwarz grundierten Glasschild über dem Schaufenster stand in schwungvollen goldenen

Buchstaben *Elisabeth-Parfümerie*. Der Text darunter war abgeklebt. Die Zeile *Seit 1903 – Inh. Jakob Roth* verbarg sich darunter. Monatelang hatte jemand immer wieder die Fenster der Auslagen mit dem Wort JUDE verziert und dem Aufruf, nicht bei ihnen zu kaufen. Seit zwei Wochen hatte die Parfümerie nun einen neuen Eigentümer. Alfons Wagner, den ehemaligen Handelsvertreter der Roths.

Wobei *verziert* schon eine boshafte Formulierung war, wie Klara sich eingestand. Eigentlich taten ihr Mirjam und ihre Eltern leid. Sie konnten nichts dafür, dass sie Juden waren. Das suchte man sich ja nicht aus. Es war Schicksal. Trotzdem hatte Klara sich mit Mirjam zerstritten, obwohl sie Freundinnen gewesen waren. Es war passiert, als Klara dem BDM beigetreten war. Mirjam konnte und wollte natürlich nicht Mitglied werden und hatte ihr vorgeworfen, sich gegen sie zu stellen. Gegen Juden überhaupt. Böse Worte waren hin und her geflogen. Und schließlich hatte Mirjam Klara eine *braune Schnepfe* genannt, und seither redeten sie nicht mehr miteinander. Mama war darüber erleichtert. »Dieses jüdische Mädchen ist kein Umgang für dich. Du bist klug, dass du das erkannt hast.« Natürlich war Klara stolz auf dieses Lob aus dem Mund ihrer Mutter. Zur Belohnung hatte sie das Buch *Der Trotzkopf* geschenkt bekommen und binnen zweier Tage verschlungen. Mittlerweile hatte sie auch die Fortsetzungen gelesen und war entschlossen, in ihrem Leben alles richtig zu machen. So wie Ilse Macket, die Heldin der Romane, die anfangs ein ungestümer und widerspenstiger Trotzkopf gewesen war und am Ende ihren Platz an der Seite eines guten Mannes fand. Eine tugendhafte deutsche Frau.

Klara sah durch die Scheibe. Hinter der Verkaufstheke in der Parfümerie stand die dralle Gerda Wagner mit ihren blond gefärbten Haaren und beriet eine Kundin. Im Schaufenster waren noch immer die Produkte der Kosmetik-Manufaktur Roth ausgestellt. Seifen, Cremes, Parfums und Eau de Toilette, Puder und Lippenstift. Dazwischen stand ein handgemaltes Plakat. *Jetzt in deutscher Hand.*

Hatte Wagner nicht nur die Parfümerie, sondern auch die Fabrik der Roths übernommen, die sie in Freimann betrieben?

Es war noch nicht lange her, dass Vater beim Abendbrot gesagt hatte, dass es den Roths nass reinginge. Niemand kaufe mehr bei Juden, und der Umsatz von Roths Kosmetikmanufaktur war ins Bodenlose gefallen. Das habe Roth ihm anvertraut. Im April hatten die Juden obendrein ihre gesamten Vermögen melden müssen, und Roth schwante nichts Gutes. Er befürchtete, dass man sie früher oder später enteignen würde, und überlegte, mit seiner Familie Deutschland zu verlassen. Mama hatte gemeint, das wäre wohl das Beste. Nur, dass auch niemand anderer die Juden haben wolle, wie ja die Konferenz von Évian am Genfer See vor wenigen Tagen erst gezeigt hatte. Nicht mal die USA, die diese Konferenz auf den Weg gebracht hatten, waren bereit, ihr Kontingent an Visa für jüdische Flüchtlinge zu erhöhen.

Im Treppenhaus begegnete Klara Mirjam. Sie kam aus der Wohnung der Roths in der ersten Etage und sah aus, als hätte sie geweint. Die Augen waren ganz rot und geschwollen. Sie schlug sie nieder, als sie Klara sah, und lief rasch an ihr vorbei. Einen Moment war Klara versucht, ihr nachzulaufen und sie zu trösten. Sie rang den Impuls nieder, denn sie wollte es sich nicht mit ihrer Mutter verderben, und außerdem war Mirjam an der Reihe. Sie hatte *braune Schnepfe* gesagt. Erst musste sie sich entschuldigen.

*

Oben in der Wohnung hing Vatis Mantel an der Garderobe, also war er früher vom Gericht nach Hause gekommen. In der Küche rumorte Gertrud, das Dienstmädchen, während Mama im Salon telefonierte. Die Tür von Vaters Studierzimmer war geschlossen. Gab es wieder einmal dicke Luft zwischen ihren Eltern? Klara ging auf Zehenspitzen durch den Flur. Aus dem Salon klang Mamas Stimme.

»Ernst-Friedrichs Ernennung zum Oberstaatsanwalt kann nicht mehr lange auf sich warten lassen, und dann werde ich eine Köchin engagieren.«

Durch den Türspalt sah Klara den Schattenriss ihrer Mutter im Gegenlicht vor dem Fenster. Seufzend strich sie sich eine Locke aus dem Gesicht. »Ja, Mutter. Das sehe ich genauso. Dann kann er mir das nicht länger verwehren.« Mama telefonierte also mit Großmutter. Das konnte dauern. Vor allem, wenn sie sich über Papa ärgerte, was sie häufig tat. Ein wenig mehr Ehrgeiz täte ihm gut, fand Mama, die ihn auch insgesamt für zu weich hielt. Klara mochte ihren Vater genauso gerne wie ihre Mutter. Doch in letzter Zeit spürte sie, wie sich ihre Haltung zu ihm veränderte. Vielleicht war er ja wirklich zu schwach, und das in einer Zeit, die entschlossene und starke Männer erforderte, wie ihre Klassenlehrerin stets betonte.

Sie waren mit dem Essen noch nicht fertig, als es an der Wohnungstür schellte und kurz darauf Gertrud Herrn Roth anmeldete. Vati entschuldigte sich und verschwand mit Mirjams Vater im Studierzimmer. Mama bat Gertrud, das Essen abzuräumen, und schickte Klara auf ihr Zimmer, das sich neben Vatis befand. Wollten die Roths wirklich auswandern? Nach Amerika vielleicht? Doch dort wollten sie die Juden ja auch nicht, wenn stimmte, was Mama über die Konferenz gesagt hatte. Wieder hatte Klara Mitleid mit Mirjam und deren Eltern. Am liebsten wäre sie zu ihrer Freundin hinuntergelaufen und hätte sie fest in den Arm genommen.

Stattdessen presste Klara das Ohr an die Wand, doch sie konnte nichts verstehen. Vielleicht ging es im Flur besser. Sie öffnete so leise wie möglich die Tür und sah direkt auf den Rücken ihrer Mutter, die an Vatis Studierzimmer lauschte. Lautlos schloss Klara die Tür wieder.

In den folgenden Tagen spitzte sie die Ohren. Mama war einsilbig, und Papa verschwand in seinem Zimmer, sobald er nach Hause kam, und blieb dort bis tief in die Nacht. Manchmal hörte Klara die Schreibmaschine klappern. Als sie am Freitag vom Volkstanzkurs zurückkam, saß Großmutter bei Mama im Salon, in ihrem Sessel direkt unter dem Gemälde von Lovis Corinth, das sie ihrer Tochter als Mitgift gegeben hatte. Großmutter war eine imposante Erscheinung. Sie erinnerte Klara an Brunhilde aus dem *Illustrierten Buch Deutscher Sagen*. Eine große Frau von kräftiger Statur, die immer noch das Schwarz der Witwen trug, obwohl Opa schon vor fünfzehn Jahren gestorben war.

Artig begrüßte Klara ihre Großmutter und wurde dann

von Mama in die Küche zu Gertrud geschickt. Die solle ihr Tee machen und ein Stück vom Gesundheitskuchen geben. Danach wäre es Zeit, Hausaufgaben zu erledigen. Mama wollte also ungestört mit Oma reden. Doch Klara wollte wissen, was los war. Ob ihre Eltern etwa erwogen, sich scheiden zu lassen. Es wäre die größte Schande, und der Gedanke war so entsetzlich, dass Klara ihn gleich wieder beiseiteschob. Dennoch arbeitete er weiter in ihr, und schließlich ging sie zur Toilette, um vielleicht etwas von der Unterhaltung aufzuschnappen. Die Tür zum Salon stand offen. Als sie daran vorbeiging, verstummte das Gespräch der beiden Frauen für einen Moment und setzte erst wieder ein, als Klara die Badezimmertür öffnete. Sie verließ das Bad gleich wieder, schlich auf Zehenspitzen über den dicken Läufer zurück, blieb neben der Kommode im Flur stehen und spitzte die Ohren. Sie verstand nicht jedes Wort, doch einiges. Es ging nicht um eine Scheidung, wie sie erleichtert feststellte. Vielmehr wollte ihr Vater den Roths das Haus abkaufen. Hinter Mamas Rücken. Aber sie hatte es natürlich herausgefunden. Die Roths würden nach Amerika auswandern, erklärte Mama. Anscheinend hatten sie Beziehungen und einen Bürgen in Chicago. Damit stiegen die Chancen, an die raren Visa zu gelangen. Geld hätten sie außerdem genug, meinte Mama. Denn bestimmt hätten sie nicht alles ordnungsgemäß angemeldet. Außerdem wäre Alfons Wagner sicher nur ein Strohmann. »Der Roth schiebt einen anderen vor und macht weiter. Wenn Ernst- Friedrich davon wüsste, müsste er der Sache vermutlich nachgehen.«

»Warum sagst du es ihm nicht?«, fragte die Großmutter.

»Ganz sicher weiß ich es ja nicht. Außerdem will ich den Roths nichts Böses. Sollen sie meinetwegen auswandern. Hauptsache, sie verschwinden.«

»Hauptsache, Ernst-Friedrich kann das Haus günstig kaufen, meinst du.«

Mona

September 2018

»Nachlasssache Klara Benedicte Hacker, geboren 17. 11. 1924 in München, verstorben 25. 07. 2018 in München.«

Es dauerte einen Moment, bis Mona diesem Namen ein Gesicht zuordnen konnte. Eine entfernte Verwandte ihrer Mutter, die in der Familie Tante genannt wurde, obwohl sie eine Art Großcousine war. Tante Klara. Mona hatte sie nur ein paar Mal getroffen. Zuletzt am siebzigsten Geburtstag ihres Vaters vor vier Jahren. Da war Tante Klara schon an die neunzig gewesen. Das Haar silberweiß und so schütter, dass die Kopfhaut durchschimmerte. Eine mädchenhafte Figur und ein energisches Auftreten, das ihrer körperlichen Zartheit widersprach. Wie eine in die Jahre gekommene Primaballerina, dachte Mona nun. Ihr aufrechter Gang, ihre Energie, ihr wacher Geist. Gut geklei- det. Reichlich Schmuck. Dezent geschminkt. Eine Dame. Tante Klara war an Vaters Geburtstag die Einzige gewesen, die sie in Schutz genommen hatte. Und nun war sie gestorben. Vor sechs Wochen schon und niemand aus der Familie hatte es für nötig gehalten, Mona zu informieren.

Wäre sie zur Beisetzung gefahren, wenn sie es gewusst hätte? Tante Klara hatte ihr imponiert. Sie hatten sich an Vaters Geburtstag gut unterhalten, ein wenig über die Familie gelästert, und am Ende des Abends hatten sie beide einen Schwips gehabt. Gut möglich, dass sie an der Trauerfeier teilgenommen hätte. Aber diese Möglichkeit hatte man ihr gar nicht erst gegeben. Ärger stieg in Mona auf und überdeckte den Schmerz, es wieder einmal nicht wert gewesen zu sein. »Sei's drum«, sagte sie in die Stille der Küche. »Es wird sich nie ändern.« Dieser Zug war abgefahren, und es war nicht mehr wichtig. Sie war erwachsen.

Also hatte sie längst einen bitteren Frieden geschlossen mit der kühlen Distanz ihrer Mutter, dem Desinteresse ihres Vaters, der Überheblichkeit ihres älteren Bruders und den Vorwürfen ihrer jüngeren Schwester. Trotzdem tat es weh, übergangen zu werden. Wieder einmal hatten sie ihr ge- zeigt, wo ihr Platz war.

Mona schenkte sich eine zweite Tasse Kaffee ein und griff nach dem Smartphone. Im Fotoordner fand sie ein Bild von Tante Klara auf der Geburtstagsfeier. Sie saß in einem Polstersessel und blickte direkt in die Kamera. Das Kinn leicht angehoben, ein angedeutetes Lächeln im faltigen Gesicht. Vermutlich war Klara in ihrer Jugend hübsch gewesen. Das dunkle Blau der Augen fiel Mona wieder auf und die leicht hochgezogene Augenbraue, die ihrem Blick Skepsis verlieh. Diesen Blick kannte Mona von sich, und für einen Moment fühlte sie Verbundenheit mit der alten Dame.

Bernd kam herein. Er trug Boxershorts und ein T-Shirt. Die dunklen Haare waren verstrubbelt, und seine Bartstoppeln kratzten, als er sie umarmte und seine Wange an ihre legte. »Guten Morgen. Es roch so gut nach Kaffee.«

»Ist noch ganz frisch.«

»Und wegen gestern … Ich fühle mich ziemlich schäbig. Können wir den Streit einfach vergessen?«

»Das ist wohl das Beste.«

Er drückte ihr einen Kuss aufs Haar, schenkte sich Kaffee ein und bemerkte das Kuvert. »Ach, der Postbote war's. Ich hab mich schon gefragt, wer so früh klingelt.«

»Es ist halb elf.«

»Vom Amtsgericht? Gibt's Probleme?«

»Nein. Es geht um eine Erbschaftssache. Tante Klara ist gestorben. Eine entfernte Verwandte meiner Mutter.«

»Oh, das tut mir leid.«

»Muss es nicht. Ich hab sie kaum gekannt, und sie ist mit beinahe vierundneunzig gestorben. Ein erfülltes Leben, wie man so sagt. Vermutlich jedenfalls.«

»Und du bist ihre Erbin?«

»Nicht ich, sondern Mama. Klara wird mir eine Erinnerung hinterlassen haben, nehme ich an. Vielleicht ein Schmuckstück.«

»Du hast das Testament noch nicht gelesen?«

»Wollte ich gerade.« Sie griff nach dem Brief, überflog das Anschreiben und blätterte um. Angeheftet war die Kopie des Testaments, das Klara im Herbst vor vier Jahren bei einem Notar gemacht hatte. Kurz und knackig. Eine Seite nur. Verwundert schüttelte Mona den Kopf.

»Was ist?«

Das würde Ärger geben. »Lies selbst.« Sie reichte Bernd das Schreiben.

»Du bist Alleinerbin. Das ist doch toll!«

»Vielleicht hat mir deshalb niemand Bescheid gesagt. Wenn Mama es schon weiß, bin ich jetzt die Erbschleicherin. Dabei hatte ich keine Ahnung.«

»Sie wird Klaras Entscheidung schon akzeptieren. Ich mach uns mal Frühstück. Magst du Rührei?«

Während Bernd mit der Pfanne hantierte, saß Mona wie vor den Kopf geschlagen am Tisch. Der Kontakt zur Familie war seit ihrem Umzug nach Berlin eingeschlafen, aber nie ganz abgebrochen. Man sah sich gelegentlich zu Familienfeiern und ab und zu an Weihnachten oder Ostern. Sie schickte zuverlässig Geburtstagskarten und Geschenke für ihre Eltern und Geschwister, ihre beiden Nichten und den Neffen. Doch jetzt war der Faden offenbar endgültig gerissen. Und damit war der letzte Rest an Hoffnung dahin, irgendwann doch noch eine Erklärung zu erhalten, was mit ihr nicht stimmte. Wobei sie sich das ja nur einbildete. Sie habe eine überspannte Fantasie, mit dieser Phrase hatte Mama ihre Fragen stets abgewimmelt.

Seit sie denken konnte, fühlte Mona sich als Außenseiterin der Familie. Julian, ihr älterer Bruder, war Mamas Liebling, und Heike, die Nachzüglerin, Papas Augenstern. Mona hingegen schien unsichtbar zu sein. Sie fühlte sich ungeliebt. Nicht wahrgenommen, fremd. Sie wusste nicht, woran es lag. Ihre Mutter hatte dieses Gefühl immer als Hirngespinst abgetan. Jedes Mal, wenn Mona es angesprochen hatte, hatte ihre Mutter sie zum Beweis ihrer mütterlichen Liebe in den Arm genommen und geknuddelt. Doch immer hatte es sich wie eine Lüge angefühlt.

Während der Pubertät war Mona auf die Idee gekommen, sie könnte adoptiert sein, und hatte in den Unterlagen ihrer Eltern geschnüffelt, aber nie etwas gefunden.

»Was du erbst, steht nicht im Testament. War sie reich?«

»Glaub ich nicht. Sie hat über vierzig Jahre als Sekretärin in einem Ministerium gearbeitet. Da häuft man kein Vermögen an.«

»Vielleicht ihr Mann. War sie verheiratet?«

»Nein. Wie so viele Frauen nach dem Krieg. Klara war gut situiert, wie man so sagt. Sie hat ihr Geld gern für Schmuck ausgegeben.«

»Und mit dem hat deine Mutter gerechnet.«

»Auch. Aber es geht hauptsächlich um ein Gemälde, das Klara von ihrer Mutter geerbt hat. Ein Landschaftsbild von Lovis Corinth.«

Bernd pfiff durch die Zähne. »Ein Corinth. Nicht schlecht. Der muss einiges wert sein.«

»So um die hunderttausend, hat Mama mal gesagt. Sie geht davon aus, dass sie das Bild erbt. Vielleicht sollte ich es ihr geben, bevor es Streit gibt.«

»Ach, Mona. Für hunderttausend kann man schon einen Streit riskieren. Außerdem: Wenn Klara gewollt hätte, dass deine Mutter das Bild bekommt, hätte sie es ihr vermacht und nicht dir.«

*

Im Testament stand, Mona solle sich an Oliver Sander wenden, Klaras Steuerberater.

Der ICE erreichte pünktlich den Münchner Hauptbahnhof. Mit der U-Bahn fuhr Mona zum Odeonsplatz und ging die Theatinerstraße entlang auf der Suche nach dem Haus, in dem Oliver Sander sein Büro hatte. Über die Adresse hatte sie sich gewundert. Eine der teuersten Ecken Münchens. Exklusive Innenstadtlage in der Nähe der Theatinerkirche und der Feldherrnhalle. Residenz und Oper nur einen Steinwurf entfernt. Es war ein flirrend schöner Septembertag voll südlichen Flairs. Der Himmel so blau und das Licht so klar, wie es das nur in München gab.

Die angegebene Hausnummer entdeckte Mona in einer Passage. Im Durchgang lag ein Obdachloser auf einer Decke und schlief. Unwillkürlich griff sie in die Jackentasche, warf einen Euro in den aufgestellten Becher und trotzig einen zweiten hinterher, als sie an Bernd dachte, den das *fertigmachen* würde. Sie hatte mehr als dieser alte Mann. Die zwei Euro fehlten ihr nicht wirklich, und ihm halfen sie.

Mona öffnete die Tür und trat in ein elegantes Treppenhaus. Sie straffte die Schultern und fuhr mit dem Lift zur Steuerkanzlei in der vierten Etage.

Doppelflügeltür aus Eiche. Messingschild. Als sie klingelte, ertönte ein Summer. Die Tür sprang automatisch auf, und Mona versank beinahe knöcheltief in der Auslegware. Unwillkürlich stellte sie sich die Frage nach Sanders Stundensatz.

»Sie sind sicher Frau Lang. Schön, Sie kennenzulernen.« Eine mollige Frau in Monas Alter kam hinter dem Empfangstresen hervor und begrüßte sie mit einem Lächeln.

»Ich bin Patricia Weber und die erste Anlaufstelle für Mandanten. Wenn Sie Fragen haben, einen Termin brau-

Während der Pubertät war Mona auf die Idee gekommen, sie könnte adoptiert sein, und hatte in den Unterlagen ihrer Eltern geschnüffelt, aber nie etwas gefunden.

»Was du erbst, steht nicht im Testament. War sie reich?«

»Glaub ich nicht. Sie hat über vierzig Jahre als Sekretärin in einem Ministerium gearbeitet. Da häuft man kein Vermögen an.«

»Vielleicht ihr Mann. War sie verheiratet?«

»Nein. Wie so viele Frauen nach dem Krieg. Klara war gut situiert, wie man so sagt. Sie hat ihr Geld gern für Schmuck ausgegeben.«

»Und mit dem hat deine Mutter gerechnet.«

»Auch. Aber es geht hauptsächlich um ein Gemälde, das Klara von ihrer Mutter geerbt hat. Ein Landschaftsbild von Lovis Corinth.«

Bernd pfiff durch die Zähne. »Ein Corinth. Nicht schlecht. Der muss einiges wert sein.«

»So um die hunderttausend, hat Mama mal gesagt. Sie geht davon aus, dass sie das Bild erbt. Vielleicht sollte ich es ihr geben, bevor es Streit gibt.«

»Ach, Mona. Für hunderttausend kann man schon einen Streit riskieren. Außerdem: Wenn Klara gewollt hätte, dass deine Mutter das Bild bekommt, hätte sie es ihr vermacht und nicht dir.«

*

Im Testament stand, Mona solle sich an Oliver Sander wenden, Klaras Steuerberater.

Der ICE erreichte pünktlich den Münchner Hauptbahnhof. Mit der U-Bahn fuhr Mona zum Odeonsplatz und ging die Theatinerstraße entlang auf der Suche nach dem Haus, in dem Oliver Sander sein Büro hatte. Über die Adresse hatte sie sich gewundert. Eine der teuersten Ecken Münchens. Exklusive Innenstadtlage in der Nähe der Theatinerkirche und der Feldherrnhalle. Residenz und Oper nur einen Steinwurf entfernt. Es war ein flirrend schöner Septembertag voll südlichen Flairs. Der Himmel so blau und das Licht so klar, wie es das nur in München gab.

Die angegebene Hausnummer entdeckte Mona in einer Passage. Im Durchgang lag ein Obdachloser auf einer Decke und schlief. Unwillkürlich griff sie in die Jackentasche, warf einen Euro in den aufgestellten Becher und trotzig einen zweiten hinterher, als sie an Bernd dachte, den das *fertigmachen* würde. Sie hatte mehr als dieser alte Mann. Die zwei Euro fehlten ihr nicht wirklich, und ihm halfen sie.

Mona öffnete die Tür und trat in ein elegantes Treppenhaus. Sie straffte die Schultern und fuhr mit dem Lift zur Steuerkanzlei in der vierten Etage.

Doppelflügeltür aus Eiche. Messingschild. Als sie klingelte, ertönte ein Summer. Die Tür sprang automatisch auf, und Mona versank beinahe knöcheltief in der Auslegware. Unwillkürlich stellte sie sich die Frage nach Sanders Stundensatz.

»Sie sind sicher Frau Lang. Schön, Sie kennenzulernen.« Eine mollige Frau in Monas Alter kam hinter dem Empfangstresen hervor und begrüßte sie mit einem Lächeln.

»Ich bin Patricia Weber und die erste Anlaufstelle für Mandanten. Wenn Sie Fragen haben, einen Termin brauchen oder was auch immer, wenden Sie sich einfach an mich.«

»Ja, gerne.« Mona verstand nicht recht, was Patricia Weber meinte.

»Mein Beileid zu Ihrem Verlust. Frau Hacker war eine sehr interessante Frau, eine Persönlichkeit. Wir haben sie alle sehr geschätzt.«

»Danke. Ja, sie war ... bemerkenswert.« Mona konnte ja schlecht erklären, dass sie Klara kaum gekannt hatte. Patricia Weber klopfte kurz an einer Tür und ließ ihr den Vortritt. »Frau Lang ist da.«

Hinter dem Schreibtisch erhob sich ein gemütlich wirkender Mittvierziger. Bauchansatz, hellblaues Businesshemd, Krawatte, anthrazitgraue Anzughose. Das Haar wurde bereits lichter. Er reichte ihr die Hand. »Grüß Sie. Es freut mich, Sie kennenzulernen.«

»Ganz meinerseits.«

Auch Sander sprach ihr sein Beileid aus, verlor ein paar Worte über die gelungene Trauerfeier, und Mona war es unangenehm, dass sie, die Alleinerbin, nicht daran teilgenommen hatte. Doch sie konnte ihm unmöglich sagen, dass sie nichts davon gewusst hatte. Es wäre zu peinlich, die eigene Familie bloßzustellen.

Eine Kirchturmuhr schlug zwölf. Sander rieb sich die Hände. »Zeit fürs Mittagessen. Ich habe einen Tisch im Alfredos reserviert. Das war das Lieblingslokal Ihrer Tante. Wir haben uns meistens dort getroffen. Ist Ihnen das recht?«

»Ja, natürlich. Das ist eine schöne Idee.«

»Na, dann lassen Sie uns keine Zeit verlieren.« Er nahm das Sakko von der Stuhllehne, hielt die Tür für Mona auf und bat Patricia Weber, ein Taxi zu rufen, denn in Schwabing bekäme man keinen Parkplatz.

Sander nannte dem Fahrer eine Adresse in der Elisabethstraße. In dieser Straße hatte Klara gelebt, das wusste Mona, obwohl sie nie dort gewesen war. Die Fahrt dauerte nur ein paar Minuten. Das *Alfredos* war ein elegantes italienisches Restaurant. Damast-Tischdecken, Silberbesteck, Kristallgläser. Gedämpfte Musik. Sie wurden von einem Kellner an einen Tisch am Fenster geführt. Kurz darauf hielt Mona ein Glas Prosecco als Aperitif in der Hand und stieß mit Klaras Steuerberater an. Er hob sein Glas auch Richtung Fenster. »Sollen wir auf Frau Hacker anstoßen?« Mona folgte seinem Blick. Auf der gegenüberliegenden Straßenseite entdeckte sie ein wunderschönes Jugendstilhaus. Über mehrere Etagen Stuck, geschwungene Formen, florale Elemente, vergoldete Verzierungen und in der Rosette am Giebel ein Schwanenpaar, das die Köpfe Höcker an Höcker legte. Ein beeindruckendes und liebevoll instand gehaltenes Gebäude.

»Ihre Tante hat beinahe ihr ganzes Leben im Schwanenhaus gelebt«, sagte Sander.

Das hatte Mona nicht gewusst. Sie versuchte sich vorzustellen, wie es war, immer im selben Haus zu wohnen. Nie umzuziehen, nie in einer anderen Stadt zu leben oder in einem anderen Land. Leute zogen ein und aus. Ein Kommen und Gehen im Laufe der Jahre und Jahrzehnte. Nur man selbst blieb. Wieso?